Tratziger, Adam

Tratziger's Chronik der Stadt Hamburg

Tratziger, Adam

Tratziger's Chronik der Stadt Hamburg

Inktank publishing, 2018

www.inktank-publishing.com

ISBN/EAN: 9783747739266

Tratziger's

Chronica

der

Stadt Hamburg.

Herausgegeben

von

J. M. Lappenberg.

39

Hamburg 1865.

Perthes-Besser & Mauke.

240. e. 19.

Inhalt.

Druckfehler und kleine Berichtigungen.

S. II. Z. 17. Lies: Nur der anziehende.

S. 103. Note 2. L. Fidicin.

S. 135. Note 2. L. später 1414—1430 Rathsherr.

S. 140. l. J. 1415. Z. 2 L. Schöne.

S. 141. Am Rande lies 1415. Note a. L. fehlen nicht nur.

S. 150. N. 2. L. Stadtrechnung von 1421.

S. 152. Die Zeitbestimmung auf S. 153 „Donnerstags nach Nativitatis Mariä" gehört zu S. 152 letzte Zeile.

S. 165. Z. 10. L. Poenalmandat.

S. 190. N. 2. Z. 4. L. Stammtafeln.

S. 238. Z. 16. L. Thomas Rode. Vergl. S. LXXVII.

S. 242. N. 1. Z. 7. L. Henning Buring.

S. 270. Z. 17. L. Franz zu Lüneburg. Vergl. S. LXXVIII.

S. 285 l. Z. L. von einem hundert Gulden.

S. 292. N. 2. Mein Exemplar der Schrift von Wesselmeyer ist: in Druck zu Basel ausgegangen.

S. 294. Z. 12. L. darvon.

S. 297. N. 2. Z. 5. L. Osnabrück durch den Mag. Joh. Schröder.

S. 314 fehlt Cimbechsches Haus S 277, 15.

S. 332 fehlt Wullenwever Georg S. 271

—— Von Seven. Zu trennen sind 1) Erich S. 130. N. 11. S. 135. N. 5—S. 181. 2) Erich S. 203. N. 1. 3) Erich S. 216—249. N. 1.

—— Zalzborch f. Salzburg.

S. 338 fehlt betagen S. 141, 24. 148, 10. fristen.

S. 345 Urteil., feminin, auch 152, 24.

S. 346 Volk, Kriegsvolk; Collectivum mit dem Plural, 152, 18.

Vorwort.

Es ist sehr zu beklagen, daß der Stadt Hamburg nicht vor der Kirchenreformation ein eigener Geschichtsschreiber in der heimischen Sprache geworden ist. Für die früheren Jahrhunderte fehlt es freilich in den Werken, welche die Geistlichen der hamburg-bremer Diöcese, vom Erzbischofe Rimbert an bis zu dem Domherrn Dr. Albrecht Crantz, der Geschichte des bremischen Erzbisthums oder selbst der ihnen bekannten Welt gewidmet haben, nicht ganz an einzelnen wichtigen Notizen über Hamburg, doch entbehren wir irgend einer größeren freiwillig oder im Auftrage des Rathes verzeichneten Stadtchronik, wie Lübeck sich seit der ersten Hälfte des vierzehnten Jahrhunderts einer solchen erfreuet, oder Bremen in der Chronik des Gerhard Rynesberch und Herbord Schene. Auch andere niedersächsische Städte besaßen ähnliche Geschichtswerke, wie für Rostock ein uns erhaltenes, aus denselben ausgeschriebenes, doch bereits mit spätern Erläuterungen versehenes, sehr interessantes Fragment von 1310—14 bezeugt [1]).

Unmittelbar in und für Hamburg scheinen keine Jahrbücher früher niedergezeichnet zu sein, als die Auszüge eines hiesigen ungenannten Minoriten aus den Annalen des Abtes Albrecht von Stade, welche jener bis zum Jahre 1265 fortsetzte [2]). Als ein Erstlings-Versuch hamburgischer Geschichts-

---

[1]) Es schließt mit den Worten z S. 1329: „Hir endet sick de manstritlike vnd grobelauige werdige Cronika der loflifen stadt Rostock". Es ist herausgegeben von Dr. L. R. Schröter. Rostock 1826. 4.

[2]) Früher unter dem Titel: Incerti auctoris chronica sclavica gedruckt in Lindenbrogs Scriptores rerum septentrionalium, dann als Annales Albiani in Langebek Scriptores rerum Danicarum, neuerlich von mir herausgegeben, mit Weglassung des Ueberflüssigen, genauer als Annales Hamburgenses in den Monumentis Germaniae historicis. T. XVI.

Tratziger's Chronik.   I

schreibung ist uns der außerordentlich lehrreiche Bericht von dem von der Stadt Hamburg für die Grafen von Holstein getragenen Kostenaufwande aufbewahrt [1]. Er dürfte seine Entstehung dem Jahre 1285 verdanken und, wenn gleich größtentheils auf den Stadtrechnungen und Urkunden, doch gleichfalls auf älteren geschichtlichen Niederzeichnungen beruhen. Manche inhaltsreiche und schöne Berichte aus den früheren Jahrhunderten sind verloren gegangen, wie ich einige derselben kannte, welche jetzt nur sehr fragmentarisch vorhanden sind. Ich denke zunächst an einen Bericht über den Anfang der Streitigkeiten der Stadt mit dem Domcapitel in der ersten Hälfte des vierzehnten Jahrhunderts; einen deutsch geschriebenen über die Handwerkerunruhen im Jahre 1376 und einen in derselben Sprache herrlich abgefaßten Bericht über den Kriegszug der Hamburger und Lübecker nach Kopenhagen im Jahre 1427. Der letzte ist theilweise in der Niederd. Lübecker Chronik erhalten, der zweite dem wesentlichen Inhalte nach bei Tratziger. Nur Tratziger's anziehender Bericht des Bürgermeisters Langebek über den Aufstand zu Hamburg im Jahre 1483 ist in einer einzigen Handschrift neuerlich wieder von mir aufgefunden und läßt uns schmerzlich vermissen, was wir an ähnlichen Aufsätzen eingebüßt haben mögen. Selbst die verschiedenen Berichte über die Kirchenreformation zu Hamburg haben erst durch nicht geringe literarische Bemühungen zu ihrer vollen Geltung gelangen können. Der Gedanke einer specifisch Hamburger Stadtchronik scheint unseren Vorfahren ferne gelegen zu haben, wie denn selbst die Lübecker Stadtchronik die Geschichte ihrer Stadt im steten Zusammenhange mit der von Holstein und der eng verbundenen Hansestädte aufgefaßt hat. Wir besitzen dagegen noch mehrere s. g. wendische Chroniken, welche in deutscher oder auch in lateinischer Sprache die Geschichte Hamburgs mit derjenigen der s. g. wendischen Städte annalenartig verzeichnen, während die nordelbische Chronik den holsteinischen beizugesellen ist. Es ist von diesen, da sie zu Tratziger's Arbeit in keiner unmittelbaren Beziehung stehen, sie auch sämmtlich etwas älter sind, soferne dieselben zunächst Hamburg betreffen, hier genügend auf die von mir neuerlich veranstaltete Ausgabe der niedersächsischen Chroniken Hamburgs zu verweisen.

So groß das Interesse ist, was einzelne Niederzeichnungen von Laien nach der Kirchenreformation über Hamburgische Geschichte für uns haben, so sind dieselben doch nur als Materialien zu einer Chronik zu betrachten. Der erste, welcher

---

[1] Gedruckt im hamburg. Urkundenbuch Bd. 1. No. 818.

eine Geschichte der Stadt Hamburg bis auf seine Zeit zu schreiben unternahm, war der Hamburger Syndikus Dr. Adam Tratziger, ein Fremder, welcher das Bedürfniß einer Geschichte der Stadt, deren Rechte zu vertheidigen er berufen war, besonders empfinden mußte, und dem bei nicht geringfügiger Kunde der damaligen Literatur, die Benutzung der wichtigsten archivalischen Schätze offen stand. Wenn Tratziger unter den Geschichtschreibern seiner Zeit auch keineswegs hoch zu stellen ist, so ist doch meistens seine historische Treue zu rühmen und sein Werk als ein zuverlässiger Auszug aus vielerlei, zuweilen im Originale jetzt nicht mehr vorhandenen Documenten für uns nicht unwichtig. So ist er auch bisher stets angesehen und wird, wenngleich seine Quellen jetzt besser nachgewiesen werden konnten, noch immer bleiben. Wir wollen es uns daher nicht versagen, die Lebensverhältnisse unseres Chronisten, besonders für die frühere Zeit und seine eigenthümliche Amtsstellung, bis er außer Verbindung mit Hamburg trat, näher zu betrachten.

Der Hamburger Syndikus Dr. Adam Tratziger, welcher durch seine Erziehung und einen langen, thätigen Lebenslauf dem nördlichen Deutschland sich eingebürgert hat, war, wie er selbst berichtet, in Nürnberg geboren und durch seine Mutter ein Enkel des dortigen berühmten Rechtsgelehrten Dr. Johan Letscher [1]).

Diese Angaben haben Nürnberger Geschichtskundigen genügt, um uns folgende nähere Auskunft über seine Herkunft zu ertheilen. Gegen das Ende des 15ten Jahrhunderts gab es unter den vielen ursprünglich vom Handwerke des Schmidt's sich benennenden Familien in Nürnberg eine besonders vermögliche, der Sage nach aus Steiermark oder auch aus Schlesien eingewanderte, welche sich von dem besondern Erwerbszweige, welcher von einem Rudolf von Nürnberg um's Jahr 1400 erfunden sein soll [2]) und die Quelle ihres Wohlstandes geworden war, Dratzieher nannte, anfänglich neben und mit dem frühern Namen Schmidt, später ohne denselben. Sie gehörte nicht zu den rathsfähigen, doch jedenfalls zu

---

[1]) In seiner Rede de dignitate Jurium, Lips. 1543, abgedruckt in Wilsens Leben D. Adami Tratzigeri p. 30 — 51: Norimberga, nobilissima totius Germaniae superioris emporium, patria mea dulcissima. Und p. 35 Avus maternus etc.

[2]) Ich fand diese Notiz in Paul von Stetten Kunst-, Gewerbe- und Handwerks-Geschichte von Augsburg, S. 223, wo jedoch zugleich für dasselbe Gewerbe in dieser Stadt ein höheres Alter angenommen wird. — Die Nürnberger Tratzieher sind noch jetzt durch ihre vortrefflichen Dratsaiten zum Beziehen musikalischer Instrumente ausgezeichnet.

1 *

ben erbaren Geschlechtern. Conrad Schmidt Dratzieher wird in einer Urkunde vom 30. October 1481 ersam und weise, in einer vom 12. Januar 1487 erbar genannt. Am 4. Juli 1492 ist bereits von der Vormundschaft über seine Söhne Conrad oder Cunz und Franz die Rede. Dieser Conrad Dratzieher, denn so nannten sie sich jetzt vorzugsweise, war es, welcher am 8. Februar 1508 die Jungfrau Helena, Tochter des oben bezeichneten, aus Ulm gebürtigen, ausgezeichneten Nürnbergischen Rechtsgelehrten Dr. Johan Letscher († 1521) und seiner schon vor mehr als 13 Jahren verstorbenen Ehewirthin Ursula, heirathete. Daß aus dieser Ehe unser Adam Dratzieher entsproß, scheint nicht zu bezweifeln. Dieser soll im Jahre 1523 geboren sein [1]), eine Schwester Eva im Jahre 1531; andere Geschwister sind nicht aufgeführt.

Vom Conrad sind nur wenige Notizen bekannt. Die erste ist, daß er gleich nach der Hochzeitsfeier wegen Ueberschreitung der Kleiderordnung vom Rathe in eine Strafe genommen werden sollte, welche ihm jedoch nachgelassen ward, „weil er dem Rathe zu zweien Malen im Heiligthum als ein Junker gedienet hatte". Es war nämlich üblich, daß junge Männer von gutem Geschlechte sich als Gewappnete in ritterlichem Aufzuge freiwillig und ohne Entgelt bei der am Freitag nach Quasimodogeniti herkömmlichen Heiligthumsweisung (der 1424 nach Nürnberg gebrachten Reliquien) beim Heiligthumsstuhle am Markte zur Aufrechthaltung der Ordnung gebrauchen ließen, wegegen der Rath solchen Dienst stets dankbar anzuerkennen pflegte. 1514 wird er auf einer Reise nach Rom erwähnt. 1523, dem Jahre, wo die Kirchenreformation in Nürnberg zuerst von dortigen Geistlichen gefördert wurde, ward er wegen eines, gegen den Geistlichen von Rastall schriftlich gebrauchten, beleidigenden Ausdrucks drei Tage lang auf einem Thurm gestraft.

Von Conrad's Bruder Franz wissen wir unter andern, daß er 1505 sich mit Barbara, einer Tochter des Wolf Haller, verheirathete, mit welcher er in einer höchst unglücklichen Ehe lebte, welche rücksichtlich der weltlichen

---

[1]) Dieses Jahr ist auf dem Umschlage einer Handschrift von Tratziger's Chronik, welche dem Statthalter Heinrich Rantzow gehörte, doch erst nach des Letzteren 1599 erfolgtem Tode eingetragen, mit der fernern Bemerkung, daß Tratziger 1584 im 61sten Lebensjahre gestorben sei. Da diese Angaben in älteren Niederzeichnungen nicht nachzuweisen sind, so möchte ich noch annehmen, daß das Geburtsjahr etwas früher gewesen.

Frage 1514 März 14. durch einen Spruch des Dr. Johan
Letscher und Wilibald Pirkheimer erledigt, wegen der
geistlichen Frage aber an das geistliche Gericht zu Bamberg
verwiesen wurde. Er starb 1520; worauf seine Wittwe den
Franz Imhof heirathete, welchen sie bei ihrem im December 1539 erfolgten Tode gleichfalls begraben hat.

Conrad scheint seinen Bruder lange überlebt zu haben,
da er noch auf die Studien seines Sohnes Einfluß hatte. Mit
ihm verschwindet jedoch diese Familie aus Nürnberg, man weiß
weder weshalb, noch wohin dieselbe, mit Ausnahme unseres
Dr. Adam, sich gewandt hat. Dieser berichtet, daß er, nachdem er aus den Jahren der Kindheit getreten, sich mit philosophischen Studien, auch der Redekunst beschäftigt habe, sodann
mit den Naturwissenschaften und der Mathematik, sowohl Arith-
metik als Geometrie, ferner mit der Astronomie und der damals von diesen Wissenschaften selten getrennten Astrologie.
Der Rath des Vaters, so wie das Beispiel des mütterlichen
Großvaters bestimmten ihn jedoch, sich dem Rechtsstudium zu
widmen und er bezog die Universität zu Leipzig, wo damals
theologische und Humanitäts-Studien blühten, die Rechtswissenschaft aber durch einen unerfreulichen Kampf wenig verstan-
dener römischer und deutscher Rechte sich herauszuarbeiten begann. Sie ward von Dr. Ludwig Fachs [1]), dem Ordinarius
der Juristen-Facultät, einem durch vielfache, im Dienste des
Churfürsten Moritz übernommene, wichtige Missionen, so wie
legislatorische Arbeiten höchstverdienten Manne vertreten, neben
dem der bedeutende Civilist P. Loriot, Pistorius, Mord-
eisen, der Astronom M. J. Hommard und vorzüglich der
Humanist Joachim Camerarius zu nennen sind.

Tratziger scheint seine Studienjahre wohl benutzt zu
haben, wie seine für die Erlangung des Baccalaureates in
beiden Rechten zu Leipzig 1543 oder 1544 im April gehaltene
gedruckte Oratio de dignitate et excellentia juriam beweiset [2]).

Ein werthvolles Zeugniß über den Jüngling ist uns noch
erhalten in einem Schreiben des obengedachten Joachim Camerarius an den Nürnberger Rathsherrn Hieronymus

---

[1]) Er ist nicht zu verwechseln mit dem gleichnamigen Autor von Con-
siliis u. a., welche 40—50 Jahre später gedruckt sind. Ueber den Vater s. F. A. von Langenn Moritz von Sachsen Th. I. und II. S.
125 und 166.

[2]) Neu abgedruckt bei Wilkens a. a. O. S. 33—71, wo S. 33 auf
dem Titelblatte 1543 April 19. als Jahr und Tag seiner Disputation,
S. 38 aber am Schluß der Widmung 1544 angegeben ist. Es ist
kein Exemplar des Originaldruckes aufzufinden gewesen, um den muth-
maßlichen Druckfehler zu berichtigen.

Baumgärtner aus dem October 1540 [1]. Er empfiehlt diesem einen jungen Nürnberger, welcher in Leipzig zu jener Zeit studirte, sehr fleißig sei und Talent besitze, Adam Dratzieher, Conrad's Sohn. Der berühmte Gelehrte empfiehlt den jungen Mann auf dessen Wunsch im Interesse seiner Vaterstadt zu den dort vorhandenen Stipendien oder anderweitiger Unterstützung. In dem Album der Universität ist, nach gefälliger Mittheilung des Herrn Professor Zarncke, der Name unseres Adam Tratziger nicht aufzufinden, auch nicht in den Büchern und Akten der philosophischen Fakultät. Das Baccalaureats-Verzeichniß der Juristen-Fakultät enthält eben in dem betreffenden Jahre eine Lücke. Als seinen Freund und Studiengenossen auf dieser Universität erwähnt er später den mecklenburger Rath Karl Drachstet. Wenn Tratziger sich nach Vollendung seiner Universitätsstudien nach seiner Vaterstadt wandte, so scheint er dort, wie schon das Schreiben andeutet, den gewünschten Empfang nicht gefunden oder auch nur erwartet zu haben. Einige Jahre später finden wir ihn auf einer anderen kursächsischen, der 1505 gestifteten, seit 1539 protestantischen Universität zu Frankfurt a. d. Oder. Hier hielt er schon Vorlesungen über das römische Recht als Privatdocent, namentlich über das Edictum Praetoris, ehe er 1546 im September zur Erwerbung des Grades eines Doctors beider Rechte disputirte. Seine Thesen, in welchen er sich noch nicht als Doctor bezeichnete, sind noch vorhanden [2]: 101 aphoristische Sätze, in mehrere Capitel abgetheilt, über Hauptgegenstände des Processes.

Von dieser kleinen Universität wandte er sich bald nach der damals viel bedeutenderen zu Rostock, ein Schritt, welcher für ihn noch dadurch ein einflußreicher wurde, daß diese von den niedersächsischen Hansestädten von ihrer Entstehung an stets sehr begünstigte Universität mit Hamburg in vielfacher Verbindung stand durch die große Zahl junger Hamburger, welche dort studirten, wie denn auch Hamburgische Stipendien dort gestiftet waren und mehrere Hamburger an derselben mit Auszeichnung gelehrt hatten. Von Letzteren wollen wir hier nur an Albert Cranz, Barthold Moller, Johan Oldendorp erinnern.

Hieher ward Tratziger vom Rathe der Stadt Rostock, in dessen Hände die Leitung der Universität beinahe ganz gelangt war, unmittelbar nach jener Promotion berufen, als er

[1] Abgedruckt in J. Camerarii Epistolarum familiarium L. VI. E. III, p. 207.
[2] Neu abgedruckt bei Wilkens S. 72 f.

dentlicher Professor der Rechte an die Stelle des damals zu Syndi=
katsgeschäften der Stadt Lübeck, wo er sich mit der Tochter des
Rathsherrn Joh. Stolterfoht verheirathete, später (1549) zu
dem Syndikate der Stadt Hamburg berufenen, aus Deventer gebür=
tigen Rechtsprofessors Dr. Johann Strube [1]). Schon im De=
cember 1546 war er in Rostock eingetroffen und ward daselbst in=
titulirt [2]). Seine Wirksamkeit an der Universität ward bald
eine sehr bedeutende und noch erhöhet durch den Stadtrath,
welcher ihn mit der Stelle eines Advokaten oder Syndikus
betraute. Ein Jahr vom Herbst 1547 bis 1548 October 9. ver=
waltete er das Rectorat der Universität und war sehr thätig
in der juristischen Fakultät. Er immatriculirte als Rector 140
Studenten. 1549 las er über die Decretalien über das
canonische Recht. Vielleicht mag dies zu dem wunderlichen
Mißverstande Anlaß gegeben haben, daß er Professor der Theo=
logie gewesen [3]), welcher Nachricht sogar beigefügt ist, daß er
über die Epistel Pauli an den Titus gelesen habe. Dagegen
sind einige kurze juristische Disputationen und eine vorzügliche
Abhandlung von ihm aus dieser Zeit vorhanden: [4])

Disputatio ex L. si creditores C. de pactis. Inaug. Jo.
Bouken Hamburgensis (s. a. April 23. [5]).

Disputatio de praescriptionibus et de dote. Resp. Herm.
Lasterpagio. Rostock. Lud. Dietz 1551 [6]).

Disputatio ex L. s. jus naturale ff. Justitia et Jure. Defend.
Joachimus Richius. Rostock. (s. a. April 7. [7]).

---

[1]) Joh. Straubb, Strube, Strubb, Lic. Juris, hatte früher in
Cöln über das Civilrecht gelesen und wurde im J. 1542 nach Rostock
berufen. 1553 Oct. 24. finden wir ihn noch in Hamburgischen Dien=
sten bei den hansischen Gesandtschaft in England (s. Geschichte des
Stahlhofes, S. 179). Später und auch 1550 war er wieder in Dien=
sten der Stadt Lübeck, hernach in Dänemark Rath des Königs Chri=
stian III. Er starb zu Lübeck 1558 Aug. 7. S. Krabbe die Universität
Rostock S. 445. 452 ff. Moller Cimbria literata T. II. p. 873. Sein
Name ist in die Lübecker Rathslisten nicht aufgenommen.

[2]) Er wird in dem Archivo Ministerii T. X. p. 10 ein Berliner genannt,
was Tratiger's eigenen und anderen authentischen Angaben wider=
streitet. Vielleicht waren aber seine Eltern nach Berlin gezogen, wo
auch seine obengedachte 1560 verstorbene Schwester Eva an den Rechts=
gelehrten Simon Mellmann († 1588) verheirathet war. S. die
Grabschrift derselben bei Wilkens a. a. O. S. 117.

[3]) D. Zacharias Grapius Evangelisches Rostock S. 376 aus D.
Aepini MSS.

[4]) Rostocker Etwas 1739. S. 171.

[5]) Wieder abgedruckt daselbst 1737. S. 550—51.

[6]) Daselbst 1738. S. 674—78.

[7]) Daselbst 1740. S. 423—24.

Namens der juristischen Fakultät schrieb er 1551 ein Rechts-
gutachten: Proneptem neque ex Testamento neque ab Inte-
stato Proavo succedere posse [1]).

Schon in diesen Verhältnissen finden wir Nachrichten, daß
ihn sein rasches Glück, sei es durch den von ihm angeführten
Neid Anderer, sei es durch eigene Schuld, in Mißhelligkeiten
verwickelte. Es waren Beschwerden gegen die ihm übertragene
Stadtanwaltschaft erhoben und sogar beim Herzoge Johann
Albrecht angebracht. Trapiger fand es erforderlich, sich
desfalls an den Herzog zu wenden und vor Allem eine Untersuchung der geschehenen Anschuldigungen zu erbitten. Zur Beförderung dieses Gesuches wandte er sich an seinen, derzeit
im Dienste des Herzogs stehenden Universitätsfreund, den Rath
K. Drachstet in dem folgenden, uns wenngleich nicht unver-
sehrt erhaltenen Schreiben:

S.D. Vetus illa consuetudo ac familiaritas, quae inter nos,
cum adhuc Lipsiae in iisdem studiis versaremur (sic!), efficit,
vt iam audacter ad [te] scribam, vir ornatissime. Nec tibi in-
gratam quae nunc imponitur molestiam fore plane existimo,
quoniam coniunctionis animorum, quae ex studiorum similitu-
dine oritur, tantam vim esse experimur, vt nec locorum inter-
uallo, nec diuturnitate temporis aut aliqua fortunae iniuria
dissolui possit. A scholastico ocio me in eam rempublicam per-
tractum nosti, in qua tempestates et molestiae haud minimae
nunc extent, in qua etiam, si fideliter officium facere velim,
sine magna multorum inuidia versari non possim. Hinc fac-
tum est vt quoniam ab aduersariis meis, quos tamen non ob
priuatas [caus] as, sed reipublicae ergo inimicos mihi . . . .
. . . . simos p . . . . . . aus . . . .
ira calumniis et iniquis obt. . .ta. . . . . mihi fuerit conci-
liata, adeo vt etiam scripto a[d] me misso aduocationibus mihi
interdixerint, absque omni tamen caussae cognitione. Quo cum
me supra modum grauari, insuper dignitatem meam plurimum
ledi intelligam, ad illustrissimum principem Joannem Albertum scripsi in eam sentenciam, quae ex iisdem literis
tibi constabit. Te igitur ob veteris nostre familiaritatis memo-
riam oro, vt pro candore et integritate tua apud illustrissimum
principem operam naues, ne quid in me statuatur grauius,
quod repugnet iu[ri] et aequitati, sed hoc interdictum ad caussae cognitionem suspendatur, ad quam ego omnibus modis
prouoco. Hoc ipso me aliis molestiis, quae alias suscipiendo

---

[1]) Abgedruckt in Kirchhofii Collectio Consil. Jur. German. Vol. III.
Consil. VI.

pro honoris mei defensione omnino forent sublo. .... Faciei(?)
re.. o iusticiae .... amplissim.. senatorum
ordini.......... tissimum. M(e) vicissim ad omnia obsequia
p[ara]tum habebis. Qu[aeso] vt mihi apud hunc tabellarium
tua humanitas respondeat. Vale. Rostochii VI. Augusti. Anno
MDXLIX.

   Tuus ex animo

      Adamus Thraziger,
        Doctor.

Ornatissimo consultissimoque viro domino Carolo
Drachstetthe, ducali Megapolitaniae consiliario,
fautori et amico suo plurimum colendo. [1])

  Da wir Traßiger noch mehrere Jahre in der bisheri=
gen Stellung finden, so dürfen wir wohl annehmen, daß die
beantragte Untersuchung stattgefunden hat und zu seinen Gun=
sten erledigt ist.

  Ein nachtheiliges Licht ist auf Traßiger geworfen, weil
er 1551 in einer öffentlichen Disputation den Satz vertheidigt
haben soll: Quod scortatio simplex non sit peccatum, wo=
durch so viel Aufsehen und Aergerniß erregt sei, daß die Her=
zoge von Meklenburg den Superintendenten Dr. Johan Ae=
pinus aus Hamburg zur Visitation der Universität berie=
fen [2]). So gegründet der ernsteste Tadel wäre, so scheint doch
die Thatsache zu bezweifeln. Traßiger wurde keineswegs
von seiner Stelle entlassen, in welcher wir ihn noch einige Jahre
finden; er ward sogar als ein Mitglied zu jener Visitation

---

[1]) Nach dem Originale im großherzogl. meklenburg. Staats-Archive zu
Schwerin, auf einem Foliobogen, dessen zwei erste Seiten ganz von dem
Briefe angefüllt sind. Die untere Hälfte des Bogens ist stark vermo=
dert und zerfallen, und es fehlen auf beiden Seiten unten die Stellen
ganz, welche durch Puncte .... bezeichnet sind. Die Zahl der
Puncte wird ungefähr die Zahl der fehlenden Buchstaben angeben.
Versiegelt ist der Brief mit einem Ringpetschier, welches einen Schild
mit einem rechts gekehrten, aufsteigenden Greifen, übereinstimmend
mit der Besiegelung der hiesigen Briefe Traßiger's, und über dem
Schilde die Buchstaben **A. D.** enthält. Carl Drachstett war um
die Mitte des 16ten Jahrhunderts Rath der Herzoge von Meklenburg,
jedoch läßt sich die Dauer seiner Amtsführung nicht genau bestimmen.
Philipp Drachstett, J. U. Dr. & P. Jur. zu Frankfurt an der Oder,
Rector 1553, aus Eisleben gebürtig, war auch Syndikus zu Breslau.

[2]) Aepinus ging nicht allein dahin. In unsern Stadtrechnungen findet
sich verzeichnet unter den Ausgaben: In causa religionis verae
conservandae. „323 tal. 13 sol. 9 den. pro sumptu dominorum Francisci Pfylen Syndici et Georgii van Holte Senatoris missorum Rostochium
ad restaurandam universitatem ibidem et ut in ea religio consertetur".

abseiten des Rostocker Rathes deputirt [1]. Auch seine bald in Hamburg eingegangenen Verhältnisse sind mit der Richtigkeit jener Beschuldigung nicht zu vereinen, und dürfte sie wohl die spätere Erfindung seiner Gegner sein. Viel wahrscheinlicher ist es, daß die bei der gedachten Visitation mit Aepinus, so wie dem Syndikus Pfeil und dem Senator G. van Holte gemachte Bekanntschaft zu seiner bereits im Frühjahr 1553 bestandenen bekannten Verlobung und seiner vier Jahre später erfolgten Berufung nach Hamburg geführt hat.

Tratziger wurde nach Hamburg zunächst durch Privatverhältnisse gezogen, welche der Nachricht, daß er schon früher dort vorübergehend verweilt hat, Glaubwürdigkeit verleihen. Unter dem 30. April 1553 empfahl nämlich der Herzog Johann Albrecht von Meklenburg dem Rathe zu Hamburg den Dr. Adam Tratziger bei seinen, Namens seiner künftigen Freundschaft (d. h. Verwandten) gegen den Hamburger Bürger Heinrich von Zesterflieth erhobenen Ansprüchen und Forderungen unterstützen zu wollen [2]. Unterm 9. Mai ist ein Schreiben des Rathes zu Rostock an den zu Hamburg ausgefertigt, worin dieser ersucht wird, den Dr. Tratziger, Professor der Rechte an der Universität und Advocatus der Stadt Rostock, welcher in seinen und seiner zukünftigen Verwandten Händeln zu verreisen gewillet, thunlichst zu befördern, weil der Rath ihn wegen vorliegender Geschäfte in kurzer Frist gebrauchen würde [3]. Diese künftigen Verwandten, über die man zu Dobberan und Rostock sehr unterrichtet war, können keine andern gewesen sein, als die Eltern der nachherigen Ehefrau Tratziger's, Gertrud, Tochter des Georg von Zeven und der Elisabeth, des Joachim von Mere Tochter, welche gemeinschaftlich mit ihrem Schwager, dem Lt. Peter von Spengel, einst meklenburgischen Canzler, doch schon 1547 entsetzt, seitdem als Advocat zu Hamburg verweilend [4], dessen Ehefrau Cillie, der gedachten Elisabeth Schwester, gegen Heinrich von Zesterflieth, den zweiten Ehemann ihrer dritten Schwester und Schwägerin Anna, der hinterlassenen Wittwe des Bürger-

---

[1] Willens a. a. O. S. 7.

[2] Original des Hamburg. Archivs.

[3] Letzteres Schreiben ist gedruckt im Rostocker Etwas 1737, S. 549.

[4] Ueber diesen unruhigen Mann, seine Streitigkeiten mit dem Rathe zu Hamburg, welcher nach seiner Ausweisung aus dieser Stadt 1555 erzbischöflich bremischer, 1559 sachsen-lauenburgischer Canzler ward, s. Lisch Meklenb. Jahrbücher Bd. 26, S. 33 ff.

meisters Heinrich von Salzburg. Diese war im Jahre 1552 verstorben, worauf die Anmaßung des Heinrich von Zesterfleth wegen dessen angeblich ererbter Rechte an dem Gute Wandsbeck zu einem an das Reichskammergericht gebrachten Streite führten. Wann diese Ehe, welche das häusliche Glück Tratziger's nicht gefördert hat, vollzogen ist, läßt sich nicht genau angeben, doch wahrscheinlich bald. Seine äußere Lage wurde sehr dadurch gehoben. Sein Schwiegervater Jürgen von Zeven war der Eigenthümer des schönen Hauses in der Gröningerstraße, in welchem er so eben den Herzog August von Sachsen und Markgrafen von Meissen, nebst dessen Gemahlin, und den Fürsten Wolfgang von Anhalt auf ihrer Reise nach Dänemark aufgenommen hatte [1]; — und welches später mit dem anstoßenden Gebäude des T. Rohe zur Factorei der englischen Kaufleute eingeräumt wurde.

Diese Reise ward zugleich die Veranlassung für Tratziger, ein Hamburgisches Syndicat zu erhalten, ein Amt, welches einigen Hansestädten eigenthümlich, doch auch in diesen in verschiedener Stellung war, auf dessen Ausbildung in Hamburg jener besonderen Einfluß geübt zu haben scheint, weshalb über dessen Entstehung einige Bemerkungen hier nicht unpassend sein, und vielleicht um so willkommener erscheinen dürften, da die Geschichte des Syndicates einen nicht unerheblichen Beitrag zu der Verfassungs= so wie Literar=Geschichte unserer Stadt bildet.

Zu den Verhandlungen mit auswärtigen Staaten, welche gewöhnlich Handels= und verwandte Gegenstände betrafen, pflegte der Rath einen oder mehrere Rathsherren und einen seiner Notarien, später Secretarien genannt, zu entbieten, zuweilen auch letzteren allein. Wiederholt finden wir mit solchen Aufträgen den Notar der Rathsherren Magister Jordan von Boiceneburg 1252 und 1253 in Flandern, 1261 in Schweden [2]. Doch schon sehr früh zeigte es sich, daß zu Verhandlungen mit der Geistlichkeit man zuweilen eines Mannes bedurfte, welcher im römischen und besonders dem canonischen Rechte größere Kenntnisse besäße, als diese bei den eben vorhandenen Beamten sich vorfanden. Es darf daher nicht zu sehr auffallen, wenn der Domherr Joh. Scinkel, so wie der Domherr Johan, Bertram's Sohn, 1312—19 als

---

[1] Die Kosten der Bewirthung dieser Fürsten sind in der Stadtrechnung mit 285 tal. 12 sol. angeführt.

[2] Hamb. Urkundenbuch vom J 1252—61. Auch Acta coram Cons. Fol. 39. 1259 notarius civitatis. Fol. 58. 1264 notarius consulum.

Stadtnotarien (Staphorst Th. 2. S. 233. 235.) erscheinen [1]).
Schon im Jahre 1316 Oct. 1. bevollmächtigten Rath und Bürgerschaft in einem an den Papst Johann XXII. gerichteten
Schreiben den Magister Roger von Interampnae, einen
Italiener aus Terni oder Terano, als ihren Procurator am
päpstlichen Hofe [2]). In der Zeit der Streitigkeiten der Stadt
mit dem Domcapitel finden wir den Magister Ludolf von
Winninghusen als Jurista dominorum Consulum Hamburgensium 1337 Aug. 3. genannt und in dem am 4. November
d. J. abgefaßten Vergleiche der gedachten Parteien unter den
Zeugen, ohne jenes Attribut und unmittelbar nach den Hamburger Rathsnotarien [3]).

1344 wird in jenen Streitigkeiten als Procurator abgeordnet Magister Alanus Bosman, ein Geistlicher der Münsterschen Diöcese, zugleich mit dem hiesigen Bürger Joh. von
Holdenstede. Wir besitzen die Vollmacht, worin Rath, Werkmeister und Kirchgeschworene denselben 1351 October 28. als
ihren Procurator und Spezialgesandten, nuncius specialis, zur
Lösung des zeitlichen Bannes an die päpstliche Curie abordneten.

1352 Sept. 10. stellte der Rath in Form eines an den
Papst Clemens VI. gerichteten Schreibens eine geistliche Vollmacht für den Magister Thileman von Reutz [4]) aus, in
welchem nicht nur, wie gewöhnlich in dergleichen Ausfertigun-
gen, die Rathmannen alle namentlich, sodann der Stadtvogt,
die Werkmeister und die Stadtgemeinde kurz erwähnt sind,
sondern auch namentlich die drei Rathsnotarien mit genannt
sind, nämlich der obengedachte Alanus Bosman, Hart-

---

[1]) Ueber den Domherrn Johan Seinkel s. 1289 Hamb. Urkunden-
buch, 1290 lib. hered. Petri, 1293 lib. hered. Nicolai, Fol. 138, Necrol.
Hamburg. zum März 20. Im lib. certar. condit. Fol. 45 (MS. archivi
Hamburg.) wird, zum Jahre 1299 Michaelis, angeführt: Johannes dictus
Seinkel, noster quondam notarius.

[2]) Derselbe verhandelte für die Stadt Lübeck 1306 im October zu Poi-
tiers bei dem päpstlichen Gerichte. Lübecker Urkundenbuch Th. II.
No. 208 und 1036.

[3]) Staphorst Th. 2. S. 599. Im Wismarischen Stadtbuche sl. findet
sich z. J. 1337, Dec. 26., folgende denselben betreffende Eintragung:
Domina Kristyna, relicta Hinrici tollenere, recognovit se vendidisse, consensu filii sui Hinrici clerici, duo volumina, scilicet Decretales et Inno-
cencium, magistro Ludolfo de Winninghusen, juristae dominorum Consulum Hamburgensium, et domino Ywano de Klotz. Ipsa eciam domina
et filius ejus tenebunt indempnem dominum Ywanum ab omnibus impeti-
cionibus super hujusmodi vendicione, si qui essent aut supervenirent im-
petitores in futuro.

[4]) Derselbe erscheint schon 1339 April als Procurator bei der päpstlichen
Curie in einer Streitsache der St. Johanniskirche zu Lüneburg gegen den Hamburger als deren Bevollmächtigter.

wich von Gronow [1]), beide Presbyter, jener von der Münsterschen, dieser von der Hildesheimer Diöcese, und Johan von Wunstorpe, ein Cleriker des Mindener Sprengels. Der auffällige Umstand, daß diese Rathssecretarien alle fremden Diöcesen angehörten, mag darin seine Erklärung finden, daß sie häufig gegen das hiesige Domcapitel gebraucht wurden und es deshalb wünschenswerth war, Männer zu Rathsschreibern zu besitzen, welche dem Domcapitel und andern Würdenträgern des Hamburg-Bremer Sprengels nicht unmittelbar untergeordnet waren.

Dieselben drei Rathssecretarien erscheinen übrigens schon in einem processualischen Documente vom 3. Juli 1349, wo ihnen jedoch der bald darauf verstorbene Seghebodo, mit seinem Zunamen von Ryde, vorangestellt ist, Alanus Bosman noch ein Cleriker, nicht Presbyter genannt und Johan von Wunstorpe als Sohn des Eberhard aufgeführt wird. Alanus Bosman, derzeit nur als Capellan des Rathes bezeichnet, eine Benennung, welche wohl nicht so sehr einen Kirchendienst, als vielmehr wie die Capelle der alten Kaiser das Amt der Canzelei mit umfaßte, ward durch ein Schreiben des Rathes und der Stadtgemeinde an den Papst Innocens VI. vom Jahre 1355 Sept. 3. zugleich mit dem Rathmanne Heinrich vom Berghe beglaubigt zur Vorlegung des von der Stadt mit dem Domcapitel abgeschlossenen Vergleiches. Bosman erwarb sich das Vertrauen beider Parteien. 1365 bis 1370 erscheint er als Hamburgischer Domherr [2]).

Diese Rathsnotarien sind in dieser Zeit von den untergeordneten gerichtlichen Procuratoren des Rathes zu unterscheiden, als welchen wir zu Avignon vom Jahre 1338 bis wenigstens zu Ende 1347 den Heinrich Bucglant, ständigen Vicar der Kirche zu Bardewyk, kennen, dessen Ankäufe von römischen und canonischen Rechtsbüchern für den Rath das

---

[1]) Da dieser Name nur zwei Mal erscheint, so ist jener vermuthlich identisch mit dem 1350—53 wiederholt vorkommenden Rathsnotare Hartwich von der Sulte, welcher schon 1355 October als Hamburgischer Domherr bemerkt ist. Ferner 1363 Mai 26. in Michelsen Acta inter Comites Holsatiae et Consules Hamburgenses p. 11 sq. auch abgedruckt in der Schleswig-Holstein-Lauenburgischen Urkundensammlung Th. II. S. 248 ff. 1365 Dec. 5. Staphorst I. 2. S. 646. |1378 Mai 7. besaß er auch das Archidiaconat zu Solzenhusen und Verden. Noch einmal finden wir diesen Domherrn 1379 Aug. 14. in einer Urkunde bei W. Hübbe das Hammerbrooker Recht S. 189.

[2]) Urkunde 1365 Dec. 1. bei Staphorst I. 2. S. 646, 1367 Aug. 13. daselbst 3. S. 12, 1370 Juni 15. Ed. Meyer, Geschichte des Schulwesens zu Hamburg S. 210.

lehrreichste Licht über den Einfluß dieser Rechte auf die damaligen Rechtszustände, so wie die hier besprochene Amtsthätigkeit werfen [1]). Im ersten Jahre derselben substituirte er sich bereits den Magister Gerhard von Rostock, welcher auch im folgenden Jahre dort unmittelbar vom Hamburger Rathe beauftragt erscheint, sonst aber auch in Vertretung dessen von Lübeck [2]). In ähnlichem Auftrag findet sich 1349 Johan Greseke [3]) und Magister Hinrich von Bemeren.

Von einigem Interesse erscheint es hier, im Jahre 1359 als Advocaten Hamburgs zu Avignon einen Engländer zu finden, Mag. Rychardus Drax (Drake), Advocatus noster in Romana curia, zur Erlangung eines päpstlichen Schutzbriefes gegen Seeräuber, an welchen der Rath seinen Clerikus [4]) Johan von Göthinge, (irrig 1366 bis 1381 als Rathsnotar benannt) mit Vollmachten, Instruction und Geldern sandte. Die Sache war vor dem Archidiaconus von Norwich zu betreiben, Herrn Symon von Sudbury, dem zu Gefallen der englische Fürsprecher erwählt scheint. Gleichzeitig war am päpstlichen Hofe als Bevollmächtigter des Hamburger Rathes der auch bereits sieben Jahre früher gedachte Tideman von Neuß (de Nussia). 1372—74 war Eler Bunstorpe mit Rathsaufträgen nach Avignon entboten, welchen wir bis in's Jahr 1379 als Rathsnotar bezahlt und bekleidet in den Stadtrechnungen finden.

Aber nicht nur in geistlichen, sondern auch in weltlichen Streitigkeiten bedurfte der Rath jener Rechtsgelehrten. In der in kaiserlichem Auftrage vor dem Herzoge Albrecht von Meklenburg im Jahre 1363 zu Lübeck verhandelten Streitsache sseines Schwiegersohnes, des Grafen Adolf VII. von Holstein gegen Hamburg werden als Bevollmächtigte genannt die Hamburgischen Bürger Nicolaus Tornowe und Heinrich Wiltfang, von denen besonders der Letztere als Hamburgischer Sachwalter vielfältig genannt worden [5]). Der Mag. Alanus, Pfarrer zu Eschede, Verdener Diöcese, wird als Substitut des H. Wiltfang bezeichnet. Zugegen war auch Joh. Tunderstede, der Notarius, welchen wir als den des Rathes 1364—77 aus dessen Rechnungen erkennen.

Zur Veranschaulichung der Verhältnisse der Rathsschreiber

---

[1]) Vergl. meine Abhandlung über die Vorbereitung des römischen Rechtes in Niedersachsen, in Hugo's Civilist. Magazin Th. VI.
[2]) Auch er ward Hamburger Domherr.
[3]) Lübecker Urkundenbuch Th. II.
[4]) S. denselben Schubback de Jure Littoris. Kiesekers Sammlung.
[5]) Michelsen a. a. O.

oder Notare dient uns die Bestallung des unmittelbaren Nach=
folgers des Letztgenannten, des zu Ende 1376 angetretenen
Mag. Bruno Bekendorp. Wir ersehen daraus nicht nur
die bedeutenden Amtspflichten, sondern auch den entsprechenden
Ehrensold, die eigenthümlichen Anordnungen über die von dem
Rathe in der Stadt und auf Reisen zu liefernde Amtskleidung,
die noch weniger gewöhnliche über die einem Fünftel des Ge=
haltes entsprechenden Verehrungen an Gewürzen, außer der auf
dem Rathhause ihm gleich seinen Specialcollegen und anderen
Rathsmitgliedern zu liefernden, und die ihm gebührende freie
Wohnung und endlich seinen Antheil an den Schreibereiein=
nahmen. Dieses lehrreiche Document erfolgt hier aus dem
wohlerhaltenen Originale:

„Wittlik zi dat wi raadmanne der stad Hamborch hebben
ouer een ghedreghen mit mester Brune Bekendorp, in desse
wys, de he schal ||vnse truwe vnde willeghe deenre vnde scri=
uere wesen, vnde schal verstaan vnde arbeyden vnse gheestlike
vnde werleke zake, woor vns|| des nood is, na ziner macht, tho
ridende, tho varende vnde tho gande tho wathere vnde tho
lande, woor vns des nood, vnde behoef is, vppe der stad koste,
wanne he is buthen der stad in der stad reyse, de tyd zines
leuendes. Were ook dat vnser borgher welk ziner zunderlighen
personen gheestlike zake an velle, de schal he verstaan vnde we=
ren, vppe des borghers koste vnde loon, alse he beest mach.
Were auer dat ze des lones nicht eendrachtech vnder zik wer=
den kunden, zo schal dat an vns staan zo wes eme de borgher
gheuen schal. Hyr vore schole wi eme gheuen alle jaar xxx.
mark penninghe, vnde scholen eme kleden lyke her Johanne
Wnstorp, vnseme scriuere. Vnde wan he zine eghene kost
heft, zo schole wi eme zenden allerleie houescheyt like her Jo=
hanne Wnstorp, dat men plecht tho zendende van des ra=
des weghene. De wyle he auer zine eghene kost nicht en heft,
zo en schole wi eme des nicht zenden, men wi scholen eme
denne dan vore gheuen vj. mark penninghe alle jaar, vnde dar=
tho crude gheuen vppe deme raadhuus, lyk her Johanne
Wnstorp. Ook zo schal he hebben dat huus, endes deme schaf=
ferhuus, dar Johannes Tunderstede inne was, inne tho
wonende zine leuedaghe. Were ook dat wi eme wöör zenden
buten landes, dar he zine kledere nicht mit zik voren en mochte,
vnde eme noot vnde behouf were dor der stad willen, dat he
daar nye kledere kopen moste, de scholde he kopen mit der stad
penninghe. Wan he auer van denne wil, zo schal he de kledere
verkopen, vnde wes daar van kumpt dat schal he keren in der
stad nut, vnde zine kledere schal men eme hyr allike wol ghe=
uen. Ook zo schal he mede deelastich wesen des scriuegheldes

mit vnsen anderen scriueren, he zi vthe eder tho huus, zeel eder zund: des ghelike scholen ze ook des scriuegheldes deelastich wesen mit eme, ze zin zeel eder zund, vthe eder tho huus. Actum anno a natinitate domini millesimo ccc. lxx. sexto, seria quarta proxima post festam omnium sanctorum."

Gleich dem Bekendorp († 1383) führte auch sein jüngerer Collège Borchard Grevesmolen (1382—90) den Titel eines Rathsnotars. Wann derselbe in Hamburg begann gegen den eines Secretarii vertauscht zu werden, ist nicht genau nachzuweisen. Gleichzeitig mit dieser Abänderung dürfte die Verpflichtung zur Uebernahme von Processen für Privaten aufgehört haben. Von den Nachfolgern finden wir namentlich Herman Kule (1401—15), Dietrich Kusvelt (1407—14), Mag. Diedrich von Gheynsen (1409—26) [1], Joh. Wadenkate (1416—36), aber auch noch mehrere von ihren Nachfolgern auf wichtigen Sendungen, wie an den römischen Kaiser, nach Flandern, Holland, Erzbischöfe und Bischöfe, nach dem Costnitzer Concil. Ehrenvoll wie diese Aufträge waren, so waren sie doch damals mit vielerlei Gefahren verknüpft. Kusvelt gerieth auf einer Mission nach Holland in Gefangenschaft; nicht viele blieben lange in dem Amte.

Es war also schon hier der Gebrauch verlassen, Geistliche zu den Stellen der Rathssecretarien, welche Bezeichnung in Hamburg derjenigen der Stadtschreiber nie scheint gewichen zu sein, während die der Notarien in dem seit etwa 1416 nachweißbaren Protonotarius sich uns erhalten hat, zu ernennen, was später auch die Reichsgesetze verboten, während sie die Nothwendigkeit begründet glaubten, die Abschließung rechtlicher Geschäfte, nicht nur über Erb und Eigen, sondern auch letztwilliger Verfügungen und Contracte an den Rath herbei zu ziehen. Diesem Bestreben, dem zuletzt die gute Absicht unterlag, dem gesunden Rechtssinne der Bürger für seine Geschäfte die sichersten Handhaben zu verleihen, verdankt eine große Zahl der in den Canzeleien einst geführten Contract- und Memoranden-Bücher ihre Entstehung.

Die Reformation des Kaiser Sigismund im J. 1440 sich in folgender Weise über dieses Amt [2] aus:

„Cap. XVI. Ein Statschreiber soll publicus Notarius sein.

Item, man soll auch in allen Reichstetten ein Statschreiber haben, der publicus Notarius sei wo es nothdörftig wirt,

---

[1] Derselbe erscheint 1430 als Hamburgischer Domherr. Ed. Meyer a. a. S. 357.
[2] Bei Goldast, Reichs-Satzungen. Theil II. S. 136.

Jnstrument zu machen, daß er sie machte, daß man keinen
andern suchte oder suchen müßte, wan jm ist höher zu getrauen
denn den anderen. Wann ist, als vil ist, so ist auch viel Be-
schedigung geschehen. Man hat ja genug an einem in einer
Stat.

Cap. XIX. Kein Priester soll Notarius sein.

Jtem es soll kein Priester weder Statschreiber noch Notarius sein, es gehört lauter jrem Stat nit zu, als jrer jedoch
vil ist in Stetten."

Zu dem letzten Artikel sei hier bemerkt, daß die Rathsnotarien
oder Rathssecretarien bis zur Kirchenreformation unverheirathet
blieben. Es werden jedoch zwei Ausnamen von dieser Sitte
namhaft gemacht, zunächst der Mag. Johan Quentin, wie
auf Veranlassung eines im Jahre 1440 vom Rathe ihm und seiner Ehefrau lebenslänglich überlassenen Gartens auf dem Mönke-
damme erwähnt wird. Der zweite Fall ereignete sich erst 1508,
also nicht lange vor der Kirchenreformation, wo der Mag. Joh.
Wetken, der Einsamkeit überdrüssig (vitam hanc solitariam
exosus), die Tochter des Bürgermeisters Joh. von Sprekelsen ehelichte, in dessen Würde er später folgte.

Schon die obigen Sendungen deuten an, wie die schwieriger gewordenen Verhältnisse des kleinen Freistaats, denselben
in immer sich vervielfältigende Verbindungen mit dem Kaiser,
den Reichsbehörden und Gerichten gebracht haben. Die vielen
Confirmationen und Erweiterungen städtischer Privilegien, mit
welchen König Sigismund die Reichsstädte gegen gebührende Zahlung beglückte, erheischten manche Abordnungen. Wegen gewisser gegen den Rath vor dem kaiserlichen Hofgerichte
angebrachten Klagen ward im Jahre 1435 der neue Rathssecre-
tarius Mag. Joh. Quentin an jenen gesandt, und wiederum im
folgenden Jahre 1436 ward derselbe an Kaiser Albrecht II.
wegen Bestätigung der Hamburgischen Privilegien entboten.
Doch schon früher scheint der Rath den Beschluß gefaßt zu
haben, einen ständigen Sachwalter am Hofe des römischen Königs anzustellen, was in der Person des Mag. Johannes
Gherwinus geschah, welcher 1414 fünf Pfund rhein. erhielt
für ein Jahr seines Procuratorantes für die Stadt Hamburg
im Hofgerichte (audientia contradictarum), hernach sechs Pfund
für drei Jahre, und Mag. Georg Huttel erhielt 1439 für das
bedeutender gewordene Amt 22 Pfd. n 20 rheinischen Gulden,
pro quibus defendere debet consules et commune eiusdem civitatis ad unum annum. Im Jahre 1442 ward der Secretarius Mag. Joh. Quentin an den Kaiser Friedrich III.
gesandt und Mag. Georg Huttel in der vorgedachten Untersuchung wieder beauftragt. Dieses Verhältniß dauerte fort, bis

1448 Herman Eddelrouwer die Procuratur der Stadt Hamburg am römischen Hofe übernahm. 1451 folgte diesem Mag. Conrad Billinghe. 1454 erhielt der Procurator Hamburgs am kaiserlichen Hofe, Mag. Heinrich Bergherstorpe, durch den bald wieder zu erwähnenden Lübecker Doctor, Mag. Arnold von Bremen, sein volles Jahrgehalt von 30 rhein. Gulden. Jener war 1461 nach Hamburg gekommen. Seit 1459 war der 1454 schon in solchem Auftrage genannte Arnold von Loe in seine oder eine gleiche Stellung getreten. Auf den Gesandtschaften war in jener Zeit gewöhnlich der Secretarius Mag. Joh. Rigendorp, allein oder in Begleitung eines Rathsherrn.

Je mehr indessen Geistliche von der Theilnahme an Stadtgeschäften entfernt und die Geschäfte der Notarien des Rathes durch die Sorgen der Privatpersonen in Anspruch genommen wurden, wuchs das Bedürfniß erfahrener, nicht nur in der täglichen Praxis, sondern auch gründlicher gebildeter Rechtsgelehrten, welche besonders auch zu Versendungen in den endlosen Streitigkeiten mit den Nachbaren, sowie an die Reichsgerichte zu gebrauchen waren. So erwuchs das Institut der Syndici zu Hamburg gleich wie in ähnlich gestellten Städten.

Die Bezeichnung eines Syndicus finden wir bei uns zuerst in der Stadtrechnung vom Jahre 1436 (de diversis notabilibus), nach welcher Mag. Matthaeus Sivestorp bereits 8 Pfd. Pfenninge erhalten hatte, um als Syndicus civitatis anzutreten, vermuthlich auf Anlaß des oben zu dieser Zeit angegebenen Rechtsstreites. Darauf ward Mag. Johan Jordant angenommen, dessen Gehalt von vierteljährlich acht Thalern 1437 unter der Rubrik: Pretium familiae verzeichnet steht.

Für die Jahre 1452—59 finden wir in den gedruckten Räthslisten, auch in der Stadtrechnung den Mag. Johan Maler, Jur. Dr., als Syndicus verzeichnet und denselben Namen, als eines andern Mannes, der 1474 Syndicus zu Lüneburg gewesen, wiederum 1478—84. Ungeachtet jener Lücke von 19 Jahren in den Hamburgischen Diensten scheint kein Grund vorhanden, die Identität der Person hier zu bezweifeln, da sie ein sehr hohes Lebensalter nicht voraussetzt und der Wechsel des Dienstes für diese rechtsgelehrten Rathgeber bei den verschiedenen Städten noch länger gewöhnlich blieb. Seit 1478 finden wir ihn jedenfalls zu Hamburg als Syndicus mit zehn Thaler Gehalt vierteljährlich aufgeführt.

In der Zwischenzeit war Mag. Arnold Sommervoet (nicht Sommerfarth) aus Bremen, früher mit vorübergehenden Aufträgen versehen, und zwar 1461 mit 16 Thaler vierteljährlich angestellt, der auch im folgenden Jahre bemerkt wird [1]).

Seit 1489 wird der treffliche Albrecht Cranz, der bekannte Professor der Theologie und des kanonischen Rechts, Hamburger Domherr, hernach Dechant, auch Historiker, als Syndicus der Stadt wiederholt nicht nur in gerichtlichen Streitigkeiten, sondern auch auf größeren Gesandtschaften in weltlichen Angelegenheiten benutzt [2]). Seit dem Jahre 1500 blieb er jedoch mit 60 Thaler jährlichen Gehaltes fest angestellt bis zu seinem 1517 erfolgten Tode [3]).

Es kann auffallen, daß in der nächstfolgenden Zeit der kirchlichen Reformation und vielen politischen Wirren kein Syndicus in Hamburg genannt wird. Vielleicht weil von Verhandlungen vor der römischen Curie und in anderen mehr weltlichen Fragen vor hohen Kirchenfürsten nicht die Rede war; bei dem kürzlich (1495) gestifteten Reichskammergerichte hatte Hamburg seine eigenen Procuratoren [4]). Man darf annehmen, daß unter den manchen ausgezeichneten Männern im Rathe und im Secretariate, unerachtet der ungemein zunehmenden Thätigkeit der Regierungsbehörden, die Anstellung eines Syndici überflüssig erschien.

Das lebhaft angeregte Interesse für die Schulreform und höhere wissenschaftliche Bildung, welches in der Bugenhagenschen Kirchen-Ordnung im Jahre 1529 sich ausspricht, hatte schon damals den Plan zu einer höheren wissenschaftlichen Anstalt für Hamburg geschaffen, welche im Art. IV das Lectorium genannt wird, nie zur Ausführung gelangt, doch als der erste Keim des nachherigen Gymnasiums zu betrachten ist. Es sollten darnach zwei Juristen mit Ein Hundert Mark jährlich und freier Wohnung angestellt werden, um jeder dreimal wöchentlich über die kaiserlichen Institutionen und den Codex (also kein canonisches Recht) zu lesen. Diese beiden Juristen kön-

---

[1]) Exposita Civit. Ad diversa notabilia. M Arnoldo van Bremen presentato (?) versus curiam regis Romanorum ex parte nostrae civitatis. Er ward 1455 zum Syndicus in Lübeck ernannt, um die bisher lateinisch geführten Stadt-Rentebücher deutsch fortzusetzen. C. W. Pauli Lübeckische Zustände S. 123.

[2]) 1489 wird er Syndicus und procurator dominorum proconsulum Lubecensium et Hamburgensium genannt in einem Appellations-Instrument des beiderstädtischen Gebiets, den Deich zum Gammerort betreffend, wie er auch noch 1507 Geschäfte für Lübeck wahrnahm. Hamburg. Bibliotheca historica. Leipzig 1715. Part I. p. 3.

[3]) Wilkens Leben des D. Alberti Crantzii S. 8 ff.

[4]) Zeitschrift für Hamburg. Geschichte Th. 3. S. 489.

II

ßen der Rath und die Stadt auch sonst gebrauchen, falls sie
ihrer bedürfen.

Es ist bekannt, daß dieser Plan nicht zu Stande kam.
Doch hat sich ein Schreiben des Rathes an die Universität zu
Rostock vom 4. Mai 1530 erhalten, in welchem jener diese
um die Erlaubniß ersucht, den gelehrten Mag. Lambert Ta=
tel in einigen Geschäften zu gebrauchen [1]. Es sind bisher
keine Spuren der Thätigkeit dieses Mannes für Hamburg
aufgefunden. Er besaß schon 1518 die zweite der von der Uni=
versität Rostock gestifteten Präbenden, doch stellte er daselbst
1519 Jan. 29. ein Document aus als Vicar der Verdener
Diöcese und Notarius [2], wo er wiederum 1539 als Bacca=
laureus der Rechte und gewöhnlicher Lehrer des Coder und im
folgenden Jahre als Rector nachgewiesen ist [3].

1537 bemerken wir den Mag. Hinrich vam Broke,
der Rechte Licent., welcher neun Jahre später zum Rathsherrn
erwählt wurde, in der Stelle eines Syndicus. Er wurde mit
dem vor ihm genannten Doctor der Theologie Aepinus und
dem zuletzt gestellten Secretarius H. Röver nach Schmalkal=
den gesandt und wiederum 1544 mit dem Bürgermeister P.
von Sprekelsen und dem hinter jenem genannten Secretarius
Mag. Alexander Spies zum Reichstage nach Speier [5].
Vermuthlich erhielt jener vom Rathe so sehr ausgezeichnete
Mann den Titel des Syndicus nicht, weil ihm derjenige des
Doctors fehlte, welcher zur Erhaltung des gebührenden Ran=
ges unerläßlich schien. Denn eben aus den letzten Tagen des
Jahres 1537 liegt uns noch ein Schreiben des Doctoris Ruf=
fus Günther zu Berlin an den Rath vor, in welchem
dieser seinen „günstigen Herren und guten Freunden" mittheilt,
daß da sie dieser Zeit mit keinem Syndicus versehen, er „wie=
wohl es ihm als einem Doctor, der auch dem Kürfürsten
von Brandenburg sechs Jahre gedient, wenig zieme, ihnen
noch jemand anders seine Dienste anzubieten, — weil er aber
sechzehn Jahre bei Kur=, geistlichen und weltlichen Fürsten
gedient und des Hoflebens müde, bedacht sei, sein Leben in ei=
ner Reichsstadt zu beschließen, wozu ihm denn Hamburg vor

---

[1] Gedruckt im Rostocker Etwas vom Jahre 1740. S. 258.

[2] Ed. Meyer Geschichte des Hamburg. Schul= und Unterrichtswesens
S. 438.

[3] Daselbst S. 37. Krabbe a. a. O. S. 335. 444 ff.

[4] M. Hamburg. Chroniken S. 102. 138. Stadtrechnung unter Exposita
ad reisas Dominorum h. a.

[5] Exposita Civitatis h. a.

allen anderen gefällig, so habe er nicht geſcheut, Ihren fürſich=
tigen Weisheiten ſeinen geneigten Willen und Dienſt anzubie=
ten". Es ſcheint jedoch nicht, daß die „lieben und guten
Freunde" es verſtanden haben, die Herbeilaſſung dieſes aus=
gezeichneten Mannes zu benutzen.

Die letztgedachte Sendung nach Speier veranlaßte im
Jahre 1544 den mit den Hamburger Abgeordneten bekannt
gewordenen Dr. Adam Schneydewyndt, derzeit bei dem
fürſtlichen Hofgerichte zu Stettin angeſtellt, zu einer Bewer=
bung um das Syndicat. Er ward auch vom Rathe beſchäf=
tigt, in dieſem Jahre in der Sache des evangeliſchen Bundes,
im folgenden durch eine Sendung an den König von Däne=
mark in den für die damaligen Schifffahrts= und Handels=In=
tereſſen nicht unwichtigen Verhältniſſen in Island. Doch erſt
im folgenden Jahre entſchloß ſich der Rath, durch die Anfor=
derungen einer verhängnißvollen Zeit gedrängt, zu einer neuen
Beſetzung dieſes Amtes, über welche ein ausführlicher Brief=
wechſel ſich erhalten hat. Die obengenannten Deputirten zu
Speier im Jahre 1545 hatten die vertrautere Bekanntſchaft
des Magdeburger Syndicus Dr. Levin van Embden ge=
macht, welcher, früher Profeſſor der Rechte und 1517 Rector der
Univerſität Frankfurt a. d. O., wo er ein ſehr beliebter Lehrer
war [1], hernach Syndicus der Stadt Braunſchweig, ſpäter von
Magdeburg, in welchem Amte er 1558 verſtorben iſt, einer gro=
ßen Achtung im proteſtantiſchen Deutſchland genoß. Dieſer
wurde um ſeinen Beirath angegangen und empfahl zunächſt
ohne Erfolg den Dr. Schwalenberch, einen Rath des Her=
zogs Barnim von Stettin, und darauf den Dr. Franz
Pfeil, ſeit drei Jahren Canzler des bekannten Biſchofes von
Naumburg (Zeitz) Nicolaus von Amsdorf, welchen kurz
ehe er in deſſen Dienſten trat, (1542) der Rath zu Bremen
bereits für ſich zu erhalten geſucht hatte. Der Secretarius
Spieß war nach Zeitz, Leipzig und Wittenberg ge=
ſandt, um einen Syndicus zu ſuchen. Zunächſt fand er jedoch
nur den Licent. Melchior Nickels (Nicolai) zu Leipzig,
welcher die Verhandlung wegen zwiſchen der Stadt Ham=
burg und dem Herzoge Otto von Braunſchweig=Lüne=
burg ſtreitiger Fragen übernahm. Gleich ihm wurde der Mgg.
Joh. Arendes wohl honorirt, welcher in Angelegenheiten mit
dem Erzbiſchofe von Bremen vom Rathe verwendet war.

---

[1] Die Studenten pflegten ihn mit ihren wißbegierigen Fragen in ſolcher
Anzahl zu Hauſe zu geleiten, daß daher die Redensart entſtand: die
Gaſſen breit treten. J. C. Beckmann Notitia Univ. Francofurt. p. 60. 180.

Doch gelang es ihm, jenen Dr. Franz Pfeil [1]) zu einer fe=
sten Anstellung zu gewinnen, welcher 1545 60 Pfd. Pfenninge
zum Antritte und Anname erhielt und im folgenden Jahre
66 Pfd. vierteljährlich (1547 auf 90 Pfd. erhöhet, 1550 auf
100 Pfd.) erhielt, außer über 205 Pfd. Reisekosten, 80 Pfd.
zum Antritte seines Amtes und 60 Pfd. Miethe=Ersatz. Wir
finden ihn, Dr. Franz Pfeil, in einem noch bestehenden Ver=
trage mit Braunschweig=Lüneburg über die Moorburg
vom Jahre 1548 als einen der Bevollmächtigten, wobei wir
seine Stellung unmittelbar nach den Bürgermeistern und vor
den Rathsherren wahrnehmen [2]), gleichwie in Lübeck schon
der Vorgänger der dortigen Syndici, der Kanzler diesen Rang
einnam [3]).   Im Frühjahr 1552 wissen wir ihn noch mit
dem Lübecker Syndicus zu London in Verhandlung mit dem
Geheimen Rathe König Eduards VI. über die hansischen Handels=
privilegien [4]). Nach vielen und wichtigen Gesandtschaften ver=
ließ er Hamburg auf Ostern 1553, um das Syndicat sei=
ner Vaterstadt Magdeburg zu übernehmen, wo er verstarb,
gepriesen als rüstiger Streiter in den damaligen theologischen
Fragen, als berühmter Jurist, dessen Werke noch ein Jahrhun=
dert nach seinem Ableben gedruckt sind, und als talentvoller,
trefflicher Mann: Arte Plato, Cato vita et Tullius ore gravis.

Im Jahre 1549 war die Anstellung eines zweiten Syn=
dicus erforderlich geworden und derselbe gefunden in dem aus
Deventer gebürtigen Dr. Johan Straub oder Strubb;
dieser, vorher in Cöln, hatte von 1543—45 eine juristische
Professur zu Rostock [5]) bekleidet und ferner ein Syndicat zu
Lübeck. Er wurde unter dem 23. August 1549 bestellt und
im nächsten Jahre auf den Reichstag in Augsburg gesandt,
wie auch im folgenden. Im Jahre 1553 war er noch einer
der Hamburgischen unter den hansischen Gesandten zu Lon=
don, wo in dem Recesse vom 24. October d. J. schon der
Syndicus zwischen dem Bürgermeister und den Rathsherren
gestellt erscheint. Er verließ Hamburg 1555 auf Ostern, um
nach Lübeck zu gehen, doch war er schon im April desselben

---

[1]) Ueber Dr. Pfeil vergl. Wilkens Ehrentempel, welcher jedoch gleich
seinem Herausgeber Ziegra die Nachrichten über denselben und
seine Schriften in Molleri Cimbria literata II. p. 642 ff. nicht kannte.

[2]) Klefeker Sammlung Hamburg. Gesetze. Th. X. S. 112.

[3]) Pauli Lübeck. Zustände. S. 96.

[4]) Urkundliche Geschichte des hansischen Stahlhofes S. 98.

[5]) Rostocker Etwas 1738. Krabbe Geschichte der Universität Rostock
I. S. 445. 453.

Jahres Rath des Königs Chriſtiern III. von Dänemark, wo ihn jedoch bereits am 7. Auguſt 1558 der Tod ereilte [1].

In des Syndicus Pfeil Stelle ward der Profeſſor Adam Tratziger erwählt, welcher zu Michaelis 1553 ſeine Aemter in Roſtock aufgab, um das neue in Hamburg zu übernehmen. Am 19. Auguſt d. J. finden wir ſchon hier ſeine Beſtallung unterzeichnet, nachdem vorher in einer Unterredung mit den Bürgermeiſtern die Hauptbedingungen feſtgeſtellt waren. Wir beſitzen noch das nachfolgende Memorial, welches er ſelbſt über dieſe Verhandlung aufgeſetzt hat und zwar in niederſächſiſcher Sprache. Die Beſtimmung des Honorars war ein weſentlicher Punkt, zumal da Tratziger einen Hausſtand neu zu begründen hatte. Es folgt hier dieſes Schreiben nebſt dem von Tratziger unterzeichneten Reverſe vom 19. Auguſt 1553. Die vielen Aufträge aus der Fremde, worüber uns noch Schreiben des Herzogs Johan Albrecht, des Herzogs Ulrich, ſo wie der Herzogin Urſula von Meklenburg vorliegen, mögen wol die Veränderung der Beſtallung im folgenden Jahre veranlaßt haben, wonach Tratziger gegen Verdoppelung des bisherigen Gehaltes auf 400 Rthlr. ſeine Dienſte nur ſeiner neuen Vaterſtadt zu widmen verhieß. Er ſcheint ſich auch ganz derſelben hinzugeben beabſichtigt zu haben, da er im folgenden Jahre 1555 das hieſige Bürgerrecht nachſuchte, welches ihm ehrenvoll gebührenfrei ertheilt wurde. Der junge Rathsherr Herman Wetken erſchien dabei als ſein Bürge [2].

Wir laſſen hier jene drei Documente, aus den Originalen abgedruckt, folgen.

1.

Erbater und weiſer Her Burgermeiſter. Up Juwer E. W. und der andern Herren Burgermeiſter mit my geholdene underredinge hebbe ick entlicken mit ſodaner antwort my erkleret, dat ick tho ſunderlicher wilfericheit eines erbaren rades 200 Daler vor myne jarliche beſoldunge wolde annemen, wowoll der vorige Sindicus mehr gehatt hebde.

Darkegen ick ock ingegan unde bewilliget allet wat Juwe E. W. von wegen unde uth befhel des rades my vorgeholden, alſo einem erbaren rade in ſacken die Religion und kerkenordnunge, ock ſuſt die Elſſart und anders bedrepent by=

---

[1] Moller l. l. p. 873. Meine Geſchichte des Stahlhofes zu London. Beilagen S. 178.

[2] Zeitſchrift für Hamb. Geſchichte I. S. 158.

thoplichten up rechtsdagen unde utterhalf dersulven ehnen mynen radt und thodondt medethodeilen. Ock in Verschickungen an kaif. majestet (?), konige und furften ꝛc. mich gebrucken tho lathen unde my darneffen hie binnen der Statt tho entholden einiger facke wedder den andern anthonemen. Sodans alles wo vorberortt hebbe ick bewilliget, darkegen borch Juwer E. w. ock dit up ratification des erbaren Rades ingegan, dat ick uthlendifche facken funder verfumnuffe des erbaren Rades hendel annemen und in recht utfuren moge.

Wider habbe ick my erkleret, dat ick einen erbaren Radt nergendt mit befweren will.

Allein weil idt gebrucklich in allen contracten, dat densulvigen pro arra unde borch eine temlife handgift beveftiget werden, Stell ick follichs tho eines erbaren Rades fülbft willen und ermethendt, die bewegen werden, dat die anfang der hußholdinge am fchwerften fie, unde dat fedans dartho tho hulpe kamen moge.

Dit hebbe ick alfe ein kort memorial und vertecknuffe des geftrigen handels na Juwer E. W. begern fchriftlich Juwer E. W. willen behendigen lathen. Und bidde ganz denftlich Juwe E. W. will vliet anwenden, da de facke alfe van dage thom befchlutt kamen moge, uth urfacken alfo ick geftern Juwer E. W. vortellet. Juwer E. W. wedder tho denende bin ick williich.

Juwer E. W.

williger
Adam Traziger,
der Rechten Doctor.

2.

Ick Adam Traciger, beider Rechten Doctor, bekenne hirmede vor alleßweme, dat Ick my den Erbarn vnd Wolwisen hern Burgermeiftern vnd Rathmannen der Stadt Hamborch, mynen gunftigen hern, vor ohren Syndicum beftellen lathen vnd verplichtet hebbe nafolgender geftalt vnd alfo, dat my ohre erb. W. tho myner jartlichen bezoldinge verfpraken vnd thogefegt hebben thwehundert dalers alle jar jn den vehr quartalen, daruan de erfte vp duffen thokumpftigen Michelis anftaen, vnd vp negftfolgenden Wynachten bedaget fyn wert, uth ohrer ftadt kemerie tho entrichtende. Daruor ick ohren erb. W. verplichtet fyn fchall jn allen ohren hendelen vnd faken, dartho defulvigen myner alfe eines Syndici tho ohrer vnd der ftadt notturft vnd beften, vornemlich vp den Rechteßdagen, richtlichen proceffen am keiferlichen Camergericht, Legation vnd andern der ftadt gefcheften binnen vnd vtherhaluen der ftadt, tho wa-

ther vnd tho lande, tho gebrukende hebben mogen, getruweli=
chen, gudwilligen vnd vngeweigert tho denende vnd ohrer erb. W.
gedye, wolfart vnd beste na alle mynem vermogende tho soe=
kende vnd vortthosettende, jn mathen myne eidesplicht sollichs
ferner wert vermelden vnd mitbrengen, so lange vnd alle de=
wile vns beidersyp sollichs gelegen is vnd geleuet. Jodoch by
also, dar ohre erb. W. jn thwen jaren den negsten an mynem
denste ein gefallen droegen, alse jck my des tho Gabe verhape,
dat ohre Erb. W. myner alßdanne, densuluigen vor iemant an=
ders vmb de vorgeschreuene bezoldinge tho denende vnd by ohren
erb. W. tho bliuende vnd my tho perpetuerende mechtig syn,
vnd van my jn tyden mynes denstes bauen de vorberorte be=
zoldinge mit verbeteringe edder andern anmodigungen vnbe=
schweret vnd vngedrungen bliuen schoelen. Vornemlich auerst
hebbe jck ohren Erb. W. gelauet vnd thogesegt tho erholdinge
der waren Christlichen lehr vnd Religion vnd Kercken Cere=
monien vnd ordeningen, alse vth godlichen gnaden jn der Stadt
Hamborch jtzund syn gelehret vnd geholben werden, jn allem
falle mynes vermogendes bythoplichtende vnd my dorjn van
ohren erb. W. nicht afthosunderende. Ock dat jck jn der Stadt
des eines Rathsuerwanten edder borgers priuate saken wedder
den andern nicht annemen, edder darjnne raden, aduoceren vnd
deken will, wedder heimlich noch apenbar, my ock vth der stadt
jn iemandes frembden saken mit personlicher reise vnd afwe=
sende, ohne des Erbarn Rades sonderliche vergunstiginge dor=
jn, doch ock ohre erb. W., wannehr eth ane ohrer saken versu=
menissen vnd sunst ane beschwer vnd schaden der stadt syn kan,
iegen my mit gudwilliger vergunstiginge der geboer vnd bil=
licheit vnbeschweret tho erthoegende gelauet hebben, nicht schoele
vnd wille gebruken lathen. Auerst sunst vtherhaluen der stadt
jn frembden saken, darjnne ein Erbar Rath keine Richtere syn,
mit schryuende vnd radende tho patrocinerende vnd aduocerende
schal my frig vnd vnuerbunden syn. Alles getruwelich, sunder
list vnd geferde. Des tho orkund der warheit hebbe jck duffen
breef mit eigener hand vndergeschreuen vnd mit mynem ge=
wontlichen jnsigel versegelt. Gegeuen am negentheinden dage
des Maentes Augusti jm jar na Christi vnsers hern geburt ves=
theinhundert dreynbuostig.

Adam Trapiger,
der rechten Doctor manu propria.

App. Sig.

8. [1]

Wy Burgermeistere vnd Radtmanne der Stadt Hamborch bekennen vnd betugen vor allesweme: Wowoll wy des vorsehenen Dreundvefftigsten Jares des mynderen thalls, dem Erbarn vnd Hochgelerden Ehrn Adamen Trazigern, der Rechten Doctorn, tho vnserm Sindico bestellet vnd angenamen, vnd ehme jarlich twehundert daler vp twe Jar langk vor syne besoldinge tho geuen thogesecht vnd vorschreuen, dat wy dennoch vnserer gelegenheit nha, od in ansehinge syner getruwen vnd vlitigen denste, de he vns dith Jhar auer erthöget vnd henforder noch ertögen kan, schall vnd will, mit ohme vp dat nye in beredinge vnd handelinge vns ingelaten, vnd entlick dermathen vorgliket vnd vereyniget, Dath he gemelter Doctor vp syne gedane ehedesplicht synen denst, de tidt synes leuendes, by vns getruwlick vnd vlitich tho perpetuiren, vnd sick in nenes andern heren denst vnd besoldinge tho voranderen, tho deme ock he plichte, darmit he andern noch thor tidt verhafftet syn mach, vpthoschryuen, ock volgender tidt tho nemandes sick in denstuerplichtinge tho begeuen gewilliget vnd angenamen, ock insunderheit sick vorsecht, alles vthheimischen practicerens vnd aduocerens sick tho begeuende, behaluen wes he des schrifftlick, ahne personlich vthreysenth, sunder vnsern vnd vnser Stadt vngelimp vnd nhadeil, bestellen vnd vthrichten mach. Jodoch vnser borger saken vthbescheiden, darinne he wedder mit raden, reden effte schryuendt einem wedder dem andern schal denen mögen, ock vnser Stadt recht, gebruck vnd gewanheit nha alle synem vermöge helpen, hanthauen vnd vorbidden, vnd wenner he tho Raethuse gefordert werdt, allwege gudtwillich erschynen. Alles nha ludt vnd inholde syner vns gegeuenen Reuersal vnd vorplichtinge. Dartegen wy ehme neffen hundert dalern tho einer guttwilligen handtgifft vnd voreheringe, tho jarlicher besoldinge gelauet vnd thogesecht vnd hyrmit jegenwardich, vor vns vnd vnse nhakamen lauen vnd vorschryuen, Veerhundert daler vp de veer quartall, jedes quartals hundert daler, alle jar de tidt synes leuendes tho betalen vnd tho entrichten. Daruan de erste termin vp dussen vorsehenen Michaelis angestahn vnd vp Wynachten negest kumptlich bedaget syn schall. Doch offt idt sick begeue, dat he in kumpstiger tidt mit older vnd schwackheit dermaten befelle, dat wy syner nicht mher vnserer gelegenheit nha sewoll alse by syner vermögenheit gebruken kunden, vnd derwegen einen andern dartho bestellen vnd annehmen mosten, schölen vnd willen wy glikewol ehme alle

---

[1] Das Original der Pergament-Ausfertigung war besiegelt, doch ist sie jetzt durchschnitten.

Jhar, so lange he leuet, twehundert daler tholeren. Vnd schölen darmit aller andern vnd wyder afflegginge nhu vnd hyr-
namals van ohme vnbefordert syn.   Wy hebben vns ock vor-
williget vnd vorsecht, offt he, dat Godt gnediglichen verhöden
wille, vnserer denste vnd geschefte haluen, vthderhaluen synen
eigen saluen, jn gefenkenisse effte susts tho schaden geredde, dat
wy ehne vnd syne eruen derwegen benehmen vnd schadeloß
holden willen.   Alle dusse vorgeschreuen artickel bekennen wy
Burgermeistere vnd Radtmanne der Stadt Hamborch also twi-
schen vns vnd voergedachten Ehrn Doctorn gehandelt vnd bewilliget tho syn.   Lauen ock vor vns vnd vnse nhakamen de-
suluen stede, vaste vnd wol tho holdende vnd sunst vns mit
aller gunst, willen vnd beforderinge jegen ehme tho ertögen.
Tho des allen mherer wetenschop vnd sekerheit hebben wy vnser Stadt Signet benedden ahn dessen breff wittlichen laten
haugen, dhe gegeuen is tho Hamborch den achten Octobris,
Rha Christi geboredt XVᶜ vnd jm LIIIItᵉⁿ Jare.

Ueber Tratziger's Thätigkeit in seinem Hamburgischen
Amte sind wir nach dem Untergange der einschlagenden Acten
nicht im Stande, viel zu erfahren, doch gestattet uns eine ältere, von dem Archivar Willens einst gegebene kurze Nieder-
zeichnung über die von ihm bekleideten Missionen folgende, aus
anderen Quellen von uns etwas erweiterte Mittheilungen über
dieselbe.

Er ward zunächst in Anspruch genommen zu Verhandlungen mit dem Herzoge von Sachsen-Lauenburg Franz, zu
welchem Zwecke er mit den Rathmannen Vincenz Möller
und Gatlev Langebek nach Bergedorf abgeordnet wurde.
Der Gegenstand der Besprechung wird nicht bezeichnet, doch
dürfte er wohl in der vielfach von den herumstreifenden Kriegs-
völkern, besonders durch den Grafen Volrad von Mansfeld gefährdeten Lage der beiderseitigen Gebiete zu suchen seln.

Im folgenden Jahre 1554 am 28. April ward Bergedorf von den Truppen des Herzogs Heinrich des Jüngern
von Braunschweig überfallen und besetzt. Unter dem Vorwande
einer Sühne für ältere Streitigkeiten brandschatzte der Herzog
Heinrich 12,000 baare Thaler von Hamburg. Zu den des-
fallsigen Verhandlungen, welche durch einen am 26. Mai d.J.
zu Hamburg abgeschlossenen Vertrag geordnet sind [1]), war

---

[1]) Vergl. Havemann Geschichte der Lande Braunschweig und Lüneburg
Th. II. S. 288. Eine ausführliche Darstellung dieser Vorfälle giebt
der gleichzeitige Chronist in meinen Hamburg. Chroniken S. 461 ff.,
wo auch ein Auszug der hier ausführlichen Stadtrechnung gegeben ist.
Kürzer spricht darüber Tratziger selbst in der Chronik S. 296. Der

der Syndicus Tratziger deputirt, welcher auch mit dem Bürgermeister Hackman und dem Rathmanne Lorenz Niebur beauftragt war, von dem Städtchen Bergedorf nach Abzug der räuberischen Rotten wieder Besitz zu ergreifen. Bald darauf war er wieder beauftragt, das Schloß dem bisherigen Rathsherrn I. von Holten, als neuen Amtmanne, zu übergeben.

Wir bemerken also schon hier den Syndicus zu Bergedorf beschäftigt, wie noch bis auf die neuerliche Abänderung der älteste Syndicus mit dessen Verwaltung in einer von seiner übrigen Stellung etwas abweichenden Weise betrauet blieb.

Ein unerquicklicher Auftrag ward ihm und den beiden vorgenannten Mit-Abgeordneten noch in diesem Jahre über die Oberherrlichkeits-Ansprüche Holsteins mit den fürstlichen Gesandten des Königs von Dänemark und der Herzöge Johan und Adolf zu Segeberg zu verhandeln: Dieselben Unterhandlungen wird Tratziger fortzuführen beauftragt sein, als später jene Gesandten wegen dieser sogenannten Subjections-Angelegenheit in Hamburg verweilten, wo sie auf der Stadt Rechnung ehrenvoll beköstigt wurden [1]).

Bedeutender oder doch zahlreicher wurden die ihm ertheilten Aufträge im folgenden Jahre 1555, nachdem sein älterer Amtsgenosse Dr. Strubb in Lübeck's Dienste getreten war. Wir erkennen hier die große Thätigkeit unserer Vorfahren, welche ungeachtet der Beschwerlichkeit und vielfachen Gefahren damaliger Reisen die meisten wichtigen Geschäfte nicht schriftlich, sondern, wo irgend thunlich, auch mündlich zu verhandeln liebten.

Zunächst wurde er mit dem Bürgermeister Ditmar Koel und dem Rathmanne Gerhard Niebur beauftragt zu einer auf dem Zollenspiker anberaumten Zusammenkunft mit dem fürstl. Lüneburgischen Statthalter Thomas Grote, Erbherrn auf der zu Holstein gehörigen Elbinsel Bilhorn (jetzt mit Wilhelmsburg vereint). Die Grenzstreitigkeiten, welche dort erörtert sein dürften, werden dem Ausländer die genaue Kenntniß der wichtigen Interessen der Elbschiffahrt, sowie des Hamburgischen Handels verschafft haben, welche zuweilen verletzt werden konnten durch Unkunde oder Böswilligkeit der Nachba-

---

von Tratziger mit unterzeichnete Vergleich ist abgedruckt in dem „Gründlichen Berichte auf der Teutschen Hansestädte Verantwortung“ S. 144

[1]) Die Stadtrechnung verzeichnet für jene z. J. 1555 zuerst 213 Pfd., hernach 596 Pfd. Sie sagt von ihnen ausdrücklich: huc missi ad tractandum in causa subjectionis. S. meine Hamburg. Chroniken S. 466, Note 4, welche zu S. 467, Z. 14 gehört.

reu, durch die zufällige Anhäufung eines Sandes im Strome, den geringfügigen Anwachs von kleinen Uferstrecken, durch die Einschließung von kleinen Pfuhls oder die Versenkung einiger Steine. Für jene Vermuthung spricht, daß eine Ausgabe von über 150 Pfd. verzeichnet ist für die Streitsache mit den Lüneburgern und Genossen über die Jurisdiction der Elbe, worunter auch die Kosten der Abschickung des Notarius Herman Lasterpage, eines oben genannten Rostocker Schülers unsers Syndicus, an den Bischof von Bremen, um demselben ein kaiserliches Mandat gegen Eingriffe (de non turbando) feierlich zuzustellen. Doch könnte hier auch schon von der Erhaltung der Hamburgischen Privilegien wider die Abfuhr des Getraides und wegen der Jurisdiction auf der Elbe verhandelt sein, da dieselben Gesandten noch in diesem Jahre wegen dieser Angelegenheit an den Kurfürsten Joachim von Brandenburg abgeordnet wurden. Die Städte Bremen, Lüneburg, Stade und Buxtehude hatten zur Umgehung jener Rechte Hamburg's die Süder=Elbe zollfrei auf= und untersegeln wollen und Stade hatte schon, jedoch vergeblich, gesucht, mit gewaffneter Hand die freie Fahrt zu erzwingen [1]). Diese Angelegenheit wurde mit solchem Ernste betrieben, daß sie in diesem Jahre 6750 Pfd. — ein Eilftel der Kosten des ganzen Staatshaushaltes — erforderte. Daß es Tratzigern gelungen, das Vertrauen des kurfürstlichen Hofes zu gewinnen, bezeugen die Schreiben des Kurfürsten, in deren erstem derselbe den Syndicus Tratziger ersucht, ihm zur Anschaffung eines Anlehens von 50,000 Thlrn., welches seine Landschaft zur Deckung seiner Schulden übernommen habe, in Hamburg oder Holstein förderlich zu sein; in dem andern aber selten Rath Thomas Mathisen zu dieser und andern Angelegenheiten, welche seiner Amtspflicht nicht in den Weg treten, bei dem Syndicus beglaubigt [2]).

Von Cöln an der Spree ward er bald nach Lübeck versandt, wo er mit dem Ritter Joachim Ranzou eine die Hanse oder die beiden Schwesterstädte betreffende Streitfrage zu erörtern hatte. In derselben Stadt wohnte er gemeinschaftlich mit den Rathsherren Lorenz und Gerhard Niebur dem Hansetage vom 2. Juli bei.

So ward Tratziger denn auch in die schon zu Rostock ihm nahe gekommenen hansischen Interessen eingeweiht und es fehlte zur Vertretung in den derzeit wichtigsten Fragen nur noch

---

[1]) S. meine Hamburg. Chroniken S. 467.

[2]) Beide Schreiben sind abgedruckt, doch ohne Jahr und Tag, in (Wilten) Leben Dr. A. Thraeigeri S. 90 ff.

die sehr schwierige der Streitigkeiten mit dem hiesigen Domcapitel, dessen Mitglieder dem alten Glauben und Kirchendienste
freilich sehr gefügig entsagt hatten, welche aber desto zäher an dem
kirchlichen Eigenthum, Renten, Gerichtsbarkeit und anderen Rechten und Vorrechten hielten. Das Capitel hatte kürzlich, im Vertrauen auf die ihm sehr günstige Lage des Processes, bei dem
kaiserlichen Kammergerichte zu Speier denselben wieder neu
erweckt und ein älteres Mandat wider Rath und Stadt Hamburg in Kraft setzen wollen (1554 Martini). Tratziger ward
nun, in seiner ursprünglichen Eigenschaft als städtischer Anwalt, nach Brüssel an das kaiserliche Hoflager gesandt, um
die Niedersetzung einer Commission und Vertagung der gerichtlichen Verhandlung zu beschaffen. Er erreichte seinen Zweck,
zunächst durch zweckmäßige Vorstellungen an den Kaiser Carl
V., von denen uns die hauptsächlichste von ihm selbst unterzeichnete noch erhalten ist [1], aber auch durch die in jener Zeit
ungemein gebräuchlichen Geschenke, welche Fürsten und Für-
stinnen bei jedem erfreulichen Anlasse annahmen oder in ihren
Verlegenheiten sogar bei den ihnen fremden Städten nachsuch-
ten — und welche daher auch ihre Diener bald als einen ihnen
gebührenden Erwerb beanspruchten. Wenn es gleich die Niedersachsen wohl lernen mußten:

"Da pecuniam summis,
So ward wohl recht wat krum ys,"

so war doch auch die gerechteste und klarste Sache ohne Ge-
winnung der Räthe durch Geld, Geschenke von Ehrenbechern
und anderen goldenen oder silbernen Tafelgeräthen, oder von
Rossen und sonstigen irgend verschenkbaren Gegenständen, Wein,
Bier, Gewürzen, nicht zur Beförderung, geschweige zur Ent-
scheidung zu bringen [2]. Der Herzog von Lüneburg Franz
Otto und der Bischof von Osnabrück Johan IV., Graf
von der Hoya, erhielten das beantragte kaiserliche Commisso-
rium. Nach Hamburg heimgekehrt, hatte Tratziger bal-
digst mit dem Bürgermeister Ditmar Koel und dem Rathmanne Lorenz Niebur nach Itzehoe sich zu verfügen, um
dort mit dem königl. dänischen Gesandten und den Capitularen
zu verhandeln. Nach kurzem Aufenthalte in Hamburg mußte
er mit dem Bürgermeister Albert Hackman und Herrn
Lorenz Niebur zu fortgesetzter Verhandlung mit den Ca-

---

[1] Gedruckt doch o. O. I. und T. bei Staphorst Hamburg. Kirchengeschichte Th. III. S. 855—7. Die populäre Ansicht von diesen Begebenheiten findet sich in meinen Hamburg. Chroniken S. 466 ff.
[2] Vergl. unten Tratziger z. J. 1555 und die Note 2.

pitularen, vermuthlich weil die Nähe des häufig zu Stade und Burtehude residirenden Christof, Erzbischofs von Bremen, gewünscht wurde, sich nach Hasselwerder verfügen. Er sollte darauf nach Frankfurt a. M. sich verfügen vermuthlich des römischen Königs wegen, ward indessen an den Bischof von Osnabrück bestimmt, ging jedoch schließlich mit den letztgedachten Collegen nach Eschedebrügge im Alten Lande zur Verhandlung mit den Hamburger Capitularen.

Das folgende Jahr 1556 nahm ihn gleich dem vorhergehenden in Anspruch mit einer ähnlichen Zahl von Sendungen, zum größten Theil in Betreff derselben unerledigten Gegenstände, zunächst mit dem Bürgermeister D. Koel an Herzog Franz zu Sachsen-Lauenburg. Mit demselben Bürgermeister und Herrn Gerhard Niebur wohnte er (Juli 13.) der Tagfahrt der wendischen Städte zu Lübeck und darauf daselbst dem allgemeinen Hansetage (October 9.) bei. Mit Bürgermeister Hackman ward er nach Uelzen gesandt in der streitigen Sache der Stadt Lüneburg mit ihrem Fürsten, und ein zweites Mal zur Beilegung derselben. Mit dem Secretarius Herman Wetken ging er nach Frankfurt a. M. zu der vom römischen Könige Ferdinand I. anberaumten Versammlung aller Elbufer-Staaten, um über die Elbschifffahrt und die Elbzölle zu verhandeln, eine Verhandlung, deren Protokolle noch jetzt mit Interesse würden eingesehen werden. Die Uebel wurden schon damals anerkannt, man war zu schwach, heilsame Beschlüsse zu fassen und noch drei Jahrhunderte mußten unter stets und in's Abenteuerliche wachsenden Uebelständen vergehen, bis mit ungeheuren Opfern, vor allen abseiten der Enkel der Mandatare Tratziger's, durch die Gesammttheilnahme der halben bewohnten Welt eine bessere Ordnung erreicht wurde.

Tratziger reiste darauf mit seinem letztgenannten Gefährten zum Bischofe von Osnabrück, dem Commissair in der Hamburgischen Capitels-Angelegenheit, um ihn über den Stand derselben zu belehren, worauf er zu der Verhandlung derselben Sache mit dem Bürgermeister D. Koel, Rathmann Lorenz Niebur und Secretarius Mag. Nicolaus Vögler nach Verden entboten wurde. Die Kosten dieser Gesandtschaft wurden sehr vermehrt dadurch, daß die Stadt Hamburg nicht nur die Kosten des Aufenthalts des Herrn Bischofs, sowie der Subdelegirten des Herzogs von Lüneburg, Dr. Joachim Müller und Lic. Christoph von Hudenbroch, zahlte, sondern auch durch Geschenke, wie 120 Pfd. an Dr. Müller zu fleißiger Arbeit (ut eo diligentius in componenda controversia suam operam navaret) anzuregen erforderlich fand.

Von dort ging Traßiger über Bremen wieder nach Brüssel, wo er in derselben Sache mit den kaiserlichen Räthen Sellius und Viglius Aita van Zuichem, dem Präsidenten des dortigen Staatsrathes und wohlbekannten Rechtskundigen, verhandelte, welche der Rath durch kleine Aufmerksamkeiten, wie Zusendung einiger Tonnen des beliebten Hamburger Biers zu erfreuen suchte.

Ein eigenthümlicher Vorfall nahm den vielwandernden Diplomaten zu dieser Zeit in Anspruch. Die Kriegsschiffe, welche Hamburg auf der Elbe kreuzen ließ, um die verbotene Kornabfuhr zu hemmen, bemerkten ein aus der Stör heraus nach der Elbmündung segelndes Schiff, welches sie mit Getraide beladen glaubten. Sie verhinderten es also mit Waffengewalt weiter zu gehen, entdeckten nun aber auf demselben den Herzog von Gottorf Adolf I., welcher mit seinen Räthen nach Antwerpen reisen wollte. Von Zorn entbrannt verlangte der Fürst die Bestrafung der anwesenden Schiffsmannschaft, welche der Senat auf dem Winserbaum und den Brockthurm bringen ließ. Traßiger wanderte zu dreien Malen mit dem Bürgermeister Ditmar Koel, den Herren Lorenz Niebur und Herman Wetken nach Ißehoe, um den unmuthigen Fürsten zu beschwichtigen. Doch fand jener kein anderes Mittel, als was der königliche Statthalter auf Segeberg, Johan Ranzow, zu welchem Traßiger allein gleichfalls drei Mal pilgerte, ihm angerathen, ein edles Geschenk für den habsüchtigen hohen Herrn. Ihm wurde also ein vergoldeter Becher von 268 Loth (482 Pfd. 8 Schill.) dargebracht und in demselben 2400 Pfd. in reinem Gold, spanischen und ungarischen Goldgulden. Dem Herrn Johan Ranzow wurde ein sichtbares Andenken an die Dankbarkeit der Stadt Hamburg; nicht geringe waren die Kosten für die Gefangenen, welche auf sehr gute Behandlung und vielleicht Schmerzensgelder schließen lassen. Herzog Adolf starb noch im September dieses Jahres und der Freigebigkeit Hamburg's konnte sich kein dankbares Gemüth erinnern, während sie die viel erprobte Begehrlichkeit der Nachbaren nur steigerte.

Im folgenden Frühjahr 1557 am 9. Mai war er wieder mit dem Bürgermeister Hackman zu einer Tagfahrt in Uelzen in der Streitsache der Stadt Lüneburg mit ihrem Fürsten gegangen. Acht Tage später finden wir ihn mit dem Rathmann Georg Bilter auf der Versammlung der wendischen Städte zu Lübeck, doch nicht mit demselben auf dem Hansetage im nächsten August. Noch einmal ging er aber nach Uelzen und Lüneburg, um in letzterer Stadt die

Abschriften der bestrittenen Privilegien zu beglaubigen [1]). Die hier gemachten Bekanntschaften benutzte er, um dem dortigen Rathe einen jungen hamburgischen Bürger Hans Wichten=beke [2]) zu der erledigten Stelle seines Bierkäufers in dieser Stadt brieflich zu empfehlen. Dieses Schreiben ist in Wandes=beke, der Besitzung der Familie seiner Frau, am 30. Juli aus=gefertigt, von Tratziger d. R. Dr., ohne den Titel des Syn=dicus, unterzeichnet.

Es ist uns unbekannt, was dieser ehrenvollen Thätigkeit Tratziger's im Dienste der Stadt Hamburg ein Ziel gesetzt hat. Wir finden ihn bis zu Ende des Jahres mit Ab=fassung seiner am 29. December d. J. 1557, als dem ersicht=lich durch seinen ferneren Lebensplan ihm gesetzten Schlußter=mine, beendigten Chronik Hamburg's beschäftigt. In diesem Jahre faßte er auch einen Bericht ab, um nachzuweisen, gegen die Ansichten des Dr. A. Cranz, daß Hamburg viel älter als Stade sei und die fünf wendischen Städte. Ein Eh=rengeschenk, wenn auch kein bedeutendes — es war eine silberne Schale von 18½ Loth — welches Tratziger vom Rathe noch in diesem Jahre erhielt, mag es auf geleistete amtliche Dienste oder auf die Abfassung seiner Chronik sich beziehen, zeugt je=denfalls so wenig wie die in der Chronik vorherrschende Stim=mung und der Ton der späteren Berichte Tratziger's an den Rath, von einer gegenseitigen Verbitterung.

Auf die Aufgebung seines Amtes in Hamburg mögen bei Tratziger theils die widerlichen Mißhelligkeiten mit der Familie seiner Frau und vielleicht mit ihr selbst [3]), theils die unabhängigen Verhältnisse, zu welchen der dürftige Nürnber=ger Student bereits im 30. Lebensjahre sich emporgeschwungen hatte, von wesentlichem Einflusse gewesen sein. Die Ansprüche der von Zeven'schen Anverwandten auf Wandesbeke, dessen Schenkung an Salsborch (den uns bekannten Bürgermeister Dr. Heinrich von Salsborch), nunmehr auf Adam Tra=tzigern, Dr. Jur. und Syndicum zu Hamburg, Kaiser Karl V. im Jahre 1556, den 26. Juni, also zu der Zeit, wo Tra=

---

[1]) Die Beilegung dieser Streitigkeiten gelang erst dem Lübecker Bischofe Eberhard von Holle durch den Vertrag vom 19. Mai 1562. Vgl. Havemann Geschichte der Lande Braunschweig und Lüneburg Bd. II. S. 471 ff.

[2]) S. von demselben das Document v. J. 1560 über den Ankauf des Schafferhauses bei Staphorst I. 2. S. 615. Auch finden sich spätere Urkunden v. J. 1567—70 von ihm in holsteinischen Verhältnissen. S. Noodt a. a. O. I. S. 130. Note S. 131. Westphalen Monum. ined. T. II. 575—81. Vom gleichbenannten Vater um's J. 1538—40. B. Ghyseke Chronik S. 151. 174.

[3]) Die Frau, welche in dem Zeven'schen Stammbaume bei Staphorst IV. 401 Catharina Gerdrut genannt wird, hat ihn überlebt.

ziger sein Andenken bei den kaiserlichen Räthen zu erneuern suchte, confirmirte, waren zu seiner Frauen Gunsten von dem Reichskammergerichte zurückgewiesen und durch Vergleich geordnet, so daß Traßiger selbst vom Herzoge Adolf zu Holstein mit dem schön belegenen, zukunftreichen Schlosse und Gute bereits 1557 Donnerstag nach Antonii, Jan. 22., belehnt war. Noch bis 1562 finden wir ihn gelegentlich auf seinem Schlosse. Doch schon 1564 Jan. 18. verkaufte er dasselbe, nicht zur Zufriedenheit seines Herzogs, erblich, wenn gleich mit der Bedingung des Vorkaufrechtes, an den königlichen Statthalter Heinrich Ranzow für 7000 Mk. [1]) oder, wie Andere wissen wollen, für 70,000 Thlr. [2]). Herzog Johan zu Schleswig, Holstein ꝛc. bestätigte sofort am 27. Jan. in Flensburg den vom Statthalter Heinrich Ranzow gemachten Ankauf des Gutes Wandesbeke von Adam Traßiger [3]).

Traßiger's Entschluß, in holsteinische Dienste zu treten, kann in Hamburg nicht gerne gesehen sein. Wenn man den gelehrten und gewandten Geschäftsmann ungern entbehrte, so war doch damals der Wechsel der Syndici ein sehr gewöhnliches Ereigniß. Aber die holsteinischen Canzeleien hatten nur zu häufig, unerachtet freundlicher Gesinnungen der Fürsten und ihres Volkes, eine feindselige Stellung gegen Hamburg. Dennoch scheint es nicht, daß Traßiger seine genaue Kenntniß Hamburgischer Verhältnisse je hat zu der Stadt Nachtheil in pflichtwidriger Weise gebrauchen wollen oder können. Anfänglich mag viel Verdacht vorgewaltet haben und scheinen deshalb Gerüchte verbreitet zu sein, welche ihm ungünstig waren, worin er Veranlassung fand, in dem folgenden Schreiben auf sein Hamburgisches Bürgerrecht zu verzichten:

---

[1]) Das Nähere s. bei O. Benecke Wandsbeck's Vorzeit in der Zeitschrift für Hamburgische Geschichte Th. III. S. 357 ff. Westphalen Mon. ined. T. III. praef. p. 100 ss.

[2]) Schröder und Biernatzky Topographie von Holstein und Lauenburg.

[3]) Diese Urkunde, so wie die kaiserliche vom J. 1556, wurden im J. 1773 von Eutin nach Kopenhagen gebracht, mit anderen, worunter Königs Friedrich zu Dänemark Schenkung des Hofes Wandesbeke mit Zubehör an den Bürgermeister zu Hamburg Hinrich Salsborch, Ritter, und dessen Erben, dat. 1525. S. das Verzeichniß in Nordalbing. Studien III. S. 261 ff. Hier bemerke ich noch zu fernerer Ergänzung der oben angeführten Abhandlung die Urkunde des Königs Johan, welcher dem Herzog Friedrich den Hof Wandesbeke überläßt, indem er den Hof Pronstorf für sich behält, dat. 1495. S. das Repertorium der Gottorper Urkunden in Falck's Sammlungen für die Kunde des Vaterlandes III. S. 320.

XXXV

Meine freundtliche Dienste beuorn, Erbare, Hochgelarte und Wolweise Hern, besondere gunstige Freunde. Ich kohme ihn vielfeltige und glaubwirdige erfahrung, das Ich etzlicher mißvorstendtlicheit halben, so zwischen der kön. Mayt. zw Dennemarcken rc. und beiden Hertzogen zw Holstein rc. meinen gnedigsten und gnedigen Hern, vnd E. Erb. W. furgefallen, ihn verdacht gezogen werde. Derwegen ben von etzlichen ihn der Stadt Hamburgk fast vndienstliche reden gesprengt werden, welchs mir doch vnverschuldt vnd ohne fueg wibderfehret, dessen Ich Ihrer kön. May. und F. G. zw Zeugen haben kan vnd mich off Ihre kön. May. und F. G. wil gezogen haben. Wan mir dan derwegen zwm hogesten bedencklich, ihn der bürgerlichen vorwandtniß, darmitt ich biß anher E. Erb. W. und gemeinen Stadt zugethan gewesen, lenger zw hafften, bevorab, weil meine gelegenheit dahin gerichtet, das Ich hinfur die mehrere Zeidt bei meinem gnedigen Fürsten und Hern, Hertzog Adolffe zw Holstein rc. bei hoffe anwesendt sein werde, also wil ich hirmitt E. Erb. W. die burgerschaft vnd geleistete burgerliche pflichte freundtlich haben aufgeschrieben. Iboch sollen E. Erb. W. und gemeine Stadt Hamburg sich hinfüro nichts desto weniger alles guten und geneigten willens zuvorsehen haben, worinne ich E Erb. W. vnd gemeiner Stadt angenehme dienste und wilfahrung würde erzeigen können, mich darin gutwillich zw befinden. Vnd sol, ob Godt wil, anderst nicht ihn der warheit gespüret werden, den das ich ihn den Irrungen, so zwischen vnsern Landesfürsten und E. Erb. W. und gemeiner Stadt sich itzo erhalten oder kunftig furfallen muchten, nichts liebers sehe und mehr begere, alß das ein ider theil dem andern thue was Recht ist, darburch fride, ruhe und einigkeit allerseits erhalten werde, der vngezweiffelten zuuersicht E. Erb. W. hinwidderumb, was Ich und die meinen zu Hamburg ihn oder außerhalb Rechtens itzo zw thuende haben oder kunftiglich haben würden, der gepuer vnd villigkeit nach sich werden befohlen sein lassen. Wilchs E. Erb. W. Ich freundtlicher meinung nicht habe vorhalten sollen. Vnd bin E. Erb. W. zw angenehmen wilfehrigen diensten geneigt. Datum Wandesbeke, Mittwochens nach palmarum Anno & Lviij.

Adam Tratziger, Doctor vnd

Holsteinischer Cantzler.

Abdr.: Den Erbarn, Hochgelerten vnd Wolweisen

Hern Burgermeistern vnd Rabt der Stadt

Hamburgk, Meinen günstigen Freunden.

III*

41

Später fand Traßiger es auch für gerathen, die von ihm ertheilten Reverſales von den Herren Bürgermeiſtern ſich zu erbitten, nachdem er ſeine Beſtallung zurückgegeben hatte. Die Rücklieferung derſelben verzögerte ſich und Traßiger benußte die Abfertigung eines Boten durch den Herzog Adolf, um von Gottorp aus am 18. November 1558 in einem an die Herrn Bürgermeiſter gerichteten, als holſteiniſcher Canzler unterzeichneten Schreiben ſeine Bitte in Erinnerung und deren Gewährung zur Ausführung zu bringen. Doch finden wir, daß er am 30. December, wo er in Hamburg verweilte, wiederum deshalb ſchriftlich nachſuchte. In den erſten Tagen des folgenden Monats ſcheint dieſe Sache in einer Beredung auf dem Rathhauſe geordnet zu ſein. Die Zurückſtellung ſeines zweiten Reverſes v. 1554 Nov. 10. wird er erreicht haben, da nicht dieſer, ſondern nur ein von dem Domcapitel zu Lübeck 1558 Dec. 1. ausgeſtelltes Transſumpt deſſelben ſich bei den hieſigen Acten findet ¹). Derſelbe lautet der oben mitgetheilten Beſtallung genau entſprechend, und mag der neue Canzler ſehr gewünſcht haben, ſeine Unterſchrift unter einem Documente zu vertilgen, in welchem er gelobt hatte, für ſeine Lebenszeit in keine andere Dienſte zu treten, ſondern in dem Staate zu bleiben, welcher ihm ſogar ein damals ſehr ungebräuchliches Ruhegehalt zugeſichert hatte. Vermuthlich wurden aber hier neue Verpflichtungen von ihm eingegangen, auf welche Traßiger ſich bald darauf beruft und deren Beachtung er verſpricht, als er am 11. April 1559 von Wandesbeke aus für ſeinen Diener an den Rath eine Beſchwerde richtete, welcher von einem Rathsdiener angeblich ohne genügende Urſache entwaffnet und in Haft gebracht war.

Die ſpätere Thätigkeit des Traßiger, nachdem er ſein Hamburgiſches Geſchichtswerk beendigt und die Stadt verlaſſen hatte, darf uns weniger wichtig erſcheinen als ſein früheres Leben, indeſſen bleibt der Mann, welchen wir, wenn auch nur für wenige Jahre, vorzugsweiſe als einen Hamburger betrachten dürfen, auch uns eine nicht unbedeutende Perſönlichkeit, beſonders da er auch ſpäter ſtets in wichtigen und engen Beziehungen zu Hamburg ſtand. Doch wird es hier erforderlich ſein, nur eine Skizze deſſen zu geben, was den Traßiger ſelbſt betrifft, da die weiteren Erläuterungen zu einer politiſchen und Rechts-Geſchichte Schleswig's und Holſtein's führen würden.

¹) Es iſt hier vom Lübecker Capitel Traßiger's Wappen irrig beſchrieben als ein Löwe mit drei Häuptern. Vielmehr iſt es, wie ich zur Ergänzung der oben S. IX. mangelhaft gedruckten Beſchreibung bemerke: ein Greif mit drei Häuptern und den Buchſtaben **A. T. D.** d. h. Adam Traßiger, Doctor. Eine richtige Zeichnung des gedachten Siegels iſt gegeben bei Weſtphalen T. III. pag. 326.

Tratziger, welcher sich 1558 auf Ostern, als holsteini=
scher Canzler bezeichnete, wohnte noch auf Wandesbeke, da
sein neuer Herr in Königsberg verweilte, wo ihn eines sei=
ner vielen flüchtigen Heirathsprojecte beschäftigte. Bald darauf
scheint jedoch der neue Canzler zu Wolfenbüttel für seinen
Herzog den Präliminar=Vertrag über dessen beabsichtigte Ver=
mählung mit Clara, der Tochter des Herzogs von Braun=
schweig, abgeschlossen zu haben [1]).

Tratziger's erste That im Dienste seines neuen Herrn
mag auch die folgenreichste geworden sein. Es war der von
seinem Herzoge verlangte Rathschlag und Bedenken, das Land
Ditmarschen betreffend, in welchem er die Vortheile der
ohne große Kosten ausführbaren Eroberung für seinen Fürsten
entwickelte. Dieser Briefwechsel Tratziger's mit dem Herzoge
führt in das Jahr 1557 zurück [2]) und dürfte also wohl die
unmittelbare Veranlassung zu seinem Eintritte in den herzog=
lichen Dienst gegeben haben. Daß er es war, dessen Gründe
entscheidend wirkten, wird von den Zeitgenossen vielfach aner=
kannt [3]). Doch wird darin auch eine wesentliche Ursache der
Abneigung zu finden sein, mit welcher er seitdem angesehen
ist, da namentlich den Städten Lübeck und Hamburg, welche
von Alters her mit Ditmarschen nicht nur im engeren
kirchlichen Verbande, sondern auch in einem Schutz= und Trutzbünd=
nisse standen, der Untergang des befreundeten Freistaates, und
noch dazu zur Machterweiterung der holsteinischen Fürsten, nicht
gleichgültig sein durfte.

Daß Tratziger selbst der Geschichtschreiber der Eroberung
Ditmarschens, in einer angeblich gedruckten, doch nirgends
genauer nachgewiesenen deutschen Schrift geworden sein sollte [4]),
ist nicht unwahrscheinlich und wird diese Angabe näher zu prü=
fen sich unten noch Veranlassung darbieten.

---

[1]) Behrmann über die Vermählungspläne des Herzogs Adolph von
Holstein=Gottorp in Michelsen und Asmussen Archiv für die Ge=
schichte von Schleswig=Holstein 2c. II. S. 384.

[2]) Westphalen Monumenta inedit. T. III. Praefat. p. 101. No. IV. Molbech
in seiner Schrift über die Ditmarser Kriege S. 142 giebt einen Aus=
zug aus jenem Gutachten.

[3]) Das warhafftige und kurze Verzeichniß des Krieges wider die Ditmar=
sen (Straßburg 1569) benennt nur Dr. Adam den Canzler, welchem
Herzog Adolf seinen Rathschlag entdeckt habe. Neocorus, welcher
jene Schrift augenscheinlich vor sich hatte und in seinen Dialect über=
trug, bezeichnet (Bd. II. S. 154), vermuthlich aus Christiani Cilicii Cimbri
belli Dithmarsici Descriptio, gedruckt zu Basel 1570, auch noch den Mo=
ritz Rantzow.

[4]) So nach J. Moller Cimbria Lit. T. II. p. 897.

Wenn die Angabe eines poetischen Epigonen, des unten näher zu gedenkenden, mit der Schwestertochter unseres Tra̱ziger verheiratheten A. F. Melleman in seinem lateinischen Gedichte [1] auf denselben gegründet wäre über seine Sprache:

Lingua, quam stupuere bis Britanni
Et regina, celebris orbe toto,
Florens imperium Angliae gubernans,

so ist Tra̱ziger nach der gewöhnlichen Deutung [2] auf zwei herzoglichen Sendungen in England gewesen und hat versucht, dem Gottorper Herzoge zu einem noch weit größeren Ansehen zu verhelfen, als dieses durch die Besiegung einiger Nachbaren möglich war, nämlich durch dessen Bewerbungen um die Hand der Königin Elisabeth. Doch ward zu dem förmlichen Antrage des Herzogs erst im Herbste des Jahrs 1560 Dr. Hink nach London gesandt [3]. Vielleicht war aber Tra̱ziger mit Jenem seinem Herrn, als derselbe im vorhergehenden Jahre gleich nach der Ditmarser Fehde zum ersten Male zu der Königin von England reiste und ehrenvoll in dem von derselben dem Lord Hunsdon angewiesenen Sommerset-Palaste beherbergt wurde, und wird Tra̱ziger's, von Lord Cecil Burgleigh später erinnerte, vor des Letzteren Abreise nach Schottland (1559) gepflogene Unterredung bei diesem Anlasse stattgefunden haben [4]. Hierauf ist auch wohl die Nachricht eines Zeitgenossen zurückzuführen, daß Tra̱ziger in seiner Sendung an jene Fürstin schon im Jahre 1559, selbst mit vielen Geschenken geehrt, seinem Herrn von derselben ein Jahrgehalt von 4000 Kronen verschafft habe [5]. Wenn Letzte-

---

[1] Wilkens a. a. O. S. 120.
[2] J. Moller l. l. p. 896.
[3] Behrmann a. a. O. S. 384 ff.
[4] Daselbst S. 401. Daß der Herzog Adolf schon 1559 in London war, nach Behrmann's Behauptung und der Notiz der Lucy Aikin Memoirs of Queen Elizabeth I. 262 ist sehr unbekannt geblieben. Languet a. a. O. erwähnt des Herzogs nicht: auch in einem Schreiben vom 25. Novbr. d. J. spricht er von der Reise des Herzogs mit Hülfstruppen und einer Bewerbung nur hypothetisch. Camden, Lingard, Christiani wissen nur von einer einzigen Reise des Herzogs und zwar im Jahre 1560. Sogar Dr. Hink spricht nur von einer Reise des Herzogs. Die von Behrmann angeführte Instruction des Herzogs von Braunschweig, 1560 Jan. 2, beschwert sich nur über die Bewerbung der Gesandten des Herzogs zu London. 1559 Octbr. 3—6. stellte Herzog Adolf zu Rendsburg Verordnungen aus, eben so 1560 März 26—28., was mit dem von Lingard angegebenen Tage der Ankunft desselben in London, März 20. vielleicht nicht vereinbar scheint.
[5] Hubert Languet, in einem Briefe an Ulr. Mordisius, d. d. Wittenberg, 1559 November 18., in seinen Epistolae ed. J. P. Ludovicus. Halae 1699 p. 21. Doctor Adamus Traeiger, qui Adolphi principis

res geschehen sein sollte, so mag von der Königin die Kriegs=
hülfe des tapferen, ihr persönlich angenehmen Herzogs bezweckt
sein und wurde auf leichte Gerüchte hin von den Staatsklugen
jener Tage dem Holsteiner die reichste Zukunft geweissagt [1]).
Der Herzog Adolf gab sich gleichfalls diesen Aussichten hin
und ging zum zweiten Male nach England, wo er 1560
März 20. eintraf, gar freundlich aufgenommen wurde und län=
gere Zeit verweilte, auch den Hosenband=Orden bald darauf er=
hielt. Es ist nicht sehr unwahrscheinlich, daß Tratziger hier
seinen jugendlichen Herrn wiederum begleitete. Tratziger
wird das Mißlingen dieses Heirathsplans innig betrauert ha=
ben, denn es kann schwerlich verkannt werden, zu welcher Macht
ein Staat England=Schleswig=Holstein mit beiden Kü=
sten der Nordsee, des westlichen Ostseestrands, der Elb= und
der Eyder=Mündungen sich entfaltet haben würde

Zu den Aufträgen, welche Tratziger gleich beim Antritte
seines Amtes erhielt, gehört einer, welcher vor Allen dazu bei=
trug, ihn unbeliebt zu machen, nämlich die allmällge Herbei=
führung der Secularisation des Bisthums Schleswig. Diese
war durch die im vergangenen Jahre vom Herzoge, welcher
selbst Administrator des Stifts geworden, eingesetzte allgemeine
Visitation der Kirchen eingeleitet, doch werden seinen Räthen
manche ungesetzliche Schritte des Herzogs wider das Capitel
zugeschrieben. Auch die zuerst 1556 versuchte, 1562 ausgeführte
Ernennung des Hamburgischen Superintendenten Dr. Paul
von Eitzen zum Oberhofprediger in Gottorp und die Er=
theilung eines Canonicates an denselben wird nicht ohne Tra=
tziger's Mitwirkung, wenn nicht auf dessen Anstiftung geschehen
sein. Er brachte es für den Herzog endlich zu einem Vergleiche
1565, in welchem das Capitel auf einen großen Theil seiner Rechte
verzichtete [2]). Ohne selbst, wie es gesetzlich war, Domherr zu
sein, bekleidete Tratziger seit 1573 das Amt des Domthesau=

Holsatiae nomine iverat in Angliam, reversus est multis muneribus orna-
tus. Impetravit suo principi annuum stipendium quatuor millium corona-
torum. Ipse princeps Adolphus forte brevi in Angliam cum milite naviga-
bit. Nam regina metuit aut simulat se metuere istos motus Scoticos.
Si hoc fiat, ipse profecto facilius ad illud coniugium perveniet, quam quis-
quam ex ceteris. Et si Galli videant Reginam in filium imperatoris in-
clinare, quemcunque alium promovebunt, ut hoc impediant.

[1]) Camden Ann. rerum Anglicarum berichtet von der günstigen Stimmung
der Königin, der jährlichen Pension und dem Orden. S. noch Lin=
gard History of England.

[2]) Lackmann Einleitung S. 559 ff.

rarius, sah sich jedoch veranlaßt, dasselbe an den Domherrn
Heitman abzutreten [1]).

Schwieriger als harte Maßregeln in einer Zeit, wo es
aller Orten galt, für neue Ansichten neue Männer, für die fester zu leitenden Zügel des fürstlichen Regimentes gewandte
und kräftige Hände zu finden, möchte es sein, Tratziger's
Betragen gegen das Domcapitel zu Hamburg zu rechtfertigen, da es nur aus den Verblendungen des Eigennutzes her-
vorgegangen sein dürfte.

Wir finden Tratziger, welcher damals dem Domcapitel
nicht angehörte, im Besitze des einst von dem Scholasticus
Bantschow (†1540) inne gehabten Domshofes vor dem Damm-
thore, des s. g. Scholasterhofes. Diesen Hof soll einst 1535
Aug. 4. Bantschow dem Vater des fürstlich holsteinischen Secretairs Herman Rothenburg abgetreten haben, welcher
denselben wiederum an Tratziger mit Schlüssel und Ring
übertrug. Die rechtlichen Befugnisse zu diesen Uebertragungen
sind aus den vorhandenen sehr unvollkommenen Actenstücken
nicht zu ersehen. Tratziger hatte den Hof an Frau Margareten, des Herrn Detlev Brokdorp Wittib, vermiethet,
aber denselben nach geschehenem Verkaufe des Schlosses zu
Wandesbeke 1562 seiner Frau zum Wohnsitze bestimmt. Das
hiesige Domcapitel, welches die Fortdauer dieses Besitzes nicht
anerkannte, ließ ihm durch sein Mitglied Johan Slüter
eine Verschreibung des fraglichen Hofes für seine, auch seiner Frauen Lebenszeit vorschlagen, falls er dem Domcapitel
die vom Herzoge Adolf jenem einst entrissenen vierzehn im
holsteinischen Amte Trittau belegenen Dörfer und Landgüter
wieder verschaffe. Der neue Domherr Paul Tesmar [2]) verlangte nunmehr durch von Eitzen jenen Domhof zurück und
forderte den Dr. Tratziger vor das hiesige Niedergericht, wo
derselbe sich nicht stellte und zur Auslieferung verurtheilt wurde.
Im Sommer 1562 fand eine weitläuftige Vernehmung von
Tratziger's Zeugen durch den Rath, als Obergericht statt,
dessen Ausspruch wir nicht kennen. Wahrscheinlich wurde ein
Vergleich vermittelt, da Tratziger nicht geräumt zu haben

---

[1]) Christiani Geschichte II. 402 ff. Jensen in Michelsen und Asmussen Archiv I. S. 475 ff. Auf diese Streitigkeiten bezieht sich auch
das Schreiben des Capitels zu Schleswig an den Herzog im J. 1573
bei Noodt a. a. O. II. S. 266.

[2]) Paul Tesmar hatte die zwölfte Präbende 1561 Oct. 25. erhalten.
Er erscheint in manche Streitigkeiten verwickelt; ward 1593 gefangen
und 1594 suspendirt, lebte aber noch bis 1608—9. Staphorst
III. S. 563. Vergl. auch Ratjen a. a. O. II. S. 252.

scheint. Wir finden ihn 1575 April 8. noch im Besitze eines Domhofes zu Hamburg, in welchen das Domcapitel zu den bereits eingetragenen 300 Rthlr. noch fernere 100 Rthlr. einschreibt [1]), wahrscheinlich nicht ohne Beziehung auf seine früheren Erbietungen. Denn die mittlerweile an das Reichskammergericht gebrachte Streitsache wegen Rückgabe jener vierzehn Dörfer ward im folgenden Jahre October 18. durch einen zu Segeberg abgeschlossenen Vergleich [2]), gegen gewisse Zahlungen abseiten des Amtes Trittau an das Domcapitel, für fünfzig Jahre beigelegt und dadurch für die folgenden Jahrhunderte.

Im eben gedachten Jahre 1575 hatte Tratziger seine Stellung im Hamburger Domcapitel völlig gesichert und in Folge der Resignation des ihm entfernt verwandten Jakob Wolders die neunte große Präbende erhalten. Seine stete Abwesenheit von Hamburg, welche ihn hinderte, den herkömmlichen Pflichten zu genügen, veranlaßte neue Streitigkeiten, welche jedoch durch ein neues Statut des Capitels über das Gnadenjahr und die nicht residirenden Mitglieder 1580 Mai 5. für Tratziger speciell günstig beendigt wurden [3]), da er im vollen Genuß jener Pfründe blieb gegen das Versprechen, jährlich vierzehn Tage nach Ostern und nach Michaelis dem General=Capitel beiwohnen zu wollen. Tratziger, welcher in diesem Statute die Stelle des jüngsten unter den eilf namentlich aufgeführten Domherren einnimmt, wird gegen jene Bewilligung auf seine Ansprüche auf die Würde des Hamburger Scholasticus verzichtet haben, welche ihm zuweilen beigemessen ist [4]). Doch habe ich ein gleichzeitiges Zeugniß für seinen Besitz dieses Amtes nicht bemerkt, welches jedenfalls mehr als ein bloßes Canonicat seine Anwesenheit in Hamburg erforderte. Er soll die Scholasterei nach Anthon Barley, welchen wir 1561 Mai 2. darin urkundlich finden, erhalten haben. Doch folgte diesem Baldewin von Werse̓e, welcher 1574 noch dem Capitel angehörte [5]). Tratziger aber mußte überall erst ein Canonicat besitzen, ehe ihm eine höhere Würde zu Theil werden konnte. Jenes ward ihm aber erst 1575 oder später. Schon 1579 Jan. 23. unterzeichnete Herman Niebur einen Capitular=Vergleich als Scholasticus, der 1582 April 24. starb, worauf ihm Richard vam Wolde folgte.

---

[1]) Stelzner Nachrichten von Hamburg II. S. 308.
[2]) Staphorst I. 2. S. 369. Stelzner daselbst S. 372—381.
[3]) Gedruckt bei Wilckens a. a. O. S. 92—94.
[4]) Wilckens a. a. O. S. 16. Staphorst III. S. 549.
[5]) Staphorst III. S. 563.

Dasselbige Spiel, welches Tratziger sich mit dem Capitel zu Hamburg erlaubte, trieb er mit demjenigen zu Schleswig. Auch von diesem hatte er sich gewisse Zahlungen gegen einige von ihm demselben zu leistende Dienste verheißen lassen und forderte, ohne seinen eigenen Versprechen irgend genügt zu haben, die ersteren. Er hatte sich mit einer Beschwerde über die Weigerung an den Herzog Adolf gewandt, welchem jedoch das Capitel im Jahre 1573 die Sachlage vorzulegen nicht Anstand nahm [1]). Doch gelang ihm auch hier im August des folgenden Jahres einen Vertrag mit dem Capitel zu schließen, in welchem er freilich auf eine von ihm beanspruchte Präbende verzichtete, doch 600 Mk. erhielt und einen Platz in der Domkirche zu einem Monumente. Das Geld hatte er zu einer Stiftung für die Armen in dem dortigen H. Geist=Hospitale bestimmt [2]).

Auch zu Eutin hatte Tratziger sich durch seinen Herzog, den Administrator des Bisthums Schleswig, eine von dem Schleswiger Domherrn Hieronymus Kopperschmidt (Cypräus) [3]) besessene Präbende ertheilen lassen, auf welche er jedoch zu Gottorp 1574 Nov. 25. zu Gunsten des Aegidius von Lansten resignirte [4]). Daß auch hier ein ähnlicher Kaufhandel, wie in den früher gedachten Fällen bei der Nachsuchung der Präbende von Anfang an beabsichtigt wurde, wird Niemand bezweifeln wollen.

Hatte sein Verfahren in solchen Verhandlungen dem Canzler Dr. Adam schon die Bezeichnung der Pest der Domherren und Aehnliches in deren Kreisen verschafft, so wurde er noch allgemeiner, wenn gleich vielleicht nicht mit demselben Rechte, bitter getadelt wegen seiner Bauten zu Schleswig. Hier hatte er sich von dem Herzoge dessen vor einigen Jahren erkauften auf dem Domgrunde belegenen Hof auf der Schmiede=Wiese am Stadtgraben bereits im Jahre 1565 schenken lassen [5]). Das Capitel bestätigte diese Schenkung, gestattete auch 1566 dem Tratziger die Fischerei auf dem Stadtgraben.

---

[1]) Noodt Beiträge zur Civil= und Gelehrten=Historie Schleswigs und Holsteins Bd. II. S. 266.

[2]) Daselbst S. 275—279.

[3]) Von dieser Sache s. Christiani II. S. 403. Er selbst war der Verfasser der Chronica episcoporum Slesvicensium, gedruckt in Westphalen Monument. ineditis T. III. p. 185—254, welches den Anfang zu dem von seinen Anverwandten herausgegebenen Werke über die Bischöfe von Schleswig bildet.

[4]) Mittheilung des Herrn Professor Waitz.

[5]) Urkunde gedruckt bei Noodt a. a. O. II. 258.

Fünf Jahre später (1571 Juli 25.) verkaufte ihm der Magistrat zu Schleswig, als Vorstehern der Armen zum heiligen Geist, die jenen Armen zuständige wüste, seit 44 Jahren leer stehende St. Johannis-Kirche auf dem Holm daselbst für 200 Mk. [1]

Einige Monate später hatte er, wie wir aus der herzoglichen Bestätigung vom 16. Januar 1572 ersehen, auch noch etliche auf Domgrund zwischen seinem Hofe zu Schleswig und dem Bauhofe belegene verfallene Buden und Wohnungen, deren vom Herzoge verlangte Herstellung dem Capitel zu kostbar wurde, anstatt des von Sachverständigen taxirten Werthes von 300 Mk., durch Erlegung von 400 Mk. oder 24 Mk. Erbzins [2] erworben. Es ist dem Trabiger besonders zum Vorwurfe gemacht, daß er jene alte von Porphyrsteinen erbaute Kirche niedergebrochen habe, um diese Steine zum Bau seines Palastes zu verwenden. Doch bezeichnen andere wohlunterrichtete Schriftsteller [3] jene Steine nur als Duffsteine, welche ursprünglich zu den Stapelhäusern auf dem Holm und zu Hollingstede verwandt sind. Die aus diesem Bau hergeleiteten Anschuldigungen scheinen rechtlich ganz ungegründet zu sein, wohl aber müssen wir bedauern, daß der Erhaltung der alten Inschriften auf manchen der Steine der Kirche [4] von dem ehemaligen Geschichtschreiber keine Aufmerksamkeit gewidmet wurde. Sehr großartig wird dieser s. g. Palast nicht gewesen sein, da er mit dem dazu gehörigen Gehöfte, zwei Vorwerken und allen Zugehörigkeiten gleich nach Trabiger's Ableben von den Erben an den Herzog Adolf für 2000 Mk. verkauft ward, später an Nennwerth stieg, doch nie über 2000 Thlr. Einer der Eigenthümer, welcher die ganze Besitzung für 800 Thlr. erhalten hatte, ließ das Trabiger'sche Haus abbrechen und das Baumaterial zu einem unweit der Stadt belegenen Wohnhause verwenden [5].

Der Canzler Trabiger war stets in den wichtigsten Angelegenheiten seines Landesherrn beschäftigt. 1565, wo die von Würzburg ausgegangenen Grumbachischen Händel, unter Einwirkung des von Dänemark vertriebenen Pater Dxe, ihre Aufregung nach Niedersachsen verbreiteten, bedrohte Herzog Ulrich von Meklenburg Holstein mit einem kriegerischen

---

[1] Noodt Bd. 1 S. 602 ff.
[2] N. Heldvaderi Sylva chronologica maris balthici.
[3] M. Anton Heinrich Walther Schleswig'sche Kirchen-Historie S. 83. Vergl. Noodt a. a. O. I. S. 602 ff.
[4] Westphalen Monum. ined. T. III. Praefat. p. 89.
[5] Näheres hat Noodt a. a. O. II. S. 364 ff.

Einfalle [1]). Herzog Adolf zeitig gewarnt, säumte nicht eine Verhandlung über die zu leistende Hülfe zwischen seinen und Herzogs Johan, so wie des Königs Friedrich II. Gesandten zu Lübeck einzuleiten. Unter diesen Gesandten war auch Tratziger, welcher das darüber aufgenommene Protocoll, wenn nicht verfaßt, doch unterschrieben hat [2]).

Es konnte nicht fehlen, daß er in seiner amtlichen Stellung viel in den langwierigen Hoheitsstreitigkeiten Holsteins wider Hamburg, der s. g. Exemptions-Sache, in Anspruch genommen wurde. Es scheint, daß er dieselbe, vielleicht aus Rücksicht auf seine Verhältnisse zu Hamburg, ruhen ließ bis zum Jahre 1564, wo er Wandesbeke verkauft hatte [3]). 1566 finden wir, daß der Bericht und das Protokoll in dieser Sache von Dr. Malachias Raminger an ihn ergingen [4]). 1570 befand Tratziger sich zu Frankfurt a. M., vermuthlich in Reichshofraths-Angelegenheiten, und auf dem zu Speier abzuhaltenden Reichstage, wo das kaiserliche Gebot vom 26. August an Hamburg erfolgte, weder dem Könige von Dänemark noch dem Herzoge von Holstein zu huldigen [5]), vom Herzoge Adolf berufen, um bei den dort zu verhandelnden Exemptions-Sachen der Stadt Hamburg, so wie des Capitels zu Schleswig seine Dienste zu leisten, und vermöge einer ihm und dem Dr. Mal. Raminger ertheilten gemeinschaftlichen Vollmacht den König von Dänemark, sowie die Herzöge von Schleswig-Holstein zu vertreten. Beide wurden von dem Reichskammergericht zurückgewiesen [6]), wozu die Anwesenheit der Rathsherren Hieronymus und Johan Huge, sowie hernach in des Letzteren Stelle der Herr Joh. Niebuhr viel beigetragen haben dürften.

Glücklicher war er für seine Auftraggeber, den König von Dänemark, so wie die Herzöge von Holstein darin, daß er ihnen damals eine neue kaiserliche Bestätigung des Privilegii Kaiser Friedrichs III. vom Jahre 1474 wider die Evo-

---

[1]) Vergl. Christiani II S. 408 ff. Waitz Schleswig-Holstein's Geschichte Bd. II 2. S. 346.

[2]) Mittheilung des Herrn Professor Waitz.

[3]) Das Gottorper Repertorium (in Falck's Sammlung für die Kunde des Vaterlandes Bd. III) S. 297 erwähnt diese Acten v. J. 1558 und sodann S. 298 wieder; zuerst 1564 No. 46 ff.

[4]) Daselbst No. 53.

[5]) S. dasselbe auch bei Stelzner II. 335—43.

[6]) Chytraei Historia Saxoniae p. 568. Remonstratio Danica de 1642. Append. F. F. Christiani a. a. O. S. 434.

cation von Holſteinern vor Gerichte außerhalb Holſtein, ſo
wie ein anderes in Betreff der Appellationen an das Reichskammergericht verſchaffte.

Tratziger's perſönliche Stellung war ohne Zweifel eine
ſehr geachtete, wie wir auch finden, daß er von dem Kaiſer
Maximilian II. zu einem Berichte über die Lage und Ver-
hältniſſe Schleswig's und Holſtein's aufgefordert war,
welchen er auch vorlegte [1]). Wir wiſſen auch noch über ſeine
damalige Thätigkeit, daß er den Geſandten der Grafen von
Oldenburg eine Erklärung über die Anſicht des Herzoges
Adolf rückſichtlich einer von jenen gewünſchten, ſeit dem Jahre
1565 beim Kaiſer nachgeſuchten Geſammtbelehnung mit Holſtein ertheilte, und der Kaiſer unter dem 4. Nov. d. J. zu Speier
den obenbezeichneten drei Fürſten, als nächſten Agnaten, einen
wohlbekannten Expectanz-Brief auf die Grafſchaften Oldenburg und Delmenhorſt ertheilte. Doch iſt dem Tratziger
vorgeworfen, in dieſer Angelegenheit unredlich verfahren und
die Anſicht verbreitet zu haben, daß es einer neuen Belehnung
aus kaiſerlichen Gnaden im fraglichen Succeſſionsfalle bedürfe.
Tratziger ſelbſt hatte noch nach eilf Jahren ſich wegen ſeines Benehmens in dieſer Angelegenheit zu rechtfertigen und
wurde ſogar nach einem Jahrhunderte von den Betheiligten lebhaft angegriffen [2]).

Daß es ſeiner Gewandheit gelang, bei der Unterzeichnung
des Reichstags-Abſchiedes zu Speier ſeinen Namen als holſteiniſcher Geſandter unmittelbar nach denen des Herzogs von
Sachſen-Lauenburg und vor denen des Landgrafen von
Leuchtenberg zu ſtellen, ward als eines ſeiner Verdienſte
lange dankbar anerkannt.

Eine verwickelte Streitfrage über die Hoheitsrechte des
Kloſters zu Uetersen und deſſen Rechte auf ſeine Ländereien
und deſſen Verhältniß zu den verſchiedenen Mitgliedern des
königlichen, des fürſtlichen und des gräflichen Hauſes ordnete
er mit kundiger Hand durch einen am 25. Auguſt 1578 ab-
geſchloſſenen Vergleich.

1579 am 25. März wurde zu Odenſee unter Tratziger's verdienſtlichſter Mitwirkung, als eines der Räthe und
Commiſſarien der beiden Herzöge, der ſchon bei den
desfalſigen früheren Verhandlungen vor zehn Jahren damit
betrauet und eingreifend erſcheint, — der erſte Odenſeer Receß vom Jahre 1569 war von ihm abgefaßt und unterzeich-

---

[1]) Notiz des Herrn Profeſſor Waitz.
[2]) Vgl. Wilkens a. a. O. S. 19 und die Beilagen No. 9, 10 und 11.

net [1]), — durch Vermittlung des Churfürsten von Sach=
sen, des Herzogs zu Meklenburg und des Landgrafen von
Hessen von dem Könige von Dänemark mit jenen Herzögen
der wichtige Vertrag über die alte Streitfrage der Belehnung
der letzteren mit Schleswig und Fehmarn abgeschlossen [2]).

Im gedachten Jahre 1581 bemerkt man seinen Namen
unter denen der herzoglichen Commissarien, welchen Februar 24.
Vollmacht ertheilt wurde, mit den königlichen Commissarien
über den Nachlaß des Herzoges Johan des Aelteren zu verhan=
deln [3]). Hernach verfügte er sich auf den niedersächsischen
Kreistag zu Lüneburg, dessen Beschlüsse er als holsteinischer
Canzler unterschrieb.

Im folgenden Jahre 1582 ward ihm der ehrenvolle Auf=
trag, im Namen seines Fürsten die Huldigung der Nordfriesen
zu empfangen, welche ungewöhnlich große Unkosten veran=
laßte [4]). Von hier aus begab er sich nach Hamburg, wo
er mit den Hamburger Commissarien, Syndicus Dr. Michael
Rheder und anderen Rathsmitgliedern die Grenzen des ham=
burgischen Dorfes Farmsen mit den benachbarten holsteini=
schen Dörfern ordnete, worüber wir die Bestätigung des Se=
nates vom 9. September d. J. besitzen [5]).

Das Canzleramt brachte es mit sich, daß Tratziger an
der Spitze der Justizverwaltung zahllose Arbeiten auszuführen
hatte, von denen wir nur gelegentlich Kunde erhalten, deren
fernere Aufzählung auch von keinem Interesse für uns wäre.
Als solche können wir jedoch anführen seinen im Kieler Ab=
schiede vom J. 1577 Mai 3. erwähnten Bericht über die vom
Könige und den Herzögen anhängigen Kammergerichts=Sachen;
im dortigen Abschiede des Quartal=Rechtstages vom J. 1583
Febr. 28. den ihm ertheilten Auftrag, wegen der von der Stadt
Hamburg damals bei jenem Gerichte diffitirten Siegel, in
den Archiven benachbarter Fürsten und Stände gleichzeitig aus=
gestellte Urkunden zur Vergleichung aufsuchen zu lassen.

Auf denselben Rechtstagen am 26. Januar 1584 und
wiederum am 8. Juli finden wir ihn gegenwärtig und neben
den unterzeichnenden herzoglichen Räthen [6]). Auch auf den
Schleswig'schen Rechtstagen wurde seine Anwesenheit erheischt.

---

[1]) Westphalen T. III. praef. p. 99.
[2]) Noodt Beiträge Bd. I. S. 106 ff. Nordalbingische Studien Bd. IV.
S. 248 ff.
[3]) G. F. A. Ostwald zur Würdigung der Schrift. II. S. 11—14.
[4]) A. Heimrich Nordfriesische Chronik I. S. 360.
[5]) Gedruckt in Ziegra's Beiträgen zur politischen Geschichte Hamburgs
S. 91—93.
[6]) Ratjen a. a. O. II. S. 299. 307. 309. 313.

Seine wichtigste Thätigkeit war jedoch den größeren Regierungs-Angelegenheiten gewidmet, welche den alternden Mann so sehr in Anspruch nahmen, daß er für die processualischen Händel seines Herrn die Muße nicht zu finden vermochte. Der General-Abschied zwischen den königlichen und den fürstlichen Regierungsräthen auf dem Rechtstage zu Schleswig 1579 November 19. erkannte daher schon an, daß dem Dr. Adam Tratziger, als dem zu den allgemeinen Regierungshändeln Bestelltem, es unmöglich gewesen sei, die schwierige und weitläuftige Instruction zu der mit denen von Hamburg angesetzten Verhandlung während dieses Rechtstages zu verfassen, und ward ihm ein Aufschub bis zur Mitte k. Januars nachgelassen [1]).

Wir bemerken in der folgenden Zeit gewöhnlich mit oder ohne ihn auf den Rechtstagen den Vice-Canzler Dr. Josias Marcus. Doch unumwunden erklärte der Kieler Abschied des Quartal-Gerichtes 1583 Juli 20., bei Wiederaufnahme der Delmenhorster Angelegenheit, daß mit Adam Tratziger wegen seiner Schwachheit und Abwesenheit die gewohnte Unterredung nicht gehalten werden könne und diese Angelegenheit desfalls auf andere Weise zu betreiben sei. Dieser Beschluß entband ihn jedoch nur von einer besonders schwierigen unter seinen vielen Arbeiten.

Vom 30. October, wo er zu Lygum-Kloster verweilte, ist uns ein von ihm unterzeichnetes Schreiben an den Superintendenten Dr. P. von Eitzen und das Consistorium zu Schleswig über die Förmlichkeiten der Verlöbnisse in Dithmarschen bekannt [2]).

Zum Gesammtüberblicke über Tratziger's Streben und Wirken müssen wir beachten, daß so sehr er als ein eigennütziger Gegner der Domcapitel zu Schleswig und zu Hamburg auftrat, wir eifrige protestantische Geistliche unter seinen Freunden finden, wie namentlich von zwei Hamburgern bekannt ist. Er bewog den Herzog Adolf, den Hamburger Superintendenten Paul von Eitzen, einen kenntnißreichen, tüchtigen Schüler Luther's und Melanchthon's, welcher sechs Jahre früher den Ruf eines Superintendenten und Oberhofpredigers in Schleswig abgelehnt hatte, im J. 1562 dorthin zu gewinnen. Einen gleichgesinnten Prediger in Hamburg zu St. Peter, aus Geldern gebürtig, welcher ungefähr gleichzeitig mit Tratziger nach Hamburg gekommen war, Franz Baring, dort aber wegen seiner Hinneigung zu Melanchthon es im J. 1563 bis zur Entlassung von seinem Amte hatte

---

[1]) Ratjen a. a. O. S. 303. 308.
[2]) Falck's Staatsbürgerl. Magazin Bd. l. S. 623—29.

kommen laſſen, wußte er dem Herzoge F r a n z II. von L a u e n =
b u r g ſo dringend zu empfehlen, daß jener zum Paſtor der
Stadt L a u e n b u r g und 1564 zum Superintendenten ernannt
wurde [1]).

Im Jahre 1571, wo er in anderen Geſchäften ſeines Ho=
fes mit dem kaiſerlichen benutzt wurde, findet ſich eine Vor=
ſtellung des Herzoges A d o l f verzeichnet, welche bei der kaiſer=
lichen Majeſtät einen offenen Schein (Patent) für die herzog=
lichen Brüder A d o l f und J o h a n nachſucht, wegen Geneh=
migung eines anzulegenden Canals von der Weſt= zu der Oſtſee.
Wir dürfen hier doch wohl den erſten Plan zu dem ſpäter
in anderer Richtung ausgeführten Eider=Canal ſuchen [2]).

Vielleicht dürfen wir annehmen, daß T r a t z i g e r ' s frü=
here Kenntniß der hamburgiſchen Intereſſen und Einſichten ihn
veranlaßte, die in H a m b u r g und L ü b e c k ſeit dem J. 1448
mittelſt des Alſter= und Trave=Canals vergeblich erſtrebte Ver=
bindung der Oſt= und Nordſee in S c h l e s w i g = H o l ſ t e i n zu
erreichen verſuchte.

Wenn es ſtets ein Glück zu nennen iſt, wenn der Mann
dem von ihm in ſeiner frühen Jugend ergriffenen Berufe treu
bleiben kann und dadurch ſein Gewerbe, ſeine Kunſt oder Wiſſen=
ſchaft weiter zu führen mehr Gelegenheit gewinnt, ſo wird es
beſonders gern anerkannt, wenn Gelehrte ſpäter in höheren
Staatsdienſten das Gebiet der Wiſſenſchaft, welcher ſie ſich
zuerſt geweihet haben, nicht verlaſſen. Dieſes dürfen wir von
dem Canzler T r a t z i g e r rühmen.

Daß der Canzler die Gewandtheit in der lateiniſchen
Sprache beibehielt, welche wir an dem Profeſſor zu R o ſ t o c k
rühmten, erſcheint in einer Zeit, wo jene Sprache noch die in=
ternationale unter Staaten und Gelehrten war, weniger auf=
fallend. Es fehlen uns auch Beiſpiele davon nicht in einigen
Briefen an H e i n r i c h R a n z o w, von denen der Troſtbrief
über das Ableben ſeines Vaters J o h a n R a n z o w vom Jahre
1565 längſt gedruckt war [3]).

Eine kleine Vorarbeit, welche den Verfaſſer zur Hambur=
ger Chronik führte, war ſein im Jahre 1557 abgefaßtes, ein
achtungswerthes, wenn gleich noch unreifes kritiſches Beſtreben

[1]) P. v o n K o b b e Geſchichte des Herzogthums Lauenburg Th. II. S.
396. Hamburg. Schriftſteller=Lericon. Bd. I.
[2]) R a t j e n a. a. II S. 215. No. 50. Das Schreiben d. d. Gottorp
Aug. 10. beabſichtigt eine Schifffahrt von Kiel mittelſt eines Grabens,
ungefähr 2800 Ruthen lang, durch etzliche Seen und Auenn bis an die
Eider, — vermuthlich den Ruſſee, den Weſtenſee und das Flemhuder
Meer. Prof. Junghans beabſichtigt deſſen Abdruck in den Jahr=
büchern für Landeskunde 1865. Heft 1.
[3]) Epistolae consolatoriae ad Heur. Ranzovium, a G. C. Frobenio collectae.
Ein Schreiben an denſelben ſ. bei W i l c k e n S. 116, welcher es aus
dem Cilicius de bello Dithmarsico entlehnte.

bezeugender Bericht, daß Hamburg nicht älter als Stade u. a. sei [1]).

Von dem Hamburger Geschichtswerke und den demselben zu Grunde liegenden Studien wird hernach abgesondert die Rede sein.

In Schleswig hat er wenigstens einige Jahre seine alte Wirksamkeit als öffentlicher Lehrer neben der übrigen amtlichen Thätigkeit fortgesetzt, da er mit dem Paul Cypraeus Vorträge über die Rechtswissenschaft hielt [2]) an dem vom Herzoge Adolf wider Willen des dortigen Domcapitels gegründeten Paedagogium [3]), einer Anstalt, welche dem in der Bugenhagen'schen Kirchen-Ordnung für Hamburg beabsichtigten, doch erst später ausgeführten Gymnasium entsprach.

Eine deutsche Brevis Narratio de Dithmarsia eorumque cum ducibus Holsatiae controversiis, im Jahre 1559 herausgegeben, wird von vorzüglichen Kennern angeführt [4]). Doch kennt man kein Exemplar solchen Werkes, sondern nur die Andeutung in einem Schreiben des Rostocker Professor Casel vom Februar 1582 an Tratziger: „Ab eo enim tempore, quo primum legi quae de Dithmarsia erudite et diserte annotata una pagina explicaveras, te colui nec ante visum nec ex eo tempore" [5]). Daß aus diesen Worten hervorgehe, daß die gedachte Schrift von den Streitigkeiten mit den holsteinischen Fürsten handele, daß sie deutsch geschrieben, daß sie 1559 oder nur daß sie überall gedruckt sei, ist keineswegs anzuerkennen. Sehr wahrscheinlich war es ein kurzer staatsrechtlicher Aufsatz über Ditmarschen, welcher dem Casel einst zu Gesicht gekommen ist.

Sollen wir dem Tratziger eine deutsche Schrift über Ditmarschen und deren Streitigkeiten mit den Herzögen beilegen, so dürfte diese wohl keine andere sein, als die älteste, welche den Krieg ausführlicher behandelt, die 1569 zu Straßburg gedruckte: „Warhafftige vnd kurtze Verzeychniß des Krieges ao. 1559 wider die Dietmarsen geführt". Diese Vermuthung läßt

---

[1]) Gedruckt mit dem Versuche einer Widerlegung in J. U. Wallichii Relatio de incendio anni 1659 Stadensi. 1659 p. 78—89. Auch bei Wilkens a. a. O. S. 122—127, welcher darin irrte, daß er diese Schrift zuerst abzudrucken vermeinte.

[2]) Waitz Schleswig-Holsteinische Geschichte II. S. 399.

[3]) Christiani Geschichte Schleswigs und Holsteins unter dem Oldenburgischen Hause II. S. 402.

[4]) Moller Cimbria literata.

[5]) Dieses Schreiben, welches eine Empfehlung des Nathan Chytraeus bezweckt, ist abgedruckt vor dessen Nomenclator Latino-Saxonicus und in den von H. Bangtius gesammelten Epistolis Joh. Caselii.

Tratziger's Chronik.   IV

fich ftützen auf die Anzahl der in die Schrift aufgenommenen Documente, welche mit der im Jahre 1565 erfolgten kaiſerlichen Beſtätigung des 1559 vom Könige Friedrich II. und den Herzögen Johan und Adolf von Schleswig, Holſtein ꝛc. mit dem Lande Dietmarſen vereinbarten Vertrages abſchließen, auf die in derſelben herrſchende Geſinnung, die Art der Gelehrſamkeit, welche über die Herkunft der Ditmarſchen entwickelt wird, endlich die Darſtellung und die oberdeutſche Sprache [1]). Der Verfaſſer wußte, daß Herzog Adolf ſeine Pläne gegen Ditmarſchen nur wenigen ſeiner Räthe, welche nicht benannt werden, außer dem Dr. Adam dem Canzler, eröffnet habe [2]). Die ganze Schrift, ohne eine übliche Widmung, trägt den Charakter einer officiellen und konnte nur aus der herzoglichen Canzelei hervorgehen.

Daß ein Bericht des in königlichen Dienſten ſtehenden Licentiaten Caspar Beſelig an Erich Crabbe zu Roskilde über die Eroberung Ditmarſchens vom 5. Juli 1559 dem Tratziger irrig zugeſchrieben ſei, hat Michelſen ſchon hervorgehoben, welchem wir deſſen Abdruck verdanken [3]).

Zu Tratziger's juriſtiſchen oder geſetzgeberiſchen Arbeiten gehörte zunächſt die in Folge der Eroberung erforderlich ſcheinende völlige Abänderung des Ditmarſiſchen Landrechts, welche ihm und Heinrich Ranzau übertragen war und 1567 in plattdeutſcher Sprache publicirt ward. Nach dem

---

[1]) Dieſer Grund würde wider die gewöhnliche, von Bolten Ditmarſiſche Geſchichte l. S. 146 angeführte, Vermuthung ſprechen, daß der holſteiniſche Feldherr Johan Ranzau Verfaſſer dieſer Schrift geweſen. Dieſer war ſchon 1565 Dec. 12. geſtorben. Dennoch ſprechen ſich Moller, Weſtphalen (II. Praef. p. 57) und neuerlich Dahlmann (Neocorus II. S. 577) für die Autorſchaft des Verſtorbenen aus, freilich ohne Anführung durchgreifender Gründe. In dem auf dem Titelblatte und wiederholt vorkommenden „tri“ für „drei“ und beiſpielsweiſe Iſi „Stättlin, die Forchte erhube, mit, abgetrungen, umb trei Uhren“ werden genügen, das fränkiſche Element zu erkennen zu geben, wie es in Tratziger's Hamburger Chronik erſcheint, verglichen mit der Sprache von Peterſen's Holſteiniſcher Chronik.

[2]) Vergl. oben S. XXXVII. Anm. 3.

[3]) In ſeinem und Ramuſſen Archive Bd. III. S. 339—70. Unter den verkappten Cilicius kann ich jedoch den Heinrich Ranzow nicht finden, welcher ſich ſelbſt nicht hätte loben dürfen, wie es S. 109 geſchieht: vir perspicacissimi ingenii et prudentiae rarae. Doch ſehe ich keinen Grund, darin nicht den Staats- und Hofpoeten Chriſtopher Kellinghuſen zu ſuchen, welchem Heinrich Ranzow und Tratziger das Material liefern mochten. Es ſcheint mir durch dieſe Annahme die in Waitz Urkunden und Aktenſtücken S. 146 ff. hervorgehobene Anſicht ſo weit beſeitigt, als das damals abſichtlich herbeigeführte Dunkel verſtattet.

Urtheile eines gediegenen gelehrten Sachkenners ist es, mit geringer Rücksichtnahme auf das alte ditmarsische Landrecht, dessen Ausgabe vom J. 1539 Tratziger in den ihm zugänglichen Exemplaren zerstören ließ, aus dem sächsischen Rechte und aus Landesgewohnheiten geschöpft, wird aber von demselben wegen seiner deutlichen Abfassung und guten Sprache sehr gelobt [1]. Wenn dieses Gesetzbuch im besten niedersächsischen Dialecte geschrieben ist, so haben wir theils auf die dem Verfasser vorliegenden älteren Rechtsquellen, theils auf seine holsteinischen Mitarbeiter zu verweisen, jedoch auch zu erinnern, daß Tratziger, dessen Sprachgabe wir zu London bewährt fanden, auch über jenen Dialect schon leidlich gebot, als er von Rostock nach Hamburg kam.

Der Erfolg dieser Arbeit des Canzlers scheint den Herzog Adolf zu einem ähnlichen Auftrage geleitet zu haben, der vollständigen Ueberarbeitung der Eiderstädtischen Landrechte, Beliebungen und Erkenntnisse zu einem allgemeinen, gleichfalls in niedersächsischer Sprache entworfenen Landrechte [2]. Das Erlassungs-Patent des Herzogs ist am 10. Juli 1572 gegeben [3]. Auch verdankt ihm das Weichbild Husum die Begnadigung mit dem alten Seerechte von Wisby [4].

Ein volles Lob ist Tratzigern für die gleichzeitig publicirte Landgerichts-Ordnung in den Herzogthümern Schleswig, Holstein und Stormarn, selbst von seinen Gegnern geworden. Es waren sowohl königl. dänische als andere schleswig-holsteinische Räthe mit ihm zur Entwerfung derselben niedergesetzt und zu der Berathung am 24. März 1572 zu Hamburg zusammengetreten, doch wird dem Tratziger das vorzüglichste Verdienst an derselben von glaubwürdigen Männern beigemessen [5].

Erfreulich ist es zu sehen, daß Tratziger in seinen letz-

---

[1] Falck Handbuch des Schleswig-Holsteinischen Privatrechts I. S. 429. Anders hatte einst Dreyer in seinen Beiträgen zur nordischen Rechtsgelehrsamkeit geurtheilt. Von dem bisher ganz verlornen Drucke vom J. 1485—87 sind zwei von Homeyer gefundene Bruchstücke abgedruckt in meiner Geschichte der Buchdruckerkunst zu Hamburg S. 115 ff.

[2] Westphalen I. L. T. III. p. 102 Note. Falck a. a. O. S. 422. Waitz a. a. O. S. 399.

[3] Von dem seltenen Abdrucke dieses Landrechts zu Hamburg 1573 vergl. meine Geschichte der Buchdruckerkunst zu Hamburg.

[4] Westphalen a. a. O., wo auf S. 96 das Tratziger'sche niedersächsisch abgefaßte Patent abgedruckt ist.

[5] Nach dem Zeugnisse des Markward Gude. Vergl. Moller Introductio in Cimbricam historiam I. p. 277. Westphalen a. a. O. S. 101.

IV*

ten Lebensjahren seiner Neigung für eine geschichtliche Anschauung der Begebenheiten, welcher er stets treu geblieben war,
nachgeben könnte. Wir besitzen eine von ihm im J. 1583 in
lateinischer Sprache aufgesetzte kurze Topographie der Stadt
Schleswig, welche durch ihre Berücksichtigung der von dem
Verfasser selbst nachgeforschten Alterthümer einigen Werth behält [1]. Von besonderem Interesse für die Charakteristik des
alten hamburgischen Geschichtsschreibers ist es am Schlusse jener Topographie sein Versprechen zu finden, eine Chronik der
Herzogthümer Schleswig und Holstein herausgeben zu
wollen, welche bei seiner selten vereinten Alterthums, Rechtsund Geschichtskunde bei kräftigem Willen bedeutend hätte werden müssen. Sie ist jedoch nicht vollendet und über die Vorarbeiten nichts aufgefunden.

Im Juli 1584 haben wir Tratziger noch auf dem Kieler Rechtstage bemerkt. Bald darauf begab er sich nach Hamburg, an welches Verhältnisse zu dem Domcapitel (s. S. XLI.)
und zu seinen Verwandten ihn noch immer banden. Er wollte von
dort am 17. Oct. nach Gottorp heimkehren, als bei Rahlstedt die Pferde scheueten, und er erschreckt aus dem Wagen springend so unglücklich fiel, daß er das Genicke brach [2]. Ein Gegner trägt in seiner Abneigung gegen Tratziger kein Bedenken ein Gerücht zu wiederholen, daß der übergroße Genuß des
Weines den unheilvollen Sprung verschuldet habe, und die
Verblendung anderer Abgünstiger wollte sogar denselben als
eine gerechte Strafe für sein Benehmen gegen die Domherren
und andere Feinde betrachten [3]. Der Leichnam ward nach
Hamburg gebracht und in der Domkirche beigesetzt, wo das
Grab mit den Versen versehen wurde:

Inveni Christum: spes et fortuna valete,
Nil mihi vobiscum, ludite nunc alios [4].

Er scheint kaum das 62ste Jahr erreicht zu haben, doch
hatte ein sehr thätiges Leben ihn früh altersschwach gemacht.

Der nächste Quartaltag zu Kiel 1585 April 26. beschäftigte sich fast ausschließlich mit der Förderung der vielen kammergerichtlichen Processe wider Hamburg, wozu „ein Tüchtiger" gesucht und bedeutendes Geld bewilligt wurde. Die Acten
der gemeinen Sachen beschloß man von des sel. holsteinischen

---

[1] Gedruckt in E. J. von Westphalen Monum. ined. T. III. p. 319—26.
[2] Chytraeus in den Epistol. ad Henricum Ranzovium.
[3] Vergl. Moller Cimbria literata.
[4] Wilkens S. 26. Die meisten Nachrichten geben nur die erste Zeile.

Canzlers nachgelassener Witwe abzuholen [1]). Viele der bei ihm vorgefundenen Collectaneen und Acten waren dem späteren Canzler von Westphalen noch bekannt [2]). Sie beziehen sich großentheils auf die wichtigen von ihm geleiteten Rechtssachen. Das jüngste Gutachten datirt noch vom J. 1584, über das zwischen dem Capitel zu Schleswig und dem Erbherrn Asmus Rumohr zu Roest strittige Patronatsrecht über die Kirche zu Kappeln. Hier fand sich der 1557, also noch zu Hamburg, deutsch geschriebene geheime Rathschlag, wie Ditmarschen ohne große Kosten zu unterjochen sei, mit mancherlei gleichzeitigen Briefen an Herzog Adolf. Von den Hamburg betreffenden Papieren finden sich deren über die Streitigkeiten des Senates mit dem Domcapitel vom J. 1540—1570; über die Exemtionssache; über die Elbzölle. Ferner ein geschichtlicher Bericht und Urkunden über den Herren- und Königshof, auch Mühlenhof (Schauenburger Hof) genannt, zu Hamburg. Letzterer dürfte zu dem Vertrage über die Landestheilung zwischen König Friedrich II. und Herzog Adolf, zu Flensburg 1581 Septbr. 19. vollzogen, verfaßt sein, worin jener Hof, mit welchem Kilian Fur noch von des Königs Seite belehnt war, zu den alternirend zu verleihenden Rechten der beiden Contrahenten gehörte [3]). Ein besonderes Interesse mochte diese Deduction für Traziger haben, da der Herzog Adolf nach dem Abgange des Fur vermöge der ihm zugefallenen Belehnung den Schauenburger Hof an dessen Sohn Friedrich Traziger übertrug [4]), welcher denselben bereits 1585 im October inne hatte.

In fünf Bänden über die Angelegenheiten des Amtes Reinbeck finden sich die Streitigkeiten mit Hamburg über Farmsen, die Beilegung der Streitigkeiten wegen der Bille und der Schiffbarmachung dieses Flusses. Auch über das Strandrecht hatte er einen Entwurf gemacht, auf Veranlassung der Beschwerden der Hamburger über die in Ditmarschen stattgefundenen Mißbräuche [5]), als er bei den zu Hamburg ange-

---

[1]) Ratjen a. a. O. S. 313.

[2]) R. a. O. T. III. Praef. p. 101.

[3]) Abgedruckt in des hochfürstl. Hauses Schleswig-Holstein-Gottorp Gerechtsamen 1683 und daraus in N. Falck Sammlung der wichtigsten Urkunden. 1511 besaß der Dr. Nikrologus Reventlow (vergl. Hamb. niedersächs. Chroniken z. J. 1535) jenen Hof, welcher ihm 1527 genommen, doch wiedergegeben wurde. Er starb 1549.

[4]) Der Stadt Hamburg Beantwortung ad Speciem facti Danicam p. 39 und 137.

[5]) Ausführlich handelt davon J. Schubach de iure litoris.

setzten Verhandlungen im Receße vom 24. März 1572 zu einer Darstellung des nach heimischem — und nach gemeinem Rechte — gültigen Strandrechtes aufgefordert war [1]).

Außer diesen und ähnlichen Acten hinterließ Tratziger eine werthvolle Bibliothek, deren Verzeichniß er einst an Heinrich Ranzau senden wollte, in welcher manche Handschriften von geschichtlichem Interesse vorhanden gewesen sein werden.

Schon ehe jene Acten abgefordert wurden, hatten seine Erben, als welche sich benennen seine Witwe nebst ihrem Sohne Friedrich, und Claus Wolders, des Verstorbenen Schwager, am 4. März 1586 zu Schleswig ihr Haus und Gehöfte, am Kälberhofe belegen, für 2000 Mk. an den Herzog Adolf übertragen [2]).

Dieser Claus Wolders war vielleicht der Jurat bei der St. Jacobi-Kirche in Hamburg im Jahre 1545. Jedenfalls dürfte er der Ehemann der gewöhnlich für unverheirathet angegebenen, nunmehr verstorbenen älteren Schwester von Gertrud Tratziger, nämlich Anna von Tzeven (s. die Stammtafel bei Staphorst IV. S. 401) gewesen sein. Dadurch ist freilich seine Erbberechtigung in dem vorliegenden Falle nicht nachgewiesen.

In der Bezeichnung des Schwagers ließe sich auch der Ehemann der oben gedachten Schwester des Dr. Adam, Eva suchen. Diese war jedoch 1560 verstorben, an Simon Melleman, einen Rechtsgelehrten zu Berlin, verheirathet gewesen, welcher dieselbe bis zum Jahre 1588 überlebte. Aus dieser Ehe war Albrecht Friedrich Melleman entsprossen, welcher seinen Oheim zu Schleswig besuchte, dessen reiche Bibliothek er anstaunte und später desselben mehrfach in seinen zu Frankfurt an der Oder im Jahre 1593 herausgegebenen lateinischen Gedichten gedachte [3]), unter welchen ein anderes des Verstorbenen Lebenslauf in freundlichster Weise feiert [4]). In einem dritten Gedichte erscheint Tratzi-

---

[1]) Westphalen l. l. p. 102. No. XVI.
[2]) Der Kaufbrief ist abgedruckt bei Noodt a. a. O. II. S. 363—65, wo auch über die ferneren Eigenthümer jenes Hauses Nachricht gegeben wird.
[3]) Moller führt jene poemata an mit der Druckangabe Berolini 1591: die vor uns liegende der hiesigen Stadtbibliothek hat aber die lange Widmung an den brandenburgischen Canzler Christian Distelmaier. Von jenem Bücherschatze spricht er in seinem Hodoeporicum Lib. V. Aa. 4.
　　Non satis est. . . . .
　　Et quod Sleswigae scriptores triverit omnes,
　　　Trazigeri quotquot bibliotheca capit.
[4]) Lib. II. K. 2. Dieses Gedicht in obitum ist mit denen auf des Dichters Eltern von Wilkens a. a. O S. 117—121 wieder abgedruckt.

ger dem Jünglinge im Traume und vermahnet ihn zu größerem Fleiße, wenn er ein guter Dichter werden wolle. Ein ferneres besingt die ciceronische Beredsamkeit des Oheims [1]). Es sei hier noch beiläufig bemerkt, daß auch dieser seiner Mutter den Namen Traciger giebt und auf den Geburtsort Nürnberg hinweiset. Er nennt ihn also weder Dratziher, wie Moller in Angabe der Doctordissertation, noch Thraeiger, wie deren Abdruck bei Wilckens lautet. Auch jener gedenkt nicht der Herkunft aus Nordhausen, wo nach Angabe des zur Zeit unseres Canzlers zu Schleswig lebenden Dompredigers Joh. Lucht, er am 16. Februar 1526 geboren sein soll [2]). Die letztere Zeitbestimmung wird durch das Datum der Dissertation im Jahre 1543 höchst unglaubwürdig, die des Ortes von Tratziger selbst in jener Rede widerlegt.

Von Tratzigers Witwe erfahren wir noch, daß sie den von ihrem Ehemanne besessenen Domhof (Curia canonicalis) an dem Berge an seinen Nachfolger Herrn Hieronymus Moller nicht ausliefern wollte, bis die ihr im J. 1575 verschriebenen 400 Thlr. (s. S. XLI.) von demselben ausgezahlt seien. Da jedoch Tratziger das Gebäude sehr hatte verfallen und die verwitwete Dame viel dort gelagertes Bauholz verkaufen lassen, so wurde von dem Capitel 1587 October 19. ihre Forderung auf 300 Thlr. oder 600 Mk. Lübisch beschränkt.

Mit seiner Frau hat Tratziger keine glückliche Ehe geführt. 1567 hatte er zwei Jahre von ihr völlig getrennt gelebt, so daß Dr. Joh. Bouk (Tratziger's Nachfolger im Hamburger Syndicate) und der Prediger Degener es für angemessen hielten, in einem Briefe vom 8. Febr. d. J. den Superintendenten Dr. P. von Eitzen aufzufordern, diese Ehegatten wieder zu vereinigen. Ohne Zweifel wurde die böse Stimmung durch Streitigkeiten mit ihrer Familie über Geldangelegenheiten genährt, worüber ein Schreiben Tratziger's vom Jahre 1580 an den Hamburger Rath noch Kunde giebt. Doch war sie wegen ihrer leidenschaftlichen Streitsucht übel berufen. Bezeichnend für dies traurige Verhältniß ist es, daß Tratziger's Schwestersohn, welcher an dem Oheime so viel zu preisen wußte, seiner Ehe oder häuslichen Tugenden, sowie seiner Tante mit keinem Worte gedenkt.

Von Tratziger's einzigem überlebenden Kinde Friedrich ist uns nur bekannt, daß er 1585 den Schauenburger Hof zu Hamburg durch herzogliche Verleihung besaß, und obgleich durch den vom Könige von Dänemark eingesetzten Dombdechanten Veit Winsheim herausgetrieben, noch 1591

[1]) Lib. III. P. 2. 3
[2]) Noodt a. a. O. II. S. 258.

über diese unerledigte Sache im Streite war [1]). Er hinterließ einen seinem Großvater gleich, Adam, benannten Sohn,
welcher den Grad eines Licentiaten d. R. erwarb und 1664
von Stade aus eine unten noch näher zu erwähnende Series der Hamburgischen Rathsmitglieder herausgab.

    Traßiger's Talente waren gewiß nicht unbedeutend.
Von seinem Gedächtnisse wird gerühmt, daß er die längsten
Vorträge der Abgeordneten stets genau wiederzugeben und
zu beantworten wußte. Auf der akademischen Laufbahn hatte
er sich viele Kenntnisse erworben; seine späteren Verhältnisse
in so verschiedenen Aemtern verlangten ununterbrochene Studien, und zu deren Anwendung gründliche. Er besaß alle Gaben, um sich bei seinem Fürsten beliebt zu machen. Er durfte
den erkrankten Herzog Adolf (1571) nicht verlassen, dessen
Sohn Friedrich liebte seine Unterhaltung ungemein, wie eine
Einladung desselben an den Canzler zum Abendessen in lateinischen Distichen ausspricht [2]). Wie sehr eine ungewöhnliche
Energie ihn beseelte, bezeugt sein ganzer Lebenslauf. Daß diese
ihn unliebsam machte bei denen, welchen die Politik seiner
Herren entgegen war, dürfen wir dem Manne der Ordnung,
dem treuen Staatsdiener nicht zu bitter vorwerfen [3]). Jenes war
er so sehr, daß der Hamburger Syndicus unverholen Gottes
Leitung in der Auflösung des Schmalkaldischen Bundes und
der Demüthigung seiner Mitglieder dem Kaiser gegenüber ausspricht [4]), eine Aeußerung, welche desto gewichtvoller wird,
je objectiver die Haltung seines Geschichtswerkes durchgängig
erscheint. Seine Anhänglichkeit an seinen frühern Landesherrn
spricht der sonst so einsylbige Chronist in dem Lobe des Herzoges Georg von Meklenburg aus [5]). Die Schilderung
der verschiedenen Aufstände in den Hansestädten läßt die ge-
setzliche Gesinnung stets durchblicken. Das Schweigen über
Georg Wullenweber's Thaten, Pläne und Ende, deren
Nachhall in Traßiger's Tagen noch nicht abgeschwächt gewesen sein kann, ist wohl als ein beredtes zu bezeichnen. Seine
religiöse Gesinnung ist in den Schlußworten seiner Chronik
ausgesprochen [6]); die lutherische oder doch protestantische in der

---

[1]) Nachrichten von den Mißhelligkeiten zwischen Dänemark und Hamburg.
1734. II. S. 51 und 54.
[2]) Ein Zeugniß der Unpopularität des T. gewährt Reimer Koch in der
Lübschen Chronik, welcher ihn in Hamburg läßt geboren werden. Die
betreffende Stelle ist abgedruckt bei Waitz Urkunden S. 158.
[3]) Abgedruckt bei Westphalen I. l. III. p. 99.
[4]) Vergl. unten S. 290.
[5]) Daselbst S. 294.
[6]) Siehe S. 297. Vergl. S. 264.

gesammten Schilderung der Kirchenreformation; vielleicht auch in dem Könige Friedrich I. von Dänemark zuerkannten Lobe des Frommen [1]), da derselbe jene freilich nicht vermochte einzuführen, doch in seinen deutschen Staaten begünstigte, ein Ausdruck, welcher desto mehr in die Waage fällt, da jener König der Vater des Herzoges Adolf war, in dessen Dienste zu treten Tratziger, als er jene Worte schrieb, bereits noch mehr als geneigt war. In seinem vielberufenen Verfahren gegen die Domcapitel zu Schleswig und zu Hamburg darf man gleichfalls die Gesinnung nicht verkennen, welche das von Luther und Bugenhagen begonnene Werk kräftig durchzuführen und die Stellung der Capitel auf die strengrechtliche zu beschränken eifrig strebte. Welcherlei politische Rücksichten in einigen Fällen ausnahmsweise auch zu nehmen waren, welchen Nutzen sie unter gegebenen Verhältnissen bisweilen zufällig durch Unabhängigkeit des Charakters und eine etwas höhere Bildung ihren Zeitgenossen bringen konnten, so hat doch die Einsicht der kommenden Jahrhunderte längst über solche Institute den Stab gebrochen und Männer von Tratziger's Energie konnten nur wünschen, den damaligen richtigen Standpunkt zur Geltung zu bringen.

Wenden wir uns nunmehr zu demjenigen Werke des Tratziger, welches seinen Namen uns am bedeutendsten gemacht hat, seiner Hamburger Chronik, so darf ich mich der Hoffnung hingeben, daß der jetzt erfolgte correcte Abdruck und die zugleich gegebene Nachweisung seiner Quellen die Beurtheilung ihres Werthes und ihre Benutzung sehr erleichtern wird. Diese Quellen sind, soweit sie nicht in verloren gegangenen hansischen und hamburgischen Actenstücken bestanden, fast alle unschwer entdeckt. Wir kennen die folgenden:

1) Seine Vertrautheit mit dem classischen Alterthume zeigte er in Anführung von Stellen des Strabo und Ptolomaeus, jedoch in lateinischer Uebersetzung, des Tacitus, Sidonius Apollinaris und Orosius.

2) Von mittelalterlichen Geschichtschreibern zieht er (S. 9) den damals bereits gedruckten Witekind herbei, so wie (S. 11) den von ihm sehr getadelten Saxo Grammaticus.

3) Die Urkunden des Hamburger Archives, welche der Hamburger Syndicus, so weit er sie, doch nicht immer ganz genau, benutzte, größtentheils fand in einer schönen alten Abschrift auf Pergament, der als Liber quadratus einst be-

---

[1]) Siehe S. 270.

zeichnete. Nur aus diesem konnte er den Bericht — Nr. 818 meines Urkundenbuches — entlehnen vom J. 1226—82. Die Erzählung von dem Aufstande der Handwerker im J. 1376 fand er in dem Buche der Aemterrollen. Er hatte vor sich die Recesse des Rathes und der Bürger zu Hamburg vom Jahre 1410 und 1483, hansische Recesse, Acten über die Verhandlungen mit benachbarten und einigen ferneren Staaten.

4) Vielleicht hat er die Annales Hamburgenses unmittelbar benutzt, doch sind der Stellen nur sehr wenige, welche sich dafür anführen lassen, und können bei den Stellen, wo ich jene als älteste Beglaubigung genannt habe, unserm Chronisten deren Abschreiber vorgelegen haben; so z. J. 1227 Corner oder Cranz Saxonia l. VII. c. 41. Z. J. 1258, 1261 und 1265 Detmar.

5) Viel benutzt hat er bis z. J. 1434 die Chronica novella des Lübecker Dominicaners Herman Corner, welche mit dem Jahre 1435 schließt. Nur aus dieser dürfte er die Erzählung von dem Küster zu St. Jacobi und der Frau des Stadtdieners entlehnt haben.

6) Eben so weit benutzte Tratziger die deutschen Lübecker Chroniken des Detmar und des Rufus, zuweilen mit ihren Fehlern. S. unten z. J. 1346.

7) Ein ausgedehnter Gebrauch ist von den Werken des Dr. Albert Cranz gemacht, zuerst von der Saxonia und der Metropolis, später lieferten das 13. und 14. Buch der Wandalia reicheren Stoff. Ob Tratziger die Geschichten Norwegens, welche zu Straßburg 1545 in deutscher Uebertragung des H. von Eppendorf, im folgenden Jahre lateinisch gedruckt war, benutzte, ist zweifelhafter. Eine mit der Norwegia übereinstimmende Nachricht z. J. 1284 findet sich schon bei Detmar. Eine Bekanntschaft mit der Suecia giebt sich nicht zu erkennen. Doch die Dania dürfte dem Tratziger an einigen Stellen z. J. 1201 ff. 1444 vorgelegen haben.

8) Eine der wenigen Chroniken, auf welche Tratziger verweiset (z. J. 1500), ist die holsteinische. Er kann wohl nur die bis 1534 geführte des Pastor Joh. Petersen zu Oldenburg im Wagerlande († ums J. 1552) im Auge gehabt haben, welche, angeblich damals in niedersächsischer Sprache herausgegeben [1]), Dominicus Dräuer aus Goslar [2]),

---

[1]) Daß diese von J. Moller Isagoge T. l. p. 118 vermuthete Ausgabe nicht vorhanden sei, hat derselbe später in der Cimbria literata T. l p. 487 berichtigt, was sogar Falck Handbuch des Schleswig-Holsteinischen Privatrechts Th. l. S. 167 übersehen hat.

[2]) Derselbe war es vermuthlich, welcher 1529 „Eyne korte butinghe des XCl. Psalmen" zu Hamburg, 1 Bogen 8., hatte drucken lassen. Von seinen handschriftlichen Genealogien s. Moller Isagoge l. l.

(derzeit zu Lüneburg) im Jahre 1557 hochdeutsch drucken ließ. Die Uebereinstimmung Tratziger's mit Petersen läßt sich gewöhnlich auf die gemeinschaftliche Benutzung der Werke von A. Cranz zurückführen. Vom Presbyter Bremensis, dem dieser viel vertraute, weiß der Unsrige nichts.

9) Die holsteinischen Privilegien hat er, wie unten S. 192 ff. von mir nachgewiesen, in ihrer niedersächsischen Ursprache vor sich gehabt, doch sehr mangelhaft übertragen, vermuthlich nach Handschriften des Hamburger Stadtarchivs.

10) Die Grabtafel der Grafen von Schauenburg bis zum Jahre 1390 im Hamburger Dome war ihm bekannt und wurde von ihm, doch ohne Erkenntniß ihrer Irrthümer benutzt. S. unten S. 63. 69.

11) Die sächsischen und wendischen Chroniken, welche unser Verfasser zum Jahre 1281 anführt, sind uns unbekannt. Die Saxonia und die Vandalia des Albert Cranz gedenken des fraglichen Brandes von Hamburg nicht. Corner a. a. O. bezieht sich dabei auf die Lübecker Chronik. Unsere Hamburger wendische Chronik S. 235 hat aber gerade das abweichende Jahr 1284.

12) Daß Tratziger die vorhandenen handschriftlichen Hamburger Chroniken benutzte, scheint selbstverständlich. Doch tritt dieses kaum früher hervor, als nachdem die Werke von Cranz aufhören. De korte Uttoch der wendischen Cronica scheint ihm vorgelegen zu haben, wie z. J. 1506. 1535.

Wichtiger konnte ihm des Bernd Gyseles Hamburger Chronik werden, welche er unzweifelhaft häufig abkürzte, weshalb erst ein genaueres auf Tratziger's Chronik gerichtetes Studium die geschehene Benutzung erkennen ließ. Doch kann man dieses anderweitig nicht annehmen als da wo jene Gleichzeitiges berichtete. Außer vielen anderen von uns unten nachgewiesenen Stellen vergl. z. J. 1535. 1545.

Bei einer auffälligen Uebereinstimmung der Hamburger Chronik mit Tratziger z. J. 1545 über Hadeln ist es unentschieden, wo die Quelle zu suchen, vielleicht war es eine gemeinschaftliche.

13) Des Predigers Steffan Kempe Bericht über die Kirchen=Reformation zu Hamburg scheint unserem Chronisten nicht fremd geblieben zu sein. S. unten S. 263, Note 2.

14) Dasselbe ist zu bemerken von des Sebastian Besselmeyer Berichte des Magdeburgischen Krieges z. J. 1550.

15) Daß ihm die Chronik seines älteren Zeitgenossen Aventinus bekannt war, bezeugt seine Anmerkung 16 zu der Stammtafel über die Genealogie Karls des Großen.

16) Seit dem Jahre 1475 beginnt Traßiger die Wahlen neuer Rathsherren, ihre Ernennung zu Amtmännern, Kämmerern und Bürgermeistern, so wie ihr Ableben zu verzeichnen. Zu den Jahren 1225, 1326 und 1463 giebt er nur die ihm bekannten Namen unter denselben. Ihm lagen hier die Listen des Secretarius Herman Röver vor, mit denen des eben gedachten Chronisten B. Gyseke [*]), bei welchem die Jahresangaben erst mit 1488 beginnen.

Es mag auffallen, daß jener wenn gleich höchst verdiente Secretarius, 1543 als Rathsherr verstorben, und also dem Traßiger persönlich nicht bekannte Hamburger der einzige ist, dessen derselbe mit einem besonderen Lobe gedenkt. Selbst für die allerdings mit Vorliebe genannten Rathsherren von Zeven, die Vorfahren seiner Frau, hat er nur die Erwähnung ihrer Gesandtschaften und anderer Thaten, aber kein Wort der Empfehlung. Allerdings mag er Röver's Nachfolger in vielen wichtigen processualischen Arbeiten, wie in den den seinigen verwandten Legationen gewesen sein, so wie er es in jenen chronistischen Skizzen wurde.

Wir können nicht umhin, der ersten gedruckten Arbeit über diesen Gegenstand zu gedenken, theils weil sie bis zum Jahre 1557 größtentheils auf der Chronik des Syndicus A. Traßiger beruhte, theils weil sie von dessen gleichbenanntem Enkel, dem Licentiaten beider Rechte, welcher sein Vorwort zu Stade den 30. April 1664 datirt, ausgegangen ist. Es ist dessen „Series oder kurzer historischer Begriff von der Succession der Herren Bürgermeister und Senatorn zu Hamburg. Stade 1664. 7 Bogen 4.“ Der Verfasser hat besonders die Chronik seines Großvaters und die Grabschriften in den Kirchen benutzt, sodann aber fand er auch viele handschriftliche Fortsetzungen des Röver'schen Verzeichnisses. In der vorgedruckten Zuschrift an den Hamburgischen Rath gedenkt er seiner Abstammung durch seine Großmutter von der schon damals ausgestorbenen Familie von Zeven, und dankt dem Rathe für die ihm in vorigen Jahren erwiesenen Dienste, doch gedenkt er mit keiner Silbe seines väterlichen Großvaters, ob er gleich die uralten Hamburgischen Annales wiederholt anführt. Der Enkel scheuete sich ersichtlich an den Vorfahren zu erinnern, welcher ein unliebsames Andenken hinterlassen hatte, anstatt von seinen im Laufe der Zeit verdunkelten unverkennbaren Verdiensten zu sprechen und manche unverdiente oder doch übertriebene Vorwürfe aufzuhellen.

---

[*]) Vergl. m. niedersächsischen Chroniken S. XLIX.

Seiner Arbeit folgte des W. H. Adelungk Succeſſion der Herren Bürgermeiſter und E. E. Hochw. Raths zu Hamburg von 1189—1696; dieſer des würdigen Bürgermeiſters Gerhard Schröder Dr. Faſti proconsulares et consulares 1709, welchen nach länger als einem Jahrhunderte das immer noch vieler Berichtigungen bedürfende Chronologiſche Verzeichniß der Mitglieder des Rathes ꝛc. (von Arnold Schubach) 1820. Daß nicht nur ein fortgeſetztes, ſondern auch ein kritiſch bearbeitetes Verzeichniß gegeben werde, iſt ein dringendes Bedürfniß unſerer Stadt= und Verfaſſungs-Geſchichte.

Die genealogiſchen Tafeln gehören, wie deren Erwähnung am Schluſſe des erſten und zweiten Buches beweiſet, zu Tratziger's urſprünglichem Werke. Auch finden ſie ſich in allen beſſern alten Exemplaren, namentlich auch in dem des Heinrich Ranzau. Auf meine frühere Abſicht, dieſelben hier ausführlich zu erläutern, habe ich verzichten müſſen, da dieſe eine Abhandlung erfordert, welche über den Zweck dieſer Ausgabe hinausführen würde. Die zahlreichen Irrthümer und hiſtoriſch nicht beglaubigten Namen der, in den verſchiedenen Handſchriften nicht ohne bedeutende gleich willkürliche Abweichungen überlieferten erſten Karolingiſchen Stammtafel (S. 20) ſind ein Beweis des in dieſem Felde unzuverläſſigen hiſtoriſchen Wiſſens des Tratziger und ſeiner Zeitgenoſſen.

In der Stammtafel Wittekinds (S. 30) führt auch unſer Chroniſt, was nicht zu erweiſen iſt, auf jenen das Geſchlecht der Ludolfinger, die Abkunft der dem Lothar vermählten Gertrud auf den ludolfingiſchen Stamm zurück. Er ſcheint meiſtens dem Crantz Saxonia I. II. c. 29. 31. I. III. c. 4 ff. gefolgt zu ſein. Außerdem iſt hier durch Ausfallen eines Vorfahren der Kaiſer Heinrich II. zum Enkel des Königes Heinrich I. geworden.

Die dritte Tafel (S. 32), die der Billunger, iſt wohl auf dieſelbe Quelle zurückzuführen. Vergl. Saxonia I. IV. c. 25.

Seine beiden Stammtafeln der Schauenburger Grafen (S. 190), deren zweite die Abſchreiber der Handſchriften, aus denen wir ſie entnehmen mußten, irrthümlich voranſtellten, hat Tratziger nebſt den hinzugefügten hiſtoriſchen Notizen ebenfalls der Saxonia (VIII. c. 26) entlehnt. Dem Albert Crantz fallen alſo die groben genealogiſchen Fehler zur Laſt, auf deren Beſprechung wir jedoch hier verzichten können, da ſchon W. E. Chriſtiani Geſchichte der Herzogthümer Schleswig = Holſtein Bd. III. Beil. II. eine Stammtafel entworfen, Dr. von Aſpern weſentliche Berichtigungen und Ergänzungen in den nordalbing. Studien Bd. III. S. 1 ff. mitgetheilt und eine vollſtändige Stammtafel den Erläuterungen zur Elbkarte des Melchior Lorichs und ausführlicher dem Chronicon Holtzatiae von mir beigegeben ist.

Die letzte Stammtafel verdient mehr Berücksichtigung als die übrigen, da sie auf die Zeit, in welcher Tratziger schrieb, hinabreicht. Der in ihr aufgenommene Name von Christians II. jung verstorbenem Sohne Franciscus ist sonst nicht bekannt; in der Schrift des Christ. Cilicius Cimber descriptio belli Dithmarsici l. I. findet sich eine ähnliche Stammtafel der Oldenburger, welche statt seiner Johannes nennt. Da die im Jahre 1561 vollzogene Vermählung von Dorethea, Christians III. Tochter, in der Stammtafel bereits erwähnt ist, kann dieselbe erst nach der Vollendung der Chronik derselben zugefügt sein. König Christian III. wird, wie er es bis zu dem 1559 erfolgten Tode seines Vaters blieb, nur als Thronfolger bezeichnet. Daß sie von Tratziger herrühre zu bezweifeln, ist kein Grund. In unserer ältesten Handschrift (L.) ist diese Stammtafel nur unvollständig erhalten.

Der Umfang der von Tratziger benutzten Quellen, vor allem der früher nie enthüllten urkundlichen, besonders aber die Treue, mit welcher er dieselben benutzte, bewähren den Ernst, mit welchem er an sein Unternehmen hinantrat. Er scheint früh das Bedürfniß tief empfunden zu haben, sich mit der Geschichte seiner neuen Vaterstadt, zu welcher es an jeder Anleitung fehlte, vertraut zu machen und entschloß sich diese verdienstliche Arbeit zu seinem und Hamburgs Besten zu entwerfen. Wir finden, daß er im Jahre 1555, wo er schon durch öffentliche Geschäfte und Sendungen sehr in Anspruch genommen war, die größte Schwierigkeit der meisten historischen Werke, die vom Dunkel der Vorzeit umnebelten Anfänge aufzuklären versucht hatte und von dem ewig denkwürdigen Siege der Grafen von Holstein, der Hamburger und Lübecker bei Bornhövet am 22. Juli 1227 schrieb. Die Auffindung und Sichtung, das Verständniß und die zweckmäßige Verzeichnung so großen Materiales wird dem thätigen Geschäftsmanne viele Mußestunden von zwei bis drei Jahren in Anspruch genommen haben. Bestimmte Andeutungen über die Zeit, in welcher die Arbeit vollendet ward, finden sich außer am Schlusse schon zu den Jahren 1519, 1525 und 1529.

Die Einfachheit der Darstellung zeigt, daß ihm keine Ruhe blieb zu lebendiger Schilderung. Die späteren Jahre, wo wir von ihm als Zeitgenossen und zuletzt sogar Mithandelnden ausführlichere Mittheilungen erwarten, sind sehr kurz und bruchstückartig gehalten; man erkennt, daß nachdem er in herzogliche Dienste überzutreten sich rüstete, sein Interesse an dieser Arbeit geschwächt war, und er nur vor dem Scheiden aus dem Amte, durch

welches auch die Benutzung der Documente und Acten sich ihm
entzog, daß einmal begonnene Werk zu einem Abschlusse brin=
gen wollte. Auf seine religiöse Gesinnung deuten jene Aus=
sprüche, sein Lob des tapfern Meklenburger Fürsten, des frommen
Königes Friedrich, ferner ein Wunsch für die Unabhängigkeit
der Stadt Lübeck; diese sind jedoch beinahe die einzigen Anzeichen,
durch welche er seine Gesinnung ausspricht. Man darf sich wun=
dern, daß in seiner ganzen „Chronica der alten und weitbe=
rühmten Stadt Hamburg" nirgends ein Wort des Lobes, wenn
auch kein tadelndes, auch kein Wunsch für dessen Wohl, nicht
einmal beim Abschlusse seiner Arbeit ausgesprochen ist.
Doch ist dies ganze Werk in wohlwollender Gesinnung für
seine damalige Vaterstadt begonnen und durchgeführt, nament=
lich sind Hamburgs Verhältnisse zu den Grafen von Hol=
stein und den Königen von Dänemark oder anderen Für=
sten zum Nachtheile Hamburgs nirgends absichtlich entstellt.
Eher ließe sich bemerken, daß er im Interesse der Stadt Fol=
gerungen macht, welchen die urkundliche Begründung fehlt [1]),
und ihr, worauf ich wiederholt aufmerksam gemacht habe, bei
Begebenheiten, an denen sie lediglich einen Antheil nahm, eine
vortretende Stellung anweiset.

Bei allen Mängeln und Schwächen seiner Chronik ist der
große Vorzug anzuerkennen, daß er ein ganz neues Werk schuf,
wie wenige kleine Staaten sich dessen damals zu rühmen hat=
ten, eine Geschichte, nicht von unerfahrenen Klostergeistlichen
zusammengetragen, sondern von einem wissenschaftlich und prak=
tisch gebildeten Rechtsgelehrten geschrieben, von einem jungen
hanseatischen Staatsmanne, welcher vollkommen begriff, wie
Hamburgs Geschichte seit länger als drei Jahrhunderten in
derjenigen der deutschen Hanse wurzelte und mit derjenigen der
benachbarten Städte enge verzweigt war.

Tratziger ist häufig getadelt, besonders von Lambeck.
Doch wird man in den meisten Fällen finden, daß Tratziger
Documente vor sich hatte, welche seine Tadler nicht kannten,
zuweilen nicht kritisch genug an Irrthümer in den ihm vorliegen=
den alten Abschriften glauben konnte [2]). Gelegentlich hat er auf
den A. Cranz, dessen Erzählung die chronologischen Daten
vernachlässigt, zu sehr gebauet, weil er dessen damals ungedruckte

---

[1]) So z. J. 1227 die Bemerkung über die Undankbarkeit des Grafen
Adolf für die geleistete Kriegshülfe von mehr als 20,000 Mk. Lübsch
(= 1200 löthige Mark, s. Gaedechens Hamb. Münzen II. 206.).

[2]) So in dem uns aus dem schon erwähnten alten Liber quadratus bekann=
ten Privilegium v. J. 1252 über den Hamburger (Lauenburger) und
Eslinger Zoll.

Quelle, den Abt Albert von Stade, nicht kannte. Schon
der viel gelehrtere, treffliche Fabricius hat in seiner Ausgabe der Origines Hamburgenses von P. Lambeck deſſen klein-
liches, grundloſes Kritikaſtern gegen Traßiger ſcharf getadelt.
Mit viel mehr Grund als Fabricius, welcher zu bedauern
hatte, daß ihm die Quellen des Traßiger verſchloſſen ſeien,
werden wir, welche dieſelben kennen, ihn gegen vielfache Ver-
unglimpfung vertheidigen können.

Es ſind Handſchriften unſerer Chronik in großer Anzahl vorhanden, nicht nur in Hamburg, ſondern auch auf
vielen deutſchen und manchen fremden Bibliotheken. Die mei-
ſten derſelben ſind mit Fortſetzungen verſehen und erſt zu deren Zeit geſchrieben; ſie haben für die Textkritik des uns vorliegenden Werkes faſt keinen Werth. Aber auch diejenigen, welche
wegen ihres höheren Alters Berückſichtigung verlangen, weichen, wenn auch nicht wegen ihres Inhalts, doch bezüglich der
Sprache ſo ſehr von einander ab, daß die Beſtimmung des
dem Abdrucke zu Grunde zu legenden Textes nur eine ziemlich
willkürliche geblieben wäre, wenn Nachforſchungen, welche Herr
Profeſſor Junghans, derzeit in meinem Auftrage, auf der
Stadtbibliothek zu Lüneburg anſtellte, nicht einen er-
ſichtlich gleichzeitigen in meine Hände gebracht hätten in einer
Abſchrift (443 Folioblätter außer einigen genealogiſchen Tabellen) welche mit einem anderweitigen an die Bürgermeiſter jener Stadt gerichteten, dieſem Bande eingehefteten,
Schreiben Traßiger's vom Jahre 1557 [1]) zuſammenge-
halten, als von der Hand deſſelben Abſchreibers geſchrieben ſich
darſtellte. Die genaue Vergleichung mit zwei ganz eigenhän-
dig geſchriebenen Briefen vom J. 1553 und 1562 auf dem
Hamburger Stadtarchive beweiſet aber ferner, daß die in dieſer Handſchrift auf Bl. 7, 96, 131, 194, 219, alſo nur im
erſten Dritttheile derſelben, gemachte Berichtigung einiger Aus-
laſſungen Traßiger's eigene Hand zeigt. Sie iſt die einzige, welche den Traßiger lediglich als Doctor betitelt, was ſeiner Stellung beim Abſchluſſe des Werkes völlig entſprach, ſpätere Abſchriften aber nicht beachten, welche den Verfaſſer als Doctor der Rechte und Syndicus, als nunmehr und nachmals Rath
und Canzler bezeichnen. Auch der übrige Titel des Buches
findet ſich in derſelben Ausführlichkeit nur in wenigen ſehr alten und aus dieſen ſtammenden Exemplaren.

Dieſes werthvolle Exemplar war einſt von einem ungenannten Manne dazu erſehen, dem Abdrucke der Chronik zu

---

[1]) Es iſt das oben S. XXXIII. erwähnte Empfehlungsſchreiben für H.
Wichtenbecke.

dienen. Es ist zu diesem Behufe vollständig in das norddeutsche Hochdeutsch durch zahllose Abänderungen umgestaltet, mit In= haltsanzeigen am Rande, wir sehen auch einige gelehrte Erläu= terungen von verschiedenen Händen, welche dem späteren 16., aber auch, gleich wie die Handschrift des unbekannten Bear= beiters, schon dem 17. Jahrhunderte angehören könnten. Die in den Anmerkungen benannten Werke von A. Cranz, Conrad Celtes, Althammer, Münster's Cosmographie konnten dem Schreiber vor dem Jahre 1584 vorliegen. Das neueste derselben ist Abraham Saurius über die Namen der Deutschen, dessen andere besser bekannte Schriften in die Jahre 1575—98 fallen. Dessen Theatrum urbium, welches von einer etwas neuern Hand citirt wird, erschien 1593. Der Zweck wird erwähnt durch ein der Handschrift voran geklebtes Blatt: Notae Typographo observandae, worin dieser näher angewiesen wird und die mit diesen Worten schließen: „Oder der Herr Adamus Traziger, welcher ohne Zweifel dieß corrigirte und augirte Manuscriptum durchlesen und zur Lust post prandium vel coe= nam . . .“ Ob hier nun der ältere Adam Traziger oder sein Enkel gemeint ist, möchte ohne fernere Anhaltspunkte kaum zu bestimmen sein.

Wahrscheinlicher bleibt es jedoch, daß mit dieser beabsich= tigten Ausgabe der gedruckte Titel von Traziger's Chronik zusammenhängt, welcher sich vor einer Abschrift derselben fin= det, wo später folgt: Gedruckt und geschrieben durch Georg Schröder 1685. [1])

Eine wenn auch nicht völlig abschließende, doch sehr för= bernde Erläuterung brachte ein ungeahndeter Fund auf der Hamburger Stadtbibliothek, nämlich eine Abschrift von Tra= ger's Chronik Fol. 622 Seiten mit folgendem Titel:

„Cronica Reipublicae Hamburgensis, ab Adamo Trazigero, J. V. D. anno 1557. Amanuensi in calamum dictata, Amci vero cujusdam studio correcta, et ab Auctore ipso revisa, nunc demum ex Autographo, qvod Senatus Luneburgensis à Filio Trazigeri comparatum in Bibliotheca Civitatis publica asservat, fideli manu descripta, inclytae et florentissimae hujus Reipublicae Dominis, Dnis. Consulibus, Syndicis et Senatoribus, Viris Magnificis, Praenobilissimis, Amplissimis, Consultissimis et Prudentissimis, in sui commendationem oo, qvo par est, animi cultu offert Joannes Fridericus Schwarz. Professor Primar. Academiae Eqvestris Luneburg. A. 1725 d. 18. July.“

---

[1]) Verzeichniß der Manuscripte, Bücher ꝛc. des Predigers Bartsch. Berlin 1832. S. 54.

Traziger's Chronik.   v

Wir vernehmen demnach hier, daß bereits der Sohn des Chronisten, also Friedrich Traßiger, dies vom Vater seinem Schreiber in die Feder dictirte Exemplar der Chronik dem Rathe zu Lüneburg verkaufte, daß ein ungenannter Freund des Verfassers das Werk corrigirt und dieser letztere selbst es durchgesehen, aber 1725 Juli 18. der Professor an der Lüneburger Ritter-Akademie Joh. Friedr. Schwarz eine getreue Abschrift des corrigirten Exemplares dem Rathe zu Hamburg verehrte. Woher Prof. Schwarz diese Nachricht entnahm, ist nicht zu erkennen, worüber auffallender Weise das fragliche Original selbst, welchem doch das Fragment der Anweisung an den Drucker eingeklebt ist, keine Andeutung enthält. Von Traßiger's Sohne wird nicht einmal der Vorname, vom Kaufe nicht das Jahr angegeben. Die begonnene Revision Traßiger's hat vor der Correctur des Freundes stattgefunden, da selbst jene wenigen Worte von orthographischen Abänderungen nicht unberührt blieben. Mögen nun aber die letzteren bei Lebzeiten des Verfassers oder später zum Behufe eines nicht zu Stande gekommenen Druckes gemacht sein, so ist die Nachricht über die Urschrift der Chronik uns eine willkommene und glaubwürdige. Für unsere Ausgabe gewährte diese Handschrift eine große Erleichterung des Druckes, da sie mir von unserer Stadtbibliothek zu diesem Behufe gütigst überlassen, durch Vergleichung mit der Urschrift mit großer Sicherheit dieser wieder gleich gemacht werden konnte.

Eine angenehme Bestätigung der Ansicht, daß in jener Lüneburger ein Original-Exemplar Traßiger's vorliegt, hat sich in dem unten näher zu beschreibenden, dem Heinrich Ranzow einst gehörigen Exemplare, welches die Bibliothek der Gesellschaft für nützliche Künste und Gewerbe jetzt besitzt, dargeboten.

Aber noch eine andere Handschrift, welche im J. 1837 F. R. Schrader, Med. Dr, besaß (sie zählt mit der Fortsetzung bis zum J. 1650, hernach bis 1690, 415 paginirte Folioseiten, außer vielen unpaginirten Anhängen), ist eine vollständige Abschrift des Lüneburger Originals, so wie es corrigirt worden ist, sogar mit der Anweisung an den Drucker, so weit sie noch jetzt vorhanden ist. Diese letztere im lateinischen Vorwort gegeben, wird in dem Anhange zu der alten Chronik (S. 318) wörtlich wiederholt, mit der Angabe, daß der Abschreiber und Fortsetzer, welcher sich mit D. P. M. bezeichnet, im Jahre 1673 zu Lüneburg an einen großen geschriebenen Folianten gerathen sei, aus welchem er dieses abgeschrieben habe. Das Vorwort an den Lector benivolus hatte er aber S. 8 begonnen mit den Worten: Tribuitur vulgo hic tractatus

Adamo Tratziger, aat manuscriptum, ex quo haec sunt trans-
lata (hier ist am Rande eingeschaltet: quodque post diligen-
tem cum hoc collationem donavi Johanni Walthero, Prae-
posituraе Luneburgensis Secretario [1]), aliud videtur esse.

Wir bemerken hier nun zunächst einen auffallenden Wi-
derspruch mit der obigen Notiz des Professor J. F. Schwarz
vom J. 1725, da die Grammatik doch verlangt, daß unter dem
verschenkten das 1673 zu Lüneburg gefundene Original, nicht
aber dessen von D. P. M. besorgte Abschrift zu verstehen ist.
Wenn diese Auslegung hier und gleichfalls die Angabe selbst
richtig sind, so müßten wir annehmen, daß erst durch Walther die fragliche Handschrift auf die Lüneburger Stadtbibliothek gelangte und Schwarz in seiner ohnehin etwas unge-
nauen Angabe einer irrigen Tradition gefolgt ist.

Ferner kommt aber D. P. M. (agister?) durch jene Drucker-
Anweisung zu dem Schlusse, S. 2 und S. 319, daß weil
Adam Tratziger dieses corrigirte Original revidiren sollte,
nicht er, sondern ein anderer die Chronik geschrieben habe, wovon jener so überzeugt ist, daß er den auch in der Lüneburger
Handschrift vorhandenen Titel dahin sich zu verändern gestattet: „Der g. Stadt Hamburg Chronica . . . . zusammengezogen und bißhero bekant unter dem Nahmen D. Adam
Tratzigern, jetzo aber mit dem wahren Original übergeschrie-
ben, collationirt und mit einigen Marginalien und Register
vermehret biß auf das Jahr 1680 continuirt durch D. P. M. ꝛc."
Es scheint unbegreiflich, wie man, mit dem Titelblatte des an-
erkannten Originals vor Augen, in solche Verirrung gerathen
konnte, vor welcher uns nun auch die Ranzow'sche Handschrift abhalten wird.

Wenn gleich von den zahlreichen Exemplaren der Tratziger'schen Chronik, welche im Besitze von Privaten zu Hamburg waren, sehr viele das Opfer des großen Brandes geworden sind, so waren doch nicht wenige derselben in die öffentlichen
Bibliotheken gewandert. Wie sehr man dabei auf die Fortsetzungen sah, zeigt das Verzeichniß der Bibliothek der Gesellschaft zur Beförderung nützlicher Künste und Gewerbe, in welchem sich kein alter Text befand, wohl aber sechs
neue, nämlich No. 8485 Etliche denkwürdige Historien der
Stadt Hamburg von Tratziger, mit angehengten Notabilien
an 1483—1674 Fol. No. 8488. Tratziger Hamb. Chronik
bis 1652. 4. No. 8489. Desgl. bis 1706. Fol. No. 8490.
Desgl. bis 1707. 6 Thle. in 4 Bden. Fol. No. 8491. Desgl.

---

[1] Walther starb 1702 als Stadtbibliothekar zu Lüneburg.

v *

verbesserte Fortsetzung bis 1730. 3 Bde. Fol. No. 8492. Desgl. bis 1734 mit Anmerkungen von Richey Fol. Die jetzige Bibliothek besitzt eine sehr werthvolle Handschrift des Tragiger; welche mit der vortrefflichen Lüneburger, bis auf kleine Aenderungen, wie Abschreiber sich solches zu erlauben pflegten, bald aus Nachlässigkeit, bald als vermeinte Verbesserungen, sprachlich ganz übereinstimmt. Auf dem Titel wird Tragiger „nohn (d. h. nun) fürstl. Rath und Kanzler" genannt. Vorn ist eingeschrieben: „Sum Heinrici Ranzovii", also aus dem Bücherschatze des berühmten Statthalters und Freundes des Tragiger. Wir finden hier einen werthvollen Beleg für die Autorität der unserm Abdrucke zu Grunde gelegten Handschrift. Es fehlen dieser Handschrift die genealogischen Tafeln nicht.

Von den Exemplaren der Stadtbibliothek sind vier besonders gekennzeichnet; eines früher dem Wilhelmus Morrien gehörig, wo jedoch die letzten Blätter nach dem J. 1550 ausgerissen sind. 2) Ein anderes stark übercorrigirtes. 3) Das dritte ist das obenerwähnte des J. F. Schwarz. 1725. 4) Ein dem Archivar Dr. N. Stampeel von Herrn Lüders im J. 1711 verehrtes Exemplar bezeichnet schon jener als ein schlechtes. Es ist fortgesetzt bis zum J. 1649. 5) Eine schön geschriebene Handschrift bringt auf dem Titelblatte hinter . . . Canzler die irrige Jahreszahl 1577. Die Chronik füllt 692 Seiten; hernach folgt Kempe's Bericht, u. a. auch Röver's Annotatio vom J. 1584, fortgesetzt bis zum J. 1618. 6) Dem Albert Stockmann, Adjunct, gehörte 1654 eine Handschrift, welche anstatt der Jahreszahl 1557 die irrige 1533 enthält. Sie gehört zu den besseren Handschriften, doch zu denen, welche z. J. 1204 aus der Wilster= eine Beltmarsch machen. 7) Eine andere zeichnet sich aus, außer durch Fortsetzungen und mancherlei Anhänge, durch ein Paar Verse auf dem Titelblatte:

Der Stadt Eigenthumb und Gerechtigkeit
Bewahre fleißig in Beständigkeit.

8) Ohne besondere Bezeichnung ist eine Abschrift mit wenigen Zusätzen bis 1671 und 9) eine andere weit ausführlicher bis 1649 geführt. 10) Eine desgleichen bis 1688 von derselben Hand.

Von zwei niedersächsischen Handschriften wird noch unten die Rede sein bei Besprechung dieser Uebertragungen.

Von denen der Commerzbibliothek bemerke ich eine hochdeutsche Abschrift nach einer vorzüglichen Handschrift Folk mit einem Blatte Fortsetzung für 1559. Es fehlen die ersten beiden Blätter. Die Sprache hat noch viel von dem Original, doch war der Schreiber so unkundig, daß auch er z. B. S. 41 anstatt Wilstermarsch zwei Male „Veldtmarsch" schrieb. Andere

Fehler ergeben sich aus den mit C. bezeichneten beispielweise unten S. 18—39 gegebenen Lesarten derselben.

Ein anderes ist im niedersächsischem Idiome. Der Titel ist jedoch hochdeutsch und lautet: „Chronica d. i. kurzer Auszug der vornembsten Historien und Geschichten d. a. wb. St. Hamburg zusahmen gelesen durch A. T...... Canzeleren. Es folgen am Schlusse der Chronik nach 1557 von neuerer Hand noch einige Notizen zu den J. 1513—1652. In der Chronik findet sich unter andern Fehlern gleichfalls an gedachten Stellen Rumbertus für Rimbert, Lüder von Ewerfurt (Querfurt), Ramswolt für Ramisol (Ramesloh), die Veldtmarsch auch z. J. 1204, von der unkundigsten Entstellung der lateinischen Citate nicht zu reden. Den von Holsten in Holstein übertragenen Namen der Einwohner hat der gedankenlose Uebersetzer angenommen.

Ein anderweitig werthvolles Exemplar mit dem alten Titel ist continuirt, wie der Titel des ersten Theiles besagt, von H(erman) W(ahn) 1714 [1]); der zweite bis zum J. 1762. Er ist in seinem Tratziger-Theil überreich an Umschreibungen und willkürlichen Einschaltungen. So wird z. J. 1252 erzählt, wie dem Könige Abel bei der Mühlstädter Brücke bei Husum von einem Bauern der Kopf gespalten, seine Leiche zu Schleswig beigesetzt, doch weil sein Gespenst in der Kirche viel Tumult gemacht, jene ausgegraben und hinter Gottorp in einem Morast geworfen sei. J. J. 1256 ist die von Tratziger übergangene Abschaffung der Feuerprobe durch den Papst erwähnt, mit einer weiteren Ausführung über diesen Gegenstand, welche aus Lambecius Orig. Hamburgenses genommen scheint, und der noch die Hinweisung auf die im J. 1666 von Jürgen Frese zu Hamburg zur Bekehrung eines Ungläubigen freiwillig bestandene Feuerprobe hinzugefügt ist. Beide Bände sind reich verzieret mit Kupferstichen von hamburgischen und anderen bekannten Portraits, aber auch mit manchen uns werthvollen Zeichnungen alter Gebäude unserer Stadt.

Das Stadtarchiv besitzt manche sehr schön geschriebene Exemplare, doch wenige der ersten Classe. Unter den nicht fortgesetzten ist ein vorzüglich sauberes, mit roth verziertem Titel, linirten Seiten und anderen Buchstaben, im größten Foltoformat, welches im J. 1717 der Bürgermeister H. D. Wise J. U. Lic. dem Stadtarchive verehrte. Es ist durchgängig mit Unzial- oder s. g. Canzleischrift geschrieben. Der Einband ist

---

[1]) In Moller Cimbria lit. l. S. 700 bezeichnet als Arithmeticus, welcher 1723 und 1724 den holsteinischen General-Kalender, in letzterem Jahre auch eine kurze teütsche Grammatik herausgegeben hat.

von kunstreich gepreßtem Leder, auf welchem auch der Name des Rathmannes Erich von der Fechte mit der Jahreszahl 1579 eingedruckt ist. Sie ist die fehlerfreiste aller mir bekannten Handschriften unserer Chronik, unter diesen vermuthlich die dritte dem Alter nach. Der prachtvoll roth geschriebene Titel lautet gleich dem in der Lüneburger Handschrift, nur heißt es anstatt „Vertragen und Recessen" hier „Recessen vnd Handlungen". Der Verfasser ist nicht so einfach angegeben, sondern als der Rechten Doctor vnd Syndicus zu Hamburgk. Anno nach Christi unseres Erloesers geburdt MDLVII. In dieser Handschrift ist keine der Lücken und Irrthümer aufgefunden, welche selbst in den besten anderen vorkommen. Nur in den lateinischen Citaten begegnen uns irrige Worte. S. 1 hoe ist für haee est. S. 4 Bructuri für Bructeri. S. 5 Armenicae Grammona. Eine ähnliche Unkunde und Nachlässigkeit der Handschrift zeigt sich z. J. 584, wo der Kaiser Mauritius († 602) im J. 628 die Regierung antritt. S. 15 Nordalbugia und dergl. mehr. Man sieht aber nicht nur aus solchen Fehlern, sondern auch vielfach in dem deutschen Texte und dessen Orthographie, daß diese 22 Jahre nach Beendigung des Werkes geschrieben, dem Verfasser ferner stand als die Lüneburger und die Rantzower HS. Auch sie hat gleich der Rantzower die erst 1561 erfolgte Vermählung der Prinzessin Dorothea mit dem Herzog Wilhelm von Braunschweig-Lüneburg. Eine in dem Urterte nur unwillkürlich veränderte, doch zuweilen fehlerhafte (z. B. 1388 Telso beide Male für Todeslo) ist mit Papier durchschossen und mit Hinweisungen auf die Historiker seiner Zeit von dem Bürgermeister Dr. Martin Lucas Schele († 1751) versehen. (Aus Arnold Schubacks Bibliothek No. 334.)

Ein gutes Exemplar ist auf dem Titelblatte bezeichnet als von Heinrichs (der Zuname ist durchstrichen) wiederum abgeschrieben 1620 den 20. October. Ex libris Alberti Oldenkorstes junioris. Er ist gleichfalls mit Papier durchschossen und mit vielen, damals sehr brauchbaren Anmerkungen aus gediegenen Geschichtswerken, auch einigen Archivalacten von unbekannter Hand versehen.

Ein viertes Exemplar ist in das niedersächsische Idiom übertragen. Es fehlen hier die Stammtafeln nicht, wohl aber der Schluß Tratziger's; Absolutum etc. Die Uebersetzung stimmt meistens wörtlich mit der Handschrift der Commerzbibliothek, doch wenn sie auch gewöhnlich deren Fehler vermieden hat, so erkennt man leicht, daß sie beide aus derselben Uebersetzung stammen, und noch leichter, daß in ihr nicht das Original des hochdeutschen Textes ist. Recht augenfällig stellt sich dieses Verhältniß dar in den unten S. 196—201 eingerückten Landesprivilegien vom J. 1460, welche Tratziger aus dem niedersächsischen Originaltexte in seine Sprache übertrug, der niedersächsische Chroniken-Uebersetzer aber frei und nachlässig aus dem Hochdeutschen in seinen Dialect. Als Beispiele des ganzen Verhältnisses bemerke man: buten (außerhalb), bei T. auswendig, wird wiedergegeben durch: utwendig. Die Worte S. 197, Z. 4 v. u.: „Hollesch (Recht) oder" lassen die niedersächsischen Texte ganz weg. Statt der Namen der Ritter Bторns ... Joh. Dre S. 199 hat die Archiv HS. Berendes ... Joh. Ode; die andere: Beeren, und läßt den folgenden Namen ganz weg. Die S. 198 Anm. 1 angeführte sinnentstellende Lücke findet sich gleichmäßig in dem niedersächsischen Texte.

Eine Abschrift in 4., sehr schön geschrieben, hat die Stammtafeln und ein alphabetisches Register. Sie trägt den Namen des 1662 verstorbenen Bürgermeisters Wulfgang Meurer, Lict.

Ein anderes Quarerexemplar hat ein lateinisches Inhaltsverzeichniß und Ueberschriften, ist dabei am Rande und zwischen den Absätzen ganz voll geschrieben mit lateinischen Sentenzen, so wie Verweisung auf Begebenheiten des classischen Alterthums. Es scheint von dem gelehrten Erläuterer zum Unterrichte oder Drucke mit filosofischen und moralisch erbaulichen Erläuterungen bestimmt gewesen zu sein. Einige Anhänge weisen auf das Jahr 1680.

In dem handschriftlichen Sammelwerke Cimbria illustrata Fol. sind gleichfalls zwei Exemplare.

Abschriften der Chronik Tratziger's mit Fortsetzungen besitzt das Stadtarchiv, außer der obengedachten des Oldehorst, zwei bis 1686; bis 1694; bis 1695 in sechs Theilen; bis Kaiser Leopold I.; 1699 in sechs Theilen; bis 1701; bis 1713; bis 1719; bis 1730, sieben Theile in zwei Bänden; bis 1731, welche jedoch nur bis 1699 vorhanden ist.

Eine vom Herrn Hauptmann Krag zu Kopenhagen im J. 1858 für die Bibliothek des historischen Vereines erworbene Handschrift des Tratziger gehört zu den älteren und besseren. Sie ist auf gutem festen Papier, mit fester deutlicher Hand geschrieben, von der Sorgfalt und Kunst des Schreibers zeugen die ebenfalls mit Dinte gemalten Frakturbuchstaben am Anfange einzelner Abschnitte. Sie sind im Geschmacke der Drucke aus der zweiten Hälfte des 16. Jahrhunderts gehalten.

Die Chronik geht, wie alle älteren hochdeutschen Texte, bis zum J. 1557, am Schlusse steht von anderer Hand flüchtig beigeschrieben: „Absolutum est hoc opus Hamb. 1557 etc. (die) 29. Decembr." Spätere Fortsetzungen sind bei ihr noch nicht vorhanden. Dagegen ist die kleine Abhandlung Tratziger's über Hamburg's größeres Alter im Vergleich mit Stade angefügt.

Die Chronik ist in gepreßtes Schweinsleder gebunden, der Band mit H. C. H. 1594 bezeichnet. Vorgebunden ist „Herrn Johann Petersen's Chronica, der Lande zu Holsten, Stormarn, Ditmarschen vnd Wagern Zeitbuch. Frankfurt MDLVII. Fol. XCCVII. bis z. J. 1531." Vorn steht ein sorgfältig ausgemaltes Wappen, eine Weinranke mit einer Traube, mit den Buchstaben: M. H. Z. G. A., der Devise: Soli Deo Gloria. Der Wappenschild, darüber ein Band [15—M. H. Z. G. A.,—9 v.] findet sich auf einem leeren Blatte nach dieser Chronik noch einmal. Vgl. Fasti procons. et cons Tab. VII. No. 130, Hauses. Tab. VIII. No. 144, Winckell's Wappen.

Obschon über den Werth dieser Abschrift Tratziger's erst nach Vergleichung mit anderen Texten das Urtheil sicherer sich begründen läßt, so geben doch diese äußern Kriterien die Gewißheit, daß dieselbe zu den älteren und besseren zu zählen ist.

Von den im Privatbesitze befindlichen, mir bekannt gewordenen Exemplaren, habe ich hervorzuheben zunächst die des Buchdruckers Herrn J. F. Kayser. Ein sehr gutes, ohne Interpolate, mit den Stammtafeln, sehr reiner Schrift, 370 paginirte Folioseiten. Doch finden sich Auslassungen und kleine Versehen des flüchtigen Abschreibers, wie z. J. 1283 fehlt bei dem Bürgermeister, welcher den angeblichen Friedrich II. erkannte, der Zusatz: von Lübeck. Zum J. 1284 die Festungen: Werlauw . . . Schlaweß=Kistorp. Bei den Sechszigern im J. 1410 fehlen drei im Jacobi = Kirchspiele, Jos. Widemule und die beiden letzten. Auch steht dort Kuning für den richtigen Namen Koting und Brandt für Grandt. Der Titel dieser „Hamburgischen Cronica Beschreibung" ist sehr abgekürzt, enthält aber eine kurze Biografie des Verfassers, mit Heldvaders Angaben stimmend.

Ein anderer dort befindlicher Band vom J. 1555—1687 kann zu den Tratziger'schen Chroniken schwerlich gezählt werden, wenn sie gleich für ihre Periode sehr lehrreich ist.

Ein sehr starker Band: 783 Folioseiten, außer den Beilagen, trägt Tratziger's Namen, ist jedoch bis zum J. 1706, Kaiser Leopold I. Zeit, fortgeführt. Der vierte Theil schließt nicht mit dem J. 1557, sondern dem J. 1600. Dem Texte der ursprünglichen Chronik sind große Stücke aus den derzeit gangbaren Geschichtswerken, wie dem zum J. 1251 angeführten Cypraeus de episcopis Slesvicensibus, oder zum J. 1381 wörtlich aus der nicht benannten holst. Chronika Petersens.

Eine sehr gute Handschrift, Folio, mit den Stammtafeln, besitzt, außer sechs anderen, Herr Hauptmann O. E. Gaedethens. Am Schluß: „Abgeschrieben durch mich Daniel Elers. Anno 1580. Soli Deo gloria." Der Spruch stimmt also mit dem Exemplare unseres Geschichtsvereines. Dem schön gepreßten Ledereinbande ist auch eingedruckt: Karsten Holste. 1580. Auffälliger Weise sind die ersten beiden Sätze niedersächsisch, im ganzen übrigen Werke schließt sich die oberdeutsche Sprache sehr an das Lüneburger Original und enthält jene die in diesem von Trahiger's Hand gemachten Verbesserungen; doch kommen Abweichungen vor, wie z. J. 1339 „unredtlich bei nachtzeiten" anstatt „verrätherlich bei nacht im schlaf"; z. J. 1340 fehlt der Name des Lüneburger Rathmannes Herrn Borchart von Lucowe. Einige Lesarten derselben Handschrift sind unten bemerkt S. 101, 111 und S. 132 zum J. 1410, wo sie die einzige mir bekannte Handschrift ist, welche mit der Lüneburger irrthümlich einen erst ein volles Jahrhundert später lebenden Bürgermeister Karsten Barskampe anstatt des Karsten Miles nennt. Es stimmt zu diesem Beweise des höchsten Alters, daß diese die einzige hochdeutsche Handschrift ist, deren Titel bis auf den Zusatz des Dr. b. R. und Syndicus und des Jahres n. Ch. Geburt, mit dem gedachten der Lüneburger Handschrift wörtlich gleichlautend von mir aufgefunden ist.

Jetzt nicht weiter nachzuweisende, als vorzügliche von Westphalen gerühmte Handschriften sind angeführt ohne nähere Angaben die von Matfeld, Schröder und Rulant; sodann auf der Commerz-Bibliothek eine aus der Sammlung des Professor Capellus; auch eine alte des Professor Richey. Die niedersächsischen Uebersetzungen werden von demselben in die Jahre 1590—1596 gesetzt, und der Ansicht, daß in ihnen das Original zu suchen sei, bestimmt widersprochen. J. Moller nennt noch Fortsetzungen durch einen Chirurgen Johan Scheele und eine andere durch Henricus Held J. U. Lic. Letzterer starb 1712. Vergl. über ihn das Hamburger Schriftsteller-Lexicon.

Es möge an dieser Stelle noch zweier niedersächsischer Handschriften der Stadtbibliothek No. 197 und 204 gedacht werden. Die erste mit hochdeutchem, dem der Lüneburger Handschrift ziemlich ähnlichen Titel der Chroniccus, doch: „Caroll Quintus oder des fünften" und anstatt: „Vertragen alten und neuen Recessen und Handelungen", giebt bis S. 66 zum J. 1397 einen niedersächsischen, von diesem Jahre an bis zum Schlusse S. 237 einen guten hochdeutschen Text. Auf dem Pergament-Einbande ist U. S. geschrieben. Die Hand dürfte den ersten 20 Jahren des 17. Jahrhunderts angehören und als ein augenscheinlicher Beleg zu betrachten sein, wie damals

der niederſächſiſche Dialect aus der Schriftſprache in Hamburg
ſich zurückzog. Sie hat dieſelben und ſelbſt ärgere Fehler als
die niederſächſichen Handſchriften Commercii, z. B. unten S.
18 „die Stadt Hamenbruck vnd alten ſtade der ſtade genennt
vnd St. Aſcharii des E... noth geſehen (für: gegen) Rames ent-
kome." Alles Lateiniſche iſt ſchmählich verſtümmelt, aber auch
große Verwirrung. Auf die Bemerkung S. 6 über die Broker
folgt unmittelbar mitten im Saße: „Wowol dan von der
Tydt" (810 S. 17) bis in den zweiten Theil bis z. J. 984
(S. 25) „ſampt dem Schlate Luneborg erbauet". Dann geht
die Handſchrift zurück auf die Stelle, wo ſie oben S. 6 ab-
brach von der Ankunft der Sachſen bis zu S. 17 „Flemmge
und Bandeband". Sodann wird fortgefahren wie S. 24 von
den Söhnen Herzog Hermanns.

Viel beſſer und überall die beſte der nſ. Handſchriften des
Traßiger iſt die andere, betitelt: „Dero olden .... Chronica
thoſamenn geleſenn vnd vorfath vth oldene olden Receſſen vnd
glaubwirdigen Hiſtorien dorch A. L. dero R. D. v. Syndicus dero St. H. nachmals E. H. R. v. C. Anno salutis 1557.
Darauf folgt der Spruch: Bona immunitates et privilegia Rei-
publica immunita (l. imminuta) conservanda et defendenda.

> Der Stadt Egendhom, guder und gerechtickeit,
> Vorware flitich in beſtendicheit.

Dieſes iſt der Spruch, welchen wir ſchon in einer hochdeutſchen
Handſchrift der Stadtbibliothek unter No. 7 bemerkten. Dieſe
Handſchrift hat ſehr viele Fehler der andern niederſächſiſchen
Handſchriften vermieden und giebt Zeugniß von einem leidli-
chen Ueberſeßer nach einer vollſtändigen Handſchrift. Doch ſind
viele Correcturen gemacht und durchgängig ſind in den lateiniſchen Citaten und ſelbſt Namen viele Fehler, wie Dotavius
für Octavius; ſodann Luder von Werfurth (Querfort); Velt-
marſch für Wilſtermarſch; Wakenborch für Quakenbrügge u. a.
C. Barskamp iſt ſchon in C. Miles berichtigt.

Die Zahl der Handſchriften von Traßiger's Chronik
iſt auch außerhalb Hamburg ungemein groß, es finden ſich
deren wohl in beinahe jeder öffentlichen Bibliothek, welche Handſchriften über deutſcher Geſchichte zählt. Ich kann die folgenden
nachweiſen, deren Kunde wir größtentheils dem von Perß
herausgegebenen Archive für ältere deutſche Geſchichtskunde
verdanken.

Dresden. K. Bibliothek No. 25 v. J. 1557. P. 8, 719.
Gießen. Univerſitäts-Bibliothek. Vermuthlich in der
Sammlung von Städtechroniken. No. 457—558. P. 9, 577.
Göttingen. K. Univerſitäts-Bibliothek. Sie iſt in 4.

und enthält S. 382 bis zum Schlusse S. 588 eine vom Candidaten Stenger geschriebene Fortsetzung vom J. 1559 bis 1674.

Hannover. K. Bibliothek. No. XII. Vier Handschriften, eine aus Meibom's, eine andere aus Uffenbach's Sammlungen. Die Angabe daselbst 1, 471: 1551 geschrieben, muß irrig sein. P. 8, 646.

Kiel. Universitäts-Bibliothek. Fünf Handschriften mit Anhängen und ohne solche. Die fünfte ist von Michael Wullenweber zu Perleberg 1582 geschrieben. S. Ratjen Kieler Handschriften II. S. 256 ff.

Kopenhagen. K. Bibliothek. Fünf Abschriften in Folio No. 686 v. J. 1557 aus der Gottorper Bibliothek. No. 687 daffelbe neuere Abschrift. No. 688 neuere Abschrift mit kurzer Fortsetzung. No. 689 daffelbe Buch, erläutert und fortgesetzt von J. Steinmann 1680, aus der Gottorper Bibliothek. No. 690 daffelbe fortgesetzt bis 1730. In 4. No. 2298. A d. Tratziger Chronica der Stadt Hamburg zusammengelesen und vorvatet 1557. Ms. recens. P. 7, 154. Neuere k. Sammlung Fol. No. 287 und 288. Zwei Abschriften; die eine 1557, die andere zusammengetragen von einem Liebhaber der Hamburger und anderen Historien bis zum Jahre 1730. P. 7, 159 ff. Tott'sche Sammlung No. 662 u. 663. Zwei Abschriften ohne Jahr. P. 7, 164.

Universitäts-Bibliothek. Rostgaard'sche Sammlung Fol. No. 84 v. J. 1558. No. 85 Hamburgische Chronik ohne Titel (?). Daselbst Codices ex donatione variorum Fol. No. 40 v. J. 1557 (von Fr. Bartholin). P. a. a. O. S. 167.

Leipzig. Universitäts-Bibliothek. No. 1325. Eine Abschrift o. J. P. 6, 218.

Lübeck. Stadtbibliothek. No. 17 zwei Abschriften mit der irrigen Jahreszahl 1552. P. 3, 449.

Lüneburg. Außer dem oben beschriebenen, werthvollen Exemplare besitzt, laut Mittheilung des Herrn Director Volger v. J. 1859, die Stadtbibliothek noch zwei Abschriften.

Magdeburg. Domgymnasium. No. 251 v. J. 1577 (l. 1557). Abschrift des 17. Jahrhunderts. P. 11, 722. Stadtbibliothek. No. 20. Eine Hamburgische Chronik bis 1555. P. 11, 723. Hier scheinen nur die letzten Zeilen des Tratziger'schen Werkes zu fehlen.

München. Hof- und Staatsbibliothek. XVI. Cqm. 4909. Fol. 1—334. Guter Text des Tratziger bis zum J. 1557. XVII. Cqm. 4910. Tratziger Chronik fortgesetzt bis 1698. Stralsund. Rathsbibliothek. Allgemeine Geschichte. Eine Abschrift o. J. P. 11, 690.

Weimar. Großherzogl. Bibliothek. Eine Abschrift. Fol. 1718. P. 8, 691.

Wien. K. k. Hofbibliothek. 8. II. 177. Eine Abschrift fortgeführt bis zum Jahre 1686. P. 2, 470.

Wolfenbüttel. Codices Gudiani. Eine Abschrift a. J. P. 7, 225.

Daselbst No. 655. Chronica Hamburgensis civitatis lingua teutonica Chartae. 4. Daselbst S. 223. Eine von mir in meinen Hamburgischen Chroniken beschriebene Handschrift v. J. 1595, enthält Trapiger's Chronik mit dem Titel: „Der Alten …… Cronica, zusammengelesen aus alten Recessen und glaubwirdigen Historien durch A. T. dero Rechten Doctore und Syndicum dero Stadt Hamburg, nachmals fürstlichen Holsteinischen Rath und Cantzler. Anno Salutis 1587. — 17. A. — Vorne in Gold gezeichnet ein Adler mit einem Schreibgriffel in der rechten Klaue, oben P. F. unten: Spero meliora. Schön geschrieben mit schwarzer, Namen und manche Zeilen mit rother Dinte, doch mit vielen Irrthümern in den Namen, und Lücken, in welchen sie genau mit der corrigirten Handschrift der Commerzbibliothek übereinstimmt. Auch fehlen, wie bei den meisten Abschriften, die genealogischen Tabellen.

Bei der großen Anzahl der für die Herstellung des ursprünglichen Textes werthlosen Handschriften und der Unmöglichkeit alle zu vergleichen, war es ein großes Glück, die Lüneburger zu Anfange meiner Arbeit gefunden zu haben. Alle später verglichenen haben mich von dem großen Werth jener überzeugt. Zu dessen Feststellung dienen vorzüglich verschiedene Fehler derselben, welche nur in den ältesten Abschriften vorkommen. Die erste unten S. 14 bemerkte Lücke von vierzehn Worten findet sich in allen mir bekannten Handschriften mit Ausnahme der des C. v. d. Fechte, also auch in der Ranzow s, deren Fehler mehr in einzelnen Worten bestehen; sie ist jedoch am Rande ergänzt in der zu Anfang defecten des Commercii, so wie der besten niedersächsischen der Stadtbibliothek, jedoch in hochdeutscher Sprache. So unbedeutend der Inhalt jener fehlenden Worte, hat doch die Lücke für uns einige Bedeutung, insofern sie den sichersten Beweis liefert, daß es eine unsern besten Handschriften ganz ähnliche ältere hochdeutsche gab oder noch versteckt ist, welche noch als etwas genauer abgeschrieben erscheint, jedoch die 22 Jahre nach Vollendung des Werkes geschriebene von d er Fech te'sche Handschrift nicht sein kann. Darin ist der z. J. 1410 S. 182 irrig gegebene Name des Hamburgischen Bürgermeisters F. K. Barskampe statt K. Miles, welcher nur in der Handschrift des Herrn Gaedchens wiedergefunden ist. Schon Ranzau und v. d. Fechte haben ihre Exemplare bei Tratziger's Lebzeiten berichtigt: Die S. 46 z. J. 1239 von mir verzeichnete Lücke findet sich gleichfalls in allen von mir verglichenen Exemplaren, mit Ausnahme des Ranzow's und des von der Fechte, sowie der niedersächsischen Handschrift des Stadtarchivs; in der defecten des Commercii, so wie der Scheli schen des Stadtarchivs ist die fehlende Stelle nachgetragen. Die andere ist die große Lücke z. J. 1415 S. 141, welche sich nur durch ein aus der Urschrift verloren gegangenes Blatt oder durch große Nachlässigkeit des Schreibers erklären läßt. Daß hier nur von einem solchen Versehen, nicht aber von einem etwanigen Nachtrage des Verfassers die Rede sein kann, ergiebt sich aus dem Inhalte, da er hier von einer Bürgschaft Hamburgs und anderer Städte handelt, auf welche später Bezug genommen wird. Diese Lücke findet sich nicht nur in der Lüneburger Handschrift, sondern auch in Handschriften Gaedechens, Kayser, Wolfenbüttel, im Stadtarchive in der Handschrift A. Oldenhorst. Von den Handschriften der Commerzbibliothek ist sie vorhanden in dem zu Anfang defecten Exemplare, welches sie jedoch am Rande später ergänzt, sodann in dem niedersächsischen Auszuge, so wie in der Handschrift des A. Oldenhorst. Die Handschriften von Ranzow und v. d. Fechte sind hier ohne Mangel.

Charakteristisch für die Handschriften ist eine Aenderung des Textes, welche sich zuerst in der Wolfenbütteler z. J. 1415 S. 143, Z. 9 und 10 nachweisen läßt. Es fehlen nämlich die Worte „und sofern — hatte" in dem Satze, welcher in unserer Handschrift L. mit „damit", in jener mit „also" beginnt. Unter den Handschriften mit größeren Lücken haben noch diese kleinen die A. Oldenhorster des Stadtarchives; von denen der Commerzbibliothek das zu Anfang defecte Exemplar, doch auch dort mit der Correctur.

Eine bedeutende Lücke ist noch S. 145 zu den J. 1420 und 1421 von mir angemerkt. Sie findet sich noch in der Handschrift Gaedechens, doch sonst in keiner der von mir unter den besseren aufgeführten.

Ein Fehler, welchen wohl am leichtesten der Verfasser begehen konnte, ist, daß er den z. J. 1487 S. 236 genannten Probst Thomas Rode hernach S. 288 Thomas Grote nennt. Die Handschriften v. d. Fechte und Gaedechens haben an letzterer Stelle auch Rode; die übrigen verglichenen Handschriften lassen den ihnen zweifelhaften Geschlechtsnamen ganz weg. Zum J. 1544 S. 285 l. Z. ist lediglich durch Nachlässigkeit des Schreibers die Zahl „hundert" weggefallen, was in keiner anderen Abschrift geschehen ist.

Die vielen Lücken anderer Handschriften hervorzuheben

würde eine end= wie nutlose Arbeit sein. Doch bemerke ich noch, daß mit der Lüneburger Ranzow, Gaedechens und die beste der niedersächsischen Handschriften der Stadtbibliothek z. J. 1530 auch der Abschaffung der alten Gesänge geden= ken. Zum J. 1531 S. 267 ward die gemeine Schatzung be= willigt von Rath und „Bürgern", in den oben gedachten drei Handschriften, wo andere „Gemeinde" haben. Bei Gaedechens fehlt hier „vom Rathe und Bürgern". Zum J. 1538 werden S. 276 richtig erwähnt zwei dem Könige Christian III. auf seiner Heimreise entgegengesandte Bürgermeister. Diese Bezeich= nung fehlt ursprünglich allen anderen, nur nicht der Lüneburger, v. d. Fechte und Gaedechens Handschriften.

Als eine Eigenthümlichkeit der Lüneburger Handschrift muß ich schließlich hervorheben, daß sie allein an eben gedachter Stelle den Herzog zu Lüneburg nicht Franz, gleich allen übrigen Handschriften, sondern Franz Otto benennt. Wenn nun auch die Hamburger Chroniken S. 152 eines jungen Fürsten von Lüneborg, welcher im Hause des Jürgen von Zeven wohnte, gedenken, und Tratziger daher über diesen Fürsten besonders unterrichtet gewesen sein könnte, so hat er doch den damals erst siebenjährigen Fürsten (geb. 1531, † 1559), wel= cher aber ihm bekannt war, mit dem Herzoge Franz (geb. 1508, † 1549) verwechselt. Die Hamburger Stadtrechnung z. J. 1538 bezeichnet den fremden Gast ausdrücklich richtig als den Bruder des Herzogs Ernst, dessen Sohn jener Franz Otto war. Ein solcher Irthum konnte wohl nur in die Fe= der des wirklich gleichzeitigen Verfassers der Chronik gerathen.

Tratziger's Chronik ist viel benutzt, nicht nur von Ham= burgischen Chronisten, ungedruckten und gedruckten — wie sie denn bis zu ihrem Schlusse die Grundlage von Stelzner's Nachrichten von Hamburg bildet — sondern von den sämmtlichen Historikern unserer Gegenden während dreier Jahrhunderte, von denen J. Moller viele nachgewiesen hat. Freilich hatte sie das Mißgeschick, keiner Parthei ganz zu gefallen, nicht den Hamburgern und nicht den Dänen. Lambeck, der so vieles edirte und noch viel mehr zu ediren verhieß, begnügte sich je= nes Werk häufig zu tadeln und sogar in Index seiner Origi= nes Hamburgenses ein langes Verzeichniß der wirklichen oder vermeinten Irthümer seines Vorgängers zu geben, nicht selten irriger Weise, anstatt es abzudrucken und seiner Begründung besser nachzuspüren.

Daß der Abdruck der Chronik, vielleicht schon während des Lebens des Verfassers beabsichtigt wurde, haben wir oben aus der Lüneburger Handschrift nachgewiesen. Doch ist ein solcher erst ausgeführt im Jahre 1740 durch den Nachfolger Tratzi=

ger's in seinem Canzler-Amte C. J. von Westphalen in dessen Monumentis ineditis T. II. Es gilt jedoch auch von diesem Abdrucke, und von keinem anderen mehr in jenem Werke, daß in den ausführlichen Vorreden viel gründliche Belehrung über die abgedruckten Werke und deren Verfasser sich findet, während die Ausgabe selbst, wenngleich eine gute Handschrift durchblickt, so schlecht ist, wie nur möglich. Sein oder seiner Mitarbeiter Versehen in der Interpunktion, der Wortstellung, der Schreibung der Worte und besonders der Namen, welche nur ausnahmsweise ganz richtig sind, machen seinen Text zu einem völlig unbrauchbaren und ist er gänzlicher Vergessenheit längst anheimgefallen. Wenn ich als Probe der Entstellungen anführe, daß S. 1352 z. J. 1447, wo vom hansischen Recesse zu Lübeck die Rede ist, die Partikel „man" umgestaltet ist in „die Stadt Frankfurt am Main", so werden weitere Nachweisungen wohl überflüssig erscheinen.

Derselbe Unstern, welcher über Trabiger's Chronik seit drei Jahrhunderten schwebte, schien sie auch noch jetzt nicht verlassen zu wollen. Nachdem durch das Erscheinen des Hamburger Urkundenbuches die Erläuterung des älteren Theiles der Chronik so sehr erleichtert worden, nach dem Verluste aber, welchen der große Brand unseren Geschichtsquellen brachte, der spätere Theil derselben uns werthvoller geworden war, veranlaßte ich den verstorbenen Herrn Dr. G. A. Reimarus, seine mehrfach bewährten Kenntnisse und verdienstlichen Fleiß einer Ausgabe derselben zuzuwenden. Doch er vermochte nicht den leitenden Faden zu finden, welcher durch den Wirrwar der abweichenden Handschriften leitete, was ihm durch die vorgefaßte Meinung erschwert wurde, daß der ursprüngliche Text ein niedersächsischer sein müsse. So ist er leider, ohne brauchbare Vorarbeiten zu hinterlassen, von dieser Welt geschieden.

Als ich mich nun gebunden hielt, die Ehrenschuld unserem ältesten wissenschaftlichen Chronisten abzutragen und die Herausgabe der Chronik selbst zu übernehmen, war ich vor etwa sieben Jahren so weit gediehen, den Druck beginnen zu können. Doch kaum waren einige Bogen gedruckt, als wiederum eine unheilvolle Störung durch die Geschäfte des damaligen Verlegers eintrat, und auch der Druck ruhte, bis die Herren Mauke den Verlag übernahmen. Die lange Pause hat die Arbeit außerordentlich erschwert, da manche Nachforschungen wiederholt angestellt werden mußten und die meinen Augen unentbehrliche Hülfe zu mehren Malen wechselte, ein Umstand, welcher auf die beabsichtigte Genauigkeit des Abdruckes oft nachtheilig einwirken konnte.

Ich habe die mehr gedachte Lüneburger Handschrift zum

Grunde gelegt, welche freilich nicht vom Verfasser dictirt, doch von seinem Schreiber copirt und in den ersten Theilen von jenem durchgesehen ist, mir auch jetzt noch als die älteste mir zugekommene und daher sprachlich richtigste erscheint, wenn auch einzelne Lücken und Fehler aus etwas späteren, gleichfalls der Urschrift entstammten, doch in der Sprache willkürlich behandelten Abschriften zu berichtigen blieben. Den Kreis der dem Tratziger bekannten Documente und Schriften, welche er für seine Chronik benutzte, habe ich thunlichst durchspähet und so weit es irgend möglich erschien, die dem Verfasser vorliegenden nachgewiesen. Einen eigenthümlichen Werth habe ich gesucht der Ausgabe zu verleihen durch betreffende Stellen aus den Stadtrechnungen, wo nicht selten die einst von mir angeregten Auszüge aus denselben durch Dr. Laurent, so wie den verstorbenen Dr. Schrader mir selbst wieder zu Gute kamen.

Ueber die Sprache Tratziger's in der Chronik habe ich unter S. 333 einige Bemerkungen gemacht. Ich bin ihr möglichst gefolgt, wenn ich gleich die zahllosen Ungleichartigkeiten des Schreibers zu vermeiden mich bestrebt habe. Die Verdoppelung derselben Consonanten, wie sie in den Handschriften nicht selten vorkommt, und ähnliche unnöthige Ueberladungen der Schreibung habe ich weggeschnitten, was jedoch aus der oben erwähnten Ursache nicht ganz gleichmäßig konnte durchgeführt werden.

Der mir bei der Ausarbeitung der Ausgabe von Herrn Dr. Junghans, nunmehrigem ordentlichen Professor der Geschichte zu Kiel, geleisteten treuen und umsichtigen Hülfe gedenke ich gerne dankbar. Bei der Wiederaufnahme des Druckes haben Herr Dr. Theodor Knochenbauer, aus und jetzt in Meiningen, so wie in späterer Zeit Herr Gustav Kratz, jetzt in Leipzig, vielen Fleiß auf die Beihülfe zu den Correcturen und der Entwerfung der Register gewandt.

Möge der Ausgabe der Hamburger Chronik, wie sie jetzt vorliegt, der Beifall von Kennern nicht entgehen, und sie Freunden unserer Geschichte ein Leitfaden zu ferneren Studien werden. Künftigen Hamburgischen Geschichtsforschern wird es nunmehr jedenfalls sehr erleichtert sein, die Interpolate der späteren Texte zu sondern und zu würdigen und für die Herausgabe der Fortsetzungen die richtigen Wege zu finden.

Hamburg, den 28. December 1864.

J. M. Lappenberg.

Der alten weitberuhmeten stadt

Hamburg
chronica und jahrbucher,

von der zeit

Caroli des Großen

bis uf das

keisertumb Caroli des Funften,

mit besondern vleiß aus glaubwirdigen geschichtschreibern, alten jahrbuchern, brieflichen urkunden, vertregen und recessen zusammengezogen

durch

D. Adam Tratzigern.

Anno M. D. LVII.

Daß Hamburg liege auf dem rechten uralten Sechsischen boden und von den taten und geschichten der alten Sachsen.

Hamburg lieget im lande Stormarn, welchs von dem waßer Stora seinen namen hat ¹), und ist anfenglich Stormarsch genennet worden, gleichwie noch heutiges tages genennet werden Wilstermarsch, Crempermarsch, Dit=marschen. Die marschlande aber haben ihren namen ent=pfangen von den Marsis ²), welche vor zeiten dießeit des Rheines auf hartem erdreich gewohnet, seind aber hernacher in die sumpfige orter, der see angelegen, gezogen. Solchs bezeuget der alte weltbeschreiber Strabo, der bei den zeiten keisers Augusti gelebt:

> Primae, inquit, hujus regionis partes sunt Rheno pro-ximæ, ab ipsius fere fontis initio, quoad in pelagus effun-ditur; et hæc est occidentalis plagæ latitudo universa, quam flumen alluit. Eius autem portionem quandam ad Galliam traduxere Romani; quædam vero in profun-dam regionem transmigrans pervenit, sicut et Marsi ³).

---

¹) Aus Alb. Kranß's Saxonia, L. VIII, c. 15 und L. V, c. 27.

²) Ebdf. praefatio fin. und L. XI. c. 6.

³) Ebdf. L. VII. c. 1. §. 2. Traßiger benußt die von Guarinus Veronen-sis zwei Jahre vor seinem Tode (1460, Dec. 4) vollendete lateinische Uebersetzung, Venetiis, 1494. Fol. Kiii, in welcher nur statt effunditur infunditur steht.

Aus diesen worten Strabonis wird bezeuget, daß vor der zeit des keisers Augusti, die volker Marsi in die nidrige sumpfige orte sich gesetzt, daraus vernuftiglichen zu begreifen, daß die lande nach ihnen Marschlande genennet worden; gleichwie Frankenland, Beyerland, Schwabenland und andere mehr, von den Franken, Beyern und Schwaben, die sich in denselben nidergelaßen, ihren namen entpfangen. Die volker aber, Marsi genennet, haben ihren ursprung von dem Marso, Tuisconis sohne [1], des do gedenken Orosius und Cornelius Tacitus. [2] Dieser Marsus hat gelebt von der weltschepfunge 2114 Jahr bei der zeit Abrahe, vor Christi, unsers heilands, geburt 1800 jahr. Darumb sich die marschleute als fur die eltisten volker, die ihren namen von ihrer aller vater, dem Marso, entpfangen und numals in die 3300 etzlich und funfzig jahr anhero behalten, ruhmen mugen. Jdoch werden diese marschleute, sampt denen, die auf hartem erdreich wohnen, Holstein und Wagern geheißen, von dem Ptolomeo in gemein Saxen genennet: „Supra dorsum, inquit, Cimbricæ Chersonesi Saxones.“ [3] Er nennet auch die eilande, im ausfluß der Elbe belegen, als Heiligeland und andere, der Sachsen Jnseln [4]; woraus zu vernehmen, daß dieser boden sampt Holstein und Wagern, sei der rechte uralte Sechsische boden und, daß diejenigen irren, welche Westphalen fur das rechte alte Sachsenland halten. Dan, wie aus Ptolomeo und andern zu ersehen, ist das land, so numals Westphalen genennet wird, von andern volkern, als den Chaucis, Bructeris, Chamauis ꝛc. bewohnet gewesen, welcher volker namen itzo gar verblichen: den die Sachsen dieselbigen

---

[1] Diese Genealogie s. Saxonia praef. fin.

[2] Tratziger hat vermuthlich Cap. 2 der Germania im Sinne, doch missverstanden.

[3] Geographica L. II, c. 11. (10.)

[4] Ebbf. Die Worte lauten in der lateinischen Uebersetzung: insulae Germaniae adiacent iuxta Albis fluvii ostia tres, Saxonum appellatae. Daß Ptolomäus auch Heiligeland (Helgoland) meinte, unterliegt wohl keinem Zweifel.

lande, wie hernach angezeiget wird, unter ihren gewalt und beherschunge gezwungen.

Diese alten Sachsen, die sampt den angelegenen völkern Cimbri und Teutones in gemein genennet werden, seind bei funfzig jahren für Christi geburt in Gallien darnach in Italien gezogen, haben die Romer in vier felbschlachten mechtig erleget, ihre heuptleute gefangen, und ihnen einen solchen schrecken und zagheit eingejaget, in desgleichen sie vormals nie gewesen. Jedoch wurden sie letzlich durch der Romer heuptleute Marium und Q. Catulum in zweien felbschlachten uberwunden und mit weib und kindern erwurget; diejenigen aber, so im lande alhie geplieben, haben sich friedlich ingehalten; und als Octavius Augustus an das Romische regiment und keisertumb gekommen, ihre botschaft an ihnen geschicket und einen hafen mit viel heidenisches heiltumbs verehret, darneben umb verzethung des, so ihre landsleute an den Romern verwirket, bitten laßen; dadurch sie denn des keisers Augusti genade und freundschaft erlanget. [1]

Nach dieser zeit befindet man in glaubwirdigen historien nichts besunders von der Sachsen geschichten bis auf die zeit des keisers Diocletiani. Da haben sie heftig auf der see unter Frankreich geraubet; also daß der keiser Diocletianus einen hauptmann mit namen Carusium darzu verordnen mußen, welcher die see vor ihnen solte befriedigen [2]. Man hat auch die nachrichtunge, daß folgender zeit die Romischen keiser sunderlich kriegsvolk in Britannien und Gallien halten mußen, die lender vor der Sachsen einfal zu beschirmen, daher werden in libro notitiarum [3] genennet:

„Tribunus cohortis primae novae Armoricæ Grannona in littore Saxonico.“

Solchs bezeugen auch nachfolgende vers Sidonii Apollinaris [4]):

[1] Nach Krantz's Saxonia, l. 8.
[2] Ebdf. l. 16.
[3] In der bekannten Notitia dignitatum.
[4] Aus dem Panegyricus Avito Augusto socero dictus carmen VII. v. 369 sq.

Quin et Aremoricus piratam Saxona tractus
Sperabat, cui pelle salum sulcare Britannum
Ludus et assuto glaucum mare findere lembo.

Zur zeit des keifers Valentiniani nahmen die Sach=
sen fur einen zug in der Romer land, ruckten also aus
diesem lande herfur bis an den Rhein; aber sie wurden von
dem keiser Valentiniano auf den grenzen der Franken
welche zu der zeit noch diesseit des Rheines wohneten, uber=
fallen und zuruckgetrieben [1]). Als sie nun ihr furnehmen
nit vollenbringen konnten, sondern zuruck mußten weichen,
nahmen sie ein das land, so itzo Westfahlen genent ist;
solch land haben zuvor die volker, Bructeri von den
Romern genant, bewohnet, wie in vielen orten aus Cornelio
Tacito zu beweisen, und es bleiben desselben noch in heuti=
gem tage diese anzeigunge, daß Offenbrugk, Dellen=
brugk, Widenbrugk, Quakenbrugk, sein die alten loci
Bructerorum. Das wort Bructeri haben die Romer auf ihre
sprache gezogen und corrumpirt; auf Teutsch aber hat solch
volk die Broker geheißen. Den auf Teutsch heißen wir ein
moor oder sumpfigen ort ein brok; weil dan in West=
fahlen viel gemoor und brok, so seind die leute davon
Broker genennet worden, darumb, daß sie im brok gewoh=
net, gleichsam als wir Marßleute nennen, die in marsch=
landen gesessen sein.

Dies ist die erste ankunft der Sachsen in Westfah=
len; welche sich begeben um das jahr nach Christi geburt
377, daraus beweiset wird, daß die Westfahlen aus diesen
Sachsen entsprossen. Den namen Fahlen haben sie ge=
nommen von dem wapen, so ihre herschaft gefuhret. Sollichs
ist, eher sie von Carolo Magno zum christlichen glauben
bekehret worden, ein schwarzer Fahle gewesen; darnach, als
sie bekehret worden, hat Carolus Magnus Wedekindo,
ihrem fursten, einen weißen Fahlen geben [2]), welchen die her=

---

[1]) Saxonia, I. 16 und 17.
[2]) Ueber die Wappen und Namen ebdf. II 2.

zogen von Braunschweig noch in heutigen tag, dieweil sie
von der spilseiten der ersten herzogen zu Sachsen geschlecht
anruhren, zu anzeigung ihrer alten herkunft auf dem helm
ihres wapens fuhren. Den namen Westfahlen haben sie
bekommen zum unterscheid derjenigen, so auf dieser seiten der
Weser sich nidergeschlagen; dieselben hat man Ostfahlen
genennet. Als aber in folgenden zeiten diesseit der Weser
ein sonderlich herzogtumb aufgerichtet und von der stadt
Braunschweig genennet, auch etliche besondere bischoftumb,
graffschaften und herschaften gestiftet, ist der Ostfahlen
name verblichen. [1]

Von obberuhrter zeit an, bis auf keiser Valentianum
den jungern, nach Christi geburt ungefehrlich 449, findet man
in glaubwirdigen historien keine sunderliche geschichte der
Sachsen, allein, daß sie sampt den Franken Britannien und Gallien von der see stettiglich angefochten
und bekrieget, bis daß Brittannien bei obgemeltes keisers
Valentiani zeiten durch die Schotten und Picten uberfallen und von den Romern, die ihr kriegsvolk umb der
Hunen willen abforderten, hulflos gelaßen worden. Da haben die Brittannier die Sachsen umb hulf wider ihre
feind angerufen, die mit aller macht in Brittannien ge-
schiffet und wider die feinde glucklich obgesieget; und als ihnen
die gelegenheit des landes beliebet, haben sie ihrer landsleute
noch ein große anzahl zu sich gefordert und mit den Brit-
tanniern einen hader angefangen, als ob ihnen ihre ver-
sprochene besoldung nicht entrichtet; aus welcher ursachen sie
letzlich zu den wapen gegriffen, die Brittannier erleget,
verjaget und ihr land eingenommen. [2]

Dieweil dan unter den Sachsen einsteils die Angeln gewohnet, davon noch ein ort landes, an Jutland
stoßend, Angeln heißet und meines erachtens derselbigen Angeln vaterland gewesen, haben die Angeln volgender zeit
ein eigen konigreich in Brittannien aufgericht, daßelbige

---

[1] Ebendaher mit einigen Zusätzen.
[2] Ebdf. l. 18, 19.

nach ihnen Engelland genennet [1]), und der andern Sachsen konige, die neben ihnen im lande gewohnet, unter ihren
gehorsam bezwungen. Solch konigreich behelt den Namen
in heutigen tag, wiewol das Sechsische geblüte durch die
Denen und Normandier vertilget ist, von welchen der
itzige kunigliche stam herrühret; und seind also sider der zeit,
daß die Sachsen in Brittannien gezogen, über 1100 jahr
verfloßen.

Weil obgemelter keiser Valentianus regieret, ist der grausame und mechtige tiran Attila, ein konig der Hunen, mit 500,000
man aus Pannonia, (itzt Ungern genennt), durch Teutsch-
land in Frankreich gezogen und unterwegen alles verheret
und verwüstet. Frankreich, welchs zu der zeit noch Gallia
geheißen und eins teils den Romern noch undertan war,
regiret der Romisch heuptman Etius, ein treflicher kriegsman; der fordert wider den Attilam zu hilf die Sachsen, Goten, Alanier und Franken, tet mit Attila
eine feldschlacht und uberwand ihn, daß er mit großem schaden und verlust aus Gallien widerumb in Pannonien
entweichen mußte. In dieser feldschlacht seind die Sachsen
mitten in die schlachtordenung gestelt worden, daraus wohl
abzunehmen, daß sie nit die geringste arbeit zu sollichem sieg
getan haben. Es sollen, wie die historien melden, von beiden seiten in diesem streite geblieben sein 100,000 und
80,000 man. [2])

Als man zelet nach Christi geburt 478, ist der Sachsen furst Odacker oder Odacer, wie ihnen die lateinischen
historien nennen, mit einer großen anzahl Sachsen in Gallien gezogen, und hat Orliens belegert. Er ist aber durch
Hilderich, den konig der Franken, die sich zuvor in
Gallien gesetzt hetten, widerumb abgetrieben worden. [3])

Darnach hulfen die Sachsen Ditrichen, der Franken

[1]) Ebdf. l. 21. Ueber diese Herleitung des Namens der Angeln, welche
Tratziger Krantz nicht verdankt, vgl. meine Gesch. v. England, l. 88.
[2]) Saxonia, l. 23.
[3]) Ebdf. l. 24.

lonige, Ludewiges des großen sohn, die Duringer be-
triegen, welche zu der zeit ihren eigenen lonig hetten, und
nechst den Franken unter den Teutschen die mechtigsten
wären. [1]

Im jahre nach Christi geburt 568 seind die Longobarder, so aus diesem ort entsprossen, in Pannonien gezogen und lange zeit alba gewohnet hetten, auf erforderunge
Narsetis, des Keisers Justiniani heuptmans, in Italien
gezogen; und damit sie besto sterker ankemen, forderten sie mit
sich auf von den Sachsen diesseits der Elbe 20,000 man,
die sampt weibern und kindern mit ihnen sich in Italien
begeben, der hofnung, daß sie alba ein fruchtbar und beßer
land wolten einnehmen [2]. Als aber die Longobarder
ihren willen beschaffet und in Italien ein lonigreich an-
fiengen, verdroß es die Sachsen, daß sie ihnen underthenig
sein solten; derhalben sie widerumb heraus zugen, ihr verlaßen vaterland widerumb einzunehmen [3]. Es hetten aber
mitlerzeit, als sie mit den Longobardern in Italien gezogen, Clotharius und Sighertus, der Franken lonig,
die verlaßene lande der Sachsen, furnemblich diesseit der
Elb, mit Schwaben besetzt [4], welchs Witikindus, der
Sechsische historicus, bezeuget, mit diesen worten: Suevi vero
Transalbini illam, quam incolunt regionem, eo tempore inva-
serunt, quo Saxones eum Longobardis Italiam adiere. [5]

Demnach als die Sachsen anheimblomen und die Schwaben widerumb austreiben wolten, seind aber durch die Schwaben uberwunden und heftig beschediget worden; jedoch sterketen
sie sich auf das newe, also daß sie die Schwaben ubermanneten und zum mehrerteil vertrieben. [6] Und ist gleichwol aus
obangezogenem gezeugnis Witikindi zu vernehmen, daß die
Schwaben nit gar verjaget worden, sonder daß sie bei der
zeit desselben Witikindi, welcher unter keiser Ottone dem
ersten gelebt, noch diesseits der Elb gewohnet haben. Oban-

---

[1] Vgl. ebdf. l. 26 und 27.   [2] Ebdf. l. 29.
[3] Ebdf. l. 30.   [4] Ebdf. l. 29.
[5] L. l. c. 14 nach der Baseler Ausgabe v. J. 1532. [6] Saxonia, l. 30.

geregte schlachten der Sachsen und Schwaben seind geschehen im jahr nach Christi geburt 584, als der keiser Mauritius zu Constantinopel zum regiment kam.

Zur zeit des keisers Heracliti nach Christi geburt
628 jahr, kriegeten die Sachsen mit Dagoberto,
Lotharii des konigs zu Frankreich sohn, und wiewohl sie
erstlich obsiegeten, kam doch der konig Lotharius seinem
sohne zu hilf und schlug und bezwang diesseit der Weser
Bertholdum, der Sachsen herzogen, mit seinem volke;
und es mußten den Franken die Sachsen alle jahr 500
ochsen zu tribut geben; solcher tribut wurd ihnen widerumb
erlaßen umb das jahr Christi 640, do sie den Franken die
umbgelegene Wenden, die dazumal die lande Braunschweig
und Luneburg bewohneten, bekriegen und zwingen hulfen. ')

Hernacher seind die Sachsen zum oftermal von den
Frenkischen konigen mit krieg worden angefochten, als von
Carolo Martello, Carolomanno, insunderheit umb des
glaubens willen, dieweil sie den abgottern anhingen und den
namen Christi haßeten und verfolgeten; und ob sie wohl
etlich mal uberwunden und gezemet worden, so hat sie doch
keiner vor Carolo Magno, dem ersten Teutschen keiser,
zu dem christlichen glauben bekehren mogen. ²)

Gripho, ein bruder Pipini, Caroli Magni va-
ters, schlug sich zu den Sachsen und erregte einen krieg wider Pipinum, seinen bruder, umb deswillen, daß er Ihn lange
zeit gefenglich enthalten und zum regiment nicht verstatten wolte.
Aber er wolte letzlich den ungleubigen Sachsen nicht lenger
vertrauwen, sondern flohe in Beyern. Pipinus aber hat
wider die Sachsen obgesieget und sie widerumb zum gehorsam gebracht, daß sie ihm alle jahr 300 pferde zum tribut
bezahlen mußten. Jdoch blieben sie nichts desto weniger bei ihrer
abgotterei und unglauben. ³)

---

¹) Saxonia, l. 31. 32 mit Zusatz der Jahre.
²) Ebdf. l. 33.
³) Beinahe ganz nach Saxonia, l. 34.

Diese geschichte hab ich aufs kurzest darumb erzehlet, damit des volkes, so das land, darauf Hamburg erbawet und von alters her bewohnet, namen, ankunft und herliche taten mochten bekant sein, und habe solliche geschicht aus alten glaubwirdigen geschichtschreibern zusammengezogen. Was aber Saxo Grammaticus ferner von der Denen kriegen und hendeln wider die Sachsen erzehlet, seind eitel mehrlein und fabeln, demnach ichs unwirdig geachtet, etwas davon albie zu beruhren.

Vom namen der stadt Hamburg.

Es schreiben etliche, daß Hamburg genent sei von Hammone, dem abgot der Libier, welchen auch die Sachsen biz orts sollen geehret und nach ihme die stadt Hamburg genennet haben; welchs doch doctor Albertus Krantz billich fur ein geticht und fabel heltet; den diesen Leuten, so zu der zeit weder schrifte noch bucher gehabt, wenig von Libier abgottern bekannt sein mogen. Und obwohl gemelter doctor Krantz aus Saxone Grammatico bewehren will, daß der ort seinen namen bekommen von dem fechter Hama, welchen Stercater, ein mechtiger starker Dene, im kampf alda sol erleget haben [1]: so ist doch sollichs ebensowohl ein unglaubwirdig geticht, als das erste, den der orter dieß namens seind mehr in andern landen, als Ham in Westfahlen, Ham in Friesland, Ham in Holland, Ham in Flandern an der Schelde, item Suderham und Norderham in Ditmarschen.

Aber biz ist die wahre grundliche ankunft, daß zwischen der Elster und der Billen ein holz gelegen, welches die Hamme vor zeiten geheißen und ist dasselbige aus einem kauf-

[1] S. Saxonia, l. 11.

briefe zu ersehen, welcher bezeuget, daß Anno 1338 [1] das holz die Hamme geheißen, dem Rate zu Hamburg verkaufet worden. Weil den die alten Sachsen vor der zeit Caroli Magni bei diesem holze eine burg oder veste gebauwet, haben sie dieselbe von dem holze, die Hamme geheißen, Hammenburg genennet; den in allen alten privilegien, briefen und historien wird Hammenburg, und nicht Hamburg befunden.

Und sollichs ist glaubwirdig; den es haben die Teutschen algemeiniglich ihren vestungen von angelegenen bergen, holzern oder waßern namen gegeben. Also ist Luneburg genennet von Lune, dem orte naß darbei belegen, darauf hernacher des namens ein kloster erbauwet, und nicht von dem planeten Luna, als eßliche ganz kindisch furgeben [2]. Es ist auch wohl abzunehmen, daß das wortlein ham ein alt Sechsisch wort sei, und ein holzunge oder forst bedeutet, den in Ditmarschen werden die holzunge Suderham und Norderham genennet. Die Friesen aber heißen ein hamme einen platz von wiesen und marschlande, darauf sie das vieh weiden. Es wird auch in alten briefen befunden, daß Hamme, das dorf, nachdem der wald, die Hamme genennet, verhauwen, gebauwet, und von dem walde oder holze Hamme genennet, welchs ein zeitlang ein geschlecht vom Adel ingehabt, welche die vom Ham genennet. Adam vom Hamme, der letzte des namens, hat das dorf an die stadt Hamburg verkauft, anne x. Und sollichs ist der wahrhaftige bericht, woher die stadt Hamburg den namen bekommen, der sunst bei keinem geschichtschreiber zu befinden.

[1] Der Wald Hamm wurde schon 1319 verkauft. Die von Tratziger angeführte Urkunde v. J. 1338 spricht nur vom Haupthofe zu Hamme. S. die Urkunden in Hübbe's Hammerbroker Recht S. 174 u. 178.
[2] Die Etymologie des Namens Luneburg (Lüneburg), welche ihn vermuthlich auf die richtige Herleitung des Namens Hamburg geführt, verdankt Tratziger demselben Krantz, welchem er seine Ableitung des Namens Hamburg mit Recht bestreitet. Vgl. Saxonia IV. 16.

Von der stadt Treua, welcher der alte weltbeschreiber Ptolomeus gedenket, die nach eßlicher meinunge sol Hamburg sein.

Ptolomeus Alexandrinus, der da hat gelebet bei der zeit des Romischen keisers Traiani, nach Christi geburt ungefehrlich 100 jahr, gedenkt in seiner cosmographia [1]) einer stadt Treua genent, die er an die Elbe setzet, ungefehrlich unter der elevation und hoge der Norderleidunge, als Hamburg itzo gelegen ist. Daraus wollen eßliche schließen, daß Hamburg sei eben dieselbige stadt, die zur zeit Ptolomei Treua genent worden. Aber weil man darvon sonst in keinen historien oder weltbuchern etwas findet, auch keine glaubwirdige anzeigung vorhanden, kan ich sollicher meinung nicht stat geben, sunder erachte, do es umb beruhrte anzeigung die gestalt und gelegenheit habe, daß Ptolomeus hierin leichtlich irren konnen, dieweil er sein lebelang in diesen ort nicht gekommen, auch aus den Romischen historien nichts grundtlichs sich erkundigen mugen, wie den Strabo selbst bekennet, daß die Romer nie uber die Elbe gezogen und ihnen also die orter und volker diesseit der Elbe ganz unbekant geblieben; derwegen er auch nichts gewißes und eigentlichs davon schreiben konne.

Es hat sich aber der irtumb Ptolomei daher verursachet, daß Ptolomeus horen die Traue nennen, die in die Ost-See fleußt und gemeinet, daß es ein stadt were diesseits der Elbe belegen, hat also mit veranderunge des A in E Treuam fur eine stadt an die Elbe gesetzt; welchs sich

---

[1]) L. II. c. 10.

dan so viel desto glaublicher leßet ansehen, daß er folgends
der Traue auch einen unrechten namen gibet, und nennet sie
Chalusium, do doch Chalusius oder auf Teutsch Klus
domals ein stadt gewesen, jenseits der Trave gelegen, welchs
das stedtlin Klus a) noch heutiges tages anzeigung gibet, daher
auch der winkel zwischen der Traue und der see belegen,
der Cluser ort genent, seinen namen behelt. Wan man
nu den namen Treua dem waßer gibet, das noch uf heutigen tag die Traue genent wird, und Chalusium leßet
sein, das stedtlin, so man noch zur Klus nennet, so ist diesem irtumb abgeholfen.

---

a) auf Teutsch — stedtlin fehlt L.

Der stadt Hamburg geschichte und historien,

von Carolo Magno bis auf Heinricum den Ersten.

Erster Theil.

Wer die stadt Hammenburg erstlich gebawet, und vor der zeit Caroli Magni beherschet, und was zustands sie sunst gehapt, ist uns der ursachen verborgen, daß die ungleubigen Sachsen vor Carolo Magno keine geschrift noch jahrbucher gehapt. Darumb mußen wir von der zeit anfahen, als Carolus Magnus uber die Elbe in die norderseit, welche die historien Nordalbingiam nennen, gezogen, die stadt Hamburg sampt den angelegenen landen eingenommen, und den christlichen glauben darin gepflanzt. Dan zu der zeit seind in den tumbstiften die Carolus Magnus aufgerichtet, jahrbucher von den geistlichen angefangen, daraus wir die furnembsten stuck dieser historien nehmen mußen.

Als der große keiser Karl die Westfahlen und die Sachsen an beiden seiten der Weser wohnend, durch vielfeltige muhe und arbeit ihme gehorsam und untertenig gemachet; und zu pflanzunge des christlichen glaubens etzliche bischoftumb aufgerichtet, zug er uber die Elbe in die norderseiten, die sonst Stormarn und Holstein genennet und fand an der Elbe die stadt Hammenburg. Es war aber damals Hammenburg [1]) viel eins geringern begriffes, als

---

[1]) Vgl. Saxonia, L. VIII. c. 15, welches die Grundlage der folgenden Ausführungen bildet.

ißund, dan allein der berg, darauf Sanct Peters carspel und der tumb lieget, befriedet und bebauwet; da aber itzo die andern carspel als St. Catharinen und St. Niclas gelegt, war unbeteicht land, da flut und ebbe uber her ging; der platz, darauf in folgenden Zeiten Sanct Jacob carspel gebawet, hat außerhalb der stadt gelegen, welches man an dem heidenischen walle) nach in heuitgen tag äugenscheinlich mag sehen. Jdoch war es iehr ein gelegen und von natur vester ort: den ins suden hatte es die Elbe, ins westen die Elster, ins osten die Bille. Daß sein drei freie seiten, und ist kein zweifel, daß Hamburg auch zu der zeit sei gewesen die furnehmbste veste der Norder=Eluer, (wie die Holstein und Stormarn domals genent), daraus sie sich wider die Wenden gewehret, wie den zum teil in der bullen des babsts Nicolai, welcher bei der zeit Ludovici II. gelebt, zu ersehen, darein er setzet: castellum Hammaburg sedem Nordalbingorum [2]).

Zu derselbigen zeit hat Hamburg sampt den angelegenen landen diesseits der Elbe einer beherrschet Albion [3]) genennet, von des herkunft auch nachkomlingen man sunst keine fernere nachrichtunge hat. Dieser Albion ist auf gegeben geleite, sampt Witikindo, der jenseit der Elbe in Westphalen und umbher geherrschet, zu Carolo Magno gen Barderwik gekommen, alda sich teufen und im christlichen glauben unterweisen laßen. Aber die stadt Hamburg hat Carolus Magnus unter seinen schutz genommen und einen heuptman Otto, oder, als etzliche schreiben, Utho genent, mit etzlichem kriegsvolk in besatzung geleget [4]). Darmit auch die leute in christlicher lehre fleißig unterrichtet wurden, ließ er alda in die ehre der mutter Gottes ein kirchen bawen und verordenet zu einen priester Heribagum, welchen er folgends zu einen erzbischof uber die ost= und nordische lender zu setzen gedachte.

[1]) Vgl. Reddermeyer's Topographie von Hamburg S. 28.

[2]) S. d. Urkunde 858 Mai 31 im Hamburgischen Urkundenbuch I. no. 14.

[3]) Auch hier begegnen wir der auf einer falschen Lesart in Einhards Annalen z. J. 785 beruhenden Namensform Albio statt Abbio. S. meine Hamburgischen Rechtsalterthümer I., p. 105 u. 1.

[4]) Saxonia, l. II. 23 und l. V. 27.

Jdoch mochte er solchs bei seiner zeit wegen anderer hoch= 804
wichtigen sachen, dadurch er verhindert wurd, nicht volnbrin=
gen [1].

Als man zehlt nach Christi geburt 804 jahr, do ganz
Sachsenland sich friedlich und in ruhe hielt, erwekten die Nor=
derelber ein entporung, uberfielen und beschedigten die
Christen feindlich a); derwegen keifer Carolus etzliche taufend
man mit weib und kindern von dannen wegfuhren ließ,
die er in Flandern, welchs zu derselben zeit eine wildnus
und ungebawet land war, auch in Brabant setzte. Von
diesen ist die herkunft der Fleminge und Brabander [2].
Wiewohl den nach der zeit die Sachsen alzumal gezehmet
und zu gehorsam gebracht, muchte doch Hamburg sampt dem
angelegenen lande, wegen des christlichen glaubens nicht unan=
gefochten bleiben; funder ward im jahr nach Christi geburt
810 von den Wenden, die man Wilsen genennet, (deren
heuptstadt, wie zu erachten, Wilsnak gewesen) uberfallen,
welche des keifers heuptman Uthonem sampt seinem kriegs=
volk heraus treiben, was funft in der stadt war, erwurgeten und
die stadt zum grunde abbrenneten und verwusteten [3].

Aber keifer Carolus ließ sie folgends jahres widerumb
aufbawen und mit volk besetzen, in gemut und meinunge, nach=
mals ein erzbischoftumb daselbst zu stiften [4].

Als er aber darob zu Ach verstarb, und sein Sohn
Ludovicus Pius uber ganz Germanien konig ward,
ließ er den heiligen man Anscharium, zum erzbischof zu
Hamburg durch die erzbischof zu Meintz, Trier und den
bischof von Metz, zu Wurmbs ordenen und unterwarf ihme
alle lande der ungleubigen Denen, Norwegen, Schweden
und Wenden, daß er darin den christlichen glauben predigen
und das ungleubige volk zu Got bekehren solte; in welchem
beruf er sich getrewlich und vleißig gehalten, und der erste ge=

---

a) feindlich L.
[1] Ebendaher II. 25. [2] Ebendaher II. 19 und I. 3.
[3] Ebendaher II. 20, mit Ausnahme der etymol. Nachricht über Wilsnak.
[4] Nach Alb. Krantz Metropolis I. 17.

Tratziger's Chronik. 2

871 wesen, der in Dennemark und Schweden Gottes wort und
den christlichen glauben verkundiget [a]); aber der bose feind
wolte solchen anfang nicht unangefochten laßen [c]); dan die
Normandier, die sich folgends in Gallien gesetzt, und das
herzogtumb Normandien aufgericht, fuhren aus der see die
Elbe herauf, verbrenneten und zerstoreten die stadt Hammenburg und alten Stade, domals Dorstade genennet [?])
und ist S. Ancharius der erzbischof domals mit großer not
gen Ramsol entkommen [?]). Als nu die stadt Hamburg also
jemmerlich verheeret, und eben uf die zeit der bischofliche stuel
zu Bremen entlediget: hat Ludovicus Germanicus,
welcher nach absterben seines vatters Ludovici Pii die Sechsischen lande in beherschung genommen, S. Auschario
das bischoftumb Bremen verliehen, und ist folgends durch den
babst Nicolaum II. die kirche zu Bremen dem erzstift Hamburg
einverleibt worden. Mitler und folgender zeit arbeitet S.
Ancharius in der lehre ganz heftig und bekehret zum christlichen glauben Ericum, den konig zu Dennemark, beweget in
gleichem seinen sohn, der widerumb vom christlichen glauben
abtrunnig worden, zur beßerunge und bußfertigkeit. Durch
seine beforderunge wurden in Gottes ehre aufgerichtet die kirchen
zu Schleswigk und Ripen [*]). Er starb zu Bremen im
jahr nach Christi geburt 871 [5]).

Nach dem Anschario setzt Ludovicus der Ander zum erzbischofe zu Hamburg Rembertum [b]), der war ein junger S.
Anscharii gewesen, welcher auch mit allem vleiße den heiden

a) vnang. laßen 2*. in der Lücke; vnbetender F.
b) Rembertun, Romberttus rc. L. Rumbertum rc. G.
[1]) Ebendaher I. 20 und 35.
[2]) Tratziger hat eine angebliche Zerstörung Stades hier eingemischt, welche
    auf einer älteren, schon auf Kranz zurückgehenden Verwechslung von
    Dorstad mit einem älteren Stade beruht, teßen Ruinen Kranz noch
    gesehen hat. (Vergl. a. a. O. I. 13 gegen Ende.)
[3]) Ebendaher I. 35.
[4]) Ebendaher I. 36. 41.
[5]) Das falsche Jahr hat Tratziger Hermann Korner's Chronik entnom-
    men, Anschar † 865.

Gottes wort verkundiget [1]). Als aber im jahr nach Christi 876 geburt 876 Ludovicus das heupt gelegt, haben die Denen und Normandier abermals die stadt Hamburg, die etzlichermaßen widerumb aufgebawet war, uberfallen, verbrennet, verwustet und die inwohner getodtet [2]), idoch ist der erzbischof Rembertus entkommen, der nach vielen wunderzeichen, darumb er fur heilig geachtet, in Got verstorben, anno Christi 887 [3]).

Nach Remberto ward das erzstift Hamburg sampt dem stift Bremen, von dem keiser verliehen Adalgario, welcher des verstorbenen Remberti coadiutor gewesen war. Er hette a) einen großen streit mit dem erzbischof zu Collen, von wegen der kirchen zu Bremen [4]) und starb nach vielfeltiger muhe und sorgfeltigkeit im jahre nach Christi geburt 908 [5]).

Ludovicus, keiser Arnulphi sohn, hat widerumb zum erzbischof zu Hamburg gesetzet Hogerum, welcher etwan ein munch zu Corbey gewesen. Dieser Hogerus fuhrete ein fromm, unstrafbar leben und hielt gestreng seinen orden und ordensbruder [6]). Als aber bei seiner zeit die Ungern ganz Deutschland b) durchstreifeten und bis gen Bremen kamen, erhuben sich auch die ungleubigen Wenden und Denen, uberfielen die stadt Hamburg; und, dieweil sie noch besunders nicht bevestiget war, verhereten sie dieselbe mit fewr und dem schwert anno 915 [7]).

Diesem Hogero folget im erzbischoftumb Hamburg Reginuardus [8]), welcher nit gar ein jahr lebete [9]).

a) hedte C. hatt L.   b) Deutslandt L. Teutschlandt L. F.
[1]) Aus der Metropolis II. 2.
[2]) Ebendaher II. 3.
[3]) Ebendaher II. 11. Das Todesjahr nach Korner, in dessen Uebersicht der Hamburgischen Erzbischöfe zum Jahr 871 richtiger d. J. 888 angegeben ist, welches Kranz ebenfalls hat.
[4]) Metropolis II. 19.
[5]) Das falsche Jahr aus Korner: Adalgarius † 909.
[6]) Metropolis III. 1.
[7]) Ebendaher III. 2., das Jahr aus Korner.
[8]) Im Jahr 916.
[9]) Metropolis III. 4. Vergl. über Reginuard mein Hamb. Urkundenbuch I Beilage 2. S. 803.

2*

Nach ihm hat der Romisch konig Conrabus das erzstift verlihen seinem capellane Unni [1]), welcher die zeit, daz [a]) Heinricus, vom Sechsischen stammen geboren, zum keisertumb gekommen, erreichet; von des leben und lehre wir folgends schreiben wollen.

Aus diesem aber, so anher [b]) erzehlet, ist zu vernehmen, daß Hamburg sampt den angelegenen landen Holstein und Stormarn von der zeit Caroli Magni anzurechnen bis auf keiser Heinrichen den Ersten, fur weltliche obrigkeit und herren gehapt die Romische keisere und konige in Germanien, durch welche die erzbischofe daselbst, wie vermeldet, gesetzt und verordnet; und als den das keisertumb und Teutsche reich bis auf gedachten Heinricum bei den nachkomelingen Caroli Magni geplieben, wollen wir allhie ihre geschlechttafel [c.] [2]) setzen, daraus ihres geschlechtes herkomen [b]) und abgang zu ersehen.

a) dz wie öfter L.
b) anhero L.
c) Ihres Geschlechts eine T. —, C. Ihres geschlechtes ein T. —, K.
[1]) Ebendaher III. 5.
[2]) Ueber diese, so wie die folgenden Stammtafeln ist das Nöthige in der Einleitung bemerkt.

Genealo... nmen, des geschlechtes der Carolinen.

Pipinus *)

Bernhardus ¹⁰)   Lotharius ¹³)   Pipinus¹⁴)

Pipinus Carol...   Ludowicus²³) Carolus²⁴) Lotharius²⁵) Pipinus²⁶)

Heribertus Pipi...   Irmegard³²)
Bernhard...

Arnol...

---

¹) —, erf...
²) — der...mischer keiser 875.
nien ...uincien und Burgundia 885.
³) — sta...hringen 869.
⁴) — kur...nnich 853.
⁵) —, kon...ser, konig zu Bayern. 899.
⁶) —, kur...sburg vom pallaft zu tode 888.
⁷) —, zwi...
⁸) — Piu...e, kunig zu Frankreich 926.
⁹) — ein...
¹⁰) —, kon...s zu Burgund gemahel.
¹¹) —, kon...og zu Beyern.
¹²) — der...
¹³) —, Ka...ser, ward zu Bern geblendet.
¹⁴) —, kon...thringen.
¹⁵) —, kun...nkreich, 955 oder 952.
¹⁶) — lebt...
¹⁷) —, kon...nde konig, von Capeto gefangen, starb 992.
¹⁸) — Fra...nkreich 986.
¹⁹) — ein...abant, sehet Aventinus 1005.
²⁰) — lebt...ein jahr 987.
²¹) — Bal...

Der Hamburgischen chronik
ander teil
von keiser Heinriche dem Ersten bis auf Lotharium.

Nachdem die stadt Hamburg sampt den landen Stor=
marn und Holstein in die 120 jahr, unter Caroli Magni
und seines geschlechtes, Römischer keiser und könige · in Ger=
manien, herschaft und regierung gewesen, und nach absterben
Conradi des ersten, welcher der letzte könig in Germanien von
stammen und geblute Caroli Magni war, das Teutsche reich
an Heinricum den ersten gekommen, ist ihme auch die obrigkeit
und beherschunge der stadt Hamburg und der lande Stormarn
und Holstein heimgefallen. Dieser Heinricus war ein Sachse
vom stammen Wetekindi, der mit Carolo Magno obangeregte
kriege gefuhret, wie zu ende dieses teiles aus seinem geschlecht=
register zu ersehen. Bei seiner zeit saß hie vorgedachter Unni,
den Conradus der Erste damit verlehnet, im erzbischoftumb
Hamburg. Als sich nue zutrug, daz Heinricus wider die
Wenden und Denen obgesieget und zu Schleswig a) einen
marggrafen ordnet, der mit Sechsischem volke den ort bewah=
ren und beschirmen solte, reiset der erzbischof Unni selbst in
Dennemark und bekehret Haraldum, des Denischen kunigs
Germonis ¹) sohn zum christlichen glauben, predigte auch
Christum an allen orten in Dennemark; darnach schiffet er in
Schweden, alba er auch gleicher gestalt Gottes wort ge=
trewlich und vleißig lehrete und diejenigen, deren voreltern

---

a) wider die De. obsiegete vnd auch wider die Wenden vnd zu Schleswig C:
¹) Tratziger meint Gorm.

934 von dem heiligen Anschario und Remberto den tauf und christlichen glauben entpfangen, aus der abgötterei und heidenischen
unglauben a), darein sie gefallen, widerumb zu Got bekehrete.
Als er den nach vielfeltiger mühe und sorgfeltigkeit widerumb
herausfahren wolte, starb er zu Birca, damals der heuptstadt
in Schweden ¹) im jahre Christi 934 ²).

Eben des jahrs b) als Sanct Unni mit tode abgangen, ist
Otto der Erste, ein sohn Heinrici, koniges in Germanien nach
absterben seines vatters, widerumb zum Römischen keiser erwehlet
worden. Dieser Otto verlehnete das erzstift c) Hamburg Abaldago, seinem canzler, welcher ein junger, gelehrter gotfruchtiger man war, von adelichem stam und herkomen ³).

Keiser Otto thet einen zug wider Haraldum, den
konig zu Dennemark, — dan es hatten die Denen den christlichen glauben widerumb von sich geworfen und die Sachsen
zu Schleswig sampt ihrem marggrafen erschlagen, — und der
Almechtige gab Ottoni das glük, daß er die Denen bei Schleswig erlegt und unter seinen gehorsam bezwang ⁴). Damit
den der christliche glaube in Dennemark verbreitet und der
heidenische grewel und abgötterei genzlich ausgerottet wurde,
gab er gemeltem Adaldago, erzbischofen zu Hamburg, macht
und befehl in Dennemark christliche bischofe zu ordnen; daher
drei bischoftumb in Jutland, Schleswig, Ripen und
Arhusen aufgerichtet, welchen gemelter Adaldagus ihre bischofe
gesetzet, diesen bischofen hat er auch befohlen die auffsicht der
andern kirchen, die in Funen, Seeland und Schonen erbauwet waren ⁵).

Unter diesem Ottone hat sich die herschaft der stadt Hamburg und der lande Stormarn und Holstein abermals
verandert; den es war in seinem hofe einer, Herman Biling geheißen, eins pawrn sohn in dem lande Luneburg auf

---

a) aus d. heid. a. v. v. G. b) umb das Jar C. c) Erzbischofthumb G. F.
¹) Ueber Unni vach Metropolis lll. 5, 6.
²) Das falsche Jahr aus Korner, Unni † 936.
³) Ueber Adaldag Metropolis lll. 16.
⁴) Ebendaher lll. 16. ⁵) Ebendaher lll. 17.

einem hofe bei Soltaw, Stubbekeshorn genent, erborn [1]). 961
Dieser war erstlich von keiser Otten kinder paedagogus und
zuchtmeister. Als er sich aber in seinem leben, wandel und
befohlen sachen getrewlich und wohl hielt, und keiser Otto
besundere gaben und geschicklichkeit an ihme spurete, machte er
ihnen, als er seinen zug in Italien furnahm, zum verweser
und stathalter des Niedersechsischen landes [2]), daß also
die stadt Hamburg und die angelegene lande in seinen befehl und verwaltunge mit kemen. Und obwohl dieser Herman
Biling von anfang nicht mehr, den ein landvoget und verweser in Nidersachsen gewest, hat ihnen doch keiser Otto umb
seiner tugend und geschicklicheit willen zuletzt zum herzogen
gemacht, und Nidersachsen ihm und seinen erben verlehnet.
Als tet er c) der kirchen zu Hamburg viel guts, vermehrete die
einkomen zu unterhaltung der kirchendiener [3]), half auch der
stadt mit gebewden und anderm.

Do nu keiser Otto in Italien zug, reisete der erzbischof Abaldagus, sein kanzler, mit ihme, und begab sich
als der keiser Leonem VIII. zum bapst zu Rom gesetzt, von
dem er volgends die keiserliche kron entpfangen, und gen
Spolet vorruket war, daß die Romer aufruhrig worden,
den bapst Leonem absetzten und einen Romer, Benedictum
geheißen, an seine stat aufwurfen. Derhalben zug keiser Otto
mit seinem kriegesvolk widerumb gen Rom, setzte Leonem
widerumb in seinen stand und zwang die Romer, daß sie
ihme den eingedrungenen bapst Benedictum uberantworten
mußten. Do nun des keisers sachen ein lange zeit in Italien
sich verweileten und der erzbischof von dem tumbcapitel b) vielfeltig
anheim gefordert ward, erleubet ihm der keiser heimzuziehen
und beful c) ihme den gefangenen bapst, daß er ihn mit sich nehmen

a) ben L.   b) zu Hamburgk fügt G. hinzu.
c) befuel F.
[1]) Nach Korner z. J. 972.
[2]) Nach Korner z. J. 972 und 960. Das Letztere entlehnen Korner und
Krantz Saxonia IV. 8, 9, aus Adam von Bremen II. 4.
[3]) Aus Krantz's Saxonia IV. 9.

24

956 und zu Hamburg enthalten solte. Also ist der bapst mit dem erzbischof gen Hamburg gekomen, alda er gotfruchtig, stil und frumblich gelebet und umb das jar nach Christi geburt 956 verstorben. Er lieget begraben im tumb zu Hamburg mitten im chore [1]).

Herzog Herman starb im jahre nach Christi geburt 984, und ward begraben in das kloster zu Sanct Michael auf dem berge, welchs er sampt dem schloße Luneburg erbawet [2]). Er ließ nach ihme zwene sohne, Bennonem und Ludingerum. Ludinger starb ohne menliche erben, Benno hat bei seiner zeit viel guts getan und die kirche zu Hamburg alles vleißes gehandhabet; ob auch wohl die Denen und Wenden Hamburg anfeindeten, haben sie sich doch um herzog Bennonis willen, des sie große schew getragen, nicht dorfen merken laßen und ist also Hamburg, die stadt und kirche, bei seinem leben in fried und guter ruhe erhalten worden [3]).

Bei dieses Bennonis zeit starb Abalbagus, der erzbischof zu Hamburg, nach Christi geburt 989, als er 54 jahr das erzstift beseßen [4]).

Ihm volgete im erzstift Libentius, ein geborner Italiener, welcher mit Abaldago aus Italien gezogen war, ein vleißiger, frommer, gotfruchtiger man [5]). Umb diese zeit lebete und verwaltete das keisertumb Otto der Dritte. Als man schrieb 994 jahr, starb Libentius, der erzbischof zu Hamburg [6]).

An seine stat kam Unwanus, ein tumbherr zu Palborn. Dieser Unwanus vertrug die irrungen, so zwischen keiser Heinrichen und herzog Bernharten waren eingefallen. Er zog erstlich einen wal umb Bremen, bawet sampt herzog Bernharten zu Sachsen die kirche und stadt Hamburg, die noch

---

[1]) Metropolis III. 20. Vgl. mein Hamb. Urkundenbuch I, no. 42 Note.
[2]) Ebendaher III. 19. Doch wird nicht gesagt, daß Herman Biling dort begraben ward, was Havemann Gesch. v. Braunschweig-Lüneburg Th. I. S. 50 bestätigt.
[3]) Vergl. Korner z. J. 1003.
[4]) Saxonia IV, 23, das Todesjahr nach Korner. Abalbag † 988.
[5]) Metropolis III. 42.
[6]) Das falsche Todesjahr aus Korner Libentius † 1013.

in der aschen lagen, widerumb von holzwerk [1]). Ingleichem 1010 ordnet er zwolf tumbherrn zu Hamburg, die das tumbcapitel represenriren solten und was sonst von heidenischen misgebreuchen ubrig, wurd durch ihn abgetan und genzlich ausgerottet. Unter diesem Unwano haben die pfaffen [a]) angefangen, eheweiber zu nehmen. Als nu Hamburg widerumb erbawet und mit einwohnern besetzt, hat der erzbischof sampt herzog Bernharten oftmals ein gute weile alda hof gehalten, und Kanutum den konig zu Dennemark, in gleichem der Wenden fursten zu gesprech und unterredung an sich gefordert [2]). Er starb im jahre nach Christi geburt 1010 [3]).

Nach ihme ward zum erzbischof gesetzt Libentius II., ein geborner Italianer und des ersten Libentii schwestersohn. Dieser Libentius zieret die kirchen zu Hamburg mit gebewde, stiftet hospitalia, und verordnet den armen unterholtinge. Er zwang auch die pfaffen, daß sie die eheweiber, die sie unter der regierung Unwani genomen, wider verlaßen mußten und starb im jahre nach Christi geburt 1033 [4]).

An seine stat ist widerumb gekomen Hermannus, ein tumbher zu Halberstadt, welcher drei jahre gelebt und nicht mehr, den einmal, Hamburg besuchet. Er hat erstlichen eine maur umb Bremen zu fuhren angefangen und ist darob verstorben anno 1036 [5]).

Ihme hat nachgefolget Bezelinus Alebrand, ein tumbher von Collen. Dieser erzbischof ist auch ein geschikter, vleißiger man gewesen, hat erstlich vermehret die

---

a) paffen L.

[1]) Aus Metropolis IV, 1, mit kleinen Abänderungen in Anordnung des Stoffes; über den Neubau aus Holzwerk s. ebendas. IV, 22 und unten z. J. 1036.

[2]) Metropolis IV, 8.

[3]) Auch hier weicht Tratziger von der richtigen Angabe der Metropolis über Unwans Tod 1029 ab, um Korner zu folgen.

[4]) Metropolis IV, 11, welcher hier auch die Angabe des Todesjahres entlehnt ist. Erzbischof Libentius † 1032.

[5]) Ebendaher IV, 16. Das Todesjahr hat Tratziger sich berechnet. Hermann † 1035.

1043 unterhaltunge der tumbheren, darnach die kirche und wonunge der tumbhern zu Hamburg, welche der erzbischof Unnanus von holzwerck aufgerichtet, aufs newe von gehawenen steinen aufgebawet [1]). Er hat auch umb Hamburg eine maur ziehen laßen, mit dreien toren und zwolf starken turnen, von denen einen der bischof, den andern der vogt, den dritten der tumbprobst, den vierten der dechant, den funften der scholaster, den sechsten die andern tumbherren bestellen solten; die ubrigen sechse solten die burger und einwoner bewachten [a]) und in aufsicht nehmen. Zudeme ließ er fur sich ein stark haus mit turnen und wehren, von der tumbkirchen ins suden bawen, [b]) ob welchem herzog Bernhart zu Sachsen bewogen wurd, selbst auch ein haus und veste in Hamburg zu legen. Also ist ein schloß an die Elster geleget worden [3]), des ortes, da izo des Rais marstal, und seind desselben noch viel augenscheinlicher anzeigunge albo zu sehen. Bezelinus [5]) hat sunst in Dennemark und den Wendischen landen bischofe gesetzt, die geistliche ihre cheweiber zu verlaßen gedrenget, und ist gestorben nach meldung der jahrbucher im jahre nach Christi geburt 1043 [c]) [6]);—wiewohl die jahrbucher [4]) sagen, er sei zehen jahr erzbischof gewesen, daraus erfolgen wolte, dieweil sein vorfahrer Hermannus im jahre 1036 gestorben, daß er das 46. jahr erreichet.

Nach ihme verliehe keiser Heinrich III. das erzstift Hamburg Alberto einem Beyerschen grafen, welcher in seiner gegenwerdicheit zu Ach ordinirt ward. Dieser Albertus ließ die stadtmaur, durch seinen vorfahrn gebawet, widerumb niderreißen, und mit den steinen das gebewde der kirche zu vollenden furnehmen. Im siebenden jahre seins bischoftumbs wurd das vorderste teil der kirchen fertig, und das heuptaltar in die ehre der mutter Gottes geweihet. Negest demselben ließ er das ander

---

a) gebrauchen und uffsicht haben unde bewachen G.
b) Er G.   c) Anno 1043. G. ähnlich öfter.
[1]) Ebendaher IV. 22.   [2]) Die s. g. Wibenburg. Ebendaher IV. 25.
[3]) Aus der Saxonia V. 27 gegen Ende. Die genauere topographische Angabe wie Ähnliches der Art ist Tragzier eigenthümlich.
[4]) Metropolis IV. 22. 25 und 27.   [5]) Ebendaher IV. 22

altar. in Sanct Peters ehre aufrichten, von welchs einkomen a) 1059 die carspel kirche zu Sanct Peter in volgenden zeiten erbawet ').

Als aber ihme viel widerwertiges zustands begegnete, und die umbelegene fursten und hern daz erzstift zu verdruken b) sich un= terstanden, mußte er das angefangene werk liegen laßen und ist lange zeit dem keiserlichen hofe mit vielfeltiger c) muhe und unkost, in Ungern, Italien, Flandern und sunst gefol= get ²) und also bei dem keiser seiner kirchen freiheit gerettet, wurd auch endlich mit herzog Bernhart zu Sachsen und seinem Sohne Ordulpho vertragen.

Er hat bei Hamburg auf dem Sullenberg von newen eine probstei gestiftet und ein vest haus dahin geleget ³), welchs nachmals von vielfeltiger rauberei wegen, die daraus geschehen, von dem landvolke zerstoret worden ⁴).

Er hat auch d) zwischen dem keiser und konig zu Dennemark e) eine bundnus behandelt und dadurch nicht allein bei den konigen zu Dennemark, Schweden und Norwegenf. ⁵), sunder auch dem keiser und ganzem reiche in das ansehen gediegen, daß ihme neben dem erzbischof zu Collen, nach absterben keiser Heinrichs des Dritten, als sein sohn Heinrich der Vierte noch unmundig und zur verwaltunge des reichs zu jung gewesen, des keiserlichen hofes und regiments sachen befohlen worden ⁶). Und ob er wohl durch den erzbischof von Collen worden ausgedrungen und bei dreien jahren zu Bremen sich ufhalten mußen g), ist er doch in seinen vorigen stand und befehl im keiserlichen hof widerumb berufen und eingesetzt worden ⁷).

a) ein kohmen. L.   b) vertrucken C., vnterbrucken F.
c) flaißiger C.   d) Er hat auch fehlt L.
e) zu te Schweden vnd Norwegen C.   f) zu — Norwegen fehlt C.
g) sich ufhalten mußen so füllt L*. die vom Schreiber gelaßene Lücke aus: ermlich gelebet C. armiglich gelebt. F.
¹) Tratziger hat was in Metropolis IV. 31 und jedenfalls in deren Quelle Adam v. Bremen III. 4, von Bremen erzählt wird, auf Hamburg bezogen. Unverschuldet von Krantz ist der Irrthum über die Petrikirche.
²) Metropolis IV. 31.   ³) Ebendaher 32.
⁴) Ebendaher V. 5   ⁵) Ebendaher V. 34.
⁶) Ebendaher IV. 36.   ⁷) Ebendaher V. 6.

1072 Bei dieses erzbischofs zeit, als er das schloß auf dem Sul=
berge gebawet, hat der herzog zu Sachsen noch ein ander
haus an die Elbe und Elster geleget, des ortes, welchs itzund
die Nieborch genennet, zum unterscheid der alten borch
an der Elster. Unde bei sollicher borch ist die newe stadt erst=
lich zu bawen angefangen; und hat also der erzbischof in der alten,
der herzog aber in der newen stadt hof gehalten [1].

Er ging mit tode abe im jahre 1072 [2]. Vor ihme starb
auch herzog Bernhart zu Sachsen: sein sohn Ordulphus,
welcher albereit gehapt einen wehrhaftigen sohn, Magnus ge=
nent, ererbet daz herzogtumb Sachsen [3].

Nach Alberto wurd zu Hamburg zum erzbischof
von keiser Heinrich dem Vierden gesetzt, Liemarus, einer
von seinen hofdienern, ein geborner Beyer. Bei dieses re=
gierung, anno der mindern zahl 73, wurd Hamburg zweimal
in einem jahre von den Wenden erobert, geplundert, die bur=
ger gefangen hinweggefuhrt und der stadt gebewde in grund
abgebrennet [4].

Es haben auch in Dennemark, Schweden, und Nor=
wegen die konige ihre eigene erzbischofe erlanget; derhalben
auch der titel und name der erzbischofen zu Hamburg er=
loschen [5]; und haben sich von der zeit an nicht mehr erzbi=
schofe zu Hamburg sonder erzbischofe zu Bremen
geschrieben, welchen titel sie in heutigen tag behalten [6].

Der erzbischof Liemarus starb, als man nach Christi geburt
zehlet 1102 [7] Er leistet keiser Heinrichen IV. getrewlichen
beistand, als er von allen andern fursten verlaßen wurd [8].

Herzog Ordulphus zu Sachsen ist umb die Zeit auch
mit tode abgangen; hat das herzogtumb auf seinen sohn

---

[1] Metropolis V. 5.   [2] Ebendaher V. 11.
[3] Ebendaher IV. 40, über Magnus, auch Saxonia V. 4.
[4] Ebendaher V. 12.   [5] Ebendaher V. 18.
[6] Ebendaher u. V. 31., von Tratziger mißverstanden. Mit Liemar hörte
das Patriarchat über den Norden auf, der erzbischefliche Sitz ward
Bremen erst 1223.
[7] Ebendaher V. 22. Liemar † 1101.   [8] Ebendaher V. 20.

herzog Magnuſſen gefellet, welcher die lande Stormarn 1106 und Holſtein zuſampt der ſtadt Hamburg einem, Gotfried genent, eingetan [1]). Herzog Magnus ſtarb ohne menliche erben im jahre nach Chriſti geburt 1106. In ihme iſt abgangen der menliche ſtamme herzog Hermans [2]), welcher mit ſeinen nachkomen, Niberſachſen, das land Luneburg, auch Stormarn und Holſtein lange zeit beherſchet.

Obangeregter Gotfried regieret Hamburg, Stormarn und Holſtein bis zu der zeit, daß graf Luder von Querfurt, den die lateiniſche chronik Lotharium nennet, mit dem herzogtumb Sachſen von keiſer Heinrich V. belehnet wurd [3]). Zu welcher zeit ſich begab, daß die Wenden im land Stormarn raubeten und die armen leute beſchedigeten; als erhub ſich gemelter Gotfried, jagete ihnen nach und mit wenig volke, ungefehrlich zwanzig zu roß; die Wenden verborgen ſich unterwegen, und umbgeben ihnen mit den ſeinen aus dem hinderhalt, und dieweil ſie ihme zu ſtark, wurd er von ihnen erſchlagen; dadurch dan die herſchaft der lande Stormarn und Holſtein auch der ſtadt Hamburg als ein afterlehen der herzogen zu Sachſen, herzog Luderen heimfiel [4]).

Dieweil den in dieſem andern teil a) der Hamburgiſchen croniken zweierlei herſchaft, dardurch Hamburg nach Carolo Magno und ſeinen nachkomlingen regiret, erzehlet worden; nemlich Heinricus I., Otto I., Römiſche keiſere und könige in Germanien von dem geſchlechte Wettikindi und den b) herzog Herman Biling ſampt ſeinen nachkomlingen, bis auf herzog Magnuſſen, den lezten ſeins geſchlechtes, welcher die lande Gotfriedo, der, wie berührt, von den Wenden c) entleibt, eingegeben: als haben wir beider geſchlechte geburtstafeln hernacher geſezt [5]).

---

a) dritten theil L. b) und dem geſchlecht F. c) der — entleibt fehlt L. und F.
[1]) Saxonia V. 28. [2]) Ebendaher V. 26. [3]) Ebend. V. 25.
[4]) Ebendaher V. 26. Krantz iſt vielleicht der kurze Bericht über die ältere Geſchichte Hamburgs vor der Langenbeckſchen Gloſſe z. Stadtrecht v. 1497 nicht unbekannt geblieben. Tratziger, welchem er zugänglich ſein mußte, hat offenbar Krantz Schriften vorgezogen. S. meine Hamb. Rechtsalterthümer Bd. I. S. 166.
[5]) Ueber die Stammtafeln vgl. die Einleitung.

Geſchlechtstafel der älteſten herzogen und marggrafen aus dem ſtamme Wettiskindi.

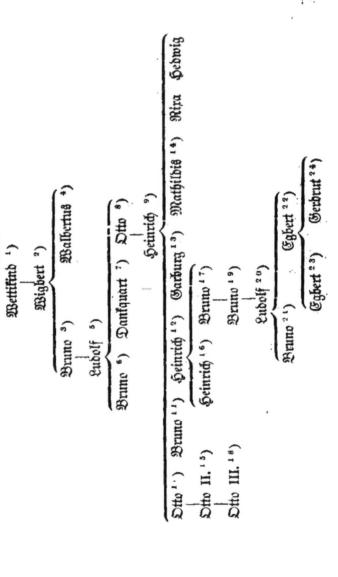

¹) —, der erſte chriſtliche Sechſiſche furſt, von Carolo Magno bezwungen, wurd getrufet zu Bardewig, leit begraben zu Padelborn, ein ſtifter des biſchoftumbs Minden.

²) —, ein ſtifter des collegii zu Wildeshauſen, ſein gemahel Sindarilla, aus dem geſchlecht Rabodi, der Frieſen herzogs.

³) —. Sein gemahl Suſanna, geborne herzogin zu Schwaben. Bei ſeiner zeit wurd Hamburg von den Denen und Normannern aufgebrennet und zerſtoret.

⁴) — ſtarb ohne menliche erben.

⁵) —. Sein gemahl Oda, geborne furſtin zu Franken. Bei ſeinen zeiten wurd das ſtift Bremen dem erzſtift Hamburg einverleibt.

⁶) —, welcher bawet und nach ihme nennet Brunſchwig, ward erſchlagen im ſtreit wider die Normandier ſamſt vielen biſchofen, hern und edelleuten bei Ebbekesdorp.

⁷) —, welcher bawet Dankwarode, da ißund liget die kirche S. Blaſii in Brunſchwig.

⁸) —. Sein gemahel Lutgard, keiſer Arnolphi tochter, aus dem ſtammen Caroli Magni.

⁹) —, der Vogler genennet, der erſte Romiſche kunig aus dem geſchlecht der herzogen zu Sachſen; ſein gemahl Mathildis, graf Dittrichs von Ringelheim tochter. Er hat erſtmals gebawet Quedlinburg und Gosler, hat verneuet und befeſtiget Merſaburg und Meißen und daſelbſt ein biſchoftumb geſtiftet, erſchlug und bezwang die Denen, Ungern und Wenden, ſetzt die erſten marggrafen, ſtarb im jahre ſeines alters ſechszig, ligt begraben zu Quedlenburg. Vorgemeltes konig Heinrichs ſohne und tochter —

¹⁰) —, der Große, Romiſcher keiſer; ſein gemahl Edita, des koniges Abelſtani zu Engeland brudertochter. Er ſetzt uber Nidrſachſen zum herzogen Herman Biling, eins bawern ſohn, auf Stubbekeshorn im land zu Luneburg geboren.

¹¹) —, erzbiſchof zu Collen.

¹²) —, herzog zu Beyern.

¹³) — ward vermehlet herzog Giſelbert von Lothringen.

¹⁴) — abtiſſin zu Quedlingburg.

¹⁵) —, Romiſcher keiſer.

¹⁶) —, herzog zu Beyern, ward Romiſcher kunig, ſtorb ohne erben. Nach ihm wurd herzog zu Beyern einer Otto genent, des geſchlecht und herkunft die hiſtorien nicht eigentlich melden.

¹⁷) — ward marggraf zu Sachſen, beſaß Brunſchweig mit dem umgelegenen lande, dan den titel des herzogtumbs Sachſen fuhrt Hermann Biling und ſeine nachkommen aus verlehnung keiſer Otten des Erſten.

¹⁸) —, Romiſcher keiſer, ſtarb ohne leibserben.

¹⁹) —; ſein gemahl, geborne von Werle, nachgelaßne wittwe herzog Lippolts zu Schwaben.

²⁰) —, marggraf zu Sachſen, erbawet S. Magnus und S. Ulrichs kirchen zu Braunſchweig.

²¹) — wurd erſchlagen im ſtreit wider Wilhelm und Otten, landgrafen zu Duringen; ließ keine erben.

²²) — erlegt im ſtreit und nahm gefangen Wilhelm und Otten, landgrafen zu Duringen.

²³) —, der letzte menliches geſchlechtes vom ſtammen Wedikindi, wurd im ſchlaf ermordet in der muele Iſenbuttel.

²⁴) — wurd vermehlet graf Heinrichen zu Northeim, mit dem zeuget ſie ein tochter Rixa genent; die wurd vermehlet graf Ludern von Suplenborch, welcher darnach Romiſcher konig ward und wird in den hiſtorien gemeiniglich Lotharius genennet. Mit obberuhrter ſeiner gemahlin erzeuget er ein tochter, von der abkommen ißige herzoge zu Brunſchwig und Lunenburg.

Geſchlechtregiſter der herzogen zu Sachſen aus dem ſtammen Herman Bilings.

Herman Biling [1]

Benno [2]   Ludinger [3]

Bruno [4]   Ditmar [5]   Bernhard [6]

Ordolphus [7]   Herman [8]

Magnus [9]

Heilike [10]   Wolfhilt [11]

---

[1] —, der erſte herzog zu Sachſen in ſein geſchlechte, bawet daz ſchloß und cloſter auf dem berg, izt in Luneburg begriffen.

[2] — ſtarb anno 1009, iſt begraben in S. Michaels munſter zu Luneburg. *)

[3] — ſtarb ohne menliche Erben.

[4] — ſtarb ein kind.

[5] —, graf zu Holſtein und Stormarn, ſtarb ohne menliche Erben.

[6] - , herzog zu Sachſen.

[7] —, herzog zu Sachſen.

[8] —, graf zu Holſtein, Stormarn, wie etzliche wollen, ſtarb ohne menliche erben.

[9] —, der letzte dieſes geſchlechtes, ſtarb ohne menliche erben, ließ zwo tochter.

[10] — ward vermehlet graf Otten von Balenſteden: von dem kumpt daz geſchlecht der grafen von Anhalt; er hette auch Soltwedel und wird von etzlichen ein graf zu Soltwedel genennet. Er zeuget mit gemelter ſeiner gemahl marggraf Albrechten, der Ber genent.

[11] — ward vermehlet herzog Welpen zu Beyern, davon ward geboren herzog Heinrich zu Beyern und Sachſen.

*) Chron. Luneburg a. 1121 in Leibnit SS. rev. Brunsvic. T. III. p. 173.

Der Hamburgischen chronik
dritter teil,
von der zeit Lotharii bis auf keiser Friderich den Dritten.

Als, wie obberuhrt, die lande Holstein und Stormarn 1120
an den newen herzogen zu Sachsen, Luderum durch abgang
grafen Gotfriedes, gekommen, hat er sie widerumb verlehnet hern Adolfen zu Schawenburg [1]), im jahre nach
Christi geburt 1120. Also hat die stadt Hamburg abermals
newe hern bekomen. Dieser graf Adolf, der Erste zugenent,
macht ein bundnus mit Schuenteplog, der Obotriten
konige, zog mit ihme fur die Wendische stedte Werle und
Kessin, hulf sie ihm zum gehorsam bezwingen [2]) und starb
im jahre, als man zehlet 1137 [3]).

Er ließ nach ihme zwen sohne, Hartungum, einen beruhmbten kriegsman, und Adolfum, welcher in guten kunsten
studirt und ein gelehrter her gewesen [4]). Als aber Hartungus,
denne alse dem eltern die grafschaft Holstein und Wagern
angefallen [5]), mit dem keiser Lothario, von welchem sein

---

[1]) Saxonia V. 26. Die Angabe des Belehnungsjahres beruht auf einem Irrthum
Tratzigers. Auch Krantzs Angabe 1106 ist falsch; Graf Adolf ward
c. 1111 belehnt.

[2]) Wandalia III. 31.

[3]) Tratziger berechnet im Anschluß an Korner das falsche Todesjahr, indem er Adolfs 17 Regierungsjahre (Saxonia V. 29) zu dem Jahre der
Belehnung (1120) zulegt; Graf Adolf I. † 1131.

[4]) Wandalia III. 33.

[5]) Hartung † vor dem Vater 1126. Tratzigers Irrthum ist durch Kranz
veranlaßt.

Tratziger's Chronik.   3

1126 vatter mit dem lande Holstein erstmals verlehnet, in Böhmen zog, wurd er sampt vielen edlen daselbst erschlagen; und hat demnach sein bruder Adolf der Ander, die grafschaften Holstein, Wagern und Schowenburg alleine ererbet [1]).

Seine fraw mutter, graf Adolfen des Ersten nachgelaßene witfraw, hat widerumb aufgebawet und zierlich bernewet die veste, in Hamburg [2]) an der Elster belegen, welche bei der zeit herzog Ordolphs zu Sachsen, wie oben angezeiget, von den Wenden nidergerißen und zerschleifet war [3]). Und ist vermutlich, daß Hamburg der witwen leibgedinge gewesen und durch sie regieret worden sei.

Bei angeregtes Adolfi des Andern leben, ließ keiser Lotharius, aus angeben Sanct Vicelini bawen das schloß Segeberg wider die umbgelegenen Wenden und setzet darauf einen heuptman Herman genent [4]). Ihme, keiser Lothario, hat auch graf Adolf zu Holstein an Nicolao und Magno, kunigen zu Denemark, den unschuldigen todt konigs Kanuti rechen helfen [5]).

Als aber volgends keiser Lotharius in Italien starb, erhub sich zwischen herzog Heinrichen zu Beyern und marggraf Albrechten zu Brandenburg, ein heftiger zwispalt und widerwille [6]); den keiser Lotharius, als er keinen menlichen erben gezeuget, hette mit seiner tochter herzog Heinrichen zu Beyern zum brautschatz mitgeben das herzogtumb Sachsen, damit ihn nach todtlichem abgang herzog [a]) Magnußen zu Sachsen, keiser Heinrich der Funfte belehnet [7]).

Neben demselbigen hette herzog Heinrich auch diese gerechtigkeit am lande zu Sachsen, daß er war geborn von herzog Magnus tochter. Den herzog Magnus ließ nach sich zwo tochter, die eine gab er graf Otten von Soltwedel, darvon

---

a) herzogs. L.

[1]) Saxonia V. 29. VI. 2 und 3. [2]) Ebendaher VI. 9.
[3]) Siehe oben unter Erzbischof Liemar.
[4]) Saxonia VI. 4 [5]) Ebendaher VI. 3.
[6]) Ebendaher VI. 7.
[7]) Ebendaher VI. 4 und V. 25.

ward geborn bemelter Albrecht, der Bere zugenennet; die ander 1139 bekam herzog Welp von Beyern, die hat geborn herzog Heinrichen, von dem itzund meldung geschicht. Dieweil den marggraf Albrecht, zu herzog Magnussen von Sachsen stammen eben so nahe, als herzog Heinrich sich kunte berechnen, wolt er an Sachsen nicht allein gleichen teil haben, sunder ließ sich auch bedunken, dieweil herzog Heinrich albereit das herzogtumb Beyern hette, es were unbillich, daß er Sachsen auch dazu haben und also zugleich zwei herzogtumb besitzen solte; indem er auch von keiser Conrado dem Dritten und sunst vielen des Reichs fursten beifal gehapt, wurd demnach mit dem herzogtumb Sachsen vom keiser belehnet und herzog Heinrich davon ausgeschloßen.

Als er nu die Sechsischen land eingenomen, mußte graf Adolf von Holstein, als herzog Heinrichs lehenman die lande Holstein und Stormarn sampt der stabt Hamburg reumen, welche marggraf Albrecht ubergeben grafen Heinrichen von Badewide [1]. Als nu dieser graf Heinrich vor der Wenden vielfeltigen einfal die lande nicht beschutzen mochte, hat er das schloß Segeberg nibergerißen, auch geschleifet die veste zu Hamburg an der Elster, welche, als obberuhrt, graf Adolfs I. nachgelaßene witfraw widerumb aufgericht und abawet hette, und ist die veste zu Hamburg nach der zeit niemals widerumb worden aufgebauwet [2].

Do nu aber herzog Heinrich zu Beyern im jahre nach Christi geburt 1139 mit tod abging und seinen sohn Heinriche, der Lewe zugenennet, hinter ihm verließ, wurden von grafen Heinrichen auf unterhandelung herzog Heinrichs des Lewen mutter, fraw Gertruden, keiser Lotharii tochter, und etzlicher fursten graf Adolfen II. die lande Holstein und Stormarn, auch ein teil am lande Wagern, widerumb eingereumpt. Also bawet und bevestigte graf Adolf widerumb das haus Sege-

---

[1] Saxonia V. 25 und VI. 8
[2] Ebendaher VI. 9.

1140 berg [1]), und fieng an zu bauwen Lubeck zwischen der Tra und Wakenitz, im jahre nach Christi geburt 1140 [2]).

Als auch die lande insunderheit Wagern, durch die vi seltigen kriege an volke und einwohnern entsetzt, forderte eine merkliche anzahl Hollender, Fleminge, Brabe der, Friesen und Westfehlinge, welchen er die wust lande und orter zu bawen eingab [3]).

Er machet auch mit Nicloto, der Wenden fursten, ei bundnis und lebete mit ihme in guter friedlicher nachba schaft [4])

Do aber Niclotus von den Sachsen erschlagen wu und seine beide sohne Pribislaus und Werslaus n ihrem anhang ein aufruhr wider die Sachsen aufs newe welten, wurden sie von herzog Heinrich zu Beyern u Sachsen, sampt vielen grafen und herren, mit heereskr uberzogen, unter denen angeregter graf Adolf auch einer wesen. Ist damals in der belagerung Demin in ein scharmutzel von den Wenden erschlagen worden [5]).

Das land Holstein und Stormarn beherschet n ihme Mathildis, seine nachgelaßene witfraw, sampt ihr unmundigen sohne Adolfo dem III. [7])

Dieser Adolphus leistete viel getrewer dienste herz Heinrichen dem Lewen; ihm wurd aber ubel dafur geloh den furs erste zerstoret herzog Heinrich die sulze zu L deslo [8]). Darnach, als die stadt Lubeck, die graf Ado der Ander von newem aufgebawet, verbrennet war, mußte ihr graf Adolf den wusten raum der stadt abtreten und uber

---

[1] Ebendaher VI. 10. Daß Graf Adolf nur ein teil v. lande W gern erhalten, scheint auf unrichtiger Auffassung der Worte bei Kra Wagria Holsatiae contermina zu beruhen.

[2] Wandalia IV. 1. [3] Saxonia VI. 19.

[4] Ebendaher VI. 10. [5] Ebendaher VI. 18.

[6] Ebendaher VI. 21. vergl. Wandalia V. 5 und 6, worauf Kranz in Saxonia selbst verweiset.

[7] Saxonia VI. 21.

[8] Wandalia IV. 15.

bein, wie er widerumb zierlich bebawet und mit vielen herlich= 1158 keiten begabet, im jahre nach Christi geburt 1158 [1]).

Folgends, als graf Adolf in Westphalen, von wegen herzog Heinrichs des Lewen, wider Philip den erzbischofen zu Collen kriegte, die Westphelinge in einer feldschlacht bei Osenbrugk niderlegte und ein merklich anzahl guter leute ihnen abfieng, die er dem herzogen auf sein begehr nicht wolte zustellen, der ursach, daß er ihm auf sein eigene unkost ge= dient: faßete herzog Heinrich wider ihnen einen grollen und widerwillen, darzu ihn graf Gunzelin zu Schwerin weid= lich anreizete [2]); und ist endlich sollicher widerwille so fern [3]) eingerißen, daß herzog Heinrich grafen Adolfen, aus Holstein, Stormarn und Wagern verjaget und die lande seinen amptleuten zu verwalten eingetan [4]).

Nachdem sich aber umb die zeit begab, daß Herzog Hein= rich von keiser Friderichen dem Ersten in die acht erkleret wurd, darumb daß er ihnen fur Meyland im felde verlaßen und ubermutiglich mit den seinen abgezogen [5]), auch zu voln= streckung der acht keiser Friderich herzog Heinrichen verfolget [6]), die stadt Lubeck belagerte, die sich auch an ihn ergeben mußt und einer reichsstadt freiheit und privilegium dadurch erlanget [6*]), hat graf Adolf seine lande Holstein, Stormarn und Wagern auch widerumb uberkommen. Der keiser begabete ihn daruber noch mit dem halben teil der zollen und einkunften in Lubeck [7]). So tet er sich auch selbst umb; und bieweil herzog Heinrich in Engelland, dahin er aus dem reiche, zu konig Richart, seinem Schwager entweichen mußen, sich enthielte [8]), nahm er das land Ditmarschen, und die grafschaft Stade, darzu Ditmarschen gehorte [9]).

---

[1]) Saxonia VI. 26, doch fehlt hier das Jahr, welches Tratziger Korner verdankt.

[2]) Ebendaher VI. 39.   [4]) Ebendaher VI 41.
[3]) so verte mhd.   [5]) Ebendaher VI. 38 und 36.
[6]) Ebendaher VI. 42.   [7]) Ebendaher VI. 43.
[6*]) 1188, Sept. 19. Urkundenbuch der Stadt Lübeck. Bd. l. No. 7.
[8]) Ebendaher VI. 44.   [9]) Ebendaher VI. 45.

Geschlechtregister der herzogen zu Sachsen aus dem stammen Herman Bilings.

Herman Biling [1])

Benno [2])   Ludinger [3])

Bruno [4])   Ditmar [5])   Bernhard [6])

Ordolphus [7])   Herman [8])

Magnus [9])

Heilike [10])   Wolfhilt [11])

---

[1]) —, der erste herzog zu Sachsen in seim geschlechte, bawet daz schloß und closter auf dem berg, itzt in Luneburg begriffen.

[2]) — starb anno 1009, ist begraben in S. Michaels munster zu Luneburg. *)

[3]) — starb ohne menliche Erben.

[4]) — starb ein kind.

[5]) —, graf zu Holstein und Stormarn, starb ohne menliche Erben.

[6]) -, herzog zu Sachsen.

[7]) -, herzog zu Sachsen.

[8]) —, graf zu Holstein, Stormarn, wie etzliche wollen, starb ohne menliche erben.

[9]) —, der letzte dieses geschlechtes, starb ohne menliche erben, ließ zwo tochter.

[10]) — ward vermehlet graf Otten von Balenstheden: von dem kumpt daz geschlecht der grafen von Anhalt; er hette auch Soltwedel und wird von etzlichen ein graf zu Soltwedel genennet. Er zeuget mit gemelter seiner gemahl marggraf Albrechten, der Ber genent.

[11]) — wurd vermehlet herzog Welpen zu Beyern, dauon wurd geboren herzog Heinrich zu Beyern und Sachsen.

*) Chron. Luneburg a. 1121 in Leibnit SS. rev. Brunsvic. T. III. p. 173.

Der Hamburgischen chronik
dritter teil,
von der zeit Lotharii bis auf keiser Friderich den Dritten.

Als, wie obberuhrt, die lande Holstein und Stormarn 1120 an den newen herzogen zu Sachsen, Luderum durch abgang grafen Gotfriedes, gekommen, hat er sie widerumb verlehnet hern Adolfen zu Schawenburg [1]), im jahre nach Christi geburt 1120. Also hat die stadt Hamburg abermals newe hern bekomen. Dieser graf Adolf, der Erste zugenent, macht ein bundnus mit Schuenteplog, der Obotriten konige, zog mit ihme fur die Wendische stebte Werle und Kessin, hulf sie ihm zum gehorsam bezwingen [2]) und starb im jahre, als man zehlet 1137 [3]).

Er ließ nach ihme zwen sohne, Hartungum, einen beruhmbten kriegsman, und Adolfum, welcher in guten kunsten studirt und ein gelehrter her gewesen [4]). Als aber Hartungus, deme alse dem eltern die grafschaft Holstein und Wagern angefallen [5]), mit dem keiser Lothario, von welchem sein

---

[1]) Saxonia V. 26. Die Angabe des Belehnungsjahres beruht auf einem Irrthum Tragigers. Auch Krantz Angabe 1106 ist falsch; Graf Adolf ward c. 1111 belehnt.

[2]) Wandalia III. 31.

[3]) Tragiger berechnet im Anschluß an Korner das falsche Todesjahr, indem er Adolfs 17 Regierungsjahre (Saxonia V. 29) zu dem Jahre der Belehnung (1120) zulegt; Graf Adolf I. † 1131.

[4]) Wandalia III. 33.

[5]) Hartung † vor dem Vater 1126. Tragigers Irrthum ist durch Krantz veranlaßt.

Tragiger's Chronik.   3

1126 vatter mit dem lande Holstein erstmals verlehnet, in Bohmen
zog, wurd er sampt vielen edlen daselbst erschlagen; und hat
demnach sein bruder Adolf der Ander, die graffschaften Holstein, Wagern und Schowenburg alleine ererbet [1]).

 Seine fraw mutter, graf Adolfen des Ersten nachgelahene
witfraw, hat widerumb aufgebawet und zierlich bernewet die
veste, in Hamburg [2]) an der Elster belegen, welche bei
der zeit herzog Ordolphs zu Sachsen, wie oben angezeiget, von
den Wenden nidergerißen und zerschleifet war [3]). Und ist
vermutlich, daß Hamburg der witwen leibgedinge gewesen
und durch sie regieret worden sei.

 Bei angeregtes Adolfi des Andern leben, ließ keiser Lotharius, aus angeben Sanct Vicelini bawen das schloß
Segeberg wider die umbgelegenen Wenden und setzet darauf einen heuptman Herman genent [4]). Ihme, keiser
Lothario, hat auch graf Adolf zu Holstein an Nicolao und
Magno, kunigen zu Denemark, den unschuldigen todt
konigs Kanuti rechen helfen [5]).

 Als aber volgends keiser Lotharius in Italien starb, erhub
sich zwischen herzog Heinrichen zu Beyern und marggraf
Albrechten zu Brandenburg, ein heftiger zwispalt und
widerwille [6]); den keiser Lotharius, als er keinen menlichen
erben gezeuget, hette mit seiner tochter herzog Heinrichen zu
Beyern zum brautschatz mitgeben das herzogtumb Sachsen,
damit ihn nach tödtlichem abgang herzog [a]) Magnussen zu
Sachsen, keiser Heinrich der Funfte belehnet [7]).

 Neben demselbigen hette herzog Heinrich auch diese gerechtigkeit am lande zu Sachsen, daß er war geborn von herzog
Magnus tochter. Den herzog Magnus ließ nach sich zwo
tochter, die eine gab er graf Otten von Soltwedel, darvon

---

a) herzogt. L
[1]) Saxonia V. 29. VI. 2 und 3.   [5]) Ebendaher VI. 9.
[2]) Siehe oben unter Erzbischof Liemar.
[3]) Saxonia VI. 4   [6]) Ebendaher VI. 3.
[4]) Ebendaher VI. 7.
[7]) Ebendaher VI. 4 und V. 25.

ward geborn bemelter Albrecht, der Bere zugenennet; die ander 1139 bekam herzog Welp von Beyern, die hat geborn herzog Heinrichen, von dem itzund meldung geschicht. Dieweil den marggraf Albrecht, zu herzog Magnussen von Sachsen stammen eben so nahe, als herzog Heinrich sich kunte berechnen, wolt er an Sachsen nicht allein gleichen teil haben, sunder ließ sich auch bedunken, dieweil herzog Heinrich albereit das herzogtumb Beyern hette, es were unbillich, daß er Sachsen auch dazu haben und also zugleich zwei herzogtumb besitzen solte; indem er auch von keiser Conrado dem Dritten und sunst vielen des Reichs fursten beifal gehabt, ward demnach mit dem herzogtumb Sachsen vom keiser belehnet und herzog Heinrich davon ausgeschloßen.

Als er nu die Sechsischen land eingenomen, mußte graf Adolf von Holstein, als herzog Heinrichs lehenman die lande Holstein und Stormarn sampt der stadt Hamburg reumen, welche marggraf Albrecht ubergeben grafen Heinrichen von Badewide [*]. Als nu dieser graf Heinrich vor der Wenden vielfeltigen einfal die lande nicht beschützen mochte, hat er das schloß Segeberg nidergerißen, auch geschleifet die veste zu Hamburg an der Elster, welche, als obberuhrt, graf Adolfs I. nachgelaßene witfraw widerumb aufgericht und erbawet hette, und ist die veste zu Hamburg nach der zeit niemals widerumb worden aufgebawet [*].

Do nu aber herzog Heinrich zu Beyern im jahre nach Christi geburt 1139 mit tod abging und seinen sohn Heinriche, der Lewe zugenennet, hinter ihm verließ, wurden von grafen Heinrichen auf unterhandelung herzog Heinrichs des Lewen mutter, fraw Gertruden, keiser Lotharii tochter, und etzlicher fursten graf Adolfen II. die lande Holstein und Stormarn, auch ein teil am lande Wagern, widerumb eingereumt. Also bawet und befestigte graf Adolf widerumb das haus Sege-

---

[*]) Saxonia V. 25 und VI. 8.
[*]) Ebendaher VI. 9.

3 *

1140 berg ¹), und fieng an zu bauwen Lubeck zwischen der Trave und Wakeniß, im jahre nach Christi geburt 1140 ²).

Als auch die lande insunderheit Wagern, durch die vielfeltigen kriege an volke und einwohnern entsetzt, forderte er eine merkliche anzahl Hollender, Fleminge, Brabender, Friesen und Westfehlinge, welchen er die wusten lande und orter zu bawen eingab ³).

Er machet auch mit Nicloto, der Wenden fursten, eine bundnis und lebete mit ihme in guter friedlicher nachbaurschaft ⁴)

Do aber Niclotus von den Sachsen erschlagen wurd und seine beide sohne Pribislaus und Werslaus mit ihrem anhang ein aufruhr wider die Sachsen aufs newe erwekten, wurden sie von herzog Heinrich zu Beyern und Sachsen, sampt vielen grafen und herren, mit heereskraft uberzogen, unter denen angeregter graf Adolf auch einer gewesen. Ist damals in der belagerung Demin in einem scharmuzel von den Wenden erschlagen worden ⁶).

Das land Holstein und Stormarn beherschet nach ihme Mathildis, seine nachgelaßene witfraw, sampt ihrem unmundigen sohne Adolfo dem III. ⁷)

Dieser Adolphus leistete viel getrewer dienste herzog Heinrichen dem Lewen; ihm wurd aber ubel dafur gelohnet, den furs erste zerstoret herzog Heinrich die sulze zu Oldeslo ⁸). Darnach, als die stadt Lubeck, die graf Adolf der Ander von newem aufgebawet, verbrennet war, mußte ihme graf Adolf den wusten raum der stadt abtreten und uberge-

---

¹) Ebendaher VI. 10. Daß Graf Adolf nur ein teil v. lande Wagern erhalten, scheint auf unrichtiger Auffassung der Worte bei Kranß Wagria Holsatiae contermina zu beruhen.

²) Wandalia IV. 1.   ³) Saxonia VI. 19.

⁴) Ebendaher VI. 10.   ⁵) Ebendaher VI. 19.

⁶) Ebendaher VI. 21. vergl. Wandalia V. 5 und 6, worauf Kranß in der Saxonia selbst verweiset.

⁷) Saxonia VI. 21.

⁸) Wandalia IV. 15.

ben, die er widerumb zierlich bebawet und mit vielen herrlich- 1158
keiten begabet, im jahre nach Christi geburt 1158 ¹).

Folgends, als graf Adolf in Westphalen, von wegen
herzog Heinrichs des Lewen, wider Philip den erzbischofen
zu Collen kriegte, die Westphelinge in einer feldschlacht
bei Osenbrugk uberlegte und ein merklich anzahl guter leute
ihnen absieng, die er dem herzogen auf sein begehr nicht wolte
zustellen, der ursach, daß er ihm auf sein eigene unkost gedient: faßete herzog Heinrich wider ihnen einen grollen und
widerwillen, darzu ihn graf Gunzelin zu Schwerin weidlich anreizete ²); und ist endlich sollicher widerwille so fern ³)
eingerissen, daß herzog Heinrich grafen Adolfen, aus
Holstein, Stormarn und Wagern verjaget und die
lande seinen amptleuten zu verwalten eingetan ⁴).

Nachdem sich aber umb die zeit begab, daß herzog Heinrich von keiser Friderichen dem Ersten in die acht erkleret
wurd, darumb daß er ihnen fur Meyland im felde verlaßen
und ubermutiglich mit den seinen abgezogen ⁵), auch zu voln-
streckung der acht keiser Friderich herzog Heinrichen
verfolgt ⁶), die stadt Lubeck belagerte, die sich auch an ihn
ergeben mußt und einer reichsstadt freiheit und privilegium
dadurch erlanget ⁷⁷), hat graf Adolf seine lande Holstein,
Stormarn und Wagern auch widerumb uberkommen. Der
keiser begabete ihn daruber noch mit dem halben teil der zollen
und einkunften in Lubeck ⁷). So tet er sich auch selbst umb;
und dieweil herzog Heinrich in Engelland, dahin er aus
dem reiche, zu konig Richart, seinem Schwager entweichen
mußen, sich enthielte ⁸), nahm er das land Ditmarschen,
und die grafschaft Stade, darzu Ditmarschen gehorte ⁹).

---

*) Saxonia VI. 26, doch fehlt hier das Jahr, welches Tratziger Korner verdankt.
**) Ebendaher VI. 39.   ⁴) Ebendaher VI. 41.
***) so verre mhd.   ⁵) Ebendaher VI. 38 und 36.
****) Ebendaher VI. 42.   ⁶) Ebendaher VI. 43.
*****) 1188, Sept. 19. Urkundenbuch der Stadt Lubeck. Br. I. No. 7.
*) Ebendaher VI. 44.   ⁸) Ebendaher VI. 45.

1189 Es erhub sich auch ein widerwille zwischen ihme und der stadt Lubeck, den er bawet eine veste an die Traue und wolte die kaufmansguter, so ab und zugefuhret wurden, mit newen zollen beschweren. Als sich nu die von Lubeck dawider legten, nahm er ihnen alle holtzunge, weide und fischereien, die sie hetten im land zu Holstein, ließ etzliche burger fangen und gen Hamburg und Oldeslo fuhren. Endlich aber wurd die sache vertragen, daß die von Lubeck geben, dem grafen 200 mark silbers, und blieben damit angeregter newerunge verschonet [1].

Im jahre nach Christi geburt 1189 zug keiser Friderich zum andern male zum heiligen Lande und nahm mit sich graf Adolfen zu Holstein rc. [2]

Zuvor aber und ehr sich der keiser auf den weg [a] begab, erworben die von Hamburg auf furbit und befurderung graf Adolfs etzliche herliche privilegia: als, daß sie aller ausrustunge und kriegshulf, in beschutzung der lande Holstein, Stormarn rc. solten frei sein, daß niemand einig schloß oder vesten auf zwo meil nahe der stadt legen solte: daß ihre burger und einwohner auch in angeregten landen mit keinen zollen und ungelden solten werden beschweret. Welche privilegia seind datirt zu Nuenburg uf der Tonaw im beruhrten jahre nach Christi geburt 1189 [3].

Nachdem nu graf Adolf mit dem keiser zu eroberung des heiligen Landes wider die unglenbigen zog, verließ er daheimen graf Adolfen von Dasle, seinen Schwager, sampt seinem gemahel und kinderen, welche die lande seines abwesens verwalten solten. Aber herzog Heinrich der Lew, welcher aus Engelland war widerumb zu land gekommen, hube ein rumer an und erhielt bei dem erzbischof zu Bremen,

 [a] wgf. L.

 [1] Saxonia VI. 53, doch heißt es dort, daß 300 Mk. für den Zoll und 200 Mk. für die Gerechtigkeiten bezahlt wurden.

 [2] Ebendaher VII. 1 und 2.

 [3] 1189 Mai 7. Das Original ist noch wohl erhalten: Hamburger Urkundenbuch No. 286. Trziger verläßt hier A. Krantz's Erzählung, Saxonia VI. 43, um der authentischen Quelle zu folgen.

daß er ihm widergab die grafschaft Stade. Darnach belagert 1189 er die stadt Bardewik, erobert sie mit dem sturm, erwurget alles, was darin war, und ließ die stadt schleifen angeregtes 89. jahres, am tage Simonis und Judae; — aus deren zerstörung und untergange Luneburg und Hamburg nit wenig an gebewde und nahrunge gebeßert.

Darnach belagert er Lubeck, darin waren graf Adolf von Daßle, mit graf Adolf zu Holstein mutter und gemahele. Und es ergab sich die stadt an ihn mit dem gedinge, daß gemelter graf und grefinne sicher mit leib und gut muchten abziehen, welchs er williget a), und wurd also der stadt mechtig.

Er hat folgends auch eingenommen die stadt Hamburg sampt andern vestungen und flecken bis auf Segeberg, welches sich alleine gehalten [1]).

Nachdeme graf Adolf zu Holstein im Heiligenlande erfuhre, wie seines abwesens herzog Heinrich der Lewe ihm sein land genomen, machet er sich auf und zug eilig anheim, im jahre nach Christi geburt 1191 [2]). Die stadt Hamburg ergab sich wider an ihnen, alda er sich sterkete und sampt herzog Bernharten zu Sachsen Lubeck belegerte. Er zog auch mit etzlichem kriegesvolke in Gorgeswerder, verrucket von dannen ins land zu Kedingen, tet alles mit dem fewr und schwert verwusten, darob die burger zu Stade ein sollichen schrecken entfiengen, daß sie sich gutwillig an ihnen, den grafen, ergaben [3]). Die von Lubeck wurden gleichergestalt ihre stadt aufzugeben genotiget; und es bestetigte keiser Heinrich der VI., Friderici des Ersten sohn, graf Adolfen alle einkomen und gerechtigkeit an der stadt Lubeck [4]).

Folgends erhub sich ein krieg zwischen graf Adolfen und herzog Woldemar zu Schleswig; aber herzog Woldemar war Adolfo zu stark, tet mit ihme ein treffen, nicht

---

a) bewilligte K. G.
[1]) Saxonia VII. 2.
[2]) Ebendaher VII. 4. Das Jahr aus Kerner: doch Graf Adolf war diesseits der Elbe vor Weihnachten 1190. Vgl. Nr. 292.
[3]) Ebendaher VII. 4.   [4]) Ebendaher VII. 5.

1201 weit von Itzehoge und bracht ihn auf die flucht, daß er ihme
in Hamburg entweichen mußte. Darnach nahm er ein
Itzehoge und Plone, belagert auch Segeberg. Und dieweil graf Adolf war gen Hamburg geflohen, rucket er mit
seinem kriegsvolk fur Hamburg [1]); graf Adolf aber nahm
die flucht, uber die Elb gen Stade. Da die burger zu
Hamburg des herzogen macht sahen und, daß sie sich darfur
nicht erwehren mochten, seind die geistlichen sampt der ganzen
burgerschaft ihme aus der stadt entkegen gezogen, haben ihn
herlich entpfangen und in die stadt gefuhret. Er verordnet
alda zum stathalter einen Holsteinischen edelmann Rudolph
genent, der die stadt beschutzen und verwahren solt [2]). Ditz ist
geschehen anno 1201 und 1202 [3]).

Nach dem aber die von Hamburg graf Adolfen lieb
hetten, haben sie, nach dem herzog Waldemar wider zuruk
gezogen, seinen stathalter Rudolphen verjaget und sich widerumb an graf Adolf ergeben. In diesem krieg verlor graf
Adolf auch die stadt Lubeck, die sich ergab an gemelten
herzog Woldemar und Kanutum seinen brudern, kunig
zu Dennemark [4])

Als nu graf Adolf widerumb Hamburg eingenommen,
fieng er an, die stadt zu bevestigen; aber herzog Woldemar
zog zum andernmale dafur im winter, als die Elbe vol eises
gieng; und dieweil der graf uber die Elb nicht entkomen mochte,
von wegen des eises, mußte er sich dem herzogen ergeben und
wurd gefenglich in Dennemark gefuhret; doch ist er mit dem
gedinge los geworden, daß er zwei seiner kinder und den etliche seiner freunde, vom adel zu gislern gestellet, und das haus
Lauwenburg, welchs die seinen noch hielten, ihme ubergeben
und damit aller zuspruch und gerechtigkeit zu diesen landen
sich vorziegen [5]). Er ist auch in die lande Holstein und

[1]) Dania VII. 9 und 10.　　　[2]) Saxonia VII. 19.

[3]) Dania VII. 10 und 12.　Saxonia VII. 18

[4]) Saxonia VII. 20 und 21.

[5]) Ebendaher VII. 19 und 21.

Stormarn niemals wiberkommen, sunder hat in seiner her- 1204
schaft Schauwenburg sein leben geendiget ¹).

Unterdes starb konig Kanutus zu Dennemark, und
nach ihm wurd gekronet obberuhrter ᵃ) herzog Woldemar zu
Schleswigk, konig Kanutus bruder. Als nu die lande
Holstein und Stormarn unter der Denen gewalt waren,
setzet konig Woldemar ihnen zum hern grafen Albrechten
von Orlemunde im jahre nach Christi geburt 1204 ²).

Es erhub sich folgends ein zwispalt zwischen dem
tumbcapittel zu Bremen und dem tumbcapittel zu
Hamburg, den nach todtlichem abgang Hartuici
des erzbischofs zu Bremen, erwehlet das capittel daselbst widerumb zum erzbischof Woldemarn, bischofen zu
Schleswig, welcher mit konig Waldemar und seinem
bruder in heftiger feindschaft gestanden. Daz capittel zu Hamburg verdroß ubel, daß sie furbeigangen und nach alter ge-
wohnheit ihre stimme zu sollicher wahle nit gegeben. Darumb
erwehlten sie Burcharten, den tumbprobst zu Bremen,
welchen konig Woldemar in Hamburg bestettigte; und ist
aus solcher uneinigkeit, krieg und vielfeltig unheil entstanden ³).

Die Holstein und Wagern hetten einen großen verdrieß, ob der Denen, (welchen sie untertenig sein mußten),
ubermutigkeit und tyrannei; derwegen der furnehmbste adel sich
aus dem lande in die Wilstermarsche begab, aldo sie sich
in geheim enthielten. Und wurden die sachen endlich dahin gerichtet, daß graf Adolf zu Holstein, der aus dem lande
vertrieben und in der herschaft Schauwenburg sich auf-
enthielte, einen seiner kinder, Adolfen den Vierten, do er noch
ein junger knabe war, heimlich in die Wilstermarsch schickte,
aldo er von dem Holsteinischen adel erzogen wurd. Es
wurden auch die Holstein dem kunig zu Dennemark wi-

a) offtberurter L.
¹) Dania VII. 13. und Saxonia VII, 21.   ²) Saxonia VII. 27, vergl. 22 Ende.
³) Ebendaher VII. 27, wo auf eine weitläuftigere Darstellung des Streites in der Metropolis verwiesen wird, welche aber dort nicht gegeben ist.
Vergl. Dania VII. 14

1215 derſpenſtig, erſchlugen ihm ſeinen ſtathalter und beveſtigten Itzehoge. Die Denen ſambleten ein haufen kriegsvolk, und belagerten Itzehoge, aber die Store wuchs ſo hoch, daß ſie nichts kunten ſchaffen, mußten alſo wider abziehen [1]).

Anno 1215 belagert keiſer Otto IV. ſampt marggraf Otten zu Brandenburg und Woldemar, dem erzbiſchof zu Bremen, die ſtadt Hamburg. Dieweil dan die von Hamburg der Denen faſt muede waren, ergaben ſie ſich willig; aber folgendes jahres wurden ſie widerumb von konig Woldemarn belagert. Sie wolten ſich aber ſo leichtlich nicht ergeben, ſunder hetten die ſtadt bevestiget und ſtelleten ſich zur kegenwehr. Als nu konig Woldemar ſahe, daß er ſie mit gewalt nicht mocht erobern, nahm er ihm fur, ihnen alle zufuhr abzuſtricken, daß ſie ſich hungersnot halber ergeben mußten [2]); leget ein haus an die Elbe bei dem Eichholze, albo noch die graben augenſcheinlich zu ſehen; — wiewohl doctor Albertus Krantz [3]) es dafur helt, ſollich haus ſei auf der Newenborch gelegen, welcher ort noch außerhalb der ſtadt geweſen; ſo iſt doch obengehort [4]), als Albertus, erzbiſchof zu Hamburg, das haus Sulberg gebawet, daz herzog Bernhart zu Sachſen auch ein haus an der Elſter ſee geleget, alba er hernacher gewohnet, und daß bei ſollichem hauſe erſtmals die newſtadt Hamburg zu bawen angefangen ſei. Auf der andern ſeiten der ſtadt bawet graf Albrecht von Orlemunde eine veſte an die Bille, do itzo bei Schibbecke die welle und graben noch zu ſehen; und hinderten aus beiden veſtungen die zufuhr auf der Elbe und Billen. Alſo wurden die von Hamburg, als die ſich keiner Entſetzung zu getroſten, bezwungen, die ſtadt aufzugeben. Konig Woldemar ubergab die ſtadt Hamburg grafen Albrecht zu Orlemunde anno 1218; der begabet ſie mit vielen freiheiten, in-

---

[1]) Saxonia VII. 22. [2]) Ebendaher VII 36

[3]) Ebendaher, womit die Schilderung einer niederſächſiſchen freilich modern gefärbten Reimchronik v J 1198—1231, deren vollſtändiger Abdruck nächſtens erfolgen wird. (v. 167 ff.) übereinſtimmt.

[4]) S. oben S. 28.

funderheit, daß sie sich mochten gebrauchen Sechsisches und 1223 Lübekschs rechtens [1]).

Darnach, alse könig Woldemar im jahre 1223 von graf Heinrichen zu Schwerin durch liste gefangen wurd, und graf Adolf der Vierte sich unterstund, die lande Holstein und Stormarn rc. wider einzunehmen [2]), bedachte graf Albrecht, weil er kein hulf und entsetzung vom könig zu Dennemark zu gewarten, daß er die stadt in die lenge vor graf Adolfen mit gewalt nicht wohl wurde halten konnen; darumb hielt er einen handel mit dem Rate und burgern zu Hamburg, daß sie ihme solten geben ein benante summe geldes, darfur wolt er sie aller seiner gerechtigkeit ledig und frei laßen. Solliches ließen ihnen die von Hamburg gefallen, geben ihm 1500 mark lotiges silbers, damit sie sich von ihme ganz und gar frei kauften [3]). Dies ist die ankunft der stadt Hamburg hergebrachter freiheit. Den wiewohl sie folgends, als graf Adolf IV. die lande wider eingenommen, ihne um schutzes willen fur ihren herrn angenommen, geschach doch sollichs anders a) nicht, den auf die erworbene freiheit; darumb auch niergends zu befinden, daß sie ihme oder seinen nachkommen biz auf könig Christian zu Denkemark den Ersten imals b) gehuldiget [4]).

Graf Adolf bestettigte auch denen von Hamburg ihre privilegia und freiheit im jahre 1225 [5]), welches jahres zu Hamburg im Rate gewesen: Bromoldus, Esicus, Wirardus, Sandart, Sifridus, Herwerdus, Helebernus, Beyo, Rathmarus und Tiderus [6]).

---

a) anderst L.   b) schmalo L

[1]) Tratziger meint die undatirte Urkunde No. 401, welche jedoch nicht das sächsische, sondern das Soester und Lübische Recht den Hamburgern bestätigte. Ein anderes Privilegium für sein ganzes Gebiet ertheilte Graf Albrecht ihnen 1224 Dec 24 (s. No. 483)

[2]) Saxonia VII. 39.

[3]) Die Nachricht von dieser Zahlung ist einer öfter von Tratziger benutzten Zusammenstellung der von Hamburg für die holsteinischen Grafen getragenen Kosten entnommen: No. 818, S. 671.

[4]) S. darüber unter z. J. 1461 und 1482.

[5]) 1225, No. 486.

[6]) Die fünf ersten Rathsherren finden sich als Zeugen in der Urkunde

1226   Anno x. 26 erlangten die von Lubeck, so noch unter dem zwange und gehorsam der Denen waren, bei keiser Friderichen II. ihre alte freiheiten, die ihnen sein großvater, keiser Friderich der Erste gegeben [1]), schlugen die Denen, welche die burg inne hetten, zu tod, und kemen also widerumb zum Reiche. Sollichs verdruß konig Woldemarn heftig, derwegen zog er mit heereskraft herauffer, und hette auf seiner seiten herzog Otten zu Luneburg: die Ditmarschen solten ihm auch beistand tun, aber sie fielen zu den von Lubeck, die hetten zum obersten und heerfuhrer graf Adolfen zu Holstein, welchem die stadt Hamburg mehr dan auf 20,000 mark lubecksch furstreket, dafur sie doch nichts wider bekomen [2]). Sie teten zusammen ein feldschlacht bei Bornhouede, im jahre 1227 am tage Mariae Magdalenae [3]); und Got gab graf Adolfen und seinem beistand den sieg, daß sie die Denen erlegten. Von der zeit an ist Lubeck eine freie stadt des Reiches geblieben, in 328 Jahr [4]). Got verleihe ferner mit gnaden!

    Hamburg war zu der zeit geringlichen begriffen. Den obwohl herzog Bernd zu Sachsen ein newes a) haus gebawet, des ortes, da nu die straße, noch heutiges tages die Newe Borch genennet; darbei darnach andere mehr ihre wohnungen aufgericht, welchs vorlangst ein anfang der newen stadt gewesen: ist doch sollicher ort mit der alten stadt, die allein Sanct Peters caspel begriffen, in einer ringmaur, graben oder wallen nicht verfaßet gewesen; — zudem, daß auch das haus

a) newe L.

v. J. 1190 Dec. 24 (No. 292), welche in die v. J. 1225 ganz aufgenommen ist: die letzten fünf und Sigfrid finden sich in der Urkunde v. J. 1225, ein Verhältniß, welches Tratziger nicht berücksichtigt hat. Statt Santbardus hat Tr. Elanbart, die übrigen Namen find abgesehen von kleinen Abweichungen in der Orthographie richtig.

[1]) Im Urkundenbuch d. St. Lübeck I, No. 34 und 35. Vgl. oben S. 37.

[2]) No. 818, S. 671.

[3]) Donnerstag, den 22. Juli. Der Tag in den Annales Hamburgenses Pertz Monumenta SS. T. XVI. p. 383.

[4]) Hieraus ist zu ersehen, daß Tratziger schon im Jahre 1555 an seiner Chronik schrieb.

unter vielfeltiger veranderunge der ftadt Hamburg herfchaften, 1235 widerumb mag fein worden eingerißen[5]). Damit nu follicher ort auch bewohnet und der ftadt einverleibet wurde, hat graf Adolf nachgegeben und vergunnet einem, Wirad von Boyzenborg genant und feiner[a]) gefelfchaft, was von Sanct Marien Magdalenen kirchen, die Elfter langft bis an daz Milrentor unbewohnet, zu bawen und zu bewohnen unter burgerlichem rechte, als fich deffelben die ftadt Lubeck gebrauchen tete, daß fie auch zwene jahrmarkte und funft ihre wochenmerkte dafelbft halten mochten. Durch diefen Wiradum und feine gefelfchaft, ift die Neweftadt ordentlich worden aufgebawet, auch die cafpelkirche Sanct Niclai aufgericht[2]).

Anno 1235 kam ein predigermunich, Burchhart genennet, mit etzlichen feines ordens brudern gen Hamburg und fieng an, mit erlaubnis des Rates zu bawen Sanct Johans klofter[3]).

Graf Adolf zu Holftein machet friede mit dem konige zu Dennemark und gab feine tochter herzog Abeln zu Schleswig. Zu diefer hochzeit wurd gefordert der Rat zu Hamburg, die ihre botfchaft dahin fertigten, verehreten eine ftatliche fumma geldes, darzu kauften fie von hern Egbrechte von Wulfesbuttel, den zol zu Oldeslohe, fur 200 mark lotiges filbers, damit fie den grafen begiftigten[4]).

Als nu graf Adolf dermaßen, wie beruhrt, friede erworben, zog er fampt feinem gemahel walfahrt in Liefland und befahl[b]) feine junge herfchaft und die regierunge feiner lande feinem tochtermanne, herzog Abeln zu Schleswig anno 1238[5]).

Deffelben jahres macheten die von Hamburg eine bundnus mit den Wurftfriefen und Hadelern und vertrugen

a) Das er (ehr) vnd feine L. u. F.   b) befahel L. F.
[1]) S. oben S. 26 und Saxonia V. 27, VIII. 15.
[2]) Tratziger hat hier die Kaifer Friedrichs 1. Freibriefe vorhergehende Urkunde No. 285 im Sinne und trägt in fie einiges aus einer Urkunde v. J. 1246 (No. 535) hinein.
[3]) Diefe Angabe beruht auf den Zeugenausfagen in der Streitfache des Domcapitels gegen die Dominikaner. No. 687.
[4]) Siehe den Bericht No. 818, S. 671 und 672.   [5]) Saxonia VIII. 7.

1238 sich mit einander, daß einer des andern gebiet sicher und unbeschwert besuchen mochte mit kaufmanschaft und andern gewerben; daß auch kein teil dem andern einige gestrandete schif oder guter solte vorenthalten, noch ein teil wider den andern, außerhalb des fals versagter gerechtigkeit, kummer und repressalien gunnen [1]).

Von der zeit an vermehret sich Hamburg, teglich an gewerb, handel und kaufmanschaft: insunderheit mit schiffen und hantirunge zu waßer. Derhalben macheten die von Lubeck mit ihnen anno 1241 ein bundnusse, daß sie die straßen zwischen der Trauen und Hamburg und dan den Elbstrom bis in die see sicher hielten, wolten sie den halben teil aller unkost, so darauf laufen wurde, neben ihnen stehen, verwilligten sich auch, was in handhabunge beider stedte und derenselben inwohner gerechtigkeit von noten sein wurd, auf beider teile gleichmeßige darlage auszurichten [2]).

Diz ist die erste bundnus der von Hamburg mit der stadt Lubeck, davon glaubwirdige urkunde vorhanden sein [3]); aus welcher, wie zu vermuten, hernacher andere mehr vereinigunge gefloßen. Wiewohl auch die herzogen von Braunschweig eine lange zeit die stadt Hamburg angefeindet und zu Luneburg und Braunschweig a) denjenigen, so aus Hamburg ihren handel und nahrunge dahin treiben, viel unbillige beschwerunge aufgeleget hetten, den sie vermeinten noch von wegen herzog Heinrichs des Lewen, der etwan die stadt hette inne gehapt, gerechtigkeit daranne zu haben: vertrug sich doch genzlich mit ihnen herzog Otto zu Braunschweig und Luneburg und ließ alle action und zuspruche fallen. Dieser vertrag ward aufgerichtet anno 1239 [4])

---

a) eine — Braunschweig fehlt L.

[1]) 1238, No. 514. Mit den Hadelern bestand schon ein Schutzvertrag, wie aus der Urkunde zu ersehen ist.

[2]) 1241, No. 525.

[3]) Tratziger kannte die undatirte, jedenfalls nicht nach 1210 ausgestellte Urkunde (No. 381) nicht, welche gleiches Recht und Handelsfreiheit der Bürger beider Städte wechselseitig anerkannte.

[4]) 1239, Dec. 21. No. 517.

Als graf Adolf aus Liefland wider anheim kam, gieng 1240 er zu Hamburg in das barfußer kloster und nahm an ihren orden, am tage Sanct Hippoliti anno 1240, welchs er Got gelobet hette zu Bornhouede, do er wider konig Waldemarum obsiegete. Er hette zwene sohne, Johannem und Gerardum, die studirten zu Paris; der dritte, Luder genent, war noch ein kind; diese sollen, als doctor Albertus Krantz schreibet [1]), desselben jahres, oder, als andere schreiben, anno 1246 widerumb sein zu land gekomen und obangeregter herzog Abel zu Schleswig, als ihr furmunder mitler zeit die lande Holstein, Wagern und Stormarn regirt haben. Aber es befindet sich weit anders [a]), dan graf Johan hat anno 1239 der stadt Hamburg ihre privilegia und freiheiten, die sie von keiser Friberich dem Ersten und seinen voreltern erworben, confirmirt und bestettigt [2]). Ob und an sollicher bestettigung sein als zeugen gewesen: Gerardus, erzbischof zu Bremen, herzog Abel obgemelt, her Heinrich von Barmstede, Gotschalk vogt, Marquart, Schmid genent, und Siril von der Wisch. Aus dem Rat zu Hamburg werden fur zeugen benent: Helbernus, Bredewart und Helperath [3]). Aus welchen klerlich erscheinet, daß umb die zeit graf Johan albereit daheime gewesen und die lande selbst regieret habe. Und ist demnach glaublich, daß graf Adolf anno 38, do er in Lifland ziehen wollen, seine sohne heimgefordert, wie man auch nachrichtunge hat, do sie zu Hamburg angelanget, daß die clerisei, der Rat und burger sie ehrlich entpfangen und der Rat sie nach gelegenheit derselbigen zeit herlich verehren laßen [4]). Worauf, als zu vermuten, obangeregte confirmation erfolget. Jdoch ist noch vorhanden ein urkund, unter herzog Abels insiegel anno 1240

---

a) anderst L.

[1]) Saxonia VIII. 7 und 15.

[2]) 1239, Aug. 16. No. 516; vgl. oben S. 38.

[3]) Die Namen der Zengen sind richtig, doch ist ein Rathmann Tyderus ausgelaßen.

[4]) Aus dem Berichte No. 818, S. 573.

1240 datirt [1]), darin er der stadt Hamburg etliche freiheiten be=
stettiget; und ist demnach wohl muglich, daß er neben graf
Johan die lande Holstein und Stormarn in befehl gehapt.

Als nu graf Adolf eine zeitlang im kloster zu Ham=
burg gewesen war, zog er gen Rom und erlanget dispen=
sation vom bapst Innocentio dem IV., daß er sich mocht
laßen priester weihen; kam damit wider gen Hamburg und
wurd priester geweihet von bischof Johan von Lubeck
anno 1244, sang auch sein erste offentliche messe, in der kir=
chen zu Sanct Marien Magdalenen desselben jahres
am tage Gregorii [2]). Er bearbeitete sich, aufzubawen das bar=
fußer kloster zum Kil, gieng selbst herumb und bettelet die
notturft darzu und fuhret ein demutig, gotfruchtig und ge=
strenges leben [3]).

Anno 1242 erhub sich eine feide zwischen konig Erich
zu Dennemark und herzog Abeln seinem bruder, der jun=
gen grafen zu Holstein schwager. Die Holstein leisten
dem herzogen beistand und besuchten die von Hamburg umb
hulfe. Als den die Hamburger selbst der Denen dienstbar=
keit scheuweten und sich noch wohl erinnern kunten, wie un=
leidlich mit ihnen umbgangen, do sie konig Woldemar
undertenig sein mußten, ließen sie sich mit an den reyen
bringen, entsetzten die grafen mit schiffen, leuten, proviant und
gelde, welche unkost lief auf etliche viel tausend mark. Auch
wurden ihnen abgefangen zwene ratsherrn, her Werner von
Ertneborch und Friderich, hern Beyens sohn, die
mußten sich mit ihrem eigenen gelde widerumb losen [4]). Die
grafen hatten auch auf ihrer seiten hern Gerharten, erzbi=
schofen zu Bremen, und her Simon, bischofen zu Osna=
brug, und wurd endlich diese feide durch den tod konig
Erichs gestillet.

Die beiden bruder Johannes und Gerhard teileten
die lande, Johan als der elter behielt Wagern, Holstein

---

[1]) 1241, Nov. 10. No. 520.　　[2]) März 12.　　[3]) Saxonia VIII. 7.

[4]) S. ten Bericht No. 818, S. 072 und Saxonia VIII. 15, Dania VII. 21.

und Stormarn fiel an graf Gerharten [1]. Graf Johan 1247 trawete herzog Albrechts zu Sachsen tochter, graf Gerhart nahm Johannis des Wendischen fursten tochter [2], welcher von etlichen der Theologus genent wird.

Anno 1247 vereinigten sich die stadt Braunschweig mit den von Hamburg, daß, ob gleich die stadt Hamburg von den herzogen zu Braunschweig kunstiglich wurd angefeidet und in offenem kriege verfolget, daß gleichwohl die burger und einwohner in Hamburg mit ihrem leib, hab und gutern uf bestimpte genugsame verwahrunge gesichert sein solten [3].

Anno 1252 schickten die von Hamburg ihre gesanten, als her Herman Hoyer und Jordan an fraw Margarethen, grefin zu Flandern und Hennegaw; die vertrugen sich mit der grefin von wegen der stadt Hamburg und der andern gemeinen Anzestedte umb die zol, die sie in ihren landen und gepieten von allerhand waren geben solten; woraus zu vernehmen, daß domals Hamburg unter den gemeinen teutschen kauffstedten, so hernacher Anzestedte genennet worden, eine von den furnehmbsten gewesen. Es wird aber des namens Anze in sollichem briefe [4] nicht gedacht, sundern werden allein genent: mercatores Romani imperii et civitas Hamburgensis; darvon abzunehmen, daß sollicher name nicht viel uber drei hundert jahr kan alt sein.

Angeregtes 52. jahres wurden auch die von Hamburg vertragen mit herzog Albrechten zu Sachsen von wegen etzlicher beschwerunge in dem zollen zu Hamburg und Eyßlingen [5].

Anno 1253 und 55 hetten graf Johan und graf Gerhart noch etzliche gerechtigkeit zu Hamburg, als den

---

[1] Ungenaue Nachricht der Saxonia l. VIII. c. 15 und 23.

[2] Ebendaher c. 23. [3] 1247, No. 542.

[4] S. Urkundl. Geschichte des Ursprungs der deutschen Hanse II. No. 20; vielleicht kannte Tratziger die Urkunde No. 180 im Urkundenbuch der Stadt Lübeck, da sie die Namen der Hamburgischen Abgesandten nennt.

[5] 1252, Juli 16. No. 569.

Tratziger's Chronik.   4

1255 fonings zins ¹) und die munze ²); die ubergaben und verließen sie erblich dem Rate und der gemeinde doselbst, verpflichten sich auch zu ewigen zeiten, nicht zu verstatten, daß an einigem andern orte im lande zu Wagern, Holstein und Stormarn einige newe munze geschlagen wurde.

Beruhrtes 55. jahres vereinigten sich auch alsofort die von Lubeck und Hamburg von wegen der munz, wie es zwischen ihnen darmit kunftiglich solte gehalten werden ³).

In diesem jahre war ein großer zank zwischen dem tumb-capittel zu Hamburg und den prediger munchen in Sanct Johans kloster; den die tumbhern beklagten sich, daß ihrer kirchen viel almusen und milder giften durch sie entzogen wurden. In deme kam gen Hamburg der cardinal Guido, titels S. Laurentii in Lucina, und war ein legat bapst Clementis IV., der verhorete zeugen in der sachen, und entscheidet die parte anno 1265 den 23. December ⁴).

Folgendes 56. jahres confirmiret gemelter cardinal der stadt Hamburg ihre privilegia, die sie hetten von keiser Friderich Barbarossen, und gab ihn noch ein besonder privilegium, daß ihre gestrandete schiffe und guter niemands solt aufhalten, noch etwo mit beschweren; zu sollichs privilegii ewigen conservatorn verordnet er die erzbischofe zu Magdeburg und Bremen ⁵).

In demselbigen jahre ubergaben gedachte grafen Johan und Gerhart der stadt Hamburg den friedschilling, item etliche angelegene lande ⁶). Bei dieser concession werden als

---

¹) 1253, Jan. 25. No. 574.   ²) 1255, März 10. No. 590.

³) 1255. März 18. No. 591.

⁴) Den Anfang dieser Streitigkeiten, welche augenscheinlich nicht lange vor Cardinal Guidos Ankunft, dessen betreffende Urkunden (No. 685, 687, 709) 1265, December 19, 23, 26 datirt sind, begannen, verlegt Tratziger irrig ins Jahr 1255.

⁵) 1200, Januar 3. 4. No. 693. 694. Tratzigers Irrthum in der Jahresangabe ist durch Unkenntniß des ersten Regierungsjahres Pabst Clemens IV. entstanden.

⁶) 1250, August 10. No. 606.

zeugen genent, so domals im Rate waren: Bertram [1]) 1257 von Burtehude, Willeken [2]), Herwerd, Tangmar, Tedo, Petrus, Radolf von Eilenstede, Johannes von Braunschweig, Wolfcolf, Jacobs sohne, und Niclaus Fredeward.

In dem jahre wurd auch ein fried und vereinigung aufgerichtet zwischen Heinrichen, herzogen zu Brabant und Lothringen und der stadt Hamburg [3]), welches inhalt vermehret und bestetiget wurd anno 1257 negstfolgend. Den von Hamburg wurden besondere freiheiten gegeben [4]), den zollen zu Antorf [5]) und anders mehr belangend, auch daß sie sicher und unbefahret seine lande besuchen mochten, ob gleich zwischen den grafen zu Holstein und dem herzogen zu Lothringen und Brabant offenbare feide und erloge furfielen.

Anno 58 nahm graf Bernhart von Anhalt konig Abels zu Dennemark tochter, und wurd die hochzeit zu Hamburg gehalten [6]).

Desselben jahres vertrugen und vereinigten sich aufs newe, Albrecht und Johan, herzogen zu Braunschweig mit der stadt Hamburg, daß gemelte herzogen solten und wolten nicht allein die von Hamburg in ihrem lande, in ihr sicher und unbefahret geleit nehmen und sie schuzen und handhaben, sundern auch, wan die stadt Hamburg mit krieg angefochten und befeidet wurde, daß alsdan gemelte herzogen mit rat und tat ihnen beipflichten und hulfe leisten solten. Darkegen solten die von Hamburg verpflicht sein, wan sich zwischen den grafen zu Holstein und ihnen, den herzogen, widerwertigkeit wurde erheben, die sachen so viel muglich zu freundlicher vergleichung und einigkeit zu bearbeiten [7]).

---

[1]) Bernardus in der Urkunde.   [3]) Hier fehlt Warnerus.
[2]) 1256, März 14. No. 604.   [4]) 1257, Sept. 21. No. 618.
[5]) Antwerpen.
[6]) 1258, Febr. 3. S. Annales Hamburgenses a. o. O.
[7]) 1258, Aug. 13. No. 625.

1258 Angeregtes 58. jahres, verliehen und ubergaben oftgedachte graf Johan und graf Gert zu Holstein der stadt Hamburg fur ihr erb und eigen, das land, so der stadt am negsten angelegen, damit iho die stadt mit der graffschaft Holstein grenzt [1]). Sollichs alles ward der stadt Hamburg ubergeben mit hochsten und nidersten gerichte und sonst aller und jederer seiner angehorigen gerechtigkeit. Bei sollicher ubergebunge werden als zeugen genent, die zu der zeit zu Hamburg im Rate gewesen sein: Bertram Esici, Leo, Wunerus [2]), Nicolaus von Parchem, Anno Miles und Friderich von Erteneborch.

In diesem jahre wolten auch die grafen widerumb aufbawen das schloß auf dem Sulberge [3]), welches erstlich Albertus, der erzbischof zu Hamburg, aufgerichtet, aber von wegen der plackerei, so daraus geschach, balde darnach von dem landvolke zerstoret und verwustet ward. Die von Hamburg legten sich darwider, wendeten fur ihr privilegium, das ihnen keiser Friderich der Erste gegeben, daß niemands auf zwo meilen nahe der stadt eine veste bawen solte [4]). Als underwand sich der bischof von Padelborn freundlicher handelunge und vertrug die sachen zu dem grunde [5]), daß die von Hamburg solten zufrieden sein mit der reparation angeregtes schloßes und, ob ihnen einig schade oder verdrieß daraus widerfuhre, solte ihnen desselbigen ker, wandel und abtrag in drei wochen den nechsten geschehn; wo das nit erfolgen wurde, solten und wolten die grafen oder ihre erben sollich schloß innerhalb den nechsten dreien wochen widerumb abbrechen und schleifen.

---

[1]) 1258, Oct. 10. No. 631.
[2]) Dimerus Dynerus Tr.; nach ihm wird in der Urkunbe Thangmarus genannt.
[3]) 1258, Oct. 16. No. 632.
[4]) S. o. j. J. 1189.
[5]) Aus der angeführten Urkunde geht nur hervor, daß Bischof Simon von Paderborn, der Grafen Oheim, als Zeuge gegenwärtig war und sein Siegel mit anhängen ließ.

Umb diefe zeit erhub fich ein krieg zwifchen graf Johan 1258 und graf Gerhart an einem und hern Otten von Barmftede anderfeits von wegen der wahl Hildebaldi, des erzbifchofs in Bremen. Her Otto von Barmftede hette an feiner feiten gemelten erzbifchof und funft viele helfer, alfo daß den grafen die feibe etwas befchwerlich fiel. Sie klageten ihre gelegenheit dem Rate und gemeinde zu Hamburg, beten umb hulf und beiftand. Die von Hamburg wolten fie als die landshern nicht in der not ftecken laßen, mengeten fich mit in die feibe, fchikten zwo koggen wohl ausgeruftet vor Hafeldorp, legeten auch fechs koggen vor die Schwinge, die weidlich mit den feinden fcharmutzelten; und wurden viel an beiden feiten erfchlagen, gefangen und verwundet. Diefe kriegsausruftunge koftet die ftadt Hamburg 9800 lotige mark filbers [1]).

Anno 1259 wurd die fache zwifchen den grafen und gemeltem hern Otten vertragen, und wurden die von Hamburg in follichen vertrag mit eingezogen [2]).

Folgends vertrugen fich die grafen auch mit dem erzbifchof von Bremen, aber in follichem vertrage wurd der von Hamburg vergeßen; die mußten fich infonderheit mit dem erzbifchof ausfohnen, gaben ihme noch uber alle getane unkoft und zehrung 600 lotige mark filbers [3]).

Als fich nu die von Hamburg mit dem erzbifchof von Bremen vertragen hetten [4]), vereinigten [5]) fie fich auch mit der ftadt Bremen alfo, daß fie in kaufhendeln und funft allen und jedern andern gewerben, gute nachbarfchaft und freundfchaft mit einander halten wolten. Es wurd auch behandelt, daß eine ftadt der andern certification vollkommen glauben

---

[1]) Aus dem Berichte S. 673.   [2]) 1259, Dec. 21. No. 848.

[3]) Aus dem Berichte S 673. Aus den unten z. J. 1263 angeführten Urkunden erhellt, daß es fich im Streite der Stadt mit dem Erzbifchofe um das Setzen der Schiffe vor der Schwinge und den Zoll der Stadt Stade handelte.

[4]) Daß dies nicht fchon 1259 gefchehen fein kann, beweifen die Urkunden, aus denen eine Fortbauer des Streites bis z. J. 1266 fich ergiebt.

[5]) Bereits 1259, Februar 22. No. 635.

1261 ſtellen ſolte [1]); welchs auch zwiſchen den von Hamburg
und Lubeck alſo bewilliget und angenommen ward anno
1261 [2]).

Zwiſchen den Frieſen und Hamburgern ward auch
ein vertrag und bundnis gefaßet anno 60 [3]).

Anno 1261 ſtarb graf Adolf und ward begraben zu
Hamburg in dem kloſter zu Sanct Mariae Magdalenae
im chore [4]).

Deſſelben jahres war krieg zwiſchen dem konig zu Dennemark und herzog Erichen. Die grafen zu Holſtein
Johan und Gerhart hulfen herzog Erichen, teten ein
treffen mit ihm auf der Loheide und nehmen den konig
ſampt ſeiner mutter Margareten gefenglich und ließen ſie
gen Hamburg fuhren, alda ſie gefenglich enthalten wurden [5]).

In deme jahre ſchikten auch die von Hamburg einen
von ihren burgern, Jordan genent, des hiebevorn gedacht,
an Birgerum, herzogen und gubernatoren zu Schweden.
Der erlanget bei ihme alle freiheit, ſo die von Lubeck zu der
zeit in Schweden hetten und vereiniget ſich mit ihme auf
eßliche furnehme artikel, dardurch zwiſchen den Schweden
und der ſtadt Hamburg eintracht und freundſchaft geſtiftet
wurd [6]).

Anno 63. waren die von Hamburg mit dem erzbiſchof
von Bremen von wegen der ſeide, darin ſie graf Johan
und graf Gerharten hilf geleiſtet, noch nicht außgeſohnet; der-

[1]) 1259, Mai 13. No. 638, ein Vergleich, welcher zunächſt flüchtige
Schuldener betrifft.

[2]) 1261, No. 660. Der damals durch Erneuerung eines ältern Vertrages v. J 1241, No. 514, beigelegte Streit betraf die Verwieſenen.
Er ward 1260, Mai 20. vor die Biſchofe von Razeburg und Lubeck
gebracht. (No. 652)   [3]) 1261, April. No 657.

[4]) Nach älteren Nachrichten iſt der Graf Adolf 1261 Juli 8. zu Kiel
geſtorben und bei den dortigen Franciscanern begraben, wie ſogar die
vermuthlich auf einer älteren beruhende Inſchrift im Marien-Magdalenen
Kloſter (Anckelmann 180) angiebt, welche von Tratziger, wie ſchon
Lamberius (Origines Hamburgenses ;. d. J.) rügt, mißverſtanden iſt.

[5]) S. Annales Hamburgenses a. a. O. ;. d. J.   [6]) 1261. Juli 20. No. 658.

halben teten sie heftige anregunge, nachdem sich die grafen mit 1263
dem bischof vertragen hetten, daß sie ihnen auch einen frieden
bei dem erzbischof behandlen solten und lehneten uber alle ge=
tane unkost graf Gerharten eine summa geldes, auf daß er
solchen Friede solte befordern ¹). Dargegen verpflichtet sich
graf Gerhart mit einer statlichen anzahl vom adel, — deren
namen waren: ²) Johan Breide, Borchart von Okste=
hude ³), Pape Wulff, Marquart von Rannow ⁴),
Schacke von Langwedel, Eggert ⁵) von Schlamer=
storp, Niclaus Denen ⁶), Reimer von Wedele,
Georgen Vogt ⁷), Niclaus Swauen, Barick von der
Beke ⁸), Emeke Sandkrup ⁹), Johan Solder, Ge=
bert von Boitzenborg, Hilrik Horne, Marquart
Schacken und Vollerd von Husberg, — daß, wo gemelter
graf bei dem erzbischof den vertrag nit beschaffen wurde, daß
er alsdan sampt gemelten edelleuten, auf erforderunge des
Rats zu Hamburg daselbst einhalten und aus dem inlager
nicht eher verrucken wolten, es were dan ª) die angeregte summe
geldes ihnen zuvor volstendig und zu gutem gnuge entrichtet ¹⁰).
Aber, wie oben vermeldet ¹¹), die von Hamburg mußten
sich selbst mit dem erzbischof aussohnen und bekamen ihr geld,
das sie graf Gerharten vorgestrecket, nit wider, ließen auch
umb friede und gelimpfs willen den grafen sampt obbemelten
edelleuten ungemahnet ¹²).

In dem jahre verglichen sich die von Hamburg mit
Wilhelmo, grafen zu Holland, erwehltem Romischen konige,
daß sie in seine land frei und sicher handeln und wandeln

ª) dan fehlt L. ¹) 1263, Jul. 5. No. 671 und Bericht S. 673.
¹) fehlt Wende. ³) Ottesbude (lies Otteshude) in der alten Abschrift.
⁴) Renowe. ⁵) Egge. ⁶) Nicolaus Danus.
⁷) Georgius advocatus, hinter welchem d. Urk. Luderus Storm und Marquardus
Bloc nennt. ⁸) Hinricus de Torrenthe (vom Dorfe Trent Ksp. Preetz).
⁹) Emeke de Santscampe. Es folgen Johannes Solder, Borchardus, Dus,
Marquardus de Helle. ¹⁰) S. die angeführte Urkunte. ¹¹) Vgl. S 53.
¹²) S. den Bericht S. 673 und die Urkunden Erzbischofs Hildebolds über
Beilegung des Streites, 1266, Sept. 6. und 1267, Dec. 6. No. 704
und No. 723.

1263 mochten und ward aldo bestimmet, was sie fur allerhand war und guter zu zol geben solten. Dieser vertrag ward aufgerichtet zu Leiden dingstags nach Marien himmelfahrt [1]).

Anno 64. bestetigt graf Gerhart den von Hamburg ihre privilegia [2]) und gab ihnen, inmaßen von seinen vorfahren geschehen, daß sie sich mochten halten und richten nach Lubeckschem rechte. Er bestettigt auch das burgerrecht und, was sunst sein großvatter, graf Adolf zu Holstein, Wiraben von Boytzenborg und andern burgern und einwohnern in der newen stadt zu Hamburg gegeben hatte.

Umb diese zeit erhielt sich ein widerwil zwischen könig Magnussen zu Norwegen und der stadt Hamburg von wegen eines lermen und auflaufs, darin etliche Nordische entleibt. Diese zwietracht ward in diesem jahre auch gesohnet und vertragen zu Bergen den 28. Julii [3]).

Folgends 65. jahres nahm graf Johan zu Luneburg, graf Gert von Holstein tochter, und die hochzeit wurd gehalten zu Hamburg [4]).

In diesem jahre ward auch ein friede und vereinigunge geschloßen zwischen der stadt Hamburg und dem land zu Ditmarschen ob vielen irrungen, die sich zwischen ihnen vorher zugetragen hetten [5]).

Anno 66. am tage S. Victoris starb graf Johan zu Holstein, graf Gerdes bruder, und wurd begraben zum Reinefeld [6]). Er verließ drei sohne, Johan, Adolfen und Albertum.

In dem jahre starb auch der mechtige furst Birgerus,

---

[1]) 1243, Aug. 16. S. Urkundl. Gesch. d. Hanse. II. S. 47. Trabiger ist durch eine fehlerhafte Abschrift der Urkunde zu unrichtiger Datirung veranlaßt (MCCLXIII statt MCCXLIII), wie auch Andere nach ihm.

[2]) 1264, Dec. 13. No. 679   [3]) 1264, Jul. 29. a. a. O. No. 678.

[4]) S. d. Annales Hamburgenses a. a. O. und den öfter angeführten Bericht S. 672.   [5]) 1265, Aug. 16. a. a. O. No. 683.

[6]) Ein Irrthum im Todesjahre, welcher durch die Grabtafel der Schaumburger im Dome (Anckelmann No. 3) veranlaßt zu sein scheint. Korner und Saxonia I. VIII. c. 25 haben 1264. Johann starb den 20. April 1263; s. Ann. Hamburgenses a. a. O.

herzog zu Schweden. Er wolte bei seinem leben den kunig- 1266
lichen titel nicht fuhren; aber sein sohn Waldemar unter-
wand sich des reichs als ein konig und ward umb seiner bos-
heit willen vertrieben [1]).

Desselbigen jahres bestetigt fraw Alheit, nachgelaßene
witfraw herzog Heinrichs zu Lothringen und Brabant, den vertrag und vereinigung, zwischen ihrem hern und
der stadt Hamburg aufgerichtet [2]). Es vereinigeten sich auch
in demselben jahre her Albrecht zu Born und Seeland
und die von Hamburg von wegen der gewerb und kauf-
handelungen in Seeland auch, daß die kaufleute von Hamburg unter sich in burgerlichen sachen alle irrungen, die sich
mochten zutragen, zu richten und zu entscheiden macht haben
solten [3]).

Diz jahres bestettiget auch Florentius, graf zu Holland,
die vereinigung, anno 63 zwischen seinem vatter grafen Wilhelmen zu Holland, Romischen konige, und den von Hamburg aufgerichtet [4]).

Anno 1268 [5]) erlangt herzog Albrecht zu Braunschweig den von Hamburg bei konig Heinrichen zu
Engeland ein statlich privilegium, nemblich: daß sie fur
sich selbst ihre eigene hanse im konigreich Engeland zu ewigen zeiten haben und daselbst handlen und werben mochten. Woraus leichtlich zu vernehmen, daß domals albereit Hamburg in
gutem vermuegen und ansehen vor andern stedten gewesen.

Die stadt Bremen hatte domals ihre furnehmbste nahrunge
vom biere, welliches mit großem gewin nach westen, osten
und norden gefuhret ward; sollicke nahrunge hat nach folgender zeit, Got der Almechtige der stadt Hamburg verliehen [6]).

---

[1]) Aus Detmar z. J. 1268. Vgl. Kerner z. J. 1268.
[2]) 1266. Febr. 15. a. a. D. Me. 697.
[3]) 1266. Sept. 29. a. a. D. No. 705.
[4]) 1266. Aug. 20. a. a. D. No. 703. Ueber den auch hier wiederkehren-
den Irrthum vgl. z. J. 1263.
[5]) 1266. Nov 8. a. a. D. No. 706. Troßiger fehlte die zu richtiger
Datirung der Urkunde nothwendige Kenntniß des ersten Regierungsjahres König Heinrichs III. [6]) Metropolis IX. 3 gegen Ende.

1268 In dieser zeit handelten die kaufleute aus Flande
mechtig auf Hamburg, trieben große kaufmanschaft mit
wand und weine, also, daß zu Hamburg in der zeit war
niderlage und stapel von den westwartischen waren und gute
Als aber die Fleminge des handels sich zu ubermeßig
brauchten und nicht allein uberheupt kaufmanschaft treib
funder auch ihre weine auszuzapfen und das gewand mit ell
auszuschneiden sich unterstunden, erhub sich dardurch ein wid
wil zwischen den Flemingen und den kaufleuten von Ha
burg. Die Fleminge wolten ihr leid rechen, hinderten wid
umb die Hamburgischen kaufleute in Flandern, ihre gewe
und kaufhendel zu treiben. Endlich wurden angeregts
jahres solliche irrungen durch fraw Margarethen, grefin
Flandern und Hennigaw, auf billige wege durch ein
machtspruch hingelegt und beide teile mit einander versöh
zu Brugge, montags nach Mariae Magdalenae [1]).

 Anno 1269 gerieten der Rat und gemeine zu Ha
burg, in merklichen haber mit dem thumbcapitel von weg
ihrer höfe, gebewde, item gemeiner schatzunge und schul
der sich die pfaffschaft weigerte, auch von wegen
jurisdiction des thumbcapitels in ihre pfaffen. Endlich wi
die sache der gebewde und höfe halber verrichtet und darnel
beiderseit bewilliget und angenommen, daß die thumbherrn, auß
halb ihrer thumbhofe, von allen ihren gutern schoß und schu
geben solten, item, daß bei der einnahme der almusen, so
dem thumb gegeben wurden, einer aus dem Rate alwegen
ordnet werden solt, mit des wißen sollich geld ohne scha
und nachteil der stadt verbawet wurde; daß auch das tun
capittel die jurisdiction in ihre pfaffen behalten solt und, w
einer aus der pfaffschaft einen burger oder einwohner zu Ha
burg beklagen wolte, solte er sollichs vor dem Rate, als sei
weltlichen obrigkeit furzunehmen und auszufuhren schuldig se
Diß ist gewesen der erste widerwil und darauf erfolgeter
trag [2]) zwischen dem Rat zu Hamburg und dem thumbcapi
daselbst, des man sich aus alten urkunden hat zu berichten.

---

[1]) 1268, Juli 23. No. 727. [2]) 1269, Nov. 8. No. 740.

In demselben jahre fand und erofnet herzog Johan 1269 von Braunschweig und Luneburg, (welcher nechstverschlenen anno rc. 67 mit herzog Alberten, seinem bruder, geteilet, und in der teilunge das land Luneburg uberkomen hatte), eine weit reichlichere abern der Sultze zu Luneburg, den zuvor gefloßen; von welcher zeit an zu rechnen die stadt merklich an gebewde und nahrunge dadurch zugenomen ¹).

Umb diese zeit starb herzog Erich zu Schleswig, und der kunig zu Dennemark Erich tet sich der unmundigen herzogen vormundschaft anmaßen, der meinung daß er das herzogtumb dardurch widerumb an die kron zu Dennemark bringen mochte. Demselben widersetzten sich die grafen zu Holstein, und erfolgeten daraus zwischen beiden teilen viel kriege und widerwertigkeit ²), darzu die von Hamburg dem grafen mit gelde mugliche vorstreckunge teten ³).

Folgends 73. jahres ward zum Römischen konige erwehlet graf Rudolf von Habspurg, von deme der keiserliche stamme itziger erzherzogen zu Osterreich abkomet.

Umb diese zeit wurden zwischen Hamburg und Lubeck, auf den Wunnikenbroke ⁴), die kaufleute durch graf Gunzeln zu Schwerin verhalten und beraubet; darumb nahm ihm herzog Albrecht zu Braunschweig und Luneburg

---

¹) Aus A. Kranz's Saxonia VIII. c. 27.   ²) Dania VII. 24.

³) Die Quelle dieser zweifelhaften Nachricht ist nicht nachzuweisen.

⁴) Saxonia VIII. c. 31 Vgl. Detmar z J 1279. Die Angabe des Ortes Wunnikenbroke ist Tratziger eigenthümlich, doch wohl nicht zu bezweifeln, da hier, wie aus den Stadtrechnungen (schon z. J 1372 ad diversa, von dort Gefangenen und Hingerichteten) und andern Quellen (s. z. meinen Hamb. Chron. S. 4 u. Detmar z. J. 1477, S. 397) hervorgeht, bis Anfang des 16. Jahrhunderts der Sitz gefährlicher Wegelagerer war, deren Bekämpfung Hamburg eifrig betrieb. In der Topographie von Holstein Th. II. S. 478 suchen Schröder u. Biernatzki es im Kirchspiel Gleschendorf, weit ab von der Hamburg und Lubeck verbindenden Straße, nachzuweisen, doch ist es ohne Zweifel Winbroke an der Beste, südlich von Oldesloe, ein für Wegelagerer besonders günstig gelegener Punkt, da bei Oldesloe das freie Geleit der Grafen aufhörte. S. a. a. O. II. 258.

1276 alle seine guter, die er hette jenseit der Elbe [1]), welche bis
auf diesen tag bei dem herzogtumb Luneburg geblieben.

Es erhub sich auch noch ein krieg von wegen des erz-
stiftes Magdeburg, den ein teil der thumbhern hatten erwehlet marggraf Ernsten zu Brandenburg, marggraf
Johansen und marggraf Otten bruder; die andern aber
wehleten graf Bussen von Querfort. In diesem kriege
wurden gefangen marggraf Otto zu Brandenburg und
graf Adolf zu Holstein, und war ein langwirige feide;
zuletzt nach vielem schaden, den ein teil dem andern zugefuget,
ward die sache verrichtet und marggraf Ernst zum erzbischof a)
angenommen [2]).

Es war auch in dieser zeit zu Hamburg, Lubeck und
in andern umbliegenden stedten eine große tewrung, daß
viel volks hungers starb; aber es folget widerumb so ein
wohlfeile zeit, daß der scheffel roggen nicht mehr galt, den
neun pfenning, und der scheffel gersten galt zehen pfenning b) [3]).

Als man schrieb nach Christi geburt 1276 vereinigten
sich die burger und ratmanne zu Hamburg, daß hinfortan
nicht mehr, dan ein rathaus und eine dingbank sein solte [4]);
den es waren vor der zeit zwei ratheuser, das eine in der
alten stadt, in Sanct Peters carspel, das ander zur
newen stadt gehorig, an dem ort, da itziger zeit das rathaus
belegen; den es oben angezeigt [5]), wie herzog Bernhart zu
Sachsen ein haus gebawet, welchs er zur unterscheid des
hauses an der Elster die newe borch genennet, davon die
straße noch in heutigen tag den namen behelt, und daß in
folgender zeit durch die grafen von Holstein der angelegene

a) zum erzbischof fehlt L. b) und — pfenning fehlt L.
[1]) Vgl. Detmar z. J. 1279 „suden der Elve".
[2]) Aus Krantz's Saxonia VIII. 32. Graf Adolf VI. 1279 Jan. 10 in der
Schlacht bei Frose gefangen, ward bei seiner Rückkehr aus der Gefangenschaft mit einem Faße Wein bewillkommt. (S. Hamb. Urf. B. I. S. 674.)
[3]) Korner z. J. 1274; vgl. Detmar z. J. 1273 und beider Quelle, die
Annales Lubicenses in Pertz Monumenta SS. T. XVI.
[4]) Die Handschriften des Stadtrechtes v. J. 1276 enthalten diese Bestimmung
nicht, wohl aber dasjenige v. J. 1292, s. meine Hamb. Rechtsalterthümer Bd. I. S. 99 u. S. XCVII.   [5]) S. z. J. 1043 u. S. 44. 45.

raum zu erbawunge der newen stadt Wiraben von Botzen- 1279
borch und seinen mitburgern gegeben, zu burgerrecht zu besitzen, daher sich dan zugetragen, daß die newe stadt ihr besonder rathaus gehabt. Dieweil es aber zur einigkeit, gedey und
aufnehmen der stadt fur nutz angesehen, daß beide ratheuser
in einander gezogen wurden, ist sollichs des a) 76. jahres geschehn, und seind also beider stedte ratmanne in einen Rat zusammen gekomen [1]).

Desselben jahres brennete Lubeck mehrerers teils abe an
Sanct Veits tage und ist von der zeit an von steinen wider
aufgebawet worden [2]).

Als nu durch obangezogene vereinigunge das alte rathaus
vertilget ward, bat her Arnold von Blumenthal die grafen
zu Holstein, daß sie ihm dasselbige widerumb verleihen
wolten, damit er ein haus daraus bawen ließe. Die grafen
ließen sich bereden und sagten es ihme zu; aber der Rat und
die gemeinde zu Hamburg waren dem grafen keiner gerechtigkeit daran gestendig, wolten demnach her Arnolden das rathaus nicht folgen laßen; daraus sich viel widerwil erhub, dan
her Arnold von Blumenthal hatte seinen anhang, ließ sich an
recht nicht gnugen, sunder raubet auf die von Hamburg,
fieng ihre burger und tet ihn viel schadens. Es wurden viel
tageleistungen bestimmet; aber der von Blumenthal und sein
anhang blieben gemeiniglichen außen, und es nahmen die von
Hamburg auf etzliche tausend mark schaden, ehe die sache
konte verrichtet und beigelegt werden [3]).

Anno 1279 starb herzog Albrecht zu Braunschweig,
ein beruhmter, loblicher furst und liebhaber der gerechtigkeit.
Er ließ hinter ihme drei sohne, Heinrichen, Albrechten
den Andern und Wilhelmen, welche die lande unter einander teileten [4]).

---

a) des fehlt L.   [1]) S. oben z. J. 1227.

[2]) Juni 15. Aus Korner z. J. 1276.

[3]) Aus dem Berichte im Hamb. Urk. Bd. I. S. 674.

[4]) Saxonia l. VIII. c. 31 & 32. Eine ähnliche doch nicht übereinstimmende
Charakteristik haben die Annales Lubicenses a. a. O.

1280   Dieſer zeit war viel gewerbes und kaufmanshandel zu Herderwik,. inſonderheit mit korn und a) getreide, das ſie bis ortes
kauften und widerumb in die Burgundiſche Niderlande
ſchiffeten. Als ſie nun großen gewin davon hatten und umb
Hamburg allenthalben das korn aufzukaufen ſich unterſtunden, wurd ihnen daſſelbige, teurunge zu verhuten, vom Rate
zu Hamburg gewehret. Daher entſtund großer unluſt und
widerwil, alſo daß beide teile zu einer öffentlichen feide griffen,
nahmen, raubeten und ſchlugen einander, wo ein teil das ander mochte antreffen; dan die von Harderwik waren zu der
zeit zur ſee vermuglich und ließen ſich bedunken, ſie wolten
die von Hamburg mit gewalt darzu bringen, daß ſie ihnen
die abfuhre des korns von der Elbe geſtatten mußten. Aber
ſie wurden muede daruber, vertrugen ſich mit den von Hamburg, als daß ſie ſolten mechtig ſein, korn zu kaufen und
von der Elbe zu fuhren, wan es die von Hamburg menniglichlich erleuben und freigeben wurden. Aber wan es wurde verboten ſein, ſolten ſie ſich gleich andern kaufleuten deſſelben
enthalten. Solcher vertrag ward aufgericht zu Hamburg
den 22. ſeptembris anno 1280 [1]).

   Deſſelbigen jahres beſtettigten und confirmirten graf Adolf
und graf Johan zu Holſtein, den von Hamburg ihre
privilegia und freiheiten, die ſie von keiſer Friderich dem
Erſten und ſunſt erlanget hatten [2]). Bei dieſer beſtettigung
wurden als zeugen aus dem Rat zu Hamburg benennet:
Otto von Twedorp [3]), Niclaus Nannen, Diterich
Grove, Ludolf von Buxtehude, Friderich Miles,
Volcolf, Hellingbernus, Heinrich von Herslo und
Johann Witte.

   Anno 81. am tage Thomae Apoſtoli [4]), ſtarb graf Gerhart, graf Johanſen bruder. Dieſer graf hat geſtiftet ein be

---

a) und fehlt L. K.
[1]) S. die Urkunden No. 785—790. Der Vertrag iſt 1280 Auguſt 23.
   nicht Sept. 22 abgeſchloſſen, wie Tr. irrig angiebt.
[2]) 1280 März 15. No. 784.
[3]) Die Urkunde nennt zuerſt Ilinricus gener Leonis; die bei Tratziger
   (auch in der Lüneburger Handſchrift) fehlerhaften Namen ſind nach
   der Urkunde verbeßert.   [4]) Dec. 21.

umber altar und pfrund zu Hamburg im thumb und lieget 1281 daselbst begraben [1]).

Desselben jahres verbrante die stadt Hamburg ganz abe, und geschach merklicher schade an leuten und gutern, die ihnen in demselbigen brande umbkomen. Etliche wollen, daß dieser brand erst geschehn sei anno 84, welchs auch aus vielen ursachen glaublich; aber die Sechsische und Wendische chroniken setzen das 81. jahr [2]).

Als nu die von Hamburg widerumb wolten aufbawen, verboten die grafen zu Holstein ihren vogten, daß sie kein holz gen Hamburg zu fuhren gestatten solten. Aber graf Helmold von Schwerin und andere angesessene herren ließen ihnen umb ihr geld so viel zugeben [3]), daß sie in kurzer zeit die stadt widerumb viel zierlicher, dan sie zuvorn gestanden, aufbaweten.

---

[1]) Er starb erst 1290 Dec. 21. Tratzigers Nachricht beruht auf der falschen Grabtafel bei Anckelmann a. a. Orte.

[2]) Dieser Brand, welcher Hamburg beinahe ganz zerstört zu haben scheint, war 1284, am Cyriakustage (August 8), wie eine hinter der Pergamenthandschrift der Biblia S. Hieronymi einst der Capitel-Bibliothek gehörig, eingeschriebene Notiz (s. deren Verkaufs Catalog 1784 No. 18) und der Necrolog der Hamburger Minoriten angeben. Menco's, des Fortsetzers von Emos Chronik (A. Matthaei vet. aevi Anal. II. 194.) Schilderung dieses Brandes lautet in deutscher Uebersetzung: „Zu jener Zeit ward Hamburg von Feuer verzehrt, so daß die steinernen Häuser, des Feuers Gluth nicht Stand haltend, zusammenstürzten. Es kamen damals auch auf dem Saale eines Hauses 100 Personen beiderlei Geschlechts um. Schiffe brannten in den Fleeten und Brücken verbrannten, und Niemand war, der Hülfe schaffen konnte. Die Ursache des Brandes aber war der Brau eines Armen." Nach Tratzigers Angabe (z. J. 1314) sind auch die Klostergebäude der Dominikaner durch diesen Brand zerstört oder stark beschädigt, vielleicht auch die der Minoriten. Mit Neubauten waren beide 1314 beschäftigt. Detmar und die Ann. Lubicenses haben den Brand z. J. 1284; z. J. 1281 Korner und die c. 1484 gedruckte Cronica slauica. (vgl. die Einleitung.)

[3]) S. den Bericht a. a. O. 675. Dies Verfahren findet wohl in dem vielleicht schon so früh erwachten Gedanken eines Altona seine Erklärung. S. meinen Aufsatz über Harvestehude in der Zeitschrift des Vereines für Hamb. Geschichte, Bd. IV. S. 516.

1282   Anno 82. ward durch beforderunge Johan Luneborgs
und etzlicher anderer furnehmen burger gestiftet die schule S.
Niclas in Hamburg, welche stiftunge bapst Martinus
der Vierte bestettigt [1]).

    Umb diese zeit befeideten die stadt Hamburg ein ge-
schlecht von adel, die von Heimichehude genent [2]), raubeten und plunderten, wo sie etwas, den Hamburgern zustendig,
ankemen [3]). Woher sich aber solche feindschaft verursachet,
und was gestalt sie widerumb gestillet, findet man keine eigentliche nachrichtunge.

    Folgends 83. a) jahres zogen Otto und Johannes, marg-
grafen zu Brandenburg, sampt dem marggrafen zu Meissen b), herzogen zu Sachsen und Luneburg in das land
Meklenburg, wider hern Heinrichs zu Meklenburg sohne
und wurden von denselben, wiewohl sie einen geringern zug
hetten, geschlagen und verjaget [4]).

    Umb dieselbe zeit kam einer gen Lubeck, der gab sich
aus fur keiser Friderichen den Andern, saget, daß er so lange
zeit als ein pilgerin herumb gewandert. Die von Lubeck
glaubten sollichs, setzten ihn auf ein pferd, fuhreten ihn in der
stadt herumb, damit die burger ihren hern, der Lubeck zu einer
reichstadt gemachet, sehen mochten; aber seine buberei ward
durch einen burgermeister zu Lubeck vermerket, und der betrie-
ger kam hinweg c), niemandis wußte wohin [5]).

---

a) 53. L.   b) Meichsen L.   c) hinweg L.

[1]) 1281. Juli 7. No. 794.

[2]) Siehe Zeitschrift des Vereins für Hamburgische Geschichte IV. S. 520
Anmerk. 3.

[3]) Aus dem Berichte a. a. Orte S. 675. Vermuthlich geschah die
nach dem Brande v. Jahrs 1284.

[4]) Wandalia VII. 39.

[5]) Wandalia VII. 39 z. J. 1283. Vergl. Korner z. J. 1274 Zum J. 1250 erzählt
Detmar die im deutschen Volke lebende Sage, welche solchen Betrüge
ihr Spiel erleichterte: Kaiser Friedrich II., den man in deutschen Landen so wenig sah, sei vertrieben; wo er nachdem geblieben, wisse man
nicht. Die obige Nachricht hat Detmar z. J. 1287.

Gleichergestalt gab sich noch ein ander aus, auch fur 1284 keiser Friderichen, den bekam konig Rudolf und ließ ihnen, nach bekanter mishandelunge, verbrennen. [1]

Anno 84 a) verbunden sich Lubeck, Hamburg sampt den andern stedten an der Ost=See belegen wider den konig zu Norwegen, der ursachen, daß er die teutschen kaufleute, die ihren handel in Norwegen trieben, uber die billigkeit beschwerte; rusteten aus eine anzahl kriegsschiffe, und verhinderten den Nordischen alle zufuhr, darburch sie endlich aus hungersnot gedrungen worden, sich auf billige mittel und wege mit den stedten zu vertragen. [2]

Zu der zeit wuchs teglich die rauberei zwischen Lubeck und Hamburg: den es waren in Nidersachsen viel vestungen, da die rauber ihren aufrit und enthalt hetten. Der herzog wiewohl es ihme geklaget ward, saß stil darzu, darumm teten zulezt die von Lubeck und Hamburg zusammen, zugen zu sich die Wendischen fursten [3] und uberzogen Razenborg, darnach verwusteten und schleifeten sie die vestungen Walraw, Klokstorp, Karlaw, Mostin, Dusaw, Schlawekestorp, Linaw und Nannendorp. Als nu solche raubneste b) zerstoret, blieb die vielfaltige plackerei unterwegen, bis daß etliche vestungen wider aufgebawet wurden [4], als hernacher zu seiner zeit wird werden angezeiget. [5]

---

a) vier vnd fünfzig L.   b) raubveste L. Vergl. unten Anno 1326.

[2] Vergl. Korner a. a. O.

[3] L. Krantz Norvagia VI. c. 2.

[4] 1291. Jan. 1. und die Beilegung der Fehde 1291 Janr. 19. im Lübecker Urkundenbuch l. No. 571. 572., wo als Anführer der sachsenlauenburgischen Raubritter der angesehene Ritter Herman Ribe genannt wird, dessen gleichnamiger Sohn i. J. 1296 Land und Schloß Kirchwerder, die von dem Vater genannte Riepenborg und den Zoll zu Eislingen an Otto, Herzog von Braunschweig-Lüneburg vertauschte. S. die Anm. zu No. 845 und No. 889.

[5] Vergl. Detmar z. J. 1291.

[6] S. unten z. J. 1326. S. 71.

Tratzigers Chronik.   5

66

1285 Es teten auch die grafen zu Holstein einen zug wider die Ditmarschen, und wurd, ehe sie an den feind kamen, eine unversehentliche trennunge und flucht unter das volk gemachet, daß ein jeder wider zurück kehrete und auf dasselbige mal nichts ward ausgerichtet. Der erzbischof zu Bremen, Gisebert, ein her von Brunkhorst, vertrug die sachen [1] und vermehlete seines bruders tochter graf Heinrichen zu Holstein [2].

Als man zehlet nach Christi geburt 1292, als die stadt Hamburg widerumb war aufgebawet und ihres schadens sich zum teil erholet hetten, gaben ihnen Adolf, Gerhard, Johan, Adolf und Heinrich diese gnade und freiheit, daß niemands von den urteln, die der rat zu Hamburg gesprochen, an sie, die grafen oder ihre nachkomelinge appelliren: funder sie solten mechtig sein, dieselben nach ausweisunge ihres stadtbuches zu volziehen. Neben deme verliehen sie ihnen auch die töre [3] und daß sie selbst ihr eigen recht und statuta mochten setzen [4]. Zu diesem privilegio werden als zeugen benennet so domals zu Hamburg im rate gewesen: Otto von Tweborp, Hellingbernus, Nicolaus von Roggesberge, Johan Ridder, Hinrik Lange, Eggo von Hadelen, Hartwich von Ertneborch.

Bis auf diese zeit hat die stadt Hamburg gebrauchet Lübeckisch recht als wie hiebevorn angezeiget [5]: aber nachdem sie angeregt privilegium erlanget, haben sie ihr eigen recht gesetzt, welchs mehrers teils aus den sechsischen und eins teils

---

[1] S. Urkunde 1285 April 19. im Hamburgischen Urkundenbuche No. 856. Vergl. No. 822. S. auch dasjenige der Stadt Lübeck No. 474 und Detmar z. J. 1291.

[2] A. Kranz Saxonia VIII. 33.

[3] d. h. die Rathswahl.

[4] 1292 März 20. No. 860.

[5] S. oben S. 43 z. J. 1223.

áus gemeinen keiserlichen rechten gezogen [1]) und in vol- 1299 gender zeit etliche mal vermehret und gebessert worden [2]).

Ungeferltchen umb diese zeit befeldeten die grafen [3]) zu Holstein hern Heinrichen zu Barmstedt; die von Hamburg kemen ihnen auf ihr vleißigs bitten und begehrn zu hulf, schicketen etliche schutzen vor Utersen, auch schicketen sie vier wolbemannete schiffe auf die Elbe aus, lehneten uber da noch den grafen etzlich geld, und nehmen sunst von hern Heinrichen und seinen helfern solches beistands halber, den sie den grafen geleistet, nicht wenig schadens. Endlichen eroberten die grafen mit ihrer hilfe hern Heinrichs lande, und bekamen von ihme, daß sie ihnen widerumb zu genaden aufnehmen, 5000 mark lötiges silbers. Die von Hamburg hatten bis in 6000 mark lötiges silbers dazu verunkostet und erlangeten dafur ganz und gar keine widerstattunge [4]).

Anno 1299 erleubeten Johannes und Albertus, herzogen zu Sachsen, Engern und Westphalen, dem rate zu Hamburg, daß sie mochten bawen ihres gefallens und beßer bequemiglich den turn zum Newenwerke, darzu vergunstigten sie ihnen auch, zu behuf solches gebeudes die steine

---

[1]) Von dem eigenthümlichen Hamburger Rechte, so wie wir es in der Redaction v. J. 1270 kennen, dessen enger Verwandtschaft mit dem Soester und Lübecker Stadtrechte, so wie dem durch jene häufig nur theilweise modificirten Rechte des Sachsenspiegels habe ich ausführlich in meiner Einleitung zu den Hamburgischen Rechtsalterthümern gehandelt.

[2]) Die unserem Autor bekannten Erweiterungen der Statuten v. J. 1270 sind die Statuten v. J. 1292 und die vermehrten v. J. 1497, deren Schifferecht auch römisches Recht zur Anwendung gebracht hat.

[3]) Gerhard I. und seines Brubers Johann I. Kinder.

[4]) Nach dem Berichte im Hamb. Urkundenbuche S. 674, doch wird man, um Hamburgs Stellung zu den Grafen richtig zu beurtheilen, damit die Urk. von 1281 Febr. 5. No. 791 vergleichen müssen. Der Streit fällt in d. J. 1282, wie aus der Urkunde über seine Beilegung hervorgeht. S. Michelsen Schleswig-Holstein. Urkundensammlung I. No. 107.

5 *

1299 zu holen, wo fie die in ihrem gebiete am gelegenſt bekomen a) konten. Zu deme vereinigten fie ſich mit ihm von wegen der grundruhrungen und geſtrandeten ſchiff u güter [1]). Bei ſolcher verlehnunge und einigunge werd als zeugen aus dem rate zu Hamburg genennet: Hartwi zu Ertneborch, Johan von Bergen, Johan Oſei ſon [2]), Gerhart Lange, Heinrich Lange, Otto v Twedorp, Bernhart Steding, Conrad von Boize borch, Ditrich Wrack, Reinart von Stur [3]), Be tram Schele, Gerhart von Cöllen, Tideman B tenſchone und Gotſchalk von der Billen. Dieſe ve lehnunge und vertrag haben bewilliget die ſchulzen, ſchepe richtere und gemeinde des Landes zu Hadelen [4]).

Umb dieſe zeit regirten im land zu Holſtein un Stormarn Gerhart und Heinrich gebrudere: Joha mit ſeinem brudere hette Wagern innen, und erhub ſich vi unruhe; den als die grafen etliche vom adel ihrer mißhan lunge halben ſtrafeten, entwichen ſie ſampt ihren anhang a dem lande und hingen ſich an herzog Albrechten zu Sachſe fielen dem grafen ins land, raubeten und plunderten weiblk Die von Lubeck kemen zuletzt auch mit an den reyen [5]); en lich ſchlug konig Erich ſich in den handel, und vertrug b zwieſpalt an allen ſeiten [6]). Aber der fried wehret nicht lang den gemelte vom adel brachten an ihre ſeiten die Ditmarſche

---

[1]) 1299 Nov. 1. Hamburg. Urkundenbuch No. 917.

[2]) In der Urkunde Johannes, filius Oseri.

[3]) In der Urkunde Reinerus de Stouria.

[4]) 1300 Febr. 2. A. a. O. No. 918.

[5]) Aus A. Krantz Saxonia VIII. c. 37.

[6]) Ebdſ. c. 38. — Die genauere Datirung ergiebt ſich aus Detmar an den Lübecker Annalen zu d. Jahren 1303, 1306 und 1307, in welch Jahr König Erichs von Tropiger zu früh geſetzte Vermitlung fäl

die teten mit dem grafen ein treffen bei Uterſen ¹) und ward 1306
alda graf Waldemar, grafen Gerharten des andern
ſon, erſchlagen; idoch behielten die grafen den ſieg. Solchs
geſchah anno 1306 ²).

Zu der zeit brachten die von Hamburg die Alſter
an ſich, ſampt den renirn Bernebek und Eylenbek von graf
Adolfen und grafen Johan ³).

Anno 1310 ward erſtlich in Hamburg geleget der
Schowenburgiſche zol, davon großer zank war zwiſchen
den grafen und der ſtadt. Aber graf Heinrich, graf Ger-
harts vater, vertrug ſich gutlich darumb mit dem rate ⁴).

Anno 11. negſtfolgende veſteten die grafen die Hatts-
borch. Die von Hamburg ſetzten ſich darwider, beſorgten
es wurden die ihren davon uf der Elbe beſchediget werden,
und ward endlich auf genugſame caution und verwarnunge
der grafen die ſache hingelegt ⁵)

Im jahr 1312 am tage St. Criſpini und Criſpiniani ⁶)
ſtarb graf Gert der ander, und ward begraben im thumb zu
Hamburg ⁷).

---

¹) Ebendaher. Die Zeit dieſer Fehde, welche Detmar z. J. 1306 als
„bi unſer vrowen daghe der lateren" angiebt, ſcheint hier nicht,
wie ſonſt häufig, Mariä Geburt, September 8, ſondern Mariae Prae-
ſentatio s. Oblatio, November 21. zu bezeichnen, da er bemerkt, daß um
dieſelbe Zeit der bremiſche Erzbiſchof Giſelbrecht geſtorben ſey. Dieſer
aber war am 17. dieſes Monates verſchieden.

²) Aus der auch hier in Angabe der Todesart und des Todesjahres fehlerhaften Grabtafel im Dom. Der Graf ſtarb 1308 Juni 29. S.
Annal. Lubic., Detmar z. J. 1308 und den Nekrolog des Hamburgiſchen Domcapitels.

³) 1306 Janr. 11., 1309 und 1310. S. meinen Bericht über Hamburgs
Rechte an der Alſter.

⁴) Größtentheils aus A. Krantzs Saxonia VIII. c. 41 zu Ende.

⁵) Die Hatesborch lag weſtlich von Wedel. S. meine Elbkarte des
Melchior Lorichs. S. 102.

⁶) October 25.

⁷) Aus der eben gedachten Grabtafel.

1314 Anno 1314 ward St. Johans Closter zu Hamburg, welchs anno 81, oder als etzliche wollen 86 [1]), sampt der stadt war abgebrant, von newen widerumb aufgebawet, darzu geben der rat zu Hamburg aus milder hand 400 mark [2]).

Desselben jares wurd erstlich gebawet die Wedeme zu St. Peter [3]).

Anno 15 negstfolgendt wurd graf Adolf, graf Johansen zu Wagern sohn, auf dem schloß Segeberg durch Hartwigen Reventlow umbgebracht [4]).

Und es war zu Lubeck, Hamburg und im ganzen land zu Holstein ein große tewrunge, daß viel leute hungers sturben [5]).

Im jare 1318 ward zwischen Haquino zu Norwegen und der stadt Hamburg ob vielen irrungen und tetlichen hantlungen, die sich zwischen beiden teil zugetragen, ein bestendiger fried und vertrag aufgerichtet; solchs geschah zu Tonsberch in Norwegen [6]).

Der zeit hetten die von Hamburg viel irrunge mit den von adel und landsaßen im lande zu Holstein, daraus vie unrichtiger handel an beiden teilen entstunden; die von Hamburg kouten kein recht uber die Holsten erlangen; desgleichen beklageten sich auch die Holsten uber die von Hamburg; zuletzt vereiniget sich graf Gerhart, der große g=

---

[1]) Tratziger meint 1284. s. oben.

[2]) Die Urkunde bei Staphorst I. 672., doch enthält sie nichts von einer derartigen Beihülfe. Tratzigers Nachricht wird dennoch auf einer Verwechslung der Dominikaner und Miniriten beruhen, welchen der Rath zum Bau des Marien-Magdalenen-Klosters 400 Mark gab. A. a. O. S. 686.

[3]) Der Rath erklärt nach einer vorhandenen Urkunde 1314 April 20., das das Capitel von Gerhard Seghewin's Sohn gekauft, und der Kirch St. Petri zur Wedeme (dos) gegeben habe.

[4]) Detmar z. J. 1315. Saxonia VIII. c. 39. fgb. IX. 12.

[5]) Korner z. J. 1316 berichtet die Theuerung v. J. 1315, doch nich bezüglich der oben genannten Orte, eben so wenig wie die Annales Lu bicenses und Detmar z. J. 1315.

[6]) 1318 Juli 31. S. Thorkelin Analecta hist. regn. Norw. 112.

nent, mit den von Hamburg, und verschrieb ihnen, do sie je= 1318 mands von seinen undertanen zu beklagen haben wurden, daß er ihnen uber denselben ungeseumetes recht verhelfen wolte, oder die sache zu billigen vertrage.behandlen; do auch jemands von seinen undertanen die von Hamburg warumb zu bespre= chen, der solt sich an der gute oder am rechten genugen laßen. Wurde sich aber jemands wider recht sie zu beschweren unter= stehen, so wolte er ihnen alles seines vermugens hulflich und beistendich sein. Dieser vertrag wurd gehandlet anno 1320 [1]).

Anno 23. war so ein große kelte umb St. Mathiastag, daß man von der teutschen seiten bis in Denemark uber das eis gehen und reiten kunte [2]).

Folgendes 25sten jares verkauften Gerardus, Johannes und Adolf, grafen zu Holstein und Stormarn, der stadt Hamburg erblich die muntz und verschrieben, daß zu ewigen zeiten sunst an keinem orte im lande zu Holstein solte ge= muntzet werden. Zu der zeit galt die lotige mark silber ein und viertzig schilling und sechs pfennig [3]).

Anno 26. geschach große rauberei zwischen Lubeck und Hamburg, und die teter hatten ihren aufritt auf dem hause Linow, und sunst anderen raubnesten, die im lande zu Sachsen widerumb aufgebawet waren [4]). Sollicher plackerei vorzukomen, bawete graf Johan zu Holstein das haus Trit= taw. Dieweil aber die stette dem closter Reinfelde zuge= horete, gabe er ihm darfur zwei dorfer, nemlich Arnsfeld und Woldehorn, damit wurden sie befriediget [5]).

Im Jahr 1330 uberzogen und belegerten die Denen das schloß Gottorp, darumb, daß graf Gert und Johan

---

[1]) Dieser Vertrag, welchen Tratziger ersichtlich kannte, ist nicht mehr aufzufinden.

[2]) Aehnliches enthalten die niederf. hamburg. Chroniken S. 235. 396.

[3]) 1325 Nov. 4. S. Kiefeler XII. 247.

[4]) Vergl. oben S. 65.

[5]) Detmar z. J. 1326.

1330 von Holstein konig Christoffern wider sie geholfen. Aber
die grafen nehmen sampt ihrem adel zu hilf die von Hamburg, zugen auf die Denen und teten mit einander ein treffen,
und erschlugen bei 900 man, 300 ersoffen in der Schlie, ohne
die noch gefangen worden. Also wurd vor den Denen das
haus Gottorp entsazt und gerettet [1]).

Obangeregte hulfe, so die grafen von Holstein konig Christoffern beweiseten, ward den grafen ubel belohnet; den konig
Christoffer zog das negstfolgende jahr mit hereskraft in das
land zu Holstein; dem begegnet graf Gerhart und tet mit
ihm ein treffen, und ob wol der konig viel sterker war, gab
ihm doch Got den segen, daß er obsieget [2]).

Anno 32 wurden die grafen zu Holstein mit den Denen
vertragen: aber die Denen hielten nicht lange, sunder, da sie
ihren vorteil ersahen, fielen sie uber die Holstein, die in
Denemark weren, schlugen sie alle zu tode und eroberten, was
die Holstein in Denemark inne hetten [3]).

Nachfolgendes jahres starb konig Christoffer [4]) zu Denemark, und verließ nach ihm zwene söne: Woldemarn
und Otten; Woldemar als der eltiste [5]) ward konig [6]).

Als man schriebe 1335 zug ermelter Otto, konig Woldemars bruder, vor Wiburg, wider Graf Gerharten von
Holstein, alda teten sie eine schlacht mit einander, und es
wurden der Denen ein merklich anzahl erschlagen und des
konigs bruder gefangen auf Segeberg gefuhret [7]).

Dieweil in der zeit die rauberei diß ortes sehr uberhand
nam, und der kaufman sicher nicht reisen mochte, versamleten

---

[1]) Vgl. Korner z. J. 1330. Detmar z. J. 1328, welche jedoch beide
der Hamburgischen Hülfe nicht gedenken, so wie der 300 Ersäuften.
[2]) Vgl. ebendaselbst z. J. 1331.
[3]) Vgl. Korner z. J.
[4]) Er starb 1332 Aug. 2.
[5]) Otto war der ältere, weshalb auch Detmar ihn irrig König nennt.
Er war Herzog von Lolland und Esthland.
[6]) Korner z. J. 1333.
[7]) Korner z. J. 1335. Detmar z. J. 1334.

sich zu Lubeck die herzogen von Sachsen, Braun- 1339 schweig, Stettin, Wolgast, Lauwenburg, der markgraf von Brandenburg, die grafen von Holstein, Ruppin, Schwerin, und Wittenborg, die heren von Mecklenburg und Wenden, die bischofe von Bremen, Brandenburg, Havelberg, Verden und Ratzenborg: diese heren vereinigten sich mit beiden steten Lubeck und Hamburg eines landfriedens, dardurch sicherheit der straßen erhalten wurde und wie man die friedbrecher strafen solte; sollichs geschah anno 1339 [1]).

Folgendes jares wurd in seinem zelte verreterlich a) bei nacht im schlaf ermordet der tewer und manhafte held, graf Gerhart von Holstein, durch etzliche seiner diener, die mit gelde von seinen widersachern darzu erkauft waren [2]).

Umb diese zeit erhub sich ein großer widerwille zwischen dem capittel zu Hamburg und dem rate und gemeinde daselbst; denn es teten sich die geistlichen burgerlicher freiheit und gerechtigkeit anmaßen, welchs ihnen der rat und burgere nicht wolten nachgeben; und geriet die sache dahin, daß die burger an etzliche personen des capittels die hende legten, darumb das capittel aus der stadt entweichen mußte. Darkegen gebrauchete sich das capittel ihres geistlichen zwanges, teten den rat und gemeinde in den ban, verboten in der stadt keine messe zu lesen, noch die sacramente zu reichen. Aber die Barfußer zu St. Marien Magdalenen hielten es mit der stadt, ließen sich des capittels gebot wenig anfechten. Burcharbus, erzbischof zu Bremen, unternahm sich zwischen beiden teilen gutlicher handlunge; aber die mittel des vertrags waren der gemeinde und burgerschaft unleidlich. Das capittel erhub zu Rome einen rechtlichen proceß wider den rat und gemeinde, und erhielt die urteil für sich; die von Hamburg aber wolten

---

a) vorretterlich L.
[1]) Nach Korner z. J. 1339. Diesem Landfrieden wird der ältere v. J. 1338 Jan. 11., an welchem noch nicht so viele geistliche und weltliche Fürsten theilnehmen, zu Grunde liegen. S. Lübeck. Urkundenbuch II. No. 687 und Detmar z. J. 1338.
[2]) Nach Korner z. J. 1340.

1340 ber urteil nicht gehorſamen, ſunber nehmen bie ernſtliche unb geſchwinde mittel fur wiber baß capittel, baß ſie ſich in ber gute nach guter gelegenheit ber ſtabt mit ihnen vertragen mußten, wie hernacher ſol vermelbet werben [1].

Die von Stabe unb Hamburg weren auch umb bieſe zeit ber ſachen umeinß von wegen beß zollenß zum Rewen= werk, ben man itzo ben Werkzollen nennet, ben ſie zu geben ſich beſchwerten, wolten auch bie Stranbfrieſen, bie ihren markt a) beſucheten, bavon außziehen. Reben bem anbere mehr beſchwerliche irrungen fürlieſen, unb wurb zuletzt bie ſache auf obleute unb ſchiebßrichter geſtellet, alß her Herman von Wickeben zu Lubeck, her Gobeken Rakeben unb her Heinrich Donolbeie b) zu Bremen, hern Borchart von Lucowe c) unb hern Heinrich von ber Molen zu Luneburg, alle ratßverwanbte, unb wurb burch einen machtſpruch von benſelbigen billigermaße verrichtet, im 1340. jahre, freitagß in ber pfingſtwochen. Bei bieſem vertrage werben alß vollmechtige ber ſtabt Hamburg benennet, her Nicolauß Franzoiſer, her Johan Harborch, her Bertram Tolner unb her Albrecht Luneborg, ratmanne zu Hamburg [2].

Im jahre 1341 erhub ſich eine feibe zwiſchen Clauſen unb Heinrichen, grafen zu Holſtein unb beiben ſtebten Lubeck unb Hamburg, ben ber grafen unberlanen raubeten unb beſchebigten vielfeltig ben wanbernben kaufman zwiſchen Lubeck unb Hamburg [3]. Damit ſetzen bie grafen burch

---

a) mark L.   b) Douolbeie L.   c) Lutowe L.

[1] Nach A. Krantz Wandaßa VIII. 20. Doch entbrannte ber Streit nach ſeiner Angabe ſchon 1337, alß burch einen am 30. October abge= ſchloſſenen Vergleich (S. Staphorſt I. 2 S. 597.) frühere Zwiſtigkeiten erlebigt zu ſein ſchienen. S. unten z. J. 1356.

[2] 1340 Juni 9. S. Lübecker Urkunbenbuch II. No. 706.

[3] Beſonberß gefährlich für ben Hanbelß=Verkehr waren bie im Herzen Holſteinß, burch welcheß bie Hanbelßſtraße zwiſchen beiben Stäbten ſich zog, angeſeſſenen, anberen räuberiſchen Geſchlechtern, namentlich ben Krum= menbiek im Sübweſten, verbunbenen Herrn von Weſtenſee. Noch 1340 hatten auf Lübeckß Begehren ber verſtorbene Graf Gerhard III

die knger [1]) gedachten wenig an die vereinigung des gemeinen 1341
lantfriedens, der, wie obenberurt, des vorgehenden 39. jahres
zu Lubeck aufgerichtet. Darumb mußten beide stedte zur kegen-
wehre greifen; aber graf Johan wolte sich in die seide nicht
mengen und liesse ermelten stedten auf ihre bittlich ansuchen
das haus Segeberg [2]), welches sie mit 200 reisigen besetzten. Zu sollichem riet und half ganz vleißig der vogt zu
Segeberg, umb seines eigenen vorteils und gelegenheit
willen; den ihm gehöret zu das haus zum Stegen [3]),
welchs doch gar nichts beuestiget war. Damit er es aber be-
uestigen möchte, hulf er beider stedte sachen bei seinem herren
förderen, gab fur, daß er gemeltes sein haus den stedten
zum besten vestigen wolte. Solches liessen die von Lubeck
und Hamburg, die es sunst ohne zweifel wurden gehindert
haben, geschehen: aber der ausgang beweiset, wie er sollichen

---

und der hier genannte Johann III. die Brüder Markwarb und
Albrecht von Westensee friedlos erklärt. Gerhard's Söhne konn-
ten sich nicht darum bekümmern. S. Mantels. Marquard von
Westensee, S. 22. 24. 40. Daher schlossen die beiden Städte 1341
Nov. 22. ein Schutz- und Trutzbündniß gegen die von Krummendiek
und ihre Helfer. Urk. Gesch. d. Utspr. der deutschen Hanse. II. S. 368.

[1]) Schon 1340 Aug. 3. hatte Graf Johann III. sechs wendischen und
holländischen Städten sicheres Geleit auf der bedrohten Straße zuge-
sichert. 1341 März 26. schlossen Johann III. und Heinrich II.
von Holstein mit Hamburg und Lübeck einen förmlichen Vertrag
deswegen. S. Urkundenbuch der Stadt Lübeck I. No. 712 u. 721.

[2]) Tratziger hat vielleicht hier, wie auch bei andern Gelegenheiten, sich
verleiten lassen, Hamburg einen Antheil von dem beizulegen, was Lübeck allein betrifft. Graf Johanns III. Vogt Lange Beienvlet,
dem der Graf das Schloß übertragen hatte, vermittelte 1341 die Verpfändung an Lübeck, in dessen Besitz mit kurzer Unterbrechung i. J.
1352, es bis zur 1362 erfolgten Auslösung blieb. S. Mantels
a. a. Orte. S. 18.

[3]) Die Burg Stegen gehörte jedenfalls seit 1330 dem Ritter Johann
Hummersbüttel, dessen Vorfahren wir schon ein Jahrzehnt früher
an der Alster angesessen finden. 1343 beschwerte sich das Hamburger
Domcapitel, daß derselbe ihm seit 13 Jahren die Zehnten vom Her-
renhofe (de curia castri) zu Stegen und fünf zum Dorfe Stegen gehörigen Hufen nicht entrichtet habe. S. z. J. 1347.

1341 furschlag meinete, als den hernacher soll werden angezeiget [1].
Der von Lubeck und Hamburg reuter, so auf Segeberg
lagen, fielen oft heraus ins lant zu Holstein, brenten und
nehmen auf die edelleute, von denen der stebte kaufleute und
burgere beschediget waren [2]. Do sie nun dasselbe zu viel
macheten, verdroß es die grafen, darumb handelet graf Heinrich mit seinen vettern grafen Johan soferne, daß er sich
der stebte nicht zu viel annehmen, sunder etwas durch die
finger sehen solte. Und da er ihnen desselben vertrostet, wurden bei nechtlicher zeit in Segeberg durch die burger doselbst
graf Heinrich mit seinen reutern eingelaßen. Die uberfielen
der von Lubeck und Hamburg houetleute a), die sich sollichs
uberfals nicht besorget, und zur kegenwehr ungeruftet waren,
erschlugen eins teils, die andern nehmen sie gefangen, und fureten sie mit ihren pferden und ruftunge darvon [3].

Die von Lubeck und Hamburg klageten diese sache
keiser Ludwigen und seinem sohne marggrafen Ludwigen b)
zu Brandenburg, baten um einsehen und hilfe; da schickete
marggraf Ludwig ihnen zu hilf des reichs marschalk [4], hern
Friderich von Locken, mit 200 pferden, mehrerteils Schwaben und Beiern. Die zugen sampt beider stedte burgern durch
das land zu Holstein bis c) gen Itzehoge, und von dannen
durch den denschen wald, brenneten, raubeten und fiengen
was sie ankamen; solchs teten sie, ein mal, vier oder funf [5].
Do bewog d) graf Heinrich konig Magnussen zu Schweden dahin, daß er alle kaufleute, die aus beiden stedten Lubeck
und Hamburg zu der zeit in Schweden waren, ließ gefenglich
einziehen und nahm ihnen alle ihre habe und guter. Darkegen

---

a) houeleuthe L. b) vnd — Ludwigen. Zusatz von Tratzigers Hand.
c) bis L. b) bewug L.
[1] S. unten z. J. 1347.
[2] Das Ganze nach A. Krantz Saxonia IX. c. 17.
[3] A Krantz J. 1342. Vgl. Delmar z. J. 1341.
[4] Nämlich des Dänischen Reiches. S. Saxonia IX. 18.
[5] cum pluries haec et similia fecissent; Korner. Do se dat dicke had-
den dan, Delmar.

fiengen hinwiderumb die von Lubeck und Hamburg alle Schwe- 1342
den, die in beiden stedten wurden angetroffen, sezten sie in
die turn und nehmen ihnen ihre guter [1]). Es war aber der
stedte kaufleuten in Schweden wenig damit beholfen, sunder
wurden so viel desto mehr von den Schweden gemartert und
geplaget.

Nu bedacht gemelter des reichs marschalck einen andern
anschlag, den es war eben verhanden die zeit des heringfanges
auf Schone, daß die Schweden in großer anzal ihrer kaufmanschaft und narunge nach darhin reiseten; darumb segelte
er mit seinen reutern und beider stedte burgern auf Schone,
uberfiele alda unvorsehentlich die Schweden, Denen und Holstein, schlug sie und nam eine merkliche anzal gefangen, die
er mit sich gen Lubeck brachte: sollicher manlichen taten und
getrewen dienste halben wurd er von beiden stetten herlich
begabet, und nam damit von ihnen seinen abschied. [2])

Dieweil aber der krieg noch nicht war gestillet, schickten
der keiser graf Gunthern von Schwarzburch und der
marggraf hern Hennig von Buch ritteren gen Lubeck, die sich
zwischen den grafen zu Holstein und beiden stedten gutlicher
handlung unternehmen solten. Es ließ sich aber die handelunge
volgends der maßen ansehen, daß die commissarien den grafen
und holsteinischen adel geneigter als den stedten [3]). Doch
wurd lezlich ein friede behandlet und die zugefugte scheden
legen einander vergleichet und aufgehaben, welchs geschach zu
Lubeck, im jahre 1342, des sontags vor Galli [4]).

---

[1]) Nach Korner z. J. 1343; doch übt nach seiner Erzählung nur Lübeck
an den Schweden Vergeltungsrecht; ähnlich Detmar z. J. 1342.
Erst die Verträge 1343 Juli 17. und Sept. 9. beendeten den Streit.
S. Uck. Geschichte der Hanse Bd. II. und Urkundenbuch der Stadt
Lübeck Bd. II.

[2]) Nach Korner z. J. 1343 und Detmars in vielen Stücken abweichen-
dem Bericht z. J. 1342.

[3]) Die hierauf bezügliche Erklärung Hamburgs v. J. 1342. Schleswig
Holstein-Lauenburg. Urkunden-Sammlung II. No. 94.

[4]) 1342 Oct. 13. an a. O. II. No. 165, und Lüb. Urkundenbuch II.
Rg. 750.

1342 Aber sollichs vertrages ungeachtet wurden die von Lubeck
und Hamburg von etzlichen geschlechten des holsteinischen
abels, die den vertrag nicht halten wolten, angeseibet und be=
schediget, unter denen die furnembsten geschlechte weren: die
von Krummendik, die von Porsfelde, die von Blockes=
berch und die Mußharbes; den sie waren von der stedten
Lubeck und Hamburg kriegesvolk an ihren leuten und gutern
hoch beschediget, und vermeinten sich ihres schadens an ihnen
widerumb zu erholen. Und als sich den beide stedte bedunken
ließen, daß die grafen sollichen mutwillen zusehen [1], erhub
sich ein newer lermen, daß ein teil dem andern schaden zufugte,
wo er kunte, und gerieten also widerumb zu einer offentliche feide.

Es wehrete aber der krieg nicht lange, den die grafen
vernahmen, daß sie des krieges wenigen vorteil hetten; dar=
umb kemen abermals gen Lubeck Johan, Heinrich,
Clawes und Gerhart, grafen zu Holstein und Stor=
marn, dahin aus Hamburg von des rates und gemeinde
wegen abgefertiget waren Johan Miles und Hellembern
Hetfeld, beide burgermeistere. Und ward daselbst ein be=
stendiger friede und vertrag berredet und aufgerichtet. Nemlich:
daß die grafen beiden stedten wolten erlegen und vergenugen
laßen allen schaden, der ihnen von der zeit des ersten vertra=
ges, der wie obberurt, anno 42. zu Lubeck geschlossen war,
von den grafen oder seinen edelleuten und undertanen zugefuget.
Da auch obberurte geschlechte vom adel, oder imands anderst
sollichen vertrag nicht annemen wolte, die solten die grafen
feientlich verfolgen, ihre guter einziehen, und ihre heuser und
vestungen niderbrechen, und ohne der beiden stedte willen und
vulbort sie zu keinen zeiten zu gnaden aufnehmen. Und ob
sunst imands ihrer undertanen die stedte beschedigen würde,
darob solten sie ihnen innerhalb sechs wochen rechtens verhel=
fen, oder aber, es solte den stedten erlaubt sein, die verfolgunge
selbst teilich furzunemen; fur diesen frieden und vertrag haben

---

[1] S. die Beschwerde Lübecks 1342 Dec. 3. Lübecker Urkundenbuch II.
No. 758.

von wegen der grafen sich verpflichtet und gelobet: Johan 1343 von Gobendorpe, Hennig von Siggen, Haffe von Parzowe, Marquard vom Santberge Emeke Wozeke, Heinrick Breide, Lange Plesse, Hinrick Split, Marquardt Rorlant van Wisch, Albert van der Wisch, und Hartwich Meetseke, rittere, Vollert Solder, Hennike Breide, Siuert von Ployne, Marquard, Eggert und Albert von Westensee, Detlef van der Wensine, hern Bartoldes sohn, Detlef van der Wensine, hern Detleffs sohn, und Clawes van der Wisch. Der vertrag ist aufgericht und volzogen zu Lubeck im jahre 1343 am tage Lucia [1]).

Aus dem lande zu Sachsen geschah viel rauberei zwischen Lubeck, Hamburg und Luneburg, und das geruchte gieng, daß herzog Erich zu Sachsen sollicher mit willen zusehe, welchs herzog Albrechten zu Sachsen heftig verdroß. Als nu die von Lubeck und Hamburg uber dermaßen plackerei zu mehrer male hart klageten, verband er sich mit ihnen, zog seinem vettern herzog Erich ins lant, gewunnen und zerbrachen die raubschloßer, daraus der wandernde kaufman gemeiniglich war beschediget, und alle die sie darauf bekemen, die hiengen sie an die beume [2]).

Desselben jares in der fasten starb gemelter herzog Albrecht zu Sachsen [3]).

Anno 1345, des negstfolgenden jares, kaufte herzog Erich zu Sachsen das Haus Linow von den Scharpenbergen, gab ihnen darfur eine a) summen geldes, fur welches gelt sie widerumb den Darsing kaufeten. Aber gleich wie sie zuvor aus Linow geraubet, so huben sie es aldo auch an zu treiben; darumb zugen der her von Mecklenburg und herzog Otto zu Luneburg in den Darsing, zerstoreten die vesten und vertrieben die Scharpenberge aus dem lande [4]).

---

a) einen L.
[1]) 1343 Dec. 13. S. Lüb Urkundenbuch II. No. 785; vgl. 784. und Kiefeler IX. S. 681.
[2]) Korner z. J. 1344. vgl. Detmar z. J. 1343.   [3]) Ebend. z J. 1344.
[4]) Vergl. A. Kranz Wandalia VIII. 24. und Detmar z. J. 1345.

1346   Anno 46 war im lande zu Holstein des raubens noch
kein ende, den es schlugen sich zusammen: Johan Hu-
mersbuttel und seine sone, die Struzinge, Hertwich
Zabel und seine brudere, Detlef von Zulen sampt seinen
sonen, Herman von Tralow und seine brudere, und Marquart Westensehe, sampt mer andern, beschedigten nicht
allein auf der straßen den wandernden kaufman aus den stedten, sunder verbunden sich auch wider die grafen zu Holstein,
ihre naturliche erbherren, vermeinten, sie mit brand und raub
zu beschedigen. Aber graf Heinrich versamlet in der eil
eine anzahl kriegsvolk zu roß und fuß, zog darmit fur das
haus Rendesborch, welches Marquart Westensehe fur
einen pfandschilling inhette und gewan es. Ingleichem eroberte er das haus Kalenborch, welchs Marquart Westensehe
erblich zugehoret [1]. Etliche schreiben, daß die grafen dieses
jares das Haus Woltorp und zun Stegen auch haben
eingenommen [2]; aber sollichs ist falsch, den man hat aus
alten briefen und vertregen, zwischen den grafen und der stadt
Hamburg aufgerichtet, die eigentliche nachrichtunge, daß anno
47 gemelte beide heuser noch nicht erobert gewesen, davon
volgends weiterer bericht sol geschehen [3].

    Im lande zu Sachsen war angeregtes 46. jares nicht
weniger unruhe, den es zogen die Brockdorpe und Scharpenberge fur das haus Linow, das ihnen herzog Erich

[1] Der von Detmar I. S. 264 ebenfalls unrichtig angegebene, Kornet
bekannte Name ist Lateborch, am westlichen Zipfel des Westensees,
dem Gute Bossee (Kieler Güterdistrikt) gegenüber. S. Mantels a. a. O.
S. 9. Kranz (Saxonia IX. 27.) hat den Namen Lakenzee.

[2] Henneke Hummersbutle und seine Söhne verpflichten sich im J. 1346
gegen den Grafen Johann von Holstein, ihre innehabenden Pfandgüter
abzutreten und ihr Haus zu den Stegen den Grafen in allen ihren
Nöthen zu eröffnen. S. das Urkunden-Repertorium in Falcks Sammlungen Th. III. S. 285.

[3] Vgl. Detmar z. J. 1346, und den z. J. 1347 angeführten Vertrag.
Trotziger übersieht, daß der Vertrag und dessen Ausführung sehr wohl
in dasselbe Jahr fallen konnten.

von Sachsen, als obberurt [1]), abgekaufet hatte, gewunnen 1346 es und teten daraus großen merklichen schaden. Die grafen zu Holstein waren obgemelten geschlechten vom adel, von denen sie befeidet wurden, etwas zu schwach, den sie hetten im lande zu Holstein zwo starker vesten, als: zun Stegen und Woltorp, da sie auf und abe reiten mochten. Als den durch solliche plackerei die straßen ganz unsicher wurden, und die von Hamburg an demselbigen ihrer kaufmanschaft halber so dardurch behindert wurden, nicht ein gering misgefallen trugen, wurden sie entschloßen, sich mit den grafen zu verbinden und gemelte raubnester zerstoren zu helfen [2]).

Darumb kamen anno 47. in Hamburg Johan, Heinrich und Gerhart, grafen zu Holstein und Stormarn, und vereinigten sich mit dem rate und gemeinde boselbst nachfolgender gestalt: baß sie semptlich wolten sein feinde, mit fewer und schwert verfolgen obangeregte der grafen und stedte widerwertige, alle ihre anhengige und diejenigen, die sie hausen, hegen, speisen, oder sunst in einigen weg furschub getan oder noch kunstiglich tun wurden, vnd welchs haus es were, zun Stegen oder Woltorp, sie belagern wurden, da solte kein teil abziehen, solch haus were den gewunnen und zerstoret. Insunderheit wurd beredet, baß der dam zu den Stegen solt genzlich zerbrochen werden und die Alster ihren freien gang haben. Es solt auch hinfurter niemands vergunnet werden, die Alster zu uberteichen, auch nicht einige veste auf die Alster zu bauwen, sunder allein einen schlechten Berchfrede, ungeplankert und ohne vorborch; auch solten auf die stette, da die heuser zu den Stegen oder Woltorp gelegen, zu ewigen zeiten, einige veste nicht werden aufgebauwet; die grafen auch ohne willen und wissen der von Hamburg mit einem oder mehren obgemelter ihrer feinde sich zu versonen und zu vertragen nicht sein mechtig. Daß diese stucke semptlich und sunderlich stet vest und unverbruchlich solten gehalten werden, haben sich die grafen sampt

---

[1]) S. oben S. 79 z. J. 1345.
[2]) S. Detmar z. J. 1346.

Tratzigers Chronik.

6

1346 ihren burgen und mitlobern bei einem ritterlichen einlager verpflichtet; welche burgen und mitlober seind gewesen, als folget: Emeke von Wonsflete, Lange Plesse, Johan Meinestorp, Ivan von Reventlow, Heinrich von Reventlow, rittere, Hinrik von Stoue, Hinrich Glüsing, Detlef von Wensin, Sivert von Plone, Hennike Breide, Gotschalk Vorsfelt, Hennike Witkop vom Krummendike, Emeke Reventlow, Herman Slamersdorp, Hennike Wiltberch, Sivert und Wolder Schmalstede, Timmeke Meinerstorp und Clawes Kule, alle vom adel. Dieser vertrag wurd beschloßen, verbriefet und versiegelt in Hamburg obberurtes 1347. jares, am tage Bartholomäi [1]).

Auf sollichem vertrag wurd die veste Woltorp belagert, gewunnen und in grund abgebrochen; das raubnest Linow wurd gleichergestalt eingenommen und gebrochen [2]). Folgends belegerten die grafen und die von Hamburg die veste zu den Stegen [3]), welche Johan Hummersbuttel innen het. Als sich aber die belagerung verweilet, den die veste war stark, daß man sie ubel kunte beweltigen, unternam sich könig Woldemar zu Denemark gutliches handels, zwischen den grafen, der stat und gemeltem Hummersbuttel und die sache zuletzt dahin gerichtet, daß die grafen und die von Hamburg geben oft gedachtem Hummersbuttel 5000 mark lübeckscher werunge, darfur ubergab er ihnen berurte veste und mußte mit weib und kindern das lant reumen; die veste aber wurd inhalts des aufgerichten vertrages, ab-

---

[1]) 1347 Aug. 24. S. Klefeker IX. 683. Schlesw. Holst. Lauenburg. Urkunden=Samml. II. No. 170.

[2]) S. z. J. 1341.

[3]) Wohldorfs Zerstörung beabsichtigte jener Vertrag. Linow (Ksp. Sandesneben) fiel nicht 1349 wie Detmar erzählt, sondern erst 1350 Sept. 29. Vgl. meinen Aufsatz von den Schlössern der S. Lauenburg. Raubritter im vaterl. Archiv für das Herzogthum Lauenburg. Bd. I. H. 2.

gebrochen und geschleifet, und seind solliche zwei raubheuser, 1347 daraus manchem frommen menschen an leib und gutern großer schabe zugefuget war, nach der zeit nicht widerumb aufgebauwet worden [1]).

Anno 1348 starb keiser Ludewig und es wurden in zweiträchtiger wahle wiederumb gekoren: marggraf Wenzlaus von Mehren, könig Johan zu Boheim sohn, und graf Gunther, dem wurd vergeben, und marggraf Wenzlaus, der sich hernacher Carolum IV. nennet, behielt die kron [2]).

Nachdem obangeregte raubneste zerstöret, vermehrten sich die stette an narung und reichtumb merklicher. Aber die straßenrauber, die aus Holstein und Sachsen vertrieben waren, unter denen die Scharpenberge und Brokdorpe die furnembsten weren, enthielten sich im lande zu Mecklenburg und fingen an alda ihre vorige plackerei widerumb zu treiben. Do nu aber sollichs die kaufleute heftig klagten, betagten sich zusamen herzog Albrecht zu Meklenburg, der newlich aus einem heren von Carolo IV. zu einem herzogen und fursten des reichs gemachet [3]) und die stette Lubeck, Hamburg und Luneburg. Die stette beschwerten sich heftig, daß herzog Albrecht zuvor die straßenreuberei so ernstlich verfolget hette, und daß nu er zu furstlichem stande erhohet, dieselben vorhengete; herzog Albrecht antworte unbedechtig, er wurde von frevelern bedrenget und angefochten, wider dieselben mußte er solliche leute hinwiderumb gebrauchen und einen nagel mit dem andern außschlagen [4]). Doher wurd

[1]) Nach Korner z. J. 1349, doch steht dahin, ob die Nachricht von einer Theilnahme Hamburgs an der Zahlung auf etwas anderem als dem Bestreben Trazigers, Hamburg einzumischen, beruht; denn Stegen ist in Hamburgischen Besitz nicht übergegangen. Den Vertrag 1348, Juli 22. s. Schlesw. Holst. Lauenb. Urkundensamml. No. 171.

[2]) Ludwig der Baier war schon 1347 Oct. 11. gestorben, Günther † 1349 Juni 12., Karl war zu Reuse 1346 Juli 11. gewählt, doch erst später erfolgte seine allseitige Anerkennung und Krönung zu Aachen.

[3]) 1348 Oct. 2.

[4]) Nach Korner z. J. 1350, die Wendung „clavum clavo retundens", ist gewiß Uebertragung einer deutschen.

6 *

1351 verursachet, daß die stebte mit zuthun herzog Erichs zu
Sachsen [1]) im jare 1351 in das lant zu Wittenborg
fielen und namen ein und verbranten die veste Niekerke [2]),
denen von Zulen zuständig, darauf viel kaufleute gefangen
saßen. Die straßenreuber die sie darauf funden, hengten sie
an die beume und legten noch sunst etzliche raubneste zur
erden. Kurz darnach schicketen ihnen die von Hamburg
ein anzal volkes zu hilf, damit zugen sie abermals aus, zerstoreten Niendorp [3]), Borgardestorp [4]), Lancken [5]),
Rannendorp [6]), Steenhorst [7]), Kulpin [8]), Gudow [9]),
Reborst [10]), Gallinen [11]). Alle die sie darauf fiengen,
wurden an die beume gehangen [12]).

---

[1]) Schon 1349 März 1. war zwischen dem Herzoge Erich, dem Grafen
von Holstein und Lübeck ein Landfriede auf 3 Jahre abgeschlossen,
dem Hamburg und Graf Adolf von Holstein Aug. 10. beigetreten
waren.

[2]) Vermuthlich das mecklenburg. Neuenkirchen, östlich vom Schallsee
an der lauenburgischen Gränze. — Niekerken wurde nach Detmar
1349 Dec. 6., die folgenden Schlösser dagegen Juli 24. zerstört.

[3]) Wenn Niendorp der richtige Name ist, so dürfte es in dem abligen
einst den Scharzenbergen gehörigen Lehengute des Namens Kirchspiel
Niendorf, sw. von Mölln an der Chaussee zu suchen sein. Doch nennt
Detmar Meydorpe.

[4]) Borstorf, A. Ratzeburg, Ksp. Breitenfelde

[5]) Ksp. Sahms, sw. von Mölln.

[6]) Rannendorf, östlich von Spreng, Ksp. Eichede und nördlich von
Grünwald, Ksp. Trittau, s. m. Schlösser der Lauenburgischen Raubritter, S. 12.

[7]) Steinhorst, lauenburg. Amt Steinhorst, Ksp. Sandesneben.

[8]) abl. Lehengut westlich von Ratzeburg, Ksp. St. Georgsberg.

[9]) abl. Lehengut am Gudowersee s. von Mölln, Ksp. Gudow, der alte
Burgplatz am See noch zu erkennen. S. Schröder und Biernatzki Topographie. I. S. 444.

[10]) Tratziger mit Korner irrt im Namen, gemeint ist Reborch, unweit Gudow, der Burgplatz ist noch kenntlich, a. a. O. II. S. 329.

[11]) Gallin (Kapelle) an der Boitze, unweit der lauenburg. Gränze, im
Demanialamte Boitzenburg.

[12]) Nach Korner z. J. 1351 und dieser nach Detmar z. J. 1349.

Nachfolgenden 52. jares, rückten die von Lubeck und 1352 Hamburg vor Linow, welches widerumb in kurzer zeit war beveftiget worden; die von Lubeck hatten 1500, die von Hamburg 1000 geruster man, damit eroberten sie das haus, rißen a) es niber, und schleifeten es, welches den Holstein nicht ser wol gefiel; doch war es dem aufgerichtem vertrag gemeß, darumb dorften sie sich nicht darwider setzen. Von der zeit an ist follich haus niemals widerumb aufgebauwet. Solchs geschah berurtes 52. jares, am abende St. Michaelis Archangeli [1]). Aber die rauberei wolte gleichwol darmit kein ende nemen, den die gesellen funden allewege andere orter, da sie gehauset und geherberget worden. Derwegen die notturft erforderte, daß die stette den angefangenen ernst verfolgen mußten.

Also begab sich's, daß sie anno 54. abermals auszugen, verstoreten Dussow [2]), Lassaan [3]), Redewin [4]), Domitz [5]), Meyenborch [6]) und Muggenborch [7]). Die darauf gefangen, wurden ihrem verdienst nach gerichtet; zu diesem heerzuge tat herzog Albrecht zu Mecklenburg den stetten hulf und beistand [8]).

Hiebevorn ist angezeiget [9]), wie die von Hamburg in einen großen zank und widerwillen gerieten mit dem tumbcapittel doselbst. Solche sache fordert das capittel zu Rome wider den rat und gemeinde zu Hamburg, den sie vermein

---

a) rießen. L.

[1]) Nach Korner z. J. 1352 Sept. 30. (Tratziger Sept. 29.) Detmar setzt Linows Fall 1349 Sept. 29.

[2]) Dützow an der Nordspitze des Schaalsees, rittersch. Amt Gadebusch, dem lauenburgischen Dorfe Mustin eingepfarrt.

[3]) Kirchdorf am Schaalsee.

[4]) in der Jabelhaide, Amt Grabow an der Grabow-boizenburg. Chaussee.

[5]) Domitz an der Elbe.

[6]) und [7]) zwei Bauerhöfe im rittersch. Amte Crivitz unweit des Barnimer Sees.

[8]) Korner z. J. 1354. Vgl. Detmar 1353.

[9]) S. oben S. 73 z. J. 1339.

1354 ten mit rechte zu erhalten, daß sie den burgern gleich, erb und eigen in der stadt besitzen und burgerlicher freiheit gebrauchen muchten. Darwider legten sich der rat und gemeinde, und macheten zu ihrem volmechtigen procuratorn und anwalden die sachen zu Rom [1]) in recht auszufuhren, folgende personen: hern Johan Militis, burgermeistern, Albrecht Luneborch, Heinrich Witzekendorp, Curd von Holdenstede, Heinen Hoep und Volmar Schilsteen, ratsverwandte [2]). Aber das capittel hette gunstige richtere, die sprechen die urteil wider den rat und gemeinde zu Hamburg. Als aber das capittel sollicher langwirtigen rechtfertigunge je mude worden und die von Hamburg der urteil ungeachtet auf ihrem vorhaben beharreten, zu deme auch den ban sich wenig ließen anfechten, dan die barfußer munch hielten es mit ihnen, lesen messe, horeten beicht und reicheten die sacramente, waren sie zufrieden, daß sich zwene mittler, als her Paulus Hacke zu Bremen, Lubeck und Schwerin tumbher, und her Nicolaus Voß, vicarius zu Hamburg, in die sache schlugen; diese beide hendler vertrugen alle irrungen, zu der meinunge, das capittel solte bleiben bei ihrer vorigen gewon-

---

[1]) Die der Päbste waren schon seit 1309 in Avignon.

[2]) Tratziger nennt hier irrthümlich als Mitglieder einer Commission Rathmannen, welche nicht zu gleicher Zeit im Rathe gewesen sind, doch zu verschiedener Zeit Hamburgs städtische Interessen gegen das Domcapittel zu Avignon vertreten haben. Volmar Schiltsteen, bisher nicht bekannt, war 1338 im Februar zum Rathsherrn erwählt, wird 1339 April 7., als Rathsherr in einer Urkunde genannt, doch noch in demselben Jahre excommunicirt, weil er Bestimmungen gegen das Domcapitel veröffentlicht und Geistliche gefangen gesetzt hatte. Vermuthlich trat er deshalb aus dem Rathe aus. Urkunden 1342 Janur. 30. und 1343 Nov. 23. bezeichnen ihn als ehemaligen Rathmann, nunmehrigen Lüneburger Bürger. (Vergl. Starhorst a. a. O. l. 2. S. 621. 622.) Als seine Witwe erscheinen in dem Jahre 1361 und 1367 (Lib. Petri reddituum f. 33b und 59b) Hesele, Tochter des Hrn. Nicolaus Franzoiser und Schwester der an Hrn. Diedrich Wrack vermählte Frau Margaretha, so wie seine Töchter Ermengard und Hesele, Nonnen zu Herwardeshude.

lichen freiheit, allermaßen wie solchs zuvorn anno 1269 be= 1355
leibinget; ingleichem solte der rat und gemeinbe sich ihrer
freiheit auch gebrauchen, die kirchenempter und schulen solten
mit gotfruchtigen, frommen und gelerten leuten bestellet werden,
die dem gemeinen volke mit guter lehr, leben und exempeln
vorgingen: von denjenigen aber, daß mit urteil und rat zu
Rome erhalten, muste das capittel genzlich abstehen und dem=
selbigen remunciirn; welcher vertrag volzogen worden anno 1355
den 5. August ¹).

Und sein in der zeit zu Hamburg burgermeistere ge=
wesen folgende herren: Nicolaus Franzoiser, Ditrich
uf dem Pferde, Heinrich Hoep, Johan Militis und
Heinrich Brizerdorp.

Anno 56. wichen die kaufleute von Lubeck, Hamburg
und andern anseftedten aus Brugk und begeben sich gen
Dortrecht, den die von Brugk teten ihnen merkliche hinde=
runge und eintrag an ihren privilegien und kaufgewerben.
Die sache wurd aber unlengst darnach vertragen, und der han=
del widerumb gen Brugk geleget ²).

In diesem jare bestetiget graf Adolf zu Holstein
und Stormarn denen von Hamburg alle ihre privilegia,
und werden aus dem rate zu Hamburg als zeugen drei von
den vorgemelten burgermeistern und ein ratmann, Heinrich
von Bergen benennet ³).

---

¹) Saxonia IX. 28. ist dieser Streit nur kurz erwähnt. vielleicht ent=
lehnt Tr. das am Rande beigefügte J. 1354, doch wird er Akten
über den Streit benutzt haben, wobei es denn freilich sehr auffallen
muß, daß er den von Staphorst Bd. 2. S. 830. mitgetheilten Ver=
trag 1355 Aug. 5. nicht berücksichtigt.

²) Erzählt nach A. Krantzs Wandalia VIII. 36., deren ungenaue Jahres=
angabe den Fehler im Jahre bei Trußiger veranlaßt hat. Die deut=
schen Städte beschlossen 1358 Jan. 20. Flandern bis zum 1. Mai
zu räumen, am 9. Mai d. J. ertheilt Albrecht, Pfalzgraf a. Rhein,
ihnen ausgedehnte Freiheiten, besonders zu Dortrecht; beigelegt ward
der Streit im J. 1360 durch Schadensersatz von Seiten der flandri=
schen Städte Brügge, Ypern, Gent. S. Urkundl. Geschichte d. Hanse
II. S. 445, S. 446, S. 466—477. Vgl. auch Detmar und Korner
z. J. 1358.

³) 1356 Juni 3. die Urkunde. S. Abdruck der Urkunden über Lubecks
und Hamburgs freien Transitoverkehr No 60.

1357 Im folgenden 57. jare, schicketen die von Hamburg
ihre gesanten gen Lubeck, alda versamblet weren: herzog
Wilhelm von Luneburg, der herzog von Sachsen,
herzog Erich von Lowenburg, herog Casimir von
Stettin, herzog Warslaf von Wolgast, herzog Albrecht von Meklenburg, herzog Erich von Schleswig,
herzog Canutus von Hallant, marggraf Romulus
von Brandenburg, Heinrich und Clawes, grafen zu
Holstein, graf Adolf von Schouwenburg, und vieler stedte
legaten. Es wurd geschlossen und aufgericht ein gemeiner
lantfriede, in aller angeregter fursten und hern landen zu
haltende, bei verlust leibes und lebens, wo jemand darwider
zu handeln sich unterstehen wurde [1].

Desselbigen jares verglichen sich die herzogen zu Sachsen Erich und Albrecht mit der stadt Hamburg eines
bestendigen friedens zu wasser und lande und wurden in sollicher vergleichunge alle andere irrungen und misverstand von
wegen des torns zum Newenwerk, und sunst mit eingezogen und beigelegt, am tage Cosmä und Damiani [2].

Anno 1359, am tage Cosmä und Damiani starb graf
Johan von Holstein der ander, grafen Gerdes son. Er
hat gestiftet eine vicarie im tumb zu Hamburg, und erwelte alda sein begrebnus, ist aber durch seumnus zu Reine-
felt begraben worden [3]. Desselbigen jares schickete der rat
von Hamburg gen Praga an keiser Carolum, den be-
chant der kirchen zu Hamburg, ließen dem keiser berichten,
die vielfaltige rauberei, dardurch die ihren und der gemeine
kaufman zu wasser und lande beschediget wurden. Darauf
erklerete der keiser ehrlos alle diejenigen, so die ihren zu wasser

---

[1] Nach Korner z. J. 1357, doch fehlt hier der Name Kanuts von
Halland, so wie die Erwähnung der städtischen Gesandten und ist
die Ordnung der anwesenden Fürsten eine andere, was die Benutzung
des Landfriedens selbst durch den Chronisten wahrscheinlich macht.

[2] 1357 Sept. 27. S. Kiefeker X. 209.

[3] Johann der Milde, † 1350 Sept. 27. Tratziger entlehnt wörtlich
bei Grabtafel im Dome. S. Anckelmann Inscriptiones hamburgenses.

ober zu lant kunftig befchebigen wurden; gab ihnen auch 1361
macht, diefelben zu verfolgen, gefenglich anzunehmen, und wie
recht zu ftrafen, und nam die von Hamburg fampt allen
ihren gutern, die fie inne hetten, oder kunftig inhaben und
befitzen wurden, in des heiligen reichs fchutz und fchirm [1]).

Anno 61 zogen beide grafen zu Holftein, Heinrich
und Clawes, in Erichen zu Sachfen lant, vor Krum-
effe, welches domals beveftiget war; fie wurden aber von
herzog Erichs volk, welchs fich eilig zum widerftant verfamblet hatte, gefchlagen [2]).

Deffelben jares entfageten die von Lubeck, Hamburg
und andere anfeftette konig Wolbemarn zu Denemark,
machten zufammen aus eine große flote; ihnen befegnete konig
Wolbemar, und teten mit einander ein treffen, aber das
gluck war bei den ftetten und die Denen wurden gefchlagen.
Es blieb auch in dem ftreit der junge konig Chriftoffer,
der wurd mit einer buchfen gefchoßen [3]). Als nu der ftedte
volk obgefieget, fegelten fie ans lant, liefen aus den fchiffen,
raubeten und plunderten die dorfer. Da das konig Wolbemar erfur, famlet er ilig volk, fiel die fchiffe an und nam
fechs von den beften koggen, und fur damit dauon. Sollicher
cher fchade wurd des hauptmans unachtfamkeit zugemeffen, der
hieß her Johan Wittenborg und war burgermeifter zu
Lubeck: darumb ließ ihn der rat zu Lubeck gefenglich einziehen und entheupten [4]).

Folgends 62 jares zug herzog Wilhelm von Braunfchweig und Luneburg fur Ripenborch, welchs zu
der zeit herzog Erich von Sachfen zugehorte, eroberte das
haus mit dem fturme, verbrende und verwufte die Gamme und
den Kerkwerder und leget eine vefte an den Gammerort.

---

[1]) 1359 Oct. 14. bei Klefeker VII. 632.

[2]) Nach Korner z. J. 1361.

[3]) lapide percussus Korner. Chriftoffer † 1363 Juni 11.

[4]) Nach Korner z. J. 1361, Detmar z. J. 1363. Vgl. den hanfifchen
Receß in der urkundl. Gefchichte der Hanfe. II. S. 524.

1362 Darnach zog er fur Ertneborch, gewan das stettlein und besetzte es.

Herzog Erichs vatter, ein alter verlebter man, sturzte mit einem gaul und starb, und die sache wurd durch graf Johan von der Hose vertragen [1]).

Dieses jares verlobeten Heinrich und Clawes grafen zu Holstein, ihre schwester Elisabeten könig Haken von Norwegen, könig Magnus zu Schweden sone, und wurd der contract auf könig Magnus seiten bei verlust seins reichs verpenet. Doher begab sichs, als könig Magnus den contract nicht hielte, sunder Margarethen, könig Woldemars zu Denemark tochter, seinem sone zur ehe gab, daß des reichs zu Schweden rete, die sich als burgen fur könig Magnussen verpflichtet, durch die grafen zu Holstein gemanet wurden; sie hielten als ehrliche leute, begeben sich aus dem reiche Schweden, stelleten sich den grafen zu Holstein ein: die grafen ubergeben ihre gerechtigkeit ihrem schwager, herzog Albrechten zu Meklenburg, der hette drei sone von seiner gemahel, könig Magnussen zu Schweden ehlicher schwester geboren. Aus den dreien namen sie den mittelsten, Albrecht genant, fuhreten ihn in das reich und nachdem sie könig Magnus mit urtheil und recht des reichs entsetzt, erweleten sie ihnen zu ihrem könige [2]).

Anno 1364 entstund ein widerwille zwischen graf Adolfen zu Holstein und der stadt Hamburg: den graf Adolf tete sich etzlicher gerechtigkeit anmaßen, die ihme deren rat und gemeinde zu Hamburg nicht gestendig. Graf Adolf verklaget die von Hamburg vor keiser Carolo IV., der verordnete zum commissarien herzog Albrechten zu Meklenburg, vor

---

[1]) Korner z. J. 1362, Detmar 1361. Eriche Vater starb zu Ryenburg bei seinem Schwigersohne Joh. v. Hoya. Daß dieser den Streit vertragen, erzählt Korner z. J. 1365. Vgl. die Urkunde 1362 Sept. 1. in W. von Hodenbergs Hoyer Urkundenbuche No. 164.

[2]) Erzählt nach dem von Korner z. J 1362 mitgetheilten anziehenden Berichte aus Eylard Schonevelts noch immer vermißter Chronik. — Detmar ist kürzer z. J. 1362. Rufus z. J. 1363.

dem kam diese sache zu verhör und wurd endlich durch einen 1365 machtspruch aufgehaben und erortert. Darauf gelobet graf Adolf sie zu schuzen und zu hanthaben, bei allen ihren privilegien und freiheiten; bei diesem vertrage wurden als zeugen benennet: Heine Hoep, Ditrich uf dem Pferde, Heine von Bergen, und Heine Hoigers, der zeit burgermeistere zu Hamburg [1]).

Anno 65. starb herzog Wilhelm von Luneburg ohne menliche erben. Das herzogtumb erlanget widerumb herzog Magnus zu Braunschweig, von Sangerhausen zugenent [2]).

Anno 66. zog könig Woldemar aus Denemark mit großem gute und begab sich zum bapst gen Avinion, den er sach, daß ihne die stette nicht bulden mochten: so wurd er auch wenig beliebet von seinen unbertanen [3]).

Dieses jar eroberte erzbischof Albrecht von Bremen die stadt Bremen durch verreterei. Aber sie wurd widerumb errettet durch Conraden und Otten, grafen zu Oldenburg und Delmenhorst [4]).

---

[1]) S. die Acten über den Streit v. J. 1363 und den Vertrag 1364 März 18. in der Urkundensammlung für Schleswig = Holstein= Lauenburgische Geschichte II. No. 205., letzterer aus dem mangel= haften Abbrucke in der gründtl. Remonstration Kopenh. 1842. Aus der Stadtrechnung z. J. 1364 ersehen wir, daß Hamburgische Rathmannen Sonnabend vor Palmarum (März 16.) mit den Abgesandten des Grafen Johann v. Zigghen und Key Ranzau verhandelten, daß der Graf 400 Pfund — ohne Zweifel für die Ertheilung des Privilegiums, welches Tratziger irrig auf einen kaiserlichen Machtspruch zurückführt, — erhielt und gastliche Aufnahme in Hamburg fand. Seine Begleitung ward vor den Thoren in den über den Bereich der Ringmauer sich erstreckenden Kirchspielen Petri, Nicolai und Jacobi untergebracht. Für die Ausfertigung und Besiegelung des Privilegiums zahlte man dem gräflichen Canzler Albert Lantzferen 12 Pfund.

[2]) Nach Korner z. J. 1365. Wilhelm † erst 1369 Nov. 23.

[3]) Korner ausführlich z. J. 1366.

[4]) Kurtz nach Korner z. J. 1366.

1368   Im jare 1368 war keiser Carolus zu Tanger=
munde an der Elb, den marggraf Otto hette ihme die
mark zu Brandenburg verkaufet ¹). Dohin begeben sich
Heinrich, Clawes, Adolf und Otto, grafen zu Hol=
stein, und verklageten die von Hamburg, daß sie ihnen nicht
wolten huldigen, noch gehorsam leisten. Darauf schrieb der
keiser an den rat zu Hamburg und befahl ihnen, daß sie den
grafen tun solten, was sie ihnen von rechtswegen zu tun schul=
dig waren. Darnach bestettiget ihnen graf Otto alle ihre
freiheit und gerechtigkeiten, und wurden in sollicher bestettigunge
als zeugen benennet: Heinrich vom Berge, sunst Heine
genennet, Bertram Harborch, und Heinrich Hoigers,
sunst Heine geheißen, der zeit burgermeistere zu Hamburg ²).

Anno 69. kriegeten Lubeck und Hamburg sampt den
andern Wendischen stetten mit Denemark, und teten
den Denen merklichen abbruch und schaden. Endlich gab der
reichsrat den stetten ganz Schone 16 jar zu gebrauchen,
darmit sie sich ihres gelittenen schadens daraus erholen moch=
ten, der ihnen von könig Woldemar und den Denen war
zugefuget worden; damit wurd der krieg gestillet ³).

Anno 70. war ein großes sterben an der pestilenz in den

---

¹) S. Korner z. J. 1368.

²) 1368 Febr. 1. S. Abbruck der Urk. über Lübecks und Hamburgs
Transitverkehr. 1838. No. 61. Die Stadtrechnung führt außer 13 Pfund
6 Schilling als Kosten einer Reise an den kaiserlichen Hof, mehrere
kleine Summen, für Verhandlungen Hamburgischer Rathmannen mit
dem grafen Otto auf. Für Besiegelung des Privilegiums mit des
Grafen größerem Siegel erhielt der gräfliche Schreiber 3 Mark.

³) Kurz nach Korner z. J. 1369. — Eine ganze Reihe von Dokumenten von
1370 Mai 25. über die Verpfändung von zwei Drittel der Einkünfte von
Schonöre, Falsterbode, Elenboghen und Helzingborg auf
15 Jahre, s. in der Urkundl. Geschichte d. Urspr. der deutschen Hanse
II. No. 247.; Dittmer Geschichte d. Krieges der See= oder Wen=
dischen Städte mit Dänemark und Norwegen, Beil. 1 u. 2., theilt
den bereits 1369 Nov. 30. abgeschlossenen, 1370 Mai 24. erweiterten
Frieden mit. Die der Stadtrechnung z. J. 1368 zufolge von Seiten Ham=
burgs beigesteuerten 720 Pfund Pfenninge waren ohne Zweifel zum
Kriege des Jahres 1369 bestimmt.

feeftetten, die zu Lubeck und Hamburg etliche 1000 men= 1371
ſchen hinweg nam ').

Anno 71. kam der Morwerder mit aller ſeiner zube=
horinge und gerechtigkeiten an die ſtatt Hamburg ²).

In dieſem jare zerbrachen die burger zu Luneburg
das ſchloß auf dem berge und namen fur ihren herren an,
herzog Albrechten von Sachſen, herzog Rudolfs ſon ³).

Folgends 1372. jares verkauften auf einen widerkauf,
Wilken und Wolder, die Lappen auf Ritzebuttel ge=
ſeſſen, der ſtat Hamburg die carſpel Wolbe und Grobe
im lande zu Hadeln belegen, und verſchrieben ſich kegen den
von Hamburg, daß ihnen das haus Ritzebuttel iberzeit
wan es notig, ſolt offen ſtehen ⁴). Sie kemen aber ihrer
zuſage und verpflichtunge nicht nach, dardurch ſie den des
Hauſes, als hernacher ſol werden angezeiget, verluſtig wurden.

Deſſelben jares wurd zu bauwen angefangen die kirche
vor dem Scharedore ⁵).

Umb dieſe zeit verbrant der torn zum Newenwerk, der
mehreſteils aus holzwerk erbauwet war ⁶): es ließ ihn der rat
zu Hamburg widerumb von ſteinen aufbauwen und ſtehet
alſo noch bis auf heutigen tag.

') Korner z. J. 1370 bis auf die Zahlenangabe.

') Graf Otto von Holſtein verkaufte 1371 Sept. 11. 10 Mk. Rente aus
dem Grevenſtat zu Mur= und Inwerder an Wilhelm Berchſtede hamb.
Bürger. Die Urkunde auf bleſigem Archive. Vgl. meine Erläuterungen
zu der Elbkarte des Melchior Lorichs S. 35.

³) Ausführlich bei Korner z. J. 1371.

⁴) 1372 Juni 24. Klefeker X. 203. In der Stadtr. z. J. 1372 finden
wir eine Zahlung 100 Pfund an Willekin Lappen eingetragen. Der
Urkunde zufolge ſtreckte der Rath gegen die Verpfändung von Groben und
Altenwalde 240 Mk. hamb. Pfenninge vor.

⁵) 1372 Dec. 31. S. Staphorſt I. 1, p. 221, doch hat Tratziger aus
einem Hauſe mit einem Marienbilde, wie ſie ſich noch in katholiſchen
Gegenden vielfach finden, eine Capelle gemacht. Des Bilds der h.
Maria neben dem Hauſe am Geſtade ward ſchon im Liber reſignat.
p. 44 z. J. 1260 gedacht. Sodann Stadtrechnung v J. 1367:
Bertramo pictori 24 ſol. pro ymagine S. Mariae virginis depicta ante
Mildordor.

⁶) Die Quelle dieſer Nachricht, deren Glaubwürdigkeit keinem Zweifel
unterliegt, iſt nicht nachzuweiſen. Korner erzählt Aehnliches z. J. 1388,
Detmar z. J. 1379. Vielleicht haben alle drei daſſelbe im Auge und

1375 Anno 75. wurden die burger zu Braunschweig auf=
rurisch wider den rat, eins teils ließen sie topfen, etzliche
jageten sie aus der stadt, und namen ihr alle ihre güter und
verfolgeten alle ihre freunde und verwanten, die sich ihrer an=
namen. Sie setzten aus der gemeinde einen neuen rat und
schrieben an die gemeinden der andern stette, daß sie durch un=
christlichen bedruk und tirannei des alten rats zu sollichem
furnehmen weren gedrungen worden; vermeinten, die gemeinde
in andern stetten wider ihre obrigkeit auch zu verhetzen. Die
gemeinen Ansestette wurden durch sollich böse tat bewogen,
daß sie die von Braunschweig der Anseprivilegien
entsetzten, und aus allen Ansestetten verfesteten [1]).

Aber der teufel bracht gleichwohl damit so viel zu wege,
daß volgends 76. jares, sich die gemeine ampte oder hand=
werksleute zu Hamburg wider den rat aufwarfen, ausserhalb
der kremer, bodbiker, kerzengiesser und heringwascher. Sie
schwuren zusammen, daß sie wolten den rat zwingen, ihnen

weichen in der Zeitangabe so sehr ab, da sie das Ereigniß nur gelegent=
lich anführen. Aus der in der Stadtr. z. J. 1374 und 75 (S. p.
52 u. 53.) angeführten wenn gleich nicht bedeutenden Ausgaben, vor
ambere (Eimer) to der Nyen Oo und für Quadersteine, geht wenigstens
so viel hervor, daß damals auf Neuwerk gebaut ward. Regelmäßige
Ausgaben für die Besetzung des Thurmes finden sich schon seit der
Mitte des 14. Jahrhunderts. — Für die Besatzung des Thurmes und
Bewohner der Insel erlangte man 1388 vom Bremer Erzbischofe gegen
Zahlung von 2 Pfund 8 Schilling der Stadtr. zufolge, die Erlaub=
niß auf Neuwerk selbst Messe lesen und die Sacramente reichen zu
lassen; 1390 und 1391 suchte und erhielt man durch Zahlung von
4 Pfund 6 Schilling und 15 Pfund 1½ Schilling, von Pabst Boni=
facius IX. die Bestätigung dieser Einrichtung. Sein 1391 Nov. 2. ertheiltes
Privilegium erlaubt die Aufstellung eines tragbaren Altars im Thurme,
an welchem täglich eine, an Festtagen mehrere Messen von einem da=
für bestimmten Priester gelesen und die Sacramente gereicht werden
sollen und nimmt die Insel von einem Hamburg treffenden Interdikte
aus. S. Kirseker X. S. 199, wo die Urkunde irrig mit 1296 datirt ist.
[1]) Nach Korner z. J. 1375. Die Acht ward 1375 Juni 24. zu Lübek
ausgesprochen. S. Urkundl. Geschichte der Hanse II. S. 734. u. 167.
Vgl. Rehtmeier Braunschw. Chronik Th. I S. 526.

das halbe schoß zu erlaßen und sunst noch etliche beschwerun- 1375
gen, der sie sich beklageten, abzuschaffen. Solliche ihre meinunge
geben sie etlichen burgern [1]) zu erkennen, als Heinen Klingsporn [2]), Lubeken von der Heide [3]), Thibeke Saffen [4])
und einem bobbiker Bremer genant [5]). Diese vier burger
besorgten, daß aus sollichem furnemen viel arges erfolgen
mochte und handelten so viel mit den ampten, daß sie sollichs
mit ihrem willen einem ratmanne, hern Heinen Krewel,
verstendigen mochten. Sunnabends nach Estomihi [6]) zeigten
vorgemelte burger hern Heinrich Krewel an, was die
ampte furhetten. Er vermeldet es also balde dem ganzen rate;
der rat bewilliget, daß sie den donnerstag negstfolgend etliche
aus ihrem mittel zu St. Marien Magdalenen uf dem
reventer senden wolten, alda mochten die ampte erscheinen
und ihre meinunge denselben entdecken; und der rat mußte
her Heinen Krewel und her Bicken von Geldersen ange-
loben, daß mitlerzeit die ampte sich keines uberfalles solten be-
faren dorfen; welchs sie, die beiden ratmanne, den vier ob-
geschriebenen burgern, als zu der ampte hant widerumb ange-
lobeten: und die vier burger lobeten den beiden ratmannen,
als in des ganzen rats hant, daß sich der rat mitlerweile nichts

---

[1]) Vermuthlich waren diese Juraten, jedenfalls wohlhabende Bürger.

[2]) Heyno Klingsporn 1375 u. 1378 als begüterter Bürger in Liber
memorandorum f. 11. u. 15b genannt, war Vater des ebendaselbst
f. 21a z. J 1386 genannten nachmaligen Rathsherrn Siegfried
Klingsporn, dessen Frau Ghese, eine Tochter des Rathsherrn
Albrecht Schreye und Kinder Hinrich und Eberbrecht wir
aus dem Minoritennekrolog f. 24b kennen.

[3]) Lübeke von der Heyde, vermuthlich Bruder des Rathmannes Rei-
neke und Werner von der Heyde, finden wir im Liber memorandorum f. 8b a. 1374 als Schuldner.

[4]) Sein Testament v. J. 1379 ist noch vorhanden,

[5]) Die Böttger, deren Gewerbe durch die bedeutende Bierausfuhr rasch
emporkommen mußte, sind in der Settinghe v J. 1376 (f. unten
S. 218 No. 1.) am zahlreichsten mit 104 vertreten. Beim Aufstande
d. J. 1483 spielten sie die entgegengesetzte Rolle.

[6]) Marz 1.

1376 tetlichs von den ampten solte besorgen. Angeregtes Donnerstags nach Invocavit kamen die amte zusammen auf dem reventer im barfußer closter. Der rat schickete zu ihnen: hern
Werner Wiggersen, desselben jares eltesten burgermeister, hern
Hartwich von Hachede, hern Heine Krewel und hern
Vicken von Gelderßen, ratmannen. Neben den schicket-
der gemeine kaufman bei 24 burgern. Die ampte begerten
doselbst, daß der rat das halbe schoß ihnen erlassen solte und
sunst etzliche mer artikel, die wider sie gesetzt weren, abzuschaffen und wolten solliche ihre beschwerunge schriftlich ubergeben. Die vier personen des rats nemen an, sollichs an
den ganzen rat zu bringen. Aber die schrifte zu entpfangen
weigerten sie sich, zeigten an, daß sie desselben keinen befehl
musten es zuvor dem rate vermelden. Darnach brachten sie
den ampten des rats antwort ein: Als daß ein rat der stad
notturft halben vor der hant des halben schoßes nicht kunt
entraten; aber so bald der stadt notturft verrichtet, so wolte a)
sie der rat des halben schoßes erlassen: das solten sie ihrer
ehren und eiden heimstellen. Aber die ampte drungen unge-
stümiglich darauf, daß ohne alle widerrede das halbe scho[ß]
wurde abgestellet. Die vier ratspersonen schlugen fur, o[b]
die ampte ein misdunken hatten, daß das schoß nicht rech[t]
und trewlich wurde angewendet, so solten sie sechs oder ach[t]
personen darzu fugen, den wolte der rat rechenschaft thun
von der zeit da die eltisten im rate gewesen weren, die zu de[r]
zeit lebeten, welche zeit sich in die 26 jar erstreckete *): s[ie]
mochten sie den selber sehen und horen, daz man in kein[e]
wege des halben schoßes entbehren konte. Aber die ampt[e]
wolten nicht daran, die gesanten des rats beten zeit, sollich[s]
an dem rat zu bringen, die wolten ihnen die ampte auch nich[t]
gunnen; die burger, welche von des gemeinen kaufmans wege[n]

a) wolte L.
*) Also bis zum Jahre 1350, in welchem die ältesten Mitglieder des Rathe[s]
    Hinrich vom Berge (de monte) und Hermann Bischoping[s]
    in den Rath geforen waren, was mit der genauern Führung de[r]
    Stadtrechnungen zusammenfällt.

\[ge\]genwertig, beipflichteten den gesanten; zeigeten an, es were 1376 erbar und billig, nachdem a) die vier allein, als boten vom rate an sie geschicket, daz man ihnen nachgebe, an ihre ober= und eltisten zu gelangen, was furfiele. Auch musten sie die meinunge b) dem gemeinen kaufman, von dem sie zum handel geschicket, einbringen. Aber die amptleute setzten sich heftig darwider, und sagte unter den andern Titke Bickelstat, ein werkmeister von den knochenhewern [1]): Er wolte haben, daß das halbe schoß wurde abgetan, ehe er eße, oder er wolte darumb auf dem rade sitzen [2]). Die kaufleute aber ließen

---

a) nach dem L.   b) meinuge L.

[1]) Das Gewerbe, nächst den Böttchern das zahlreichste, hatte 1376 schon 57 Mitglieder (s. unten S. 100, Anm. 1) und sonnte deshalb wohl dem Aufstande einen Wortführer geben. Auch in Lübeck ging der Aufstand im Anfang, wenn auch nicht 1376 doch 1380, von den Knochenhauern aus. Vgl. Detmar z. J. 1376 und 1380.

[2]) Ist die charakteristische Betheurung des Titke Bickelstat richtig überliefert, so wußte er nicht, daß das Stadtrecht vom J. 1270, dessen Bestimmungen auch 1497 nicht gemildert sind, dem Verräther die härtere Strafe des Verbrennens (bernen vore der bort. Stadtrecht v. J. 1270 XII. 8. in meinen Hamb. Rechtsalterthümern Bd. I.) bestimmt war, während er nach dem Rechte des Sachsenspiegels allerdings die Strafe des Rades erduldet (a. a. O. Einleitung S. LXVI). Uebrigens erinnern T. Bickelstats Worte unverkennbar an die Fassung der Mördern und Kirchenräubern bestimmten Strafe (im Stadtrecht von 1270 XII. 7. men schal syne leie tosloten mit enme rade vnde dar up setten.) — Eine schwere Strafe hat der Rath über Titke Bickelstat nicht verhängt, da er (liber memorandorum l. 15b) noch 1378 als Besitzer zweier Häuser in der Gerber- und Schmiedestraße und von 5 Hufen in Neuland (bei Harburg) genannt wird. Doch scheint ihm eine zeitlang die Ausübung seines Gewerbes untersagt zu sein, vielleicht ist er verhaftet, oder wie 1483 mehrere Anstifter und Beförderer des Aufstandes „in der stadt hechte" gesetzt, wenigstens würde es sich so leicht erklären, daß er allein eine Abgabe von zweimal 10 Schillingen, welche er 1375 gleichwie Nicl. und Conr. Bickelstede und anderen Knochenhauern von seinem Fleischerblock gezahlt hatte, (s. Stadtrechnung) seitdem nicht entrichtete.

Tratzigers Chronik.   7

1376 nicht abe von ihrer und der vier ratspersonen meinunge; da
also die ampte musten nachgeben, was vorgelaufen a) an dem
rat zu gelangen, und solten den nechstfolgenden sonnabent ihnen
des rats meinung b) auf derselben stetta widerumb einbringen,
und es mußten die vier ratspersonen ihnen mittler zeit von
wegen des rats sicherheit zusagen c); ingleichem gelobeten die
ampte, daß sich der rat auch von ihnen nichts tetlichs solte
besorgen.

   Folgends freitags ¹) ließ der rat zusammen forderen alle
kaufleute in Hamburg, die krämer, bodiker, kerzengießer
und heringwascher in S. Katherinen kirchen, und
schickete zu ihnen hern Werner Wiggersen, hern Hartwich von Hachede, hern Heinen Krowel und hern d) Bicken
von Geldersen, die sie berichteten, was die ampte voriges
tages gefordert, und sunst sich hette zugetragen. Die ampt
hetten sich zusammen bescheiden e) in Sanct Johans kirche
und schicketen etliche werkmeister an die verordenten f) des ra
und kaufleute in S. Katherinen kirchen, und begerten, da
sie etliche aus ihrem mittel an sie schicken wolten, mit den
wolten sie sich alsofort in gutliche handlunge einlaßen. D
rat, als ihnen sollichs angezeiget, ließen ihnen die meinunge)
gefallen, schicketen an sie obberurte vier ratspersonen, den wu
den von den kaufleuten vier und zwanzig burger g) zugeordn
Endlich wurden sie der sachen einig dergestalt, daß die amp
solten vor dem rate erscheinen, und solten bitten umb erlaßun
des halben schoßes; darumb wolt der gemeine kaufmann nebe
ihnen auch bitt anlegen, und solte bei dem rate stehen, sie b
bitt zu geweren oder nicht, und von wegen der andern b
schwerungen solte ein itlich ampt innerhalb vierzehen tage

---

a) vorgelesen. L.   b) meinug. L, häufig.

c) zusagen. L. b) her L. e) bescheiden L.

f) verordenten L. g) burger. L.

¹) Am 7. März.

morgenſprache halten, und den morgenſpraches a) herren, ſolliche 1376 ihre beſchwerunge ſchriftlich ubergeben, und ſolte gleichermaßen in des rats gefallen ſtehen, was ſie einreumen wolten oder nicht; damit ſolten alle eide und pflichte, ſo die ampte in dieſer entporuug gegen auder getan, ſein aufgehaben, und ſolte kein teil kegen dem andern, was alſo geſchehen were, im argen gedenken. Damit gingen die ampte und kaufleute alſo furt fur den rat, und wurt die gemachete ſone von dem kauf= manne ausgeſprochen, und von dem rate und den ampten an= genomen und bewilliget. Die ampte beten den rat umb er= laßunge des halben ſchoßes, aber der rat beharret auf der vori= gen meinunge auch ward nichts geandert von den beſchwerungen, die ſie den morgenſprache8herren ſchriftlich ubergeben [1]).

Solchs verdroß die ampte heftig und ließen ſich etliche horen, der kaufman were nicht alzeit daheim, wan ſie ihrer narunge nachſegeln und ausreiſen wurden, ſo wolten ſie noch einmal den handel verſuchen b). Als ſollichs der rat erfur, ließen ſie in die kirche zu S. Katherinen berufen den gemeinen kauf= man, die kremer, die bobiler, kerzengießer und heringwaſcher, bonnerſtags nach Judica (April 3.) und ſchickten zu ihnen aus ihrem mittel die vier perſonen, die ſie zuvore zu dem handel verordnet, und ließen dem kaufman und den vier angeregten ampten c) berichten, was der gemeinen ampte vorhaben were. Die kaufleute berichten, daz ihnen albereit ſollichs furgekomen, und vereinigten ſich mit dem rate, daz ſie wolten helfen hant= haben die ſone zwiſchen dem rate und den gemeinen ampten beteidingen; worauf den ein izlicher einen leiblichen eit ſchwur. Und wurden derſelbigen namen, die geſchworen hatten aufge= zeichnet.

Folgends tages, welcher war der freitag nach Judica (April 4), verordnete die kaufleute aus ihrem mittel 24 perſonen, die berufe= ten die werkmeiſter der gemeinen ampte und begerten, daß die

---

a) morgenſprechs L.   b) verſuchen L.   c) die .. angeregte ampte L.

[1]) Von den Beſchwerden der Knochenhauer nebſt dem abſchlägigen Be= ſchluſſe des Rathes iſt uns eine erhalten bei Weſtphalen a. a. O. Th. I. S. 442.

7 *

1876 ampte jembtlich des nachfolgenden junnabends (April 5.) in S.
Marien Magdalenen kloster auf dem reventer zusammen
kommen, und gleicher gestalt wie sie getan hetten, schweren wollen, die sone zu halten, die zwischen dem rate und den gemeinen
ampten a) behandlet were. Des sonnabends kemen die kaufleute
und ampte zusammen, der rat schickte zu ihnen die vier ratspersonen hiebevorn gemeldet. Die ompte weigerten sich anfenglich des eides, doch brachten die kaufleute die sachen soweit, daß die ampte alsofort fur den rat giengen und schwuren, auch ihre namen aufzeichen ließen b). Damit wurt diese
aufrur genzlich gestillet.

Zu der zeit seint im rate zu Hamburg gewesen folgende
herren: Werner Wiggersen, Ludolphus Holdenstede,
Heinrich vom Berge, und Bertram Horborch, burgermeister, Herman Bischoping, Hartwich Hachede,
Bernhart Lopow, Heinrich Krowel, Heinrich Ver-
metschen, Ludolph Beckendorp, Friderich von Geldersen, Kersten Voß, Niclawes Rode, Hartwich
Embeke, Marquart Woldemers, Heinrich Ibing,
Richart Kiel, Ludolf Hanstede und Kersten Militis.
Dieses jares ist keiser Carolus der vierte gen Lubeck
gekommen 2).

Folgends 77. jares entporet sich die gemeinde zu Lubeck
wider den rat, wendeten auch fur, daß sie ubermeßig geschetzet
wurden. Sie wurden aber durch gutigen und vernunftigen
bericht des rats balde gestillet 3).

---

a) der gemeinen ampte L.   b) die gemein L.

1) Der Eid lautete: „nummer meer willen wy npzet, rede unde loste
   meer doen ebber maten gegen den raad.“ — Trophäer benuhte eine
   ausführliche Darstellung des Aufstandes in der im Obigen bieweilen
   durchschimmernden niederjächsischen Sprache, welche mit den alten
   Handwerkerrollen (settinge), denen sie beilag, 1842 durch den Brand
   zerstört ist. Westphalen Hamburg. Verfassung und Verwaltung
   Bd. I. S. 420. 421. (2te Aufl.) entnahm ihr noch eine Ueberschau
   der damaligen Mitglieder des gemeinen Kaufmanns und der Amtszwei-
   ßer (1175. Namen).

2) Korner z. J. 1376, Detmar 1375.

3) Nach Korner z. d. J., Detmar Ende 1376.

Anno 78. belagerte keiser Carolus IV. das schloß Dan= 1378
nenberg, daraus viel rauberei geschah. Ihm hulfen herzog
Rudolf von Sachsen, herzog Albrecht von Luneburg
und die von Lubeck und Hamburg. a) Das schloß wurd mit
dem sturm erobert und der keiser verlehnete damit herzog
Albrechten von Luneburg [1]). Von welcher zeit an die graf=
schaft Dannenberg alweg dem herzogthumb Luneburg inverleibet
geblieben.

Anno 1379 waren zu Lubeck versamlet der gemeinen Anse=
stette gesanten; alda wurden verordnet vier legaten die nach
Flandern verreisen, und die irrunge, zwischen dem Teutschen
kaufman und dem von Brugk entstanden, verrichten solten.
Diese geschickten waren, von Lubeck: her Jacob Pleskow.
Von Hamburg: Ludolfus Holdenstede [2]). Von
Thorn: Johan Cordelitz. Von Dortmunde: Evert
Wistrate. Sie segelten von Hamburg abe angeregtes 79.
jares am abende Bartholomaei, und kemen in Flandern uf
Nativitatis Mariae, und wurd endlich die sache allerseits ver=
tragen, des sich der kaufman auf seine vorige freiheit und
residenz widerumb gen Brugk begab [3]).

Umb diese zeit waren die gemeine Ansestette ein zeit=
lang mit den Englischen in großer uneinigkeit gestanden;
den es hetten die Englischen dem kaufman genomen die
confirmation ihrer privilegien in Engelant, beschwereten sie
mit newen castumen und zollen, uber das den kaufleuten an
ihren gutern und personen allerhant gewaltsame uberfarung
von den Englischen bejegnet war. Darumb schrieben die

---

a) Lubeck und Hamburg. m L. eingeschaltet von Tratziger. Fehlt nicht in G.

[1]) Korner z. J. 1378, Detmer und Rufus z. J. 1377. Der Anwesenheit
des Kaisers in Luneburg gedenkt auch die hamburger Stadtrechnung
z. J. 1377.

[2]) Der Stadtrechnung z. J. 1379 zufolge war auch der Rathmann Chr.
Ridder dort. Die Kosten dieser Sendung betrugen 6½ Pf. 2 Sch.

[3]) Korner z. J. 1379. Die genauen Zeitangaben — August 23. und
September 8. — entnimmt Tratziger dem Berichte, welcher in dem
Bande alter hansischer Recesse auf hiesigem Archive erhalten ist.

1379 gemeinen Anfeftette an konig Richarden zu Engelant
und befalen a) zweien von oburgeregten legaten, daß fie aus
Flandern in Engelant fich begeben und umb erftattunge
der conftrmation, abfchaffunge der ungewonlichen caftumen [1]
und zol, auch abtrag und wandel der zugefugten gewalt und
fcheden fordern folten [2]. Und wurt durch derfelbigen vleiß
vermittelft gottlicher genade, die fache fo ferno gebracht, daß die
ftete der privilegien confirmation widerumb erlangeten, die
ungewohnlichen zol wurden abgefchaffet und der konig ver-
willigte fich, dem kaufman uber feine undertanen rechtens zu
verhelfen umb gewalt und fchaden, die einem itzlichen weren
zugefuget [3].

Anno 1380 wurd ein vertrag und fone mit den von
Braunfchweig vorgedachter aufrur halben, durch die ftette
Lubeck, Hamburg [4] und Luneburg behandelt, derge-
ftalt: erftlich, daß der newe rat und gemeinde zu Braunfchweig
ein newe capellen bauwen folten, und darin zwo ewige
vicarien ftiften, diefelben auch mit zwolf mark lotiges filbers
jerlicher einkunft begiftigen. Und die befiter follicher vicarien
folten allezeit bitten, vor derjenigen fele, die im aufrur entleibet worden; auch folten fie fo manchen man gen Rom fen-
den, als viel perfonen im aufrur umbgekommen [5]. Und follen

---

a) befhulen. L.

[1] Tratziger fcheint den lateinifchen Ausdruck cuftuma (engl. cuftom Zoll)
  nicht verftanden zu haben.

[2] Nach dem ungemein intereffanten, abfchriftlich in dem Bande hanfifch-
  Receffe auf dem hiefigen Archive erhaltenen Berichte der Gefandten
  Jacob Pleccow und Johann Cordelig, welche 1379 Nov. 11. von
  Brügge abreiften und Nov 21. in London anlangten.

[3] Den Vertrag 1381 Febr. 4. führt Dreyer de jure naufragii p. 2.. 8
  an; fo wie die Beftätigung früherer Verträge. 1381 Febr. 12. bei
  Häberlin Analecta med. aevi p. 53. Ein wichtiger, jedoch durch
  die hanfifchen Gefandten befeitigter Streitpunkt betraf den Handel der
  Engländer nach Schonen und Norwegen.

[4] Die Hamburgifchen Sendeboten waren der Stadtrechnung zufolge die
  Rathmannen Lud. Holdenftede und Hinrich Ohling.

[5] Aehnliche Beftimmungen enthält ein Vertrag der Hanfe mit den Flemingen 1391.

volgends zwene burgermeistere sampt acht ehrlicher leute aus 1380 Braunschweig zu Lubeck vor den gemeinen stetten erscheinen und in kegenwertigkeit deren, die sie, wie obberurt, aus Braunschweig vertrieben, oder ihrer volmechtigen, bekennen, das die begangene taten aus unbedechtiger heftigkeit geschehen, und daß ihnen solliches leit were, und darauf umb Gotts willen bitten, sie und gemeine stat Braunschweig widerumb in ihre gemeinschaft, kaufmans gerechtigkeit und freiheit aufzunehmen. Darlegen wolten sie die vertriebenen widerumb sicher und ohne entgeltnuß laßen einkommen und die Ratstuhle in den stetten Braunschweig mit rentenern und kaufleuten, so darzu tuchtig sein wurden, besehen [1].

Anno 81 brennte Berlin, die stat in der Mark, gang abe; das fewr hette ein boser bube angeleget, Erich Bialke genennet [2].

Anno 1384 wurd das kloster Heiligenthal von seiner alten stette in die stat Luneburg geleget [3].

Und in diesem jare erhub sich die walfart zum heiligen Blute zu Wilsnack [4].

Folgends 85. jares zu Lubeck schwuren und verbunden sich zusammen vier hantwerker, ein paternostermacher, ein buntmacher und zwene becker, wider den rat und die furnehmbste burger zu Lubeck, brechten mit listigen anschlegen eine große anzal anderer burger an sich, die sie alle mit harten eiden

[1] Korner z. J. 1381 bemerkt, daß in dem ihm vorliegenden Exemplare des Vertrages die Bedingungen des Wiedereintrittes in die Hanse fehlten, auch Detmar z. J. 1380 weiß von ihnen nichts. Grautoff benutzte augenscheinlich die in dem auf unserem Archive noch jetzt erhaltenen Bande der älteften hansischen Recesse erhaltene gleichzeitige Abschrift der Erklärungen Braunschweigs auf dem Tage zu Lübeck 1380 August 12.

[2] Aus Korner z. J. 1381. Von diesem Feinde Berlins f. Fidicis Beiträge, an verschiedenen Orten v. J. 1356—86.

[3] Korner z. d. J. Vergl. Volgers Luneburger Pfingstblatt 1858. Die Klöster Luneburgs. Die Publikation der Urkunden des Klosters ist seit längerer Zeit vorbereitet.

[4] Korner z. J. 1384, Detmar z. J. 1383.

... verpflichten, niemandes die sachen zu vermelden; und wolten
also an S. Lamberts abent den rat und ihre freunde er-
würget und sich in ihre stette widerumb gesetzt haben. Sie
entdeckten auch ihre anschlag etlichen auslendischen hoveleuten:
als Detlef Gedenberg und anderen, die des rats zu
Lubeck abgunstige und hesigen feinde weren, welche unver-
sehentlich in die stat einfallen und die hant mit anlegen solten. Aber Got schickete es, daß sollicher boshaftiger anschlag
durch einen aus den hoveleuten gemeldet und volgends dem
rate wurt kunt getan. Und wurden also von gemelten vier
heuptleuten und redleinfurern drei gefangen, welche noch
andere mehr meldeten, die ließ der rat alle annemen und
peinlich fragen, also bekennet immer einer auf den andern,
und wurt einem iglichen sein verdienter lon [1].

Folgends jares erregte der teufel den gemeinen pöfel zu
Anclam und zu solcher aufrur brauchte er gleichsam ein in-
strument und werkzeug, die becker und knochenhauwer. Die
brachen wider den rat eine ursachen vom zaune, sagten: der
rat gestattete frembden aus andern stetten und dörfern fleisch
und brot zu markte zu bringen, dardurch ihnen ihre narung
entzogen wurde. Ob diesem wurden die gemeine handwerke
der sachen mit ihnen eins, liefen heufig fur das rathaus, brechen die turen auf, schlugen tot und ermordeten den ganzen
rat, plunderten ihre heuser, und erweleten einen newen rat
aus ihren ampten. Herzog Bugslof von Wolgast nam
gelt darfur, bestetigte den newen rat [2]; also blieb umb seines
schendlichen geizes willen solliche grewliche und erschreckliche
tat ungestrafet.

In diesem jare verlenete frauw Margaretha, konigin
zu Dennemark, den grafen zu Holstein das herzogtumb
Schleswig, daß die grafen sollich herzogtumb als ein lehen

---

[1] Ausführlich bei Korner z. J. 1385, es geschah wie Detmar ganz
richtig angiebt, im Sommer 1384. Vergl. E. Deecke die Hochver-
räther zu Lübeck im J. 1384. Lübeck 1858.

[2] Nach Korner z. J. 1386.

von der kron zu Dennemark in ewigen zeiten entpfangen 1386 solten.

Die Seestette uberantworten der konigin wider das laut Schone, welchs sie zu ersetzunge ihres schadens, als vorberurt, ein zeitlang inne gehapt [1].

Anno 1387 war ein große versamlunge vieler herren und stette zu Lubeck, und wurd gehandlet zwischen den Ansestetten und Flemingen, auch wegen der straßenrauber, daz dieselben niemands forter hausen noch hegen, sunder ihnen ernstlich nachtrachten und zu geburlicher strafe verfolgen und anhalten solte [2].

Anno 88 war zu Lubeck, Hamburg und in andern angelegenen seestetten eine große Pestilenz. [3]

Und es wurt diz jares zwischen konigin Margarethen und den grafen von Holstein genzlich geschloßen und volzogen die verlehnunge des herzogtumbs Schleswig [4].

Desselben jares waren zu Todeslo versamblet herzog Gerhart von Schleswig, graf Clawes von Holstein, graf Adolf von Schouwenburg, und der stette a) Lubeck und Hamburg gesanten. Sie ratschlageten, was gestalt wider die vielfaltige plackereien und zugrief, die in den landen sich allenthalben zutrugen, ein bestendiger fried und sicherheit mochte gestiftet werden [5]. Die hoveleute, den sollicher handel

a) statt L. siehe G.

[1] Nach Korner z J. 1386. Die Königin kam, der Stadtrechnung zufolge, in diesem Jahre auch nach Hamburg und ward von den Rathmannen Albrecht und Johan Hoyers eingeholt. Bei ihrer Weiterreise über Stade gaben Stadtdiener ihr das Geleit.

[2] Korner ausführlich z. J. 1387. Detmar z. J. 1388.

[3] Korner z. J. 1388 von Lubeck, gleich Detmar, welcher aber Hamburgs z. J. 1387 gedenkt.

[4] Korner z. J. 1388 anstatt 1386.

[5] Dieser Landfriede, wie aus den Stadtrechnungen und der zu Lübeck 1389 Juni 13. ausgestellten Urkunde hervorgeht, ward erst 1389 zu Oldeslo beschworen, für Hamburg durch dessen Sendboten, die Rathmannen Christ. Ridder, Joh. Hoyers und Marquard Schreye. Bemerkenswerth ist die Bildung eines Landfriedens-Gerichtes aus eigens zu diesem Zwecke von den Theilnehmern des Bundes eingesetzten Land-

1388 und beratschlagung nicht gefiel, rotteten sich zusammen, und zugen fur Todeslo, raubeten und brenneten wo sie kunten. Aber die grafen zu Holstein sampt der stette gesandten waren eilig auf, jageten den friedbrechern nach, und nemen ihn den raub, und wurden fast alle geschlagen und gefangen [1]).

In diesem jare wurt von konigin Margarethen zu Dennemark gefangen konig Albrecht zu Schweden, herzog zu Mecklenburg, und lag sieben jar gefenglich [2]).

Im jare 1390 baweten die von Hamburg das haus Morborch auf das Glindesmor wider herzog Heinrich zu Braunschweig und Luneburg willen und gefallen [3]).

Es begab sich auch dieses jares zu Hamburg ein seltzame geschicht. Ein statdiener hette ein weib, die der ehren nicht from war, junder mit vielen andern bulschaft und unzucht treib. Nu waren einmal algemeine der stadt diener sampt ihren frauwen und kinderen bei einander, trunken, tanzten und waren frolich. Und es trug sich zu, daß einer saß bei gemeltes dieners weib, der sie, wie zu erachten, wol kente, der scherzet mit ihr, und schlug ihr mit einem finger auf dem maule ein brumlein. Do ihr man sach, daz sie sollichs vor gut annam, ward er zornig, gab ihr einen backenstreich und strafet sie albar vor jedermeniglich umb ihre leichtfertigkeit.

---

vögten, welches sich viermal alljährlich zu Oldeslo verfammeln follte und fich auch, wie aus in unferer Stadtrechnung angemerkten Reifen Hamburg. Rathmannen nach Oldeslo zu erfehen ift, wirklich in den J. 1390. 1391. 1392 in welchen der Friede beschworen war, verfammelte. S. Urkundenfammlung der Schleswig-Holftein-Lauenburgischen Gefellschaft für vaterländische Geschichte. II. S. 354.

[1]) Ausführlich bei Korner z. J. 1388, kürzer bei Detmar z. J. 1389, welcher mit Korner übereinstimmend Graf Adolf von Holstein und Otto von Schauenburg nennt.

[2]) Kurz nach Korner's Erzählung z. J. 1388. Vergl. Detmar z. J. 1389 und 1395.

[3]) Korner z. J. 1390. Die Stadtrechnung zu diesem Jahre hat eine Ausgabe von 13½ Pfund für eine Fahrt der Bürgermeister und Camerarien nach Glindesmoor.

Das weib schwieg still und gedacht, sie wolt der gelegenheit 1388 warnemen, daz sie ihr leit widerumb konte rechen. Do sie nu auf den abent mit ihrem manne heim ging, setzt er sich auf einen stuel und wurt entschlafen, daz ihm der kopf auf eine seiten hing. Solchs ersache sie, zug ihme sein eigen schwert aus und hieb ihme den hals entzwei, daz er an der stette tot blieb. Da sollichs geschehen war, ging sie zu dem kuster zu Sanct Jacob, mit deme sie auch bulete, erzehlete ihm den handel und bat daß er ihr den toten leichnam solte helfen wegbringen, so konten sie darnach ihren willen desto freier mit einander brauchen. Der kuster ließ sich uberreden, trug den man aus dem hause auf S. Jacobs kirchhof, aldo machet er ihme eine kulen und vergrub ihn darein. Darnach gieng er mit dem weib wieder heim und trieb seine unzucht mit ihr. Do sie also eine totsunde mit der andern ausgehenfet hetten, peiniget und erschreckte sie ihr gewißen und wurden erst bedenken, daß, wan man die newe gruben auf dem kirchhofe sehen wurd, und des dieners mißen, so wurde man ihn aufgraben und also den toten leichnam finden und erkennen. Darumb bat das weib den kuster, daz er solt das grab widerumb offnen und den leichnam herausnemen. Des ließ sich der tor auch bereden. Also brachten sie den toten leib wider in das haus, macheten ein groß fewer und legten ihn darein, vermeinten ihn also zu verbrennen. Davon erhub sich so ein grewlicher gestank, daß die nachbaren herumb davon aufwacheten, auch braßelte das fewer und gab so ein haufen flamen und funken von sich. Die nachbaurn liefen fur die turen, klopfeten an und do ihnen niemands wolte aufmachen, brechen sie mit gewalt die tur auf, kamen in das haus und funden den toten leichnam, ohngeferlich zum halben teil verbrennet im fewer liegen. Also wurden sie angegriffen und umb die geschicht gefraget. Sie bekenten die bose mordetische tat und das weib wurt lebendig verbrant, der kuster aber wurt auf ein rat gelegt [1]).

---

[1]) Fast wörtlich übersetzt nach Korner z. J. 1390, welcher sich auf die chronica

1390　　In diesem jare gewan herzog Heinrich von Luneburg dem marggrafen abe die Schnakenborch und Gartowe [1].

Es starb auch in diesem jare graf Adolf von Wagern am tage Policarpi und wurt begraben zu Hamburg im thumb. Dieser Adolf war der letzt aus den stammen Adolfi, des barfußers son, welch mit seinen nachkomlingen Wagern beseßen [2]. Dieweil den die grafen zu Schowenborch eben so nahe, oder als etzliche wollen, ein geliet neher weren, den graf Clawes von Holstein, der dennoch sich des landes Wagern anmaßete, wurt die sache vertragen, daz die grafen zu Schowenborch solten haben und behalten, die drei heuser Pinnenberg, Hattsburg und Barmstette, und sich des landes Wagern verzeihen. Also haben die grafen von Schowenborch gemelte drei heuser von der zeit an, bis auf heutigen tag ingehabt [3].

Anno 91 waren zu Hamburg versamblet des herzogen von Burgundien und grafen zu Flandern, auch der drei

---

Saxonum bezieht. Tratziger hat den Kirchhof näher bezeichnet als St. Jacobi und aus dem campanarius clericus Korners seinen Küster gemacht. Stelzner, welcher den Tratziger ausschrieb, fügt hinzu, daß zum ewigen Andenken der That über des Küsters Hausthüre auf St. Jacobi Kirchhof ein in Stein gehauener Mannskopf und ein Weibskopf eingemauert seien, welche zu seiner Zeit noch zu sehen waren. Ebenso tu dem Verzeichnisse der zu Hamburg seit dem Jahre 1390 Hingerichteten. Kurz erwähnt in den Niedersächsischen Hamburg. Chroniken S. 239 und 401, wo indessen der obige Stadtdiener, Corners Stipendiarius, der Stadtvogt genannt wird.

[1] Nach Korner z. J. 1390.

[2] Nach der Grabtafel der Schauenburger im Dome a. a. O. — Die Leiche des Grafen zum Begräbniß im Dome einzuholen, wurden der Stadtrechnung zufolge die Rathmänner Marquard Schreye und Joh. Manne entsandt. Der Sterbetag war Januar 26.

[3] Eine Reihe diese Erbschafts- und Theilungsverhältnisse betreffender Urkunden sind in der Urkunden-Sammlung der Schleswig-Holstein-Lauenburg. Gesellschaft für vaterländische Geschichte Bd. II. No. 281 bis 286 mitgetheilt. Der 1390 April 17. zu Kiel abgeschlossene Vergleich ist auch für Hamburgs Verhältnisse wichtig, welches der Stadtrechnung zufolge der Herzog Gerhard von Schleswig und seine Braut durch ein Geschenk von vier Goldbarren (frusta), Graf Claus von Holstein nebst seiner Tochter durch ein Geschenk von zwei Silberbarren (zusammen im Werthe von 114 Zahlpfunden) ehrte.

hauptstette in Flandern, als: Gent, Brugk und Ipern 1390
gesante, sampt den geschickten der Ansestette. Solliche zusammenkunft und handlunge wurt gehalten von wegen der irrungen zwischen den Ansestetten und Flemingen: den
die Fleminge hatten die teutschen kauflente zu Brugk, zu
Gent, zur Schluß und sunst allenthalben in ihrem lande
gefangen und ihre guter ihnen eingezogen, auch sonst allerhant
beschwerunge zugefuget. Nu waren in etzlichen vorgehenden
tag Leistungen mittel furgeschlagen und die sache so weit gebracht worden, daz die Fleminge die tagleistunge zu Hamburg
an geregtes 91. jares, umb St. Mertens tag [1], bewilliget
hatten. Und wurden alda volgender gestalt alle irrunge und
zweispalt aufgehoben und vertragen: daz die Fleminge den
stetten fur ihren schaden gelten und bezalen solten 11,100 pfund
grot [2]; auch solten den stetten vernewet und zugestelt werden
alle ihr vorige privilegia und freiheiten. Aber fur die gewalt
und uberfarunge, daz sie den kaufman gefangen gelegt, solten
sie, wen der kaufman zu Brugk widerum eingefuhret, vor
ihnen im Carmeliten kloster erscheinen 100 personen, aus den
furnembsten stetten in Flandern, und dem kaufman, was sie
an ihm verwirket, abbitten. Zu deme solten sie 41 [3] pilgrine erliche personen schicken gen Rom, 41 gen Compostel zu
S. Jacob und vier zum heiligen grabe. Und wurden
sunst viel andere mehr artikel in diesem vertrage begriffen,

[1] Dieselbe Zeitangabe, so wie ein den Rathsendeboten gemachtes Geschenk findet sich in der Stadtrechnung verzeichnet.

[2] Die Quitungen des Hamburger Bürgermeisters Johan Hoyers für
diese zur Hälfte 1392 Oct 7., zur Hälfte 1393 März 8. gezahlten
Summen befinden sich, nebst andern Quitungen über ähnliche Ent-
schädigungen, im Archive der Stadt Ipern. S. die Auszüge im Messager des sciences et des arts de la Belgique. Gand. 1833 T. I. p. 299.
No. 12 u. 14 und p. 822. No. 13. 15. In der Stadtrechnung z. J. 1393
wird Marquard Schreye und Joh. Hoyers der Empfang bedeutender
durch sie eincassirter flämischer Entschädigungsgelder quittirt; auch die
z. J. 1395 enthält einen kleineren Posten.

[3] Im Berichte 16 Pilger, XVI. anstatt XLI.

1391 daʒ alſo die langwirige heftige zwitracht einmal durch Gottes genade geſönet und vertragen wurt. Bei dieſer handlung feint von
wegen des rats zu Hamburg geweſen, volgende burgermeiſter und ratsherrn: Bertram Harborch, Marquart
Schreie, Chriſtianus Miles, Johan Hoyers und
Chriſtianus Böſ [1]).

In dieſem jare wurt gemachet der graben zwiſchen der
Elbe und Möllen in die Steckeniʒ [2]).

Und es war große rauberei in der ſehe. Da die von
Roſtock und der Wismar erlaubeten menniglich aus ihrem hafen auf die Denen, Schweden und Nordiſchen zu nemen und zu rauben: Darumb, daʒ die konigin von Dennemark ihren herrn konig Albrechten zu Schweden gefenglich hielt. Aber ſie grieffen etwos ferner, den ihn erlaubet
war, nemen ſowohl der ſtette guter, als ihrer feinde, unter
dem ſchein, als ob ſie nicht wußten, daß ſolliche guter den
ſtetten zugehöret. Dieſe ſeherauber nenneten ſich Gleich-
beuter [3]) und Vitalienbruder [4]), und machten hernach-
mals den von Hamburg viel muhe, ehe man ſie hub
ausrotten.

Anno 1392 wurt gebauwet S. Gertruden Kirche
zu Hamburg, und der raum des kirchhofes zum begrebniſſe
der toten darzu genommen und geweihet [5]).

---

[1]) Hier hat Tratziger den Nicolaus von Ghelderſen ausgelaſſen. Seine Nach-
richten beruhen auf dem im angeführten Bande hanſiſcher Receſſe noch er-
haltenen Berichte über die Verhandlungen zu Hamburg 1391 Nov. 11.
Der König von Frankreich Carl VI. beſtätigte 1392 Mai 5, Philipp II.
Herzog von Burgund 1392 Mai 12. die Privilegien der hanſiſchen
Kaufleute, u. a. O. No. 3, 4.

[2]) Korner ausführlich z. J. 1391.

[3]) So überſetzt Tratziger ihren bekannten Namen Like Deeler.

[4]) Nach Korner z. J. 1391. Vergl. Detmar z. J. 1392.

[5]) 1392 Nov. 1. S. Schütze Beweis- und Erläuterungs-Schriften
S. 12., wo der noch im Originale vorhandene Vertrag des Rathes
mit dem Domcapitel abgekürzt iſt.

Anno 93 verbunden sich die von Hamburg mit den 1393
Wurstfriesen wider die Lappen, welchen das schloß
Ritzebuttel zugehoret, davon den von Hamburg und andern viel schaden wurt zugefuget [1]. Die Wurster schicketen den von Hamburg zu hilf 800 werhaftiger man [2].
Also entsagten sie den Lappen, zugen fur Ritzebuttel,
sturmeten und gewunnen das schloß mit gewalt [3].

Anno 1394 vertrugen sich Wolder und Aluerdink
die Lappen mit dem rate zu Hamburg von wegen des
hauses Ritzebuttel, nemen von dem rate eine benenten
summen geldes, und verließen darauf alle ansprach und gerechtigkeit zum ermelten hause und darzu belegenen gutern [4].

Die Hamburger hetten auch viel zankes und widerwillens mit den Ditmarschen, insonderheit den beiden carspeln Brunsbuttel und Merne: fielen ihnen bisweilen
ins lant, brenneten und raubeten feintlich. Desgleichen, wo
die Ditmarschen der Hamburger widerum mechtig werden kunten, handelten sie gleicher gestalt mit ihnen. Aller sollicher
zwiespalt halben, wurden sie volgendes 1395 jares vertragen
und die Ditmarschen verwilligten sunderlich in diesem vertrage,
daß sie ihre feinde zu keinen zeiten auf den Elbstrom solten noch wolten suchen [5*].

---

[1] Aus den Stadtrechnungen z. J. 1393 ersehen wir, daß die Lappen
auch den Thurm auf Neuwerk verbrannt hatten und Stadtdiener zum
Schutze der Inseln abgesandt werden mußten.

[2] 1393 Mai 21. ward ein auf hiesigem Archive noch vorhandener Bund
auf drei Jahre gegen alle Feinde Hamburgs geschlossen; der Lappen,
sowie der von den Wurstfriesen geleisteten Hülfe gedenkt dieser Vertrag nicht besonders.

[3] Vermuthlich erhielten auch die neun, deren Heilung durch des Meister
Hans mit dem Barte der Stadtrechnung zufolge der Rath sich
angelegen sein ließ, ebenso wie drei andere durch den Barbier Wolde-
win geheilten, wo dies ausdrücklich bemerkt ist, ihre Wunden vor
Ritzebüttel. Auch zahlte der Rath in den folgenden Jahren noch einzelnen schwer Verwundeten Schmerzensgelder.

[4] 1394 Juli 31. S. Köster h. a. D. X. 211.

[5*] Wie energisch man in Hamburg zugriff, zeigt die Stadtrechnung z. J.
1394, welche eine dem Johan Ammentrost gezahlte Summe von

1395   In demselbigen jare wurd der alte rat zum Sunde wider eingefuret, den die gemeine hette entsetzet und aus der stat gejaget [1]).

Auch wurt dieses jares aus seiner gefengnus losgegeben und entfreiet konig Albrecht zu Schweden. Er muste sich losen mit 60,000 mark lotiges silbers. Darfur nahm konigin Margaretha von Dennemark zu burgen an, die stette: Lubeck, Thorn, Stralsunt, Elbingen, Reuel, Danzig und Gripswalt. Den ward der Stockholm zur kegenverwarunge als ein pfand verschrieben. [2]).

Zu diesem jare am tage Margarethae, zugen aus die von Rostock und zerstoreten das veste schloß Arenshope, welchs herzog Bugslof von Wolgast uf das lant Wustro gelegt, eine newe hafe zu nachteil der von Rostock albo anzurichten. [3]).

Anno 1396 nam ihme herzog Heinrich von Luneburg fur, daz er die statt Luneburg wolte ihme zu geselligen horsam zwingen, leget sich gen Winsen an die Lu, und hielt alle schiffe an, die mit Luneburger salz geladen weren, und gen Lubeck und Hamburg faren wolten; darumb verbunden sich die von Lubeck und Hamburg, mit den von Luneburg wider herzog Heinrichen [4]). Die Hamburger

---

11 Pfund für gerichtete und vorgelabene Ditmarschen aufführt. Daß man indeß freundliche Vermittlung mit mehr Erfolg anwandte, scheint aus der Entsendung eines geheimen Boten mit einem Kostenaufwande von 48 Pfund und aus dem Geschenke einer Tonne Wismarschen Bieres an Ditmarschen zur Zeit der Indulgenz hervorzugehen.

[1]) Korner und Detmar z. J. 1395.

[2]) Ausführlich bei Korner und Detmar z. d. J.

[4]) Daraus, daß der Stadtrechnung zufolge hamburgische Bürger, statt Schwergerüstete und Bogenschützen für die Zeit des Krieges zu unterhalten, 972 Pf. zahlten, dürfen wir wohl folgern, daß persönliche Theilnahme der Bürger an Kriegszügen damals durchaus nicht mehr die Regel war. Umsonst scheint Luneburg Hamburgs Unterstützung nicht erlangt zu haben, da noch 1401 nach der Stadtrechnung außer den in diesem und den folgenden Jahren als Beisteuer

belagerten das schloß Harburch, deren hauptman war der 1396
Johan Hoyers, burgermeister zu Hamburg. Sie sturmeten
das schloß und engsteten die darauf waren. Aber sollichen
ernst verfolgeten sie nicht, sundern zugen auf die Luneburger
heide, brenten und plunderten die dorfer und sambleten einen
großen raub [1]): ingleichen teten auch die von Luneburg.
Unterdeß zog herzog Heinrich aus Winsen und senkete
schiffe, mit großen steinen beladen, in die Elmenaw, vermei-
net den von Luneburg die tiefe des wassers und zufure zu
nemmen. Aber die von Lubeck und Hamburg zugen mit he-
res Kraft dahin, macheten weit eine bessere tiefe, dan zuvor gewesen war, und legten sich volgends fur Winsen, gewunnen
das stetlin, hetten auch ohne zweifel in die lengst das schloß
erobert, aber sollichs wurt durch gutliche handlunge eines
stilstandes unternomen [2]).

Anno 97 wurt ein bestendiger vertrag und friede behandelt und aufgerichtet, zwischen herzog Heinrich von Luneburg, auch herzog Bernhart, der sich ihme anhengig gemacht hette, und ermelten stetten. Und es wurden den stetten
in sollichem vertrage die schloßer und weichbilde, Harborg,
Blekede und Ludershausen, fur einen pfantschilling ein-

---

zum Kriege (gegen die Vitalienbrüder) gezahlten Summen, der Rath
von Lüneburg 800 Pf. für geleistete Hülfe abbezahlte. In der
Folge scheint man in Lüneburg Schwierigkeiten gemacht und Gegen-
forderungen erhoben zu haben, bis 1419 Aug. 25 in einem Vergleiche
vor dem Rathe zu Lübeck man gegenseitig seine Ansprüche fallen ließ,
der Rath von Hamburg sogar die von den Bürgern gemachten Aus-
lagen und getragenen Schäden im Betrage von 16,000 Mk. vergütete,
für das von den Lüneburgern gegebene Versprechen, in ähnlicher Noth
gleiche Bereitwilligkeit im Helfen zu beweisen.

[1]) Unter den Einnahmen dieses Jahres hat die Stadtrechnung auch 168
Pfund von Gefangenen.

[2]) Von kleinen Abweichungen abgesehen nach Korner, welcher übereinstimmend mit Detmar Stadt und Schloß Winsen nicht scheidet, auch
deren Einnahme nicht erwähnt.

Tratzigers Chronik.   8

1397 getan; auch wurt mit behandlet, daß herzog Heinrich solt
niderreißen das schloß zu Ultzen, auch die veste, welche er
wider diè von Hannouer hatte aufgebauwet [1]).

In diesem jare starb graf Clawes von Holstein [2]).

Anno 1398 nechstfolgends wurt gebauwet, die Cartaus zur Arnsbole, darzu gaben die von Lubeck und
Hamburg ein merklich gut. [3])

Es wurd auch diz jares gebauwet die Cartaus vor Rostock Marien Ehe genennet [4]).

Hiebevorn ist worden angezeiget, wie die von Rostock
und Wismar ibermenniglich erlaubten, aus ihrem hafen
die Denen, darumb, daß sie ihren heren, konig Albrecht,
gefenglich hielten, zu berauben, und daß dadurch beide die Ost-
und West=See voller seerauber wurde, die sich Gleichbeu-
ter oder Vitalienbruder nenneten. Do aber anno 95
könig Albrecht aus seinem gefengnus wurt losgegeben und in
seinem lande ankam, hett der Vitalienbrudere narunge
auch ein ende. Darumb zugen sie erstlich in Norwegen,
gewunnen und plunderten Bergen das stettlin, alda sie ein
groß gut uberkemen, das fureten sie gen Rostock und der
Wismar, da beuteten und teileten sie. Die burger kauften
ihnen umb ein geringes das gut ab und bereicherten sich dadurch nicht wenig. Darnach teileten sie sich und begab sich
ein große anzal in Frieslant [5]), aldo wurden sie gehauset

---

[1]) Korner und Rufus z. J. 1398, Detmar 1397. Die Entwürfe zu den
Verpfändungsverträgen vom 21. October und a. sind in dem Bande
alter hanßischer Recesse auf hiesigem Archive noch vorhanden. Die Ver-
setzungsurkunde der Herzöge ist gedruckt bei König Selecta juris publ.
novi VI. 359 Unsere Stadtrechnung hat noch z. J. 1398 eine Ausgabe von 35 Pf. für Verhandlungen der Rathmannen Joh. Hoyers
und Nic. von Ghelderfen mit dem Grafen Otto zu Lüneburg

[2]) Korner und Detmar 1397.

[3]) Nach Korner z. J. 1398, Detmar z. J. 1397. Doch ist abgesehen von
einzelnen Ungenauigkeiten Tratzigern auch hier die Hervorhebung Hamburgs und Lübecks eigen.

[4]) Nach Korner z. J. 1398, Detmar z. J. 1397. Der Name ist Marias
lex. Vergl. H. Alb. Schröter Beiträge zur Mecklenburgischen Geschichte.
S. IX.

[5]) 1394 April 23.

unb geheget von eßlichen mechtigen Friefen, als Eben 1398
Wimmeken a) uf Ruftringen verndels, Keuno vom
Broke, Hiffeke, proueften zu Emeden, Ennen von
Norden, Hare von Balren, Enneheit von Harlete,
Polkmar Allen. Diefe und andere mer hanthabeten die
Bitalienbrudere teten ihnen furfchub mit fchiffen und ande-
rer ausruftunge, gunneten ihnen den auf= und abzug auf ihren
fchloßern, dan fie nemen mit von her ausbeute und wurden
ihres raubens, gleich wie beuorn die von Roftock und der
Wismar, nicht wenig gebeßert [1].

Die von Lubeck und Hamburg fampt anderen ftetten,
derer kaufleute merklich dardurch befchediget wurden, gedechten
auf mittel und wege, wie fie follichem unrate mochten weren
und furkommen, und vereinigten fich angeregtes 98. jares mit
frauw Margarethen, konigin zu Dennemark, daß fie bei-
derfeits zu waffer und zu lande die Bitalienbrudere verfolgen
und ausrotten wolten, darzu ein teil dem andern iberzeit hulflich fein folte Und es ratfchlageten der ftette gefanten zu
Lubeck [2], was ein ißliche ftadt an fchiffen und leuten folte
ausruften, die fehe fur oftgedachten Bitalienbrudern zu befri-
digen. Aber es wurt darauf nichts eigentlichs gefchloßen, die
gefanten nemen alleine an, den furfchlag an ihre obern und
herfchaft zu bringen. Darumb befchaffeten des jares die Bitalienbrudere ihren willen und gefallen [3].

---

a) Wonnecken L.   b) Bittalien-Brudere L.
[1] Obfchon vieles in diefem Berichte aus Korner (zu verfchiedenen Jahren 1392—1395) entlehnt ift, deutet doch die genaue Angabe der den
Bitalienbrüdern günftigen Friefenhäuptlinge auf eine eigenthümliche
hamburgifche Quelle.
[2] Korner z. J. 1399.
[3] Bermuthlich nach einem Hamb. Berichte. Vgl. Detmar z. J. 1398.
Aus der Stadtrechnung ift zu erfehen, baß Hamburg 1398 mit dem
Koftenaufwande von 1254 Pfund 3 Pf. einen Schnellfegler gegen die
Seeräuber in der Oftfee rüftete und im Jahre darauf dort Kriegsvolk
befoldete Auch gegen die Bitalienbrüder in der Wefer machte man
einen Zug, deffen Koften 769 Pfund 9 Schillinge 3 Pf. betrugen.

8 *

1399   Folgends 1399 jares beschicketen die stette die konigin zu Dennemark zu Nicopen, und wurden von Hamburg abgesant: her Christian Miles und Johan Hoygers [1].

Alda wurt vernewert obangeregte vereinigunge, zwischen der konigin und den stetten und wurden unter der konigin und der stette namen briefe geschicket an graf Curt von Oldenborg und an Kennen, hern Ocken sohne, an die von Groningen und an die von Docken, und wurt ernstlich von ihnen begehrt, daß sie die Vitalienbrudere nicht forter hausen, hegen und aufhalten solten [2].

Dieses jares war eine große kelte, darvon die Ostsee so hart gefror, daß man uber das Eis aus Teutschlant in Dennemark wandlen mocht. Diese kelte stunt von St. Mertens tage bis in die letzte fastwochen [3].

In diesem jare erhub sich ein unwill und feibe zwischen der stat Hamburg und graf Albrechten von Hollant und seinen hollandischen stetten. Ein teil beschedigete das ander mit todschlag, mit raub und brande: und sollicher krieg weret in das vierte jar, do wurden beide teil durch einen machtspruch widerumb versonet, als hernacher unter dem 1403. jahre sol werden angezeiget. Und sollicher seibe verursachet sich daher, daz die Hollander einen krieg fureten, mit den Friesen, darumb warnet der graf von Hollant die Hamburger, daß sie den Friesen nichts solten zufuren. Do

---

Spuren der unheimlichen Nähe dieser Seeräuber finden wir schon einige Jahre früher in der Stadtrechnung, welche 1394 eines zur Beobachtung der Vitalienbrüder auf Helgoland entsandten Kundschafters Peter, 1396 einer nicht unbedeutenden, durch Verhandlungen mit ihnen veranlaßten Ausgabe gedenkt; 1397 freilich schon einer Zahlung an Ammentroste für Erecution zweier Vitalienbrüder.

[1] Der Stadtrechnung zufolge mit einem Kostenaufwande von $262\frac{1}{4}$ Pfund 2 Schill. 3 Pf.

[2] Aus dem Berichte der hamburgischen Abgesandten a. a. O. (Recesse.) Der Tag war 1399, Sept. 8.

[3] Nach Korner z. J. 1399, wo jedoch wie bei Detmar die Angabe der Tage fehlt.

follichs die von Hamburg nit unterließen, wurden sie gleich 1400 als feinde von den Hollandern beschediget, welchs des krieges ursach und anfang war [1]).

Anno nach Christi geburt 1400 auf Purificationis Mariae [2]) waren zu Lubeck der Anseftette gesandten versamblet; dahin wurden von Hamburg geschicket: her Christianus Miles und her Meinart Burtehude [3]). Es wurd furnemblich beratschlaget, wie man schiffe und volk wolte ausrusten, die Vitalienbrudere in Frieslant und wo sie sunst zu wasser und laube mochten angetroffen werden, zu verfolgen und auszurotten [4]).

Kenno vom Broke, des hiebevor meldunge geschehen, merkete der stette ernst, und besorgete sich, sie wurden ihren schaden widerumb bei ihme suchen. Darumb wolte er sollichem furkommen und schicket seinen gesanten [5]) gen Lubeck, ließ sich auf's hogeste entschuldigen, daß er die Vitalienbrudere wider seinen willen zu sich genommen, den er hette sich besorget, daß sie ihn sunst aus seinem lande vertreiben und seine heuser wurden einnemen: er wolte aber also gestracks sollich volk von sich thun, und sie hinforter nicht in seinem gebiete gedulden: darauf ließ er ihnen ein starke versiegelte verschreibunge zusagen [6]).

Aber die stette merketen die hinderlistigkeit und furen

[1]) Der Streit begann 1399, Nov. 25. S. Sartorius Geschichte des hanseatischen Bundes II. 2. p. 798; indeß war schon 1397 ein Hamburgischer Gesandter im Haag, um Streitigkeiten über von Hamburg den Friesen gegen die Holländer geleistete Hülfe zu vertragen. S. von Schwartzenberg Groot Placaat Charterboek van Brieslant. I. 268.

[2]) Febr. 2.

[3]) Der Stadtrechnung zufolge waren es M. Schreye und Marquard (?) Burtehude gewesen.

[4]) Bericht a. a. O. p. 321.

[5]) Einen Geistlichen Herrn Almer.

[6]) Das Schreiben 1400, Febr 24. a. a. O. p. 322. Willebrandt Hanseatische Chronik III. 37. theilt eine in den Bürgen abweichende Fassung mit.

1400 gleichwol fort in ihrem furnemen [1]). Also wurden gegen den ostern ausgerustet ein statliche schiffsflote, darauf waren als oberste hauptleute, von wegen der stat Lubeck: her Henning von Kirtelen und Johan Krispin; von Hamburg: her Albrecht Schreye und Johan Ranne. Sie stegelten von Hamburg abe, freitags nach den heiligen ostern [2]) und es kemen darnach zu ihnen der von Bremen, Groningen, Campen, Elbotch und Deuenter hauptleute mit ihrem volke.

Als sie nu in Frieslant ankamen [3]), gerieten sie bi der Oster-Embse an etzliche Vitalienbrudere, die ubermanneten sie, daz ihrer bei 80 erschlagen und uber bord geworfen wurden, die andern wurden gefangen und gerichtet, ungeferlich bei 36 [4]). Folgends wurden ihnen gutwillig aufgeben und uberantwortet: das schloß und stat Embden von Hissecken, probsten und heuptlinge zu Embden, welchs sie ihme ließen, der ursachen, daß sie ihnen in seinen worten und handelen aufrichtig funden. Gretenhusen [5]) wurt aufgegeben von Volkmar Allen, das zu brechen und verbranten sie, sampt Wittmunt und Lackuorde; zwei schlößer als Valren [6]) und Herlete wurden Hissecke probsten auf schloßglauben zu trewer hand von der stat hauptleuten eingegeben. Kenno vom Broke kam auf geleit gen Embden, und wurt albo gehandelt, daz er sein schloß Aurichhofe den stetten mußte einantworten und ihnen darzu gisel stellen, die so lange, biz er aller zuspruch und forderung halben mit den stetten entscheiden were, zu Bremen solten einhalten [7]).

---

[1]) Nach dem Berichte a. a. O. p. 321 ff.

) Nach dem Berichte: des Donrebaghes na paschen (April 22).

[3]) 1400 Mai 5.

[4]) Der Stadtrechnung zufolge wurden zu Hamburg 30 Vitalienbrüder gerichtet und von Knorre in einer Grube eingescharrt.

[5]) Im Berichte Grotenhusen.

[6]) Nach dem Berichte wurden Grotenhusen und Lofworde Juni 14, Valren am 8 Juni eingenommen

[7]) 1400 Mai 12. oder Mai 23. an den ebenfalls zu Emben zahlreich versammelten hanseatischen Abgesandten über Vertreibung der Vitalienbrüder u. a. geschlossenen Vergleich s. b. Dreyer a. a. O. 229.

Die West-Friesen feibeten zu der zeit mit den grafen 1400
von Holland, und hetten ein anzal Bitalienbrüdere
in ihrer bestallunge, die sie wider die Hollender gebraucheten; darumb mußten sie angeregten der stedte hauptleuten ver-
warunge¹ tun ¹), daß der gemeine kaufman von denselben
solte unbeschediget bleiben, und daz sie nach geendigter feide,
dieselben alle zu lant wolten von sich ziehen laßen. Also
wurden der zeit die Bitalien-Brudere endlich aus Friesland
gestobert ²) und Kenno vom Broke ward letzlich durch beforderunge des herzogen zu Geldern mit den stetten vertragen ³).

In diesem jare wirt erwelet zum Römischen konig
pfalzgraf Ruprecht bei Rhein, und konig Wenzlaus von
wegen seines bosen lebendes und wandels abgesetzt ⁴).

Hiebevorn ist gesagt, welcher gestalt vorgehendes 99. jares,
die von Hamburg mit den Hollendern in eine feide gerieten. Nu wurd dieses jares ein freundlicher anstand bewilliget, also daß ein teil des andern lande und gebiete, unbefaren
mochte besuchen. Solliches wurd beschloßen im Hagen, dahin als volmechtige des rats und gemeinde zu Hamburg
geschicket waren: her Johan Hoiers und her Meinart
Burtehude. Darauf kamen die Hollander in großer
anzahl gen Hamburg, kaufeten eine merkliche anzal allerlei
waren und beluden 52 schiffe. Da sie nu von der Elbe
laufen wolten, wurt ihnen der wind entkegen, daß sie unter
Stade mußten liegen bleiben. Mitler zeit kompt zeitunge
gen Hamburg, wie die Hollender zuwider dem aufgerichten
friedstand etliche hamburgische kaufleute auf der see beschediget hetten; als sollliches die Hamburger vernahmen, ließen sie

---

¹) 1400 Mai 26. nach dem Berichte; eine von den westfriesischen Äbten.
Prälaten und Richtern ausgestellte Urkunde 1400 Juni 8. befindet
sich auf dem Archive.
²) Nach dem ausführlichen Berichte a. a. O. (Recesse) p. 483—502.
³) Die Copie von Kenno's Schreiben (dat. 1400 Nov. 19.), in welchem
er sich des Herzogs Schiedsspruch unterwarf u. a. O. p. 466.
⁴) Korner z. d. J.

1400 sich bedunken, sie weren auch nicht schuldig den Hollendern zu
den friedstand zu halten, fielen bei der nacht aus Hamburg,
griffen die 52 hollendische schiffe an, darin sie etlich Hollender
erschlugen, die andern fingen sie und wurfen sie zu Hamburg
in die turne; schiffe und guter ließen sie auch einziehen [1]. Also
blieb es krieg hernach wie zuvor.

Folgenden jares rukten herzog Bornim von Wolgast
und her Ballhasar von Wenden mit 400 pferden zur
Lubeck, huben alda an zu rauben und zu brennen. Die
burger zu Lubeck wapneten sich in der anzal bei 4000 starf,
namen zum hauptman hern Jordan Pleskowen, burgermeistern zu Lubeck. Sie zogen aus der stat und wolten die
feinde haben niedergelegt. Aber sie entkemen ihnen durch herzog Erichs zu Sachsen lant, alda ihnen der paß und
durchzug gestattet wurt, sunst were ihrer sehr ubel gepflegt
worden [2].

Im nechsten jare, do man schrieb 1402, gerieten die se-
gelandsfahrer bei Heilgelant an etliche Vitalienbrudere, die in der Westsehe noch raubeten. Derselbigen hauptleute weren: Clawes Stortebecker und sunst einer Wich-
man genennet. Die Hamburger griffen die seerauber ernstlich an und erschlugen ihr bei 40gen, in die 70 wurden gefangen und gen Hamburg gefuret, alda sie gekopfet wurden,
und nach ihrer arbeit und verdienen belonet wurden [3]. Nicht
lang darnach in demselbigen jare fiengen die Hamburger noch
bei 80 Vitalienbrudere mit ihren hauptleuten Godeke
Michael und Wigbolden, welcher war ein promovirter
magister in den freien kunsten. Sie wurden alle gen Ham-

---

[1] Unter den Einnahmen des Jahres 1400 hat die Stadtrechnung von
verkausten holländischen Schiffen 3048 Pfund 8 Schill., von verkau-
tem holländischen Biere 1144 Pfund 2 Schill., von verkauften holländischen Herringen 1039 Pfund. Dagegen sind 1399 als Kosten für
Anhalten von Holländern 182½ Pfund 18 Pf. angegeben.

[2] Nach Korner z. J. 1401.

[3] Nach Korner z. J. 1402.

burg geführet, daselbst entheuptet und ihre heupter uf das 1402
Brok zu den andern gesetzet [1]).

Umb diese zeit durchstreifete Asiam der großmechtige
tiran Tamerlanus, von geburt ein Tartar, verheeret und
verbrennet alle stette und vesten, nam den turkischen keiser
Baiaseten gefangen, furet ihn in einen eisern vogelpur
herumb, und richtete sunst in kurzer zeit große sachen aus, die
von den geschichtschreibern erzelet werden [2]).

Anno 1403 wurt verrichtet der krieg zwischen grafen
Albrechten zu Hollant und den von Hamburg, welcher
anno 1399 sich angefangen und ins vierte jar geweret.
Beide teile hatten viel schadens einander zugefuget; zulezt do
sie an beiden seiten müde wurden, schlug sich darein der rat zu
Gent in Flandern und teten auf der parteien seine stellunge
einen machtspruch, dardurch sie dem grafen verteileten etliche
statliche privilegien denen von Hamburg zu geben zu er-
gezunge ihres schadens [3]). Aber den Hollandern mußten die
von Hamburg ihren schaden mit etlich 1000 nobeln verbüßen [4]).
Zu dieser handlunge wurd von dem rate und gemeinde zu
Hamburg volmechtig geschicket her Meinhart von Buxte-

---

[1]) Nach Korner, Ueber die Kämpfe mit den Seeräubern im Jahre 1402
ist die Zeitschrift des Vereins für Hamburgische Geschichte Bd. II. S.
43—100 zu vergleichen.

[2]) Vgl. Krantz Saxonia X. 20. Wandalia X. 5, doch ist der Name Ba-
jazets zugefügt.

[3]) 1403 Aug. 14. auf hiesigem Archive.

[4]) Im Jahre 1403 bezahlte man der Stadtrechnung zufolge dem Grafen
von Holland 7066 Pfund 19 Schill. 5 Pf, im Jahre 1404 in zwei
Terminen, den 1. Mai (Philippi und Jacobi) 7336½ Pfund 7½ Schill.,
den 1. December (Allerheiligen) 6412½ Pfund. So bedeutende Zahlungen zu machen bedurfte es eines Schosses; in St. Petri wurden 1730
Pfund 8 Schill. und 120 Pfund, in St. Nicolai 1723 Pfund, in St.
Katharinen 1404 Pfund 16 Schill. und 55 Pfund 4 Schill., in St.
Jacobi, dem ärmsten Kirchspiel, 366 Pfund und 204 Pfund, an geist-
lichem Schoß 50 Pfund, zusammen 5642 Pfund 8 Schill. im Jahre
1403 zusammengebracht.

1403 hude burgermeifter[1] und gefchah angeregter Zanfpruch angeregten jares, den 9. October.

Anno 404 verfuchten fich herzog Gerhart von Schleswig
und graf Albrecht zu Holftein an den Ditmarfchen, aber
der ausgang des kriegs war auf der Holfteinifchen feiten unglücklich[2]. Den graf Albrecht fiel mit einem pferde fo gefehrlich hatt,
daß er kurzlich darnach ftarb[3]. Und herzog Gerhart wurt
mit feinem furnemften adel umbgebracht. Graf Albrecht
ftarb ohne erben, aber herzog Gerhart verließ drei fone:
Heinrichen und Adolfen, mit dem dritten ging fein gemahel, der herzogen zu Braunfchweig, Bernharts und
Friberichen fchwefter, noch fchwanger. Er wurd nach feinem vatter Gerhart genennet[4]. Diz ift der herzogen von
Holftein andere unglückliche fchlacht wider die Ditmarfchen.

Die von Hamburg hiengen dem kriege nit an, und
verboten, dem grafen zu gefallen, allen ihren burgern und einwohnern, daß keiner den Dittmarfchen etwas folte zufuh-
ren[5]. Dargegen bewilligten fie den burgern etliche artikel,
unter denen war einer: daß der rat keinen burger unerkantes
ordentlichen rechtens folt gefenglich einziehen laßen[6]. Davon
fich hernacher anno 10. die aufrur verurfachet.

---

[1] Der Stadtrechnung z. J. 1403 zufolge waren außer ihm auch Hilmar
(Lopow) und Hermann (Lange) dort. Die Koften ihrer Sendung betrugen 1717 Pfund 2 Schill. 10 Pf.

[2] Nach Korner und A. Krantz Saxonia X. 21, welcher ebenfalls, was dem
Presbyter Bremensis c. 29 z. J. 1403 entlehnt ift, z. J. 1404 ftellt.
Daß fchon 1402 es zum Kriege gekommen war, beweift ein 1402 Sept.
5. zwifchen Ditmarfchen und den Grafen abgefchloffener, noch vorhandener Waffenftillftand von Sept. 5—21.

[3] 1403 Sept. 28.

[4] Saxonia X. 23.

[5] Neokorus Ditmarfifcher Chronik Th. 1. S. 380 zufolge verfuchte man
Hamburgifcher Seits zu vermitteln, worauf auch die in der Stadtrechnung
mit 18 Pfund in Rechnung gebrachte Reife der Bürgermeifter Mey-
nard (Burtehude), Hilmar (Lopow) und des Rathmannen
H(inrik) Bekendorp nach Ditmarfchen deutet.

[6] Worauf diefe wenig wahrfcheinliche Nachricht Tratzigers beruht, ift
unbekannt.

In diesem jare zugen die von Lubeck hern Balthasar 1404 von Wenden in sein lant vor Parchem; do nemen sie die kuhe und trieben sie mit sich hinweg, plunderten und verbrenten viel reicher dorfer, belagerten zuletzt das schloß Gustrow und brungen hern Balthasarn dahin, daß er sich mit ihnen mußte vertragen [1]).

Anno 405 ward die gemeinde zu Minden aufrurig, trieben etliche von den furnembsten aus der stat, unter denen waren: Reimer a) von Bucken und Herman Swarte b). Diß ward geklaget dem Romischen könig Ruprechten, der tet die von Minden in die acht: auf welche achterklerunge sie von den ausgetriebenen heftig verfolget werden. Zuletzt stelleten sie beiderseits die sache auf die drei stette Lubeck, Hamburg und Luneburg; und nach derselbigen erkentnus, mußte der rat und die gemeinde die vertriebenen wieder einfuren, in ihren vorigen stant einsetzen und ihren gelittenen schaden widerlegen [2]).

Dieses jares wurt handlunge auf Falsterbue auf Schonen gehalten, zwischen der königin zu Dennemark und dem heermeister in Preußen. Zu dieser handlunge ward von Hamburg geschicket: her Hilmer Lopow, ratman, und wurden daselbst die konigin und der heermeister c) aus Preußen mit einander nach billigkeit vereiniget [3]).

Anno 406, am tage Annunciationis Mariæ, des morgens umb 6 uhr, ward die sonne ganz bedecket, und so eine große finsternus, daß die leute meineten, es solte die welt vergangen sein [4]).

---

a) Rione L.   b) Schreveto L.   c) hoemeister L.
[1]) Nach Korners ausführlichem Berichte z. J. 1404.
[2]) Nach den noch vorhandenen Copien der Briefe und Verhöre v. J. 1405, 1406, 1407, a. a. O. vgl. Korner und Detmar.
[3]) 1405 Juni 24. Bericht a a. O.
[4]) Der Tag März 25. ist von Tratziger unrichtig angegeben: Die totale, zu Hamburg sichtbare Sonnenfinsterniß d. J. fiel Juni 16. Rufus und Korner (St. Vitti, Juni 15.) kommen dem richtigen Tage sehr nahe.

1406 Die Hollander und Friesen hetten etzliche jar mit einander gefeldet, und in dieser feide griffen die Vitalien-bruder, welche in Frieslant noch gehauset worden, weidlich zu des gemeinen kaufmans gutern, und geschah also den Ansestetten großer schaden. Darumb verordneten die Ansestette ihre gesanten aus Lubeck und Hamburg gen Amsterdam, die behandelten zwischen den Hollandern und Friesen einen anstant [1]), und begerten darneben, daß die Friesen den Ansestetten ihren erlittenen schaden, welchen die Vitalienbrudere unter der Friesen bestallunge ihnen zugefuget, erstatten solten. Darauf bewilligten die Friesen mit den stetten einen tag zu halten zu Hamburg auf pfingsten des 407. jares, und sich der erlittenen scheden, allerseits mit ihnen zu vergleichen. Aber sie setzten ihrer verwilligunge nicht nach, sunder ließen umb dilation ansuchen; also wurd die handlunge gen Amstelredam verlegt, und die tagzeit auf Jo-bannis baptiste verschoben [2]).

Kenno vom Broke, des hiebevorn gedacht, schrieb [3]) an die stette und erbot a) sich, ihnen zu helfen wider die Friesen, von denen die Vitalien-Brudere den stetten zu nachteil gehauset wurden. Sollichs nehmen die stette zu dank an: idoch, daß sie erst wolten des angesetzten handelstags zu Amstelredam erwarten und vernemen, wie sich die Friesen halten wurden.

Die Ansestette wurden auch groblich beschweret und beschediget von den Englischen; und als der herzog zu Burgundien den Englischen auch nicht wohl gewogen, schicket er seine gesanten gen Lubeck, dahin aus Hamburg verordnet

---

a) erbuth L.

[1]) d h. einen Waffenstillstand bis October 7. Hamburgs Gesandte waren der Bürger Meinard Burtehude und Secretair Diterich Gusveld.

[2]) Nach dem Schreiben der Städte an die Friesen, abschriftl. a. a. O. dat. 1407 Mai 31.

[3]) Das Schreiben, dat. 1407 Mai 29., abschriftl. a. a. O.

waren: her Marquart Schreye und Hilmar Lopow 1408 und ließ den stetten seine und der kron zu Frankreich hilf und beistand wider die Englischen anbieten. Aber die Englischen hatten sich albereit mit den stetten eines tages verglichen, den sie zum Hagen in Hollant halten wolten und sich der erlittenen scheden halben mit ihnen vergleichen. Die von Hamburg ließen denselben tag besuchen und schicketen ihre volmechtige, hern Meinhart Burtehuben, burgermeistern, und Ditrich Cusfelden, protonotarium. Die tarirten den schaden, so die von Hamburg entpfangen auf 2000 nobeln. Darauf verwilligten könig Heinrichs gesanten 1000 nobeln zu Lunden zu entrichten; 500 nobeln halben solten die Hamburger mehr schein und beweis bringen und, ob sie von wegen der übrigen 500 nobeln wider die personen, so die nam getan, klagen wolten, solte ihnen schleunigs rechtens verholfen werden [1].

Doselbst wurd auch beschloßen, daz die stette drei schiff beweren und bemannen wolten wider die Vitalienbrudere. Diese schiffe wurden alle zu Hamburg ausgerustet und liefen von der Elbe unter Frießlant. Auf diesen schiffen waren 221 werhaftiger leute [2].

---

[1] In der Ratification des zwischen dem Hochmeister von Preußen und den englischen Kaufleuten geschlossenen Vergleiches, durch König Heinrich IV. von England von 1408 März 26. wird der Beginn der Verhandlungen im Haag auf 1407 Aug. 28. angegeben. S. Hakluyt the principal navigations, voyages. Tome I. p. 170. Ditr. Cusfeldt war schon 1405 December 15. in Dordrecht (ib. p. 164), Meinard Burtehude wird bei den Verhandlungen im Haag genannt (ib. p. 173.) Nach den hamburgischen Stadtrechnungen zu den Jahren 1406 und 1407 erhielten sie außer kleinern die Summen von 581 Pfund 13 Schill. und 525 Pfund zu ihren Reisen. Die Ratification von 1408 März 26. enthält über die Hamburger Forderungen nichts.

[2] Ein genauer Bericht über die Vertheilung der Mannschaft dieser Schiffe unter die hanseatischen Städte a. a. O. Die Stadtrechnung verzeichnet eine Totalsumme von 1709 Pfund 4 Schill. 5 Pf. als Kosten der Rüstung. Dazu zahlte (fer. VI. post Viti Juni 17.) Wismar 100 Mk., Rostock 136 Mk. 7 Schill. 2 Pf., Cöln 223 Mk. 3 Schill. Lübisch.

1408 Als obberurter tag, der zu Amstelredam zwischen den
Hollandern und Westfriesen angesetzt, heran kam,
wurden von wegen gemeiner Ansestette dahin verordnet
folgende hern, von Lubeck: Heinrich Westhoffe, von
Coln: Johan von Bergl, von Hamburg: Meinart
Burtehude, sampt noch etzlichen andern. Die unterstunden
sich des handels zwischen graf Wilhelm von Hollant und
den Westfriesen, und vertrugen endlich die sachen also:
daß die Westfriesen beide in Ostergow und Westergow
sich an den grafen zu Hollant ergaben, und ihnen fur ih
ren hern annehmen.

 Dieweil aber die Ostfriesen die Vitalienbrudere noch auf etzlichen vesten hauseten und den dem vorigen
abscheide nach, den von Hamburg ihres erlittenen schadens
geburliche widererstattung nicht teten, schicketen sie etzliche
kriegsschif in Ostfriesland, von den die widerspenstigen feindlich heimgesuchet und etzliche mechtige Friesen, so die Vitalienbrudere aufenthalte geniedriget, ihre schloßer einsteils
eingenommen, eins teils verbrant und abgebrochen wurden.
Unter denen weren die furnembsten: Enno von Norden,
Hayke von Valren und Ayelt von Osterhusen. Sollichs alles geschah mit hilf und zutun Kenno vom Broke,
der sich, wie oben berurt, gegen den stetten darzu erboten a).
Dardurch erlanget er die schloßer Nesse, den turn zu Ertle b),
Berum, die Greete und Osterhausen. Dargegen er
sich den gesanten der stat Hamburg verpflichtet, keine Vitalienbrudere fortan zwischen der Embse und Weser zu
gebulden, auch den von Hamburg und ihren verwanten
steten angeregte heuser in zeit der not zu eroffnen. Solliche
einigunge wurd aufgerichtet Anno 408, am tage Bartholomäi.
Und sind als vollmechtige der stat Hamburg darob und

Lüneburg 200 Mf., Dortmund 75 Mf., Kiel 45 Mf. Indeß sind auch
in den folgenden Jahren noch bedeutende Summen zu diesem Zweck
ausgegeben und besonders von den preußischen Städten eingegangen.
a) erbotten L. b) Erle L.

angewesen: Meinart Burtehude, burgermeister, Clawes 1408 Schocke, Marquart Henninge und Ditrich von dem Haghen, ratmanne ¹).

In demselbigen jare erhub sich die gemeinde zu Lubeck wider den rat, unter dem scheine, als ob sie durch ungewonliche schatunge zu ubermeßig beschweret wurden; wolten haben, der rat solte rechenschaft tun ihrer einname und ausgabe. Als nu der rat des gemeinen volks unbescheidenheit vernahm, wichen die furnembsten des rats aus der stat. Diejenigen, welche in der stat blieben, nehmen sich des ratstuels nicht an, sunder blieben in ihren heusern. Also erwelete die gemeinde einen newen rat. Unter denen burgermeistere wurden diejenigen, welche das spiel erstlich angefangen. Als aber der alte rat sich sollicher gewaltsamen uberfarunge bei dem Romischen konige Ruperto beklageten, schrieb der konig an den rat zu Hamburg, daz sie sich zwischen dem alten und newen rate bearbeiten solten, damit die irrungen mochten beigelegt und ein teil mit dem andern versonet werden. Daher begab sich, daß anno 409 an aller hilligen tage aus dem rat zu Hamburg: her Kersten Miles und Hilmer Lopow, burgermeistere, und Albert Schreye, ratman, gen Lubeck geschicket wurden, gutlicher handlunge zwischen dem alten und newen rate sich zu unternehmen ²). Sie zugen zu sich die von Rostock, Wismar und Luneburg, und beschieden etliche des alten rats auf geleit und sicherheit gen Stenrade a), zugen von einem teil zu dem anderen und vermein-

---

a) Stenrode L. Die genaue Ortsangabe fehlt dem Berichte.

¹) Tratziger erzählt nach dem mit Kenno 1408 Aug. 24. abgeschlossenem Vertrage.

²) Der Stadtrechnung z. J. 1409 zufolge mit neuem Kostenaufwande von 107 Pfund. Doch wird in demselben Jahre außer zwei anderen auch einer Reise der Bürgermeister Meinard Burtehude und Hilmar Lopow gemeinschaftlich mit den kaiserlichen Sendeboten erwähnt. Dieselben Bürgermeister reisten bereits 1408, vermuthlich bald nach Vertreibung des alten Rathes zu Lübeck, nach Mölln und Lübeck, um die Eintracht wieder herzustellen.

1409 ten, die sache zu vertragen: aber es war alle muhe vergeber... s;
den der alte rat wolte sich des raihtuels nicht verzeihen, ... so
wolte der newe rat dem alten rate nichts einreumen. D... ar-
umb die unterhendler unentscheidener sachen widerumb dar... en
zugen [1].

Und kurz darnach folgeten die von Rostock und ... der
Wismar der Lubeck'schen exempel, erweleten 60 mein... er,
den sie alle gewalt und regimente befulen. Die septen ... en
alten rat in beiden stetten abe und erweleten andere an i... hre
stette. Die aus dem alten rate die zu Rostock blieben, w... ur-
den gefangen gesetzt, denjenigen aber, die ausgezogen und e... nt-
wichen waren, nemen sie ihre guter [2].

Desselben jares erhub sich widerwill und entporung ... in
Ostfrieslant durch uneinigkeit Kennen vom Broke u... und
Hiske, provesten zu Embden. Sollche irrunge zu ... er-
tragen schickten der rat von Hamburg, her Meinha... rt
Buxtehuden [3], und der rat zu Luneburg, her Hinr... ich
Biskulen, beide burgermeistere, gen Meppen. Die wur... den
aldo fur schiedsrichtere von beiden teilen angenommen u... und
verrichteten durch einen nachtspruch alles, darumb die par... tei
zwispaltig gewesen [4].

Anno 1410 sontags, als man in der kirchen sin... get
Cantate [5], waren zu Hamburg versamblet gemeiner An... e
stette geschickten. Alda wurd dem rate zu Hamburg ma... cht
gegeben, die stette zu verschreiben und daz der gemeine kai... ff-
man alwegen seine gebrechen an sie gelangen lazen solte, alle... r...
maßen es zuvor mit dem rate zu Lubeck gehalten. Es wu... rd
auch gehandelt von der hilf wider die Vitalienbrude... r
ob sie ferner sich unterstehen wurden auf der see zu rauben

---

[1] Nach dem vorhandenen Berichte des Hamburgischen Abgesandten.
[2] Nach Korner z. J. 1409.
[3] Seine Sendung bestätigt die Stadtrechnung.
[4] Nach dem noch vorhandenen Berichte der beiden Bürgermeister v...
    1409 Dec. 10.
[5] April 20.
[6] Diese Nachrichten beruhen auf dem noch vorhandenen Berichte über d...
    Versammlung zu Hamburg.

In demſelbigen jare begab ſichs, daz herzog Johan von 1410 Sachſen [1]) ſchrieb an den rat zu Hamburg und klagete heftig uber einen burger zu Hamburg, Heine Brant ge-nennet, darumb, daz er inen, den herzogen, do er auf geleit zu Hamburg geweſen, groblich geſchmehet und verachtet. Der rat ließ Heine Brant fur ſich fordern und hielten ime ſolliche briefe fur und ließen in darnach in den Winſer-turn furen, dahin inen acht [2]) ratsperſonen geleiteten.

Hierburch erhub ſich ein großer widerwill zwiſchen dem rate und der gemeinen burgerſchaft, den als oben angezeigt, do anno 404 der rat iren burgern verbot, der Ditmar-ſchen mit zufur, handel und wandel ſich zu enthalten, willigte der rat widerumb dargegen, keinen burger, ohne ordentliche erkentnus des rechtens, mit gefengnus zu beſchweren [3]). Als ſie nu Heine Brandes in haftunge genommen und keiner burgſchaft wolten genießen laßen, ließen ſich die burger be-bunken, daz der rat wider ſollichen artikel gehandelt hette [4]); derhalben ſie heufig gingen, erſtlich zu hern Kerſtian Miles, elteſten burgermeiſter, begerten, den gefangenen Heinen Brandes loszugeben. Er erhielt aber bei inen ſo viel, daz er den rat geſtrackes mocht laßen zuſammen beſcheiden [5]); welchs geſchach. Und die burger begerten, den gefangenen lebig zu laßen biz zu verhor der ſachen.

---

[1]) Johann III., Sohn des 1412 verſtorbenen Herzogs Erich l. von Sach-ſen-Lauenburg. Der Uebermuth des reichen Heine Brand gegen die ſtets verſchuldeten Herzoge von Lauenburg iſt erklärlich: hatte doch Her-zog Erich der Jüngere ſeiner Gemahlin goldenen Hauptſchmuck einem andern Hamburger Kaufmanne verpfänbet, welcher denſelben in der Treſekammer des Rathhauſes unter Schloß und Riegel hielt. S. Lau-rent: Das älteſte Hamburgiſche Handelsbuch S. 52.

[2]) In dem Receſſe wird er by etlik Perſonen in dem Rade ab-geführet.

[3]) S. oben z. J. 1404. S. 122.

[4]) Ueber eine Berufung der Bürger auf ſolch ein Privilegium enthält der Receß nichts.

[5]) Nach Korner z. J. 1410, vgl. Rufus.

Tratziger's Chronik.   9

1410 Also mußten die acht personen des rats, die ime zur gefengnus beleitet, widerumb hingehen, ime aus dem turn auf's Schafferhaus holen und doselbst lebig und los fur den burgern und rate stellen. Und der rat bewilliget, daz er so lang frei und unbefaret sein solte, biz die sache verhoret wurde.

Folgends tages [1]) bescheiden sich die burger zusammen auf das reuenter zu S. Marien Magdalenen, und erweleten aus den vier carspeln sechszig man [2]), aus iderm carspel funfzehen; nemblich:

Aus S. Peters carspel: Titke Luneborch [1]), Hilmer Wolbehorn [2]), Heinrich Burtehude [3]), Albert Boerstede [4]), Kersten Barskamp [5]), Siuert Goltbecke [6]), Marquart Hoierstorp [7]), Bernt Knubben [8]), Ludeke von Eitzen [9]), Werner Ronnehagen [10]), Erik van Zeuen [11]), Otto Bremer [7]), Peter Scharpenberch [12]), Peter Mildehouet [13]), Bernt Vermerschen [14]).

---

[1]) Mai 31.

[2]) Dem von Tratziger gegebenen Namensverzeichnisse der Sechsziger fügen wir die abweichenden Namensformen des Recesses d. J., wo auch die Reihenfolge der Namen mehrfach abweicht, so wie einige Nachweisungen aus der Juratenliste von St. Petri (bei Staphorst a a. O. Th. 3. 129 ff. und häufig richtiger in J. Suhr Beschreibung der St. Petri-Kirche. 1842. S. 182), aus zwei Urkunden v. J. 1412, (Zeitschrift des Vereins für Hamb. Geschichte Bd. 2. S. 85.) und v. J. 1429 (Archivalbericht über den Ursprung der Realgewerberechte. S. 35.), so wie der Liste des Rathes bei, in welchen nicht weniger als neun früher oder später gekoren sind. Auch die Sechsziger der Kirchspiele St. Nicolai, St. Catharinen und St. Jacobi, werden zumeist Juraten gewesen sein, doch fehlen uns, um dies nachweisen zu können, so hoch hinaufgehende Verzeichnisse.

[1]) Jurat 1405, 1412, 1429. R. 1431, Bürgermeister 1443 † 1458.
[2]) Jurat 1398.
[3]) Jurat 1393.
[4]) A. Barstede Jurat 1388.
[5]) Jurat 1403.
[6]) Johan Goltbeke, Jurat 1382.
[7]) Bis jetzt nicht weiter nachzuweisen.
[8]) B. Knobbe Sechsziger 1429.
[9]) Jurat 1407.

[10]) In den Abschriften des Recesses v. J. 1410: Römhagen; Rövehagen, Jurat 1409.
[11]) Jurat 1413, R. 1414, ref. 1450
[12]) Jurat 1409.
[13]) Jurat 1402 und Urkunde v. J. 1412.
[14]) Jurat 1410, vermuthlich der Sohn des Rathsherrn gleichen Namens, welcher 1407 erwählt 1415 starb.

Aus S. Nicolaus carspel: Eylert Stapelvelt, 1410 Otto Bruchberch [1]), Johan Beckerholt [2]), Johan Nigerkerke [3]), Heine Backwinghagen [4]), Heine Stenbeke, Curt Lamsprink, Hinrick Bishorst [5]), Simen Alverslo [6]), Johan Krune, Helmich Simensen [7]), Johan Renzel [8]), Ludeke Kleisse, Eberhart Beckerholt a), Hinrick Wulhase [9]).

Aus S. Catharinen carspel: Hilmer Blomenbergk, Johan Wulf [10]), Heinrich Zegelke, Johan Hitfelt [11]), Bernt Hune, Tittke Munster [12]), Sander van der Fechte, Johan Berchstede [13]), Johan van Minden, Bicke vam Houe [14]), Johan Tosstade [15]), Johan Stroete [16]), Godeke van der Elver [17]), Johan Honstede, Gert Hals [18]).

Von S. Jacobs carspel: Albrecht Greuink [19]), Kersten van der Heide [20]), Clawes Koting, Heine Kleizen, Johan Gulzow [21]), Hans Cleizen [22]), Henning Barskamp, Johan Wicharde [23]), Johan Widemule [24]), Enno Ordeland [25]), Johan Grant, Ludeke Alstervoget, Hennicke Eltorp b) [26]), Johan van Aluerding [27]), und Kersten Lachendorp.

---

a) Beckholt G.   b) Elstorp G.

[1]) In obigen Urkunden v. J. 1412 und 1429.
[2]) 1411 R., doch bald abgesetzt, vgl. z. J. 1411.
[3]) Nigenkerken im Recesse.
[4]) Heine von Hagen im Recesse.
[5]) 1429 Sechsziger.
[6]) Tyanne Alverslohe im Recesse.
[7]) Symson, Sympsen im Receß, vermuthlich Sittensen.
[8]) 1429 Sechsziger in St. Petri, in Urkunden 1429 u. 1437.
[9]) 1412 R., † 1428.
[10]) In obiger Urkunde 1412.
[11]) Ebendaselbst.
[12]) vielleicht 1409 Leichnamsgeschworener.
[13]) 1429 Sechsziger.
[14]) van der Haur im Recesse, 1416 R., 1431 Bm., † 1442.
[15]) J. Tostede im Recesse.
[16]) Johan Strote, Jurat 1408.
[17]) G. van der Fluß im Recesse, vermuthlich van der Slus.
[18]) 1414 R., ertrank 1426.
[19]) Jurat 1388.
[20]) van der Hoye im Recesse.
[21]) In obiger Urkunde v. J. 1412, 1413 R. † 1430.
[22]) 1411 R., enthauptet 1428.
[23]) Wichmann im Recesse.
[24]) Jurat zu Jacobi 1413.   1429 Sechsziger.
[25]) Oldenlande im Recesse.
[26]) Eckhop im Recesse.
[27]) In gedachter Urkunde v. J. 1412, R. 1416, † 1443.

9*

132

1410 Im rate aber weren burgermeister und ratmannen folgende herren: Kersten Miles a), Marquart Schreye, Meinhart Burtehude, Hilmer Lopow, alle burgermeistere, Albert Brietling, Albert Schreie, Johan Nanne, Herman Lange, Claws Schocke, Heinrich von Hachede, Clawes Bisping, Hinrich Bekendorp, Hinrich Snevelt, Hinrich von dem Berge, Marquart Henninges, Dirk vom Hagen, Johan Wize, Johan Hameken, Ludeke Lutow, Bernt Borstel ').

Obengemelte sechszig burger gingen desselben tages, als sie erwelet, fur den rat, und ließen zu sich fordern Heine Brandes. Der rat ließ inen furlesen herzog Johan zu Sachsen brieve, die er uber Heine Brandes an sie geschrieben '), auch benenten sie noch etliche zeugen, der begangenen tat inen zu uberweisen. Aber die burger erkanten sollichs alles fur unerheblich, darumb der rat unverhorter sachen Heine Brandes mogen gesenglich setzen lassen; demnach sie die sachen an beiden teilen aufhuben ').

a) Barskamp L. Barschampe G. In diesem Geschlecht scheint allerdings ein Ritter gewesen zu sein. S. Staphorst a. a. O. S 130. Anm. Doch kennen unsere Katholisten aus jener Zeit nur K. Midher oder Miles.
') Vorstelde im Receß.
') Daß von Seiten des Rathes auch persönlich mit dem Herzoge verhandelt ward, ersehen wir aus der Stadtrechnung, welche z. J. 1410 die Verwendung von 18 Schilling für eine Reise der beiden Bürgermeister Marquard (Schreye), Hilmar (Lopow) und des Rathmannen H(ermann) Langhe im Handel des Herzogs mit Heine Brand verzeichnet.
') Heine Brand (Brandes) lebte später zu Hamburg als begüterter Bürger, wie uns manche erhaltene Documente aus den Jahren 1412 bis 1439 beweisen. Er stand mit dem Herzoge von Schleswig in mancherlei Geschäftsverbindung, auch 1426 mit dem Könige Heinrich VI. von England; 1429 war er Sechsziger für Nicolai-Kirchspiel, we, wie aus dem unten anzuführenden Testamente zu ersehen, sein Sohn Kersten Brandes auf der Neuenburg ein Erbe besaß.
1412 vermittelte er mit anderen, meist den Sechszigern d. J. 1410 angehörenden Bürgern einen Streit Gerd Jacobsens mit dem Rathe über die von jenem verlangte Entschädigung für bei Godeke Michelsones Gefangennahme im J. 1402 erbeuteten Güter (Sieh

Ferner hielten sie dem rat etliche artikel fur, und beger- 1410
ten dieselben vom rate zu bewilligen. Unter denen weren etliche
billig und nutzlich, einesteils aber beschwerlich und nachteilig.

Infunderheit, daz sie den hern aus dem alten rat zu Lubeck, die sich mit weib und kindern in Hamburg nidergeschlagen, die stat und der stat land und gutere verbieten solten [1].

Item, daz sie sich halten sollen an den newen rat zu
Lubeck und demselben getrewlich beistehen [2].

Wiewol sollichs dem rate ganz schwer bedunkete, wie sie
den entlich in des Romischen konigs ungnade und acht derwegen erkleret,wurden, mußten sie doch umb forcht willen derzeit dienen, und sollich artikel willigen und volziehen [3].

Es wurt auch folgends einem, welchen der rat zu sich
geloren hatte, mit namen Gert Quickborn, von den 60

Zeitschrift d. Vereins, II. S. 85.); erhielt der Stadtrechnung zufolge
1417 für den Herzog von Schleswig von den Kammereibürgern
1600 Thlr. als Entschädigung für die Vogtei; bekam von Bere von
Nerden 1422 ein vom Herzoge zu Schleswig diesem zurückgegebenes
Schiff mit Zubehör (Lib. memorand. f. 32ᵇ); verbürgte sich 1429
mit anderen, ebenfalls zum Theil zu den Sechszigern gehörigen Bürgern
dem Rathe für eine Forderung von 300 Mark an die Bewohner des
Marktes zu Westerherde (in Nordfriesland). (a. a. O. 37ᵃ)
In demselben Jahre war er mit Herzog Wilhelm von Braunschweig auf dem Hansetage zu Nyköping und erhielt Ersatz für
dessen Reisekosten; hatte 1437 mit den Hamburger Bürgern Johan
von Rentsele und Arend Rike, Wohldorf für 25 Mk. Rente
von Bruneke von Alverslo, genannt von Gaden, in Pfand genommen; entließ 1439 den Herzog Adolf von Schleswig aller
Schuld, mit Ausnahme der Rente aus den Dreilanden und Helgoland. (Falck's staatsbürgerliches Magazin VIII. S. 665, Michelsen
Nordfriesland im Mittelalter S. 213.) Vermuthlich ist es derselbe
Hinrif Brandes, welcher 1440 Juni 24 20 Mk. Rente in
dem Hause seines Sohnes, Kersten Brandes, zu milden Zwecken
verfügte; welche Stiftung schon früher mit der Albert Gosmanschen,
jetzt auch der Thle Nigelschen vereinigt ist.

[1] Der zweite Artikel des Recesses.
[2] Der dritte Artikel des Recesses.
[3] Im wesentlichen nach dem Recesse d. J., abgesehen von kleinen Abweichungen; doch verfiel nicht der Hamburger, sondern der neue Lübecker
Rath in die Acht.

1410 burgern, der ratstuel verboten ¹), darumb daz er inen an irenr furnehmen etwas widerstrebet: wiewol man nachrichtunge hat, daz dieser Quickborn darnach widerumb zu rate gefordert ²).

In diesem stande blieben die sachen zwischen dem rate und der burgerschaft auf dieselbige zeit beruhen.

In diesem jare kamen die stette zusammen zu der Wismar, und wurt beschloßen, daz sie sich gütlicher handlunge unternemen wolten zwischen konig Erichen zu Dennemark und den herzogen zu Schleswig und grafen zu Holstein, damit sie nicht in krieg und offenbare feindschaft gegen einander gerieten. Der widerwill aber hette diese ursach, daz sich konig Erich unterstunt, das herzogtumb Schleswig von dem hause zu Holstein, dahin es konigin Margaretha verliehen, widerumb an die kron zu Dennemark zu wenden; aber durch der stette unterhandlunge wurt nichts fruchtbarlichs ausgerichtet: und kamen beide teil, wie hernacher sol werden angezeiget, zu einer offenbaren feide. Zu angeregten handlungen waren vom rate zu Hamburg verordnet: her Meinhart Burtehude und Hilmer Lopow, beide burgermeistere ³).

Der newe rat zu Lubeck tet sich nicht allein der stat Lubeck, sunder auch gemeiner Ansestette sachen annehmen, gleichergestalt als ire vorfarn, der alte rat, getan hette. Darumb verschrieben sie berurtes jares auf Luciä die andern stette gen Lubeck, wiewol etzliche von denselben außen bleiben ⁴), so mußte doch

---

¹) Aus Korner z. d. J.
²) Tratzigers Nachrichten widerspricht der Liber Memorandorum nicht, wo G. Quickborn 1412 und 1414 als wohlhabender Bürger erscheint. Derselbe nennt ihn 1418, 1419 als Rathsherrn, ebenso die Stadtrechnung z. J. 1420. Nach den Rathslisten war er 1418—1421 Rathmann.
³) S. den Bericht der Hamburger Abgesandten über die Beschlüsse der Versammlung zu Wismar 1410 Mariae Magdalenentag; und Korner 1411. Der Stadtrechnung zufolge kostete die Reise 52½ Pf. 6 Sch.
⁴) Auf dieser Versammlung, auf welcher nur über das Münzwesen verhandelt zu sein scheint, nahmen Hamburg, Lübeck, Lüneburg, Wismar theil. Hamburg sandte die Bürgermeister Marquard Schreye und Meinard Burtehude.

der rat zu Hamburg dahin schicken, dieweil sie iren burgern 1410 verschrieben, daz sie sich an den newen rat zu Lubeck halten wolten [1]).

Domals wurt von den gesanten zu Lubeck die munze gesetzet, daz sie gelten solte, wie folget: die englischen nobeln 36 schill. lüb., die gentischen nobeln 34 schill., die französischen tronen 17 schill. 3 pfen., der lubecksche gulden 17 schill., der reinische gulden 13½ schill., die geldrischen gulden 7½ schill. [2]).

Diz jares erhielt der alte rat von Lubeck die urtel an konig Ruprechts hofgericht, wider den newen rat und gemeinde zu Lubeck [3]), darumb durften die stette ire zusammenkunft nicht mehr zu Lubeck halten, sunder ernenten einen tag zur Wismar uf allerheiligen fest, anno 1411. Dahin schickten der rat von Hamburg: her Meinhart Buxtehuden, und ließ fordern umb widererstattunge der unkosten, die sie umb gemeiner stette bestes willen kegen die seereuber aufgewendet. Dieweil aber wenig stette geschicket hatten, wurt diese und andere sachen auf eine andere tagfart, deren sie nechstfolgendes jares, suntags Quasimodogeniti in Luneburg zu halten sich vergleichen, ufgeschoben [4]).

In diesem jare hette der rat zu Hamburg einen aus den Sost'gen, Johan Beckerholt genennet, zu sich in den rat gekoren. Der vergrif sich groblich mit worten und werken an einen burger, Erick von Zeuen [5]); derhalben

[1]) Bestimmung des Hamburgischen Recesses zwischen Rath und Bürgern v. Jahr 1410.

[2]) Der Münzreceß, dessen Bestimmungen über die Geltung fremder Goldmünzen in Hamburg Trabiger hier nicht ganz genau wiedergiebt, (die englischen Nobeln sollen 35, die gentischen 33 Schill. gelten), findet sich im handschriftlichen Bande der hans. Recesse zu Hamburg, und ist gedruckt bei Grautoff Historische Schriften Bd. III. S. 197 ff.

[3]) Korner ausführlicher z. J. 1411.

[4]) Diese Nachrichten sind dem noch vorhandenen Berichte der Hamburgischen Sendeboten über die Versammlung entlehnt.

[5]) Sechsziger für St. Petri-Kirchspiel, später 1440—1450 Rathsherr.

1412 ward gemelter Beckerholt auf vorgehende verhor und rechtlichs erkentnus des ratstuels entsetzet, auch folgends darumb, daz er den rat geschmehet hatte, aus der stat verfestet ¹).

Dies jares starb pfalzgraf Ruprecht, Römischer konig, und wurt widerumb erwelet Sigismundus, konig zu Hungern, keiser Caroli IV. son.

Anno 1412 sontags Quasimodogeniti, versambleten sich algemeiner Ansestette gesanten zu Luneburg. Von Hamburg weren alda volgende heren: Christianus Miles, Meinhart Burtehude und Hinricus Inevelt ²). Die gesanten entschlossen sich den geschickten des newen rats zu Lubeck, als hern Eiler Stangen und Tideman Steen, die gewohnliche session im rate nicht zu verstatten, dieweil der newe rat und gemeinde zu Lubeck mit urteil und recht in des heiligen reichs acht erkleret weren. Idoch ließen sie bei inen den gesanten des newen rats versuchen, ob einig gutliche mittel zu treffen weren, mit dem alten rat sie zu versonen.

---

¹) Johan Bekerholt, 1410 Sechsziger für St. Nicolai, ist wahrscheinlich derselbe, welcher als Lübecker Bürger bezeichnet, in einer zu Hamburg 1411 Dec. 17. ausgestellten Urkunde, mit dem Hamburger Bürger Gerbert Gültzow dem Rathe wegen einer Zahlung für Keno, Häuptling to bem Brofe, quitirt. Auch die Stadtrechnung verzeichnet 35 Schill. für in Sachen Bekerholts nach Lübeck gesandte Copien und Briefe. Ohne Zweifel aber ist es derselbe, welcher einen langjährigen, erst i. J. 1429 durch Vermittlung des Hamb. Domherrn Nicolaus Hamburg und des Lübeckschen Domherrn Thomas Rode beendeten Proceß mit dem Hamburger Rathe, vor der päbstlichen Curie zu Avignon führte. Der Gegenstand des Streites ist unbekannt, doch wurde dem J. Bekerholt freies Geleit in der Stadt Hamburg bewilligt, sofern er außerhalb derselben wohnte, die seinetwegen gefangenen oder entflohenen Personen wurden in Hamburg wieder gleich anderen Bürgern aufgenommen. In den Stadtrechnungen sind schon z. J. 1412 Ausgaben für zwei wider Bekerholt an die päbstliche Curie abgesandte Procuratoren aufgeführt; ebenso in den Jahren 1424—27; 1429 sind 581 Thlr. 2 Schill. 2 Pf. als Kosten des gegen Herrn Werner von Hachede und Joh. Bekerholt bei der päbstlichen Curie und daheim geführten Processes verzeichnet.

²) Die Stadtrechnung führt die Kosten ihrer dreimaligen Reise auf.

Als sie nu abschlegliche antwort bekamen und angeregte Lu= 1412
becksche gesanten hinweg ritten, schicketen sie aus irem mittel
etzliche hernach gen Lubeck, die bei dem newen rate und ganzer
gemeinde des vertrages halben sich bearbeiten solten. Es war aber
alles vergebens; darumb vergleichen sich algemeiner stette gesanten zu Luneburg: wo sich der newe rat zu Lubeck zwischen
der zeit und S. Jacobstag aus des heiligen reiches acht nicht
wurde entwirken, daß sie alsdan die von Lubeck, als echtere
und gemeiner Ansefreiheiten unsehige leute, schewen und meiden
wolten. Aber die gesanten von Hamburg wolten sollichs nicht
bewilligen, den es hette die gemeinde zu Hamburg dem rate
eingebunden, daß sie, wie obberurt, an den newen rat zu
Lubeck sich halten solten. Darneben zeigten sie an, daz sie in
befel hetten, in keinem ratschlage, ohne kegenwertigkeit der
gesanten des newen rats zu Lubeck, zu sitzen, vnd daruber
wider anheim ritten. Uber das schickete der rat und gemeinde
zu Hamburg einen brief an die gemeinde zu Luneburg [1],
darin sie anzeigten, wie der gemeinen Ansestette furnemen
were, die stat Lubeck zu verderben, sampt andern mehr be-
schwerlichen auflagen.

Die gesanten gemeiner stette schicketen gen Hamburg hern
Albert Dodorp von Danzig und hern Clawes Vogen
vom Stralsunde. Als die zu Hamburg ankamen, ließen
sie alba den rat und gemeinde auf das rathaus zusammen
berufen, und gaben inen zu erkennen, daz sie von algemeiner
Ansestette gesanten dahin abgefertiget worden, vier artikul
halben bei inen sich zu erkundigen:

Erstlich: ob sie gemeinet weren, bei ehre und recht zu
bleiben?

Zum andern: ob sie gedachten zu bleiben bei den gemeinen Ansestetten?

Zum dritten: ob sie ire rats geschickten mit vollkomme-
nen befele gen Luneburg widerumb absenden wolten?

---

[1] Der Stadtrechnung zufolge wurden wieder dieselben drei Rathmannen
entsandt.

1412 Zum vierten: ob sie in einiger verbundnus weren mit den stetten, daraus dozumal und kunftig der Anse und gemeinen stetten schaden und nachteil entstehen möchte?

Darauf gab der rat für sich und ire gemeinde die antwort:

1) Daß sie allewege wolten darbei verharren, was ehrlich und das recht inen gebe oder neme.

2) Sie gedächten auch keinerlei weise von den gemeinen stetten zu treten.

3) Sie wolten ire rats gesanten volmechtig gen Luneburg schicken.

4) Zudem stunden sie in keiner verbundnus mit einiger stat oder herschaft, dodurch die gemeine Ansestette und ire kaufleute zu schaden kommen mochten.

Letzlich wurden sie gefraget, ob sie es auch dafur hielten, daß algemeiner Ansestette gesanten nach des kaufmans gedey und wolfart trachten oder nicht. Darauf wurt zur antwort geben, sie erkenneten anders nicht, den daz die gesanten das gemeine beste der kaufleute wolmeiniglich handelten.

Also zugen die gesanten widerumb gen Luneburg, und wurden vorige, der von Hamburg gesanten, mit volkommenen befel auch dahin verordnet, ohne her Meinhart Burtehuben, in des stat wurt verordnet her Johan Luneburg. Von der zeit an teten sich die von Hamburg des newen rats und der gemeinde zu Lubeck gemeinschaft etwas meßigen [1]).

Umb diese zeit unterstunden sich etzliche durch die Suderelbe den zollen zu Hamburg umbzufaren, welches den von Hamburg nicht leidlich, darumb hinderten sie dasselbe namen zu hilf Heinrichen und Adolfen, grafen zu Holstein, Stormarn und Schowenburg, die verbunden sich mit inen auf allen fal, inen hilf und beistand zu leisten [2]). Dieses geschah anno 1413.

---

[1]) Vermuthlich nach einem Berichte der Hamburger Sendeboten.
[2]) Die Erklärungen Herzog Heinrichs von 1412 Febr. 28. und Graf Adolf 1413 Febr. 24., noch vorhanden, sind von Tratziger benutzt. Herzog Heinrich erneuerte die seinige 1416 Febr. 2. Welchen Widerstand der Zoll auch noch später bei hansischen Schiffen fand, ergiebt sich aus

Welches jares das jungfrouwencloster vor Möllen, so 1413 darnach abgebrant und itzo wust lieget, in S. Brigitten ere gebauwet wurt [1]).

Im jare 1414 verpfandeten die herzogen zu Sachsen: Erich, Albrecht, Magnus, Bernhart und Otto, der stat Hamburg das land zu Hadeln [2]), und die Hadeler geben brieue und siegel von sich, daz sie der stat Hamburg alles dasjenige tun und leisten wolten, was sie den her=

---

dem (von Sartorius, Geschichte des hansischen Bundes II. S. 676 angeführten) Recesse v. J. 1422. Der Stadtrechnung z. J. 1413 zufolge erhielt der Schreiber des Grafen von Schauenburg für Besiegelung einer Urkunde über den Zoll 2 Pfund 18 D. Beschwerden der Städte über diesen Zoll (wie der Lüneburger 1419 s. b. Schiedsspruch Lübecks, welcher z. J. 1396 angeführt ist), konnte man nun mit der Ausrede, es sei ein herrschaftlicher Zoll, zurückweisen. Auf diese Streitigkeiten bezieht sich auch das vielfach gemißdeutete Mandat des Kaisers Sigismund, 1417 Juni 28. Vergl. M. Lorichs Elbkarte S. 50 und z. J. 1439.

[1]) Nach Korner z. J. 1413. Das Brigittenkloster zu Marienwolde bei dem seit 1359 an Lübeck verpfändeten, erst 1683 demselben gewaltsam entrissenen Mölln, ward 1384 von der Soldateska des Herzogs von Sachsen-Lauenburg zerstört, und die Mönche und Nonnen wurden zu Lübeck im dortigen St. Brigittenhofe aufgenommen. Ein Jahr nachdem der Tratziger seine Chronik vollendete, 1558 zog Herzog Franz I. das Klostergut ein, um einen fürstlichen Hof in Marienwolde anzulegen. Als man 1847 für die Anlage eines neuen Pachthauses einen Schutthügel am Landsee abtrug, fand man zwei Säulenreihen, oder die drei Schiffe der Kirche wieder, welche jedoch, bis auf einige Säulensockel, gänzlich abgetragen werden mußten. Eine lehrreiche Abhandlung über die Verhältnisse des Klosters zu Lübeck besitzen wir von Prof. C. Deecke. Lübeck 1847. 4to.

[2]) Damals ward die Verpfändung der „greveschop" und des Landes Hadeln auf 3 Jahre erneuert. Der Stadtrechnung zufolge erhielten die Herzoge für die Verpfändung von Otterndorf 240 Pfund, Hinrich Kors für Besiegelung der Urkunde 4 Pfund und außerdem ein Geschenk von 2 Pfund 8 Schill. Seit 1414 finden sich in der Stadtrechnung regelmäßige jährliche Einnahmen von ca. 80 Pfund. Vergl. meine Schrift über ältere Geschichte und Rechte des Landes Hadeln, S. 36 und 40.

1414 zogen zu Sachſen biz auf dieſe zeit getan und von rechtswegen
zu tun ſchuldig weren.

Der rat zu Hamburg verbunt ſich biz jares auſs
newe mit dem newen rate zu Lubeck, auf etzliche jar lang;
iboch wurt die ſache mit dem alten rate klerlich ausbeſcheiden [1]).

In dieſem jare wurden der newe rat und burgere zu
Lubeck von konig Sigmunden in die aberacht getan, den
in die acht waren ſie albereit erkleret bei konig Ruprechts
regierunge [2]). Damit aber ſolliche aberacht durch das reich
nicht verkundiget und wider ſie, den newen rat und gemeinde
zu Lubeck, nicht exquiret wurde, verſprachen ſie dem Romiſchen
konige etzliche tauſend gulden furzuſtrecken, und ſollich geld zu
Paris oder Brugk zu erlegen a). Darauf hielt der konig
ſtil mit verkundigung und publication der aberacht, ſchrieb auch
an des reichs furſten, daz niemands ſich unterſtehen ſolt, die
acht, biz die offenbar im reiche verkundiget wurde, zu exquiren.

Neben dieſem gab konig Sigmund den Lubeckſchen geſanten eine verſchreibung, und ſie mußten ſchweren, daz ſie
dieſelbige vor nechſtfolgende S. Georgenstage niemands wolten offenbaren. Alſo mußte der alte rat zu Lubeck mit
irem gewunnen rechte noch eine zeitlang gedult tragen [3]).

Anno 1415 fieng konig Erich zu Dennemark alle
Lubiſche kaufleute uf Schonen und ließ alle ire gutere
anhalten und inventiren. Er wolte ſie und ire gueter nicht
losgeben, es hette dan zuvor die gemeine den alten rat widerumb eingenommen und in iren vorigen ſtand eingeſetzt;

a) zu erleggen. L.

[1]) Der 1414 April 15. auf 3 Jahre geſchloſſene Vertrag beſindet ſich
auf unſerem Archive.

[2]) Aus dem in den Bericht der Hamburger Sendeboten über die Verhandlungen aufgenommenen Bericht der hanſiſchen Sendeboten an die
kaiſerlichen.

[3]) Ausführlich bei Korner z. J. 1414. Die Nachricht über den vom
neuen Rathe zu Lubeck auf Paris oder Brügge ausgeſtellten Wechſel
entnimmt Tratziger einem Briefe des Kaiſers; vergl. unten.

jdoch wurt soviel zuletzt behandelt, daz die von Hamburg, 1414 sampt Rostock, Stralsunt, Luneburg, Wißmar, Gripswalt a) und Stettin volgends 1416 jares den krieg vor die gefangen und ire guter lobten, alfo daz sich die gefangen uf Johannis baptiste nach dato des gelubdes wider- umb zu Lunden in Schonen solten einstellen oder, dar solchs nicht geschege, solten die angeregten stette bezalen den summen gelds, dafur sie verburget. Der verburgten personen waren in zahl 38, die wurden verburget vor 89,250 ℔ lubisch, ire guter aber wurden verburget 1350 lotige mark silbers und 6696 ℔ lübisch. An den gelubdesbrief ließen die von Ham- burg als principalen irer stat ingesiegel anhengen [1]).

Mitlerweil kamen gen Lubeck des Romischen konigs Si- gismunt gesanten, als her Cappe von Tzeidtlitz ritter und Jost Rauch secretarius, auch schickten die von Ham- burg ire gesanten dohin, hern Johan Luneburg und hern Heinrich von dem Berge, die neben a) des Romischen koniges und der andern stette gesanten die sachen solten verrichten helfen.

Den newen rat engstigte domals die konigliche aberacht, auch daz sich die stette ir entschlugen. Furnemblich aber wurden sie gedrenget von denjenigen, die konig Erich zu Dennemark gefangen und auf obberurte, der von Ham- burg und mithenenten stetten burgschaft betaget het; den der konig wolte sie keineswegs frei geben, noch inen ire guter folgen lassen, es were den der alte rat zuvor widerumb ein- gesetzt. Sollichs trieb einem itzlichen, daz er nicht gern wolt widerumb inhalten oder trewlos werden; und darumb drungen diese sampt irer freundschaft, daz der newe rat bewilligen muste, den alten rat widerumb einzunehmen, und alle irrunge zwischen inen und demselben, auf der von Hamburg und der andern stette geschickten zustellen; darob sie den gesanten ire siegel und briene von sich geben, auch iderman, mit der

---

a) Die Worte: „und Stettin" bis „die neben" fehlen nur in L.
[1]) Nach Korner z. J. 1415.

1415 tat an niemand sich zu vergreifen, friede geboten. Es wursen aber etliche aus der gemeinde sich auf und hetten gerne etwas newes erreget: von diesen wurden 17 personen gesangen und aus befelich des Romischen konigs gesanten in die torne gesetzt.

Der stette geschickten beschieden den alten rat gen Ratzenborch und beschaffeten, daß sie gleichergestalt, als vom newen rate geschehen war, alle sachen inen heimstelleten; darauf sie inen siegel und brieue geben. Die personen des alten rats, so dazumal außerhalb Lubeck waren: her Jordan Pleskow, Marquart von Damen, beide burgermeistere, Heinrich Meteler, Tideman Junge, Reimer von Calven, Johan Crispin, Clawes von Stiten, Hinrich Rapsuluer, Jacop Holke und Herman Westfal, ratmanne [1]. Die geschickten zugen wider in Lubeck, und der alte rat blieb zu Krumesse, welche stat inen gelegener war, den Ratzenborch.

Folgends dingstages nach Trinitatis [2], wurt der alte rat mit großer herligkeit widerumb in die stat Lubeck eingeholet, und nach gehaltener messe auf das rathaus durch des Romischen konigs gesanten in den ratstul gefuret, und wart der ausspruch zwischen inen, dem newen rate und der gemeinde durch tern Johan Luneborg, burgermeistere von Hamburg, abgelesen, und der newe rat mußte sich des ratstuls verzeihen [3]. Der alte rat kor desselben tages iren rat vol und volgends freitags, sunnabends und montags [4] mußten alle burgere insunderheit dem alten rate aufs newe schwe-

---

[1] Nach dem Berichte der Hamburgischen Sendeboten über die Verhandlungen.

[2] Juni 16.

[3] Für den Einzug folgt Tratziger dem Korner; daß der „Ausspruch" verlesen wird, erzählt der Bericht der Hamburger Abgeordneten, doch nicht daß der Hamburger Bürgermeister ihn verlas. Das wird Tratziger einem besonderen Bericht hierüber entnommen haben, auf welchen dort verwiesen wird.

[4] Juni 19. 20. 22.

ren, und des Römischen konigs gesanten befalen inen bei 1415
ernstlicher strafe, dem alten rate zu gehorsamen. Angeregtes
sunnabends wurden der alten ratsherren frauen mit großem
gepreng eingeführet; inen zugen entgegen des Römischen konigs
geschickten und der rat zu Lubeck sampt dem mehrem teile der
burgerschaft [1]). Und also kam Lubeck widerumb zu vorigem
stande und wesen.

Damit nu die burger zu Lubeck, die konig Erich gesangen, und, sofern der alte rat nicht wider eingesetzt, einzuhal-
ten betaget hette, irer gefengnus und gelubde erlediget
wurden, segelten die gesanten der stette montags vor S.
Marien Magdalenen [2]) nach Femern, vermeinten den konig
alda zu finden und mit ime von erledigung der gefangenen
zu handlen: aber sie mußten ime etliche tage folgen, ehe sie
inen finden kunten. Und nach viel gepflogener handlunge
wurden des montags nach Jacobi [3]) die gefangenen losgegeben: aber des schadens halben, den die von Lubeck an iren
gutern gelitten, welche der konig inen nemen laßen, kunten sie
sich lang nicht vergleichen, und die von Lubeck mußten zuletzt
nemen, was inen der konig anbot. Dieweil auch der konig
heftig klagete uber vier personen des newen rates, nemlich:
Heinrich Schowenborch, Eler Stangen, Marquart
Schutten und Johan a) Grouen, daz sie inen zu
Costnitz verunret [4]), als solt vorhabens gewesen sein, die
stat Lubeck dem Römischen reich zu entziehen, daher der konig
furnemblich ursach genommen hette, die burger von Lubeck
zu fangen und ire guter einzuziehen, wart also bewilligt, daz
die vier personen fur sollich mißhandlunge walfart gehen
solten gen unser lieben frawen zu den Einsiedelen, und
solten in ihrer widerreise sich begeben an den Römischen konig
und alda dasjenige, damit sie den konig zu Dennemark

a) und N. in allen Handschriften Tratzigers.
[1]) Nach dem Berichte der Hamburgischen Sendeboten.
[2]) Juli 20.   [3]) Juli 27.
[4]) Sie hatten geklagt, König Erich wolle Lubeck dem Reiche abwenden
    und unter seine Herrschaft bringen.

1415 beschuldigt, widerrufen. Hiemit schieden die gesanten der stete von dem konige und kemen wider gen Lubeck [1]).

Der Romische konig schrieb an den rat und ließ durch seine gesanten beschuldigen die vier vorgemelte personen, die zu Costnitz gewesen waren, daz sie ime zugesagt, 16000 goltgulden zu Paris oder zu Brugk in Flandern entrichten zu laßen, welchs nicht geschehen und ime, dem konige, merklicher schade und schimpf daraus erfolget [2]). Die gemeinde war nicht gestendig, daz sie den vieren sollichs befolen, und darumb wurden sie durch den rat, dieweil sie auf solliche zuspruch im rechten keinen vorstant tun kunten, in turne gesetzet [3]), und setzen gefenglich biz auf S. Michaelistag. Entlich wurden sie mit bewilligung des Romischen konigs gesanten losgegeben unter dem geding, daz sie sich mit ihrem eide verpflichten mußten, daz sie wolten ziehen an den Romischen konig und der zuspruch halben, die er zu inen hette, sich mit im vertragen und aussonen: welchem sie auch also nachsetzten und kamen widerumb gen Lubeck [4]).

Die von Rostock und von der Wismar volgeten der von Lubeck exempel, nemen ihren alten rat auch wider zu sich, und geben irem landesfursten, dem herzogen zu Meklenburg, eine stattliche summa geldes [5]). Jdoch wurt zu Rostock der newe rat, inmaßen zu Lubeck auch geschehen, nicht abgesetzt, sunder blieben zugleich mit dem alten rat im regiment sitzen, so lang biz die ratspersonen, auf die gewonliche zal absturben

Anno 1417 vereinigten sich graf Heinrich von Holstein, der herzogen von Schleswig vetter, und Heinrich

---

[1]) Nach dem Berichte der Hamburgischen Sendeboten.

[2]) Nach dem in den Bericht der Hamburgischen Sendeboten aufgenommene Schreiben des Königs aus England, 1416 Juni 30. Vergl. oben.

[3]) Bis hieher nach dem Berichte der Hamburger Sendeboten, welche nach den Verhandlungen über die Forderungen des Römischen Königs Aug. 3., Lübeck verließen.

[4]) Nach Korner z. J. 1416.

[5]) Nach Korner 1416. Das Folgende ist Zusatz Tratzigers.

Adolf und Gerhart, herzogen zu Schleswig, grafen zu 1417
Holstein, mit dem rate zu Hamburg also, daz inen
die von Hamburg zusagten, hulfe und beistant zu leisten [1])
wider konig Erichen zu Dennemarke. Darkegen gaben
sie inen brief und siegel, nachdem sie durch keiserliche privilegia aller manhulf entfreiet weren, daz sollicher zusatz und
furschub inen an irer freiheit kunftig unschedlich sein solte [2]).
Also rusten sich der graf und die herzogen, und zugen mit
hulf hern Balthasar von Wenden in Jutlant, verbranten und plunderten stette und dorfer, und belagerten das
schloß Tundern, welchs sie mit dem sturm eroberten, auch
darnach benestigen und besetzen ließen. Darnach zugen sie in
Eider-Frieslant, erbrantschatzten bei 20,000 marken [3]).
Die Denen kamen auf die bein, zogen heraus und vermeinten ihr leit zu rechen; aber sie wurden darob geschlagen
und gefangen.

Konig Erich versamblet umb der heiligen dreifaltigkeit
tage [4]) ein große schiffsflate, legerte sich damit in die sehe,
grief aber nichts an, darob sich menniglich verwundert, und
niemants wissen konte, was er im sinne hette. Die Holstein geben ime einen ockelnamen und hießen ihn den biber,
den wie man saget, hat der biber alzeit den zagel im wasser.
Aber sollichs tet der konig mit list und fursatz, den er machete
die rechnunge, daz die Holstein arm waren und in die lenge
den krieg nicht wurden konnen ausharren. Den Holstein weren

---

[1]) Hamburg unterstützte die Gegner des Königs mit 688 Pfund 3 Pf.;
die Witwen und Waisen mußten beisteuern, aus St. Petri 52 Pfund,
aus St. Nicolai 100 Pfund, aus St. Katharinen 270 Pfund, aus
St. Jacobi 48 Pfund.

[2]) Den Vertrag von 1417 Juli 20. f. vollständig im Abdruck der Urkunden über Transitofreiheit Lübecks und Hamburgs No. 62.

[3]) Diese Summe hat Korner nicht. Tratziger konnte sie aus der später
sich wiederholenden Schatzung der Friesen durch die Dithmarschen hieher übertragen haben.

[4]) Juni 6.

1417 domals zu hilf gekomen herzog Albrecht von Meklenburg
mit 200 pferden und 50 schutzen [1]). Auch war ein stattliche
anzal guter leute aus der grafschaft Schowenburg ange-
komen. Mit diesem volke plurberten und brenneten die Holstein umb Flensborch und fureten den raub gen Schleswig und Gottorp [2]). Als es nu war ongeferlich umb
der apostel teilunge, legete konig Erich mit seiner schiffsflate an lant, belegerte, sturmete und gewan Schleswig;
darin war herzog Albrecht zu Meklenburg, der muste
verschweren, des reichs zu Schweden sich nimmermer anzu-
maßen, damit ließ inen der konig lebig. Als die von Hamburg sollichs vernamen, rufteten sie sich stark zu lant und
wasser, in meinuge, iren herren zu helfen, schicketen erstlich
600 schutzen [3]) auf Gottorp, und folgeten darnach mit aller
macht, und teten dem konige in Jutlant großen schaden.

Umb Purificationis Mariä [4]) zug konig Erich mit hereskraft in Eider-Frieslant, bezwang sie, daz sie ime aufs
newe hulbigen, und 30 personen, die furnembsten und reichsten
des landes zu giseln musten einstellen. Als nu der konig
wider hinweg zug, wurden sie von den Ditmerschen uberzogen,
und umb 24,000 mark gebrantschazet, dafur sie auch 30 gisel
musten einstellen.

Endlich wurt durch die von Lubeck und andere sehe-
stette ein friedstant zwischen dem konige und den Holstein

---

[1]) Der 50 Schützen unter den meflenburgischen Hülfstruppen gedenkt
allein Tratziger.

[2]) Die beiden Schlösser setzt Tratziger zu.

[3]) Die auffallende große Zahl der Hamburgischen Hülfsmannschaft in
dem in den Hamburg Chroniken S. 34. mitgetheilten Auszuge ist
wohl nur durch ein Versehen vjm (6000) statt vjc (600) entstanden.

[4]) Es war Vigilia assumptionis Mariae Aug 14. Tratziger verwechselt zwei
Marientage.

behandelt biz auf Johannis Baptiſtä des negſtfolgenden jares, 1417 und daz mitler zeit ſolten ſchiedsrichtere erwelet werden, die durch einen machtſpruch beide teile entſcheiden mochten. Do auch einig teil an ſollicher erkentnus und machtſpruch begnugig ſein, und das andere denſelben ſich wurde widerſetzen, ſo ſolten und wolten die ſtette demjenigen hulf und beiſtant tun, der ſich am rechten genugen ließe, wider denjenigen, der ſich des rechtens weigerte [1]).

Anno 1418 kamen die ſ t e t t e umb Joannis Baptiſtä ſampt den herzogen zu S c h l e s w i g und grafen zu H o l ſ t e i n zuſamen, des vorhabens, daz in kraft geſchehener bewilligunge von beiden teilen ſolt ſein compromittirt worden. Aber der konig blieb außen, und ließ ſich durch ſeinen rat, her E r i c h K r u m m e n - d i k, entſchuldigen, daz er winds und wetters halben nicht het konnen oberkommen [2]).

Dieſes jares war ein ſtatliche zuſammenkunft aller A n ſ e - ſ t e t t e zu L u b e c k [3]).

Anno 1420 brachten beide ſtette L u b e c k und H a m - b u r g zuſammen 800 zu roß und 3000 zu fuße, deren oberſte haubtleute weren, von Lubeck: her J o r d a n P l e s k o w, und von H a m b u r g: her H e i n r i c h H o i g e r [4]). Dieſe haubtleute rucketen mit irem volke fur B e r g e r d o r f, ero-

---

[1]) Erzählt nach Korner z. J. 1417.

[2]) Erzählt nach Korner z. J. 1418.

[3]) Ein ausführlicher Bericht darüber bei Korner z. J. 1418. Die Hamburgiſchen Abgeſandten waren H. vom Berge, Johan Wiße, Erich von Zeven und Magiſter Dieterich von Gheynſen.

[4]) Das zwiſchen Hamburg und Lubeck auf 10 Jahre zu Lübeck Febr. 2. abgeſchloſſene Schutz - und Trutzbündniß beſtimmt, daß vorerſt jede Stadt 200 Reißige und 100 Schützen, ſämmtlich berittene, ſtellen ſoll. Dieſem Bunde ſchloß ſich 1420 Mai 2. Markgrof Friedrich von Bran- denburg an. S. Riedel cod. dipl. Brandenburg II. 3, p. 361.

Die Stadtrechnung führt 5540 Pfund 8 Schill. 7 Pf. als Kriegs- koſten auf: der Schoß der Bürger betrug 1022 Pfund, 11 Sch. 4 Pf., die Beiſteuer der Wittwen und Unmündigen 966 Pfund 3 Schilling. Aus dem Verkaufe der Beute nahm man 562 Pfund 15 Sch. 6 Pf. ein.

10 *

1420 berten erftlich das ftetlein und plunderten es, darnach beschoffen
sie das haus vier tage an einander, und ließen denen die darauf waren keine ruhe. Des funften tages in der morgenfruhe
brachten fie viel ftros und tertunnen an das blogwerk, ftrewe-
ten buchsenpulver darunter, und stecketen es an; davon erhub
sich so ein groß fewer, daz des herzogen volk aus dem bolwerk
auf das schloß entwichen. Do lief der stette volk in dem rauche
das bolwerk an und gewunnens. Davon setzten fie dem schloß
so ernstlich zu a), daz sich des herzogen volk auf genade ergab und abzug. Also namen her Jorban Pleslow und
her Heinrich Hoiger b) das haus ein, besetzten es mit volke,
und stecketen beider stette fenlein daraus [1]. Von dannen ruckten fie fur das haus Ripenborch, das ergab sich ohne
einige tegenwere [2]. Darnach zugen fie fur Cubdeuorde,
zerbrachen und schliefften die veste baselbst.

Mitlerweil schlugen sich etliche in die sachen, und behandelten an beiden teilen einen stillstant. Also zugen der stette
haubtleute mit irem volke zurucke; solchs geschach umb Margarethae.

Auf Bartholomei [3] negstfolgends kamen gen Parle-
berg etzlich fursten: als marggraf Friderich von Bran-
benburg [4], herzog Wilhelm von Luneburg, herzog
Casimir von Stettin, herzog Johan von Meklenburg,
her Balthasar von Wenden. Auch erschienen alda herzog
Erich zu Sachsen sampt seinen brudern: Albrecht, Magnussen, Bernt und Otten, und der stette Lubeck und
Hamburg geschickten. Aldo wurden durch angeregte fursten

---

a) zu. L.   b) Hoier. L.
[1] Vermuthlich Juli 19. Erzählt nach Korner z. d. J.
[2] Nach der Stadtrechnung wurden schon in diesem Jahre für das Schloß
Ripenborgh 375 Pfund 14 Schill. 11 Pf., vermuthlich zu Befestigungen verausgabt.
[3] August 24., der Tag fehlt bei Korner.
[4] Die Stadtrechnung erwähnt auch einer Reise des Bürgermeisters Heinrich Hoyer zum Markgrafen.

die herzogen von Sachsen mit beiden stetten dergestalt ver= 1420
tragen, daz die stette beide heuser Bergerdorf und Ri=
penborch, die sie inen in offenbarer feide reblich ab=
gewunnen, mit aller irer zubehorunge zu ewigen zeiten be=
halten, und die herzogen zu Sachsen, noch ire erben sich
keiner zuspruch darzu hinfort anmaßen solten. Auch hette der
newe rat zu Lubeck herzog Erich einen brief zugestellt auf
jarliche 300 mark, den muste er widerumb von sich geben.
Damit wurden gemelte fursten mit beiden stetten versonet [1]).

In dieser zeit feidete konig Erich zu Dennemark noch
hestig mit den herzogen zu Schleswig und grafen zu Hol=
stein. Die Hamburger hetten, als obberurt, den herzo=
gen und grafen hulfe zugesaget, auch waren sie mit irem
gewinst und nuße kriegsleute worden. Darumb wolten sie
das gluck ferner versuchen, rusteten auf ir eigen unkost
und abenteur 12 große schiffe [2]), die bemanneten sie stark,
und liefen mit zur sehe. Inen begegneten die Denen mit
einer großen flate. Die Hamburger, ob sie wol nicht
gleich stark waren, griffen sie doch die Denen mit freiem a)
mute an, und segelten inen erstlich drei schiffe in die grunt
mit allem was darinnen war. Mit den andern teten sie ein
treffen und uberwunden sie. Der merer teil von den Denen
wurt erschlagen, die andern alle gefangen; viel loseten sich
unterwegen, die wurden an die olande aufseßt; 120 brachten
sie mit sich gen Hamburg, den schaßeten sie ein groß gelt
abe [3]). Mitler zeit seumeten sich die Holstein auch nicht,

a) frien. L.

[1]) Nach Korner z. J. 1420 und dem Perleberger Vergleiche 1420 Au=
gust 24. bei Klefeker X. 334.

[2]) Die Stadtrechnung hat für Ausrüstung von Kriegsschiffen (ad bardzas)
265 Pfund 18 Schill. 4 Pf., für Reisegeld 999 Pfund 3 Sch. 2 Pf.
in Rechnung gebracht.

[3]) Unter den Einnahmen v. J. 1422 sind auch 158 Pfund 8 Sch. von
den Soldaten, welche Ripen plünderten, eingegangen.

1420 brantschatzten Hadersleben und plunderten die umbgelege=
ne dorfer ').

In diefem jare wurden a) die von Stabe vom romi=
schen konig in die acht getan und von den stetten der Anse
entfetzet, darumb sie wor handlen, noch wandlen mochten oder
dorften ²).

Anno 1421 starb graf Heinrich zu Holstein, der jun=
gern herzogen zu Schleswig vetter, des hiebevorn gedacht.
Er fetzte zu feinem erben herzog Abolf zu Schleswig ³).

Die gefanten der Anse= und quartierstette kamen diefes
jares zusammen und wurt under anderem geschloßen, daz die
stette zwischen dem konig zu Dennemarken und den Hol=
stein um einen friedstant wolten handlen und daz darneben die
sache uf scheidesrichtere und einen obman gestellet wurde. Uf
diefer tagefart waren von Hamburg her Heinrich von dem
Berge und her Erich von Zeven ⁴).

Auf den herbst erhub fich ein große pestilenz zu Lubeck
und Hamburg, daran viel tausent menschen hinsturben ⁵).

Anno 1422 wurfen fich zusammen etzliche reuter
aus der Prignitz und dem lande zu Meklenburg,

♦ wurden — auf den herbst ist in L. ausgelaffen.

') S. Korner v. J. 1420, deffen Bericht Tratziger durch die vorausge=
schickte Einleitung etwas abrundet und ausschmückt. Was er über
Auslöfung dänifcher Gefangener und das Landen derfelben erzählt, ist
durch flüchtiges Zusammenziehen von Korners Bericht entstanden.

²) Aus Korner z. J. 1420. Hamburg erhielt von Stabe nach der
Stadtrechnung von 1821, 375 Thaler zur Sühne für Uebertretung
der hanfifchen Ordnungen.

⁴) Korner z. J. 1421.

⁴) Vermuthlich aus einem durch den Brand v. J. 1842 zerstörten ham=
burgifchen Berichte über diefen Hanfetag. Der Stadtrechnung zufolge
waren diefe beiden Gefandten in diefem Jahre in Lübeck, und Bürger=
meister Bernhard Borsfeld mit dem Rathmanne R. Erich von
Tzeven beim Könige von Dänemark.

⁵) Korner z. J. 1421.

151

in zal bei 180. Dieser haubtleute weren: Bolbewin von 1422
dem Kruge, Johan Quitzoue, Reimer von Plesse
und Clawes Roer. Sie begaben sich auf die Lubeckjsche
straße, und wolten von etzlichen wagen, die mit großem
gute belaben waren, eine beute geholet haben. Den von Lubeck wurt solchs verkuntschaftet, die teten es eilig den Hamburgern zu wissen. Also kamen sie beiderseits auf die beine,
schicketen ire diener mit etzlichen schutzen vor die orter, doburch
die reuter musten abziehen, und zugen mit 200 zu roß und
1000 mannen zu fuße inen unter augen. Die Hamburger
kamen mit 100 geruster pferde und 200 schutzen den feinden
auf die seite [1]. Als solchs die houetleute vernemen, zugen
sie eilig zuruck. Do sie aber gewar wurden, daz die locher,
do sie hinaus wolten, berant waren, eileten sie gestracks nach
der Louenburg, und ergaben sich herzog Erichen. Der herzog
saget inen uf ihr bitt gleit und sicherheit zu. Die Lubeckschen und Hamburger rucketen fur die Louenburg o), begerten
daz inen der herzog die fluchtigen houeleute wolte zustellen:
des tet sich der herzog weigern. Die stette ließen ime ansa-
gen, weil er inen ire offenbare feinde vorenthielte, so musten
sie inen auch fur iren offenbaren feint halten. Darob entsetzt sich der herzog, den er war albereit gewar worden, mit
was vorteil er mit den stetten kriegete. Darumb stellete er
die reuter inen zu handen, mit bitt, daz sie ires lebendes
gesichert sein mochten, damit er an inen nicht glaublos wurde.
Jdoch entliefen ir 20 davon, die andern teileten die von Lubeck und Hamburg nach anzal der personen, fureten sie in die
stette. Aldo wurden sie gefenglich gesetzt, und auf einen leid-
lichen ranzun wider losgegeben [2]. Ire pferde und harnisch
teileten unter sich der stette diener [3].

---

a) Lawenburg. L.
[1] Die genauern Zahlenangaben sind Tratziger, Korner gegenüber, eigenthümlich.
[2] Nach den Stadtrechnungen z. J. 1421, 545 Pfund 12½ Sch. an baar
Geld, Zarboken und Stiefeln.
[3] Im Ganzen nach Korner erzählt z. J. 1422.

245

1422   Deſſelben jares ruſteten die Lubeckſchen und Hamburger eine große ſchiffsſlate, und zugen mit hereskraft in Frieslant vor Dockem. Alda hatten die ſeherauber ein ſtark blockhaus geſchlagen und als ein ſchloß mit wellen und graben beueſtiget. Darauf waren 160 man und in dem ſtetlein legen noch bei 400 man, die raubeten auf der ſehe, wor ſie was konten uberkommen. Als nu die ſtette ankemen, ſamleten die von Groningen und der Frieſen haubtleute eine große anzal volkes und ſchicketen ſie beider ſtette volk zu hilfe. Das blockhaus fielen ſie mit gewalt an, und gewunnen es mit ſtorm, fingen daraus 44 perſonen, die andern wurden alle erſchlagen; den 44gen a) ließen ſie b) die kopfe abſchlagen und ſetzten ſie an den ſtrant. Ire geſellen, die in dem ſtetlin legen, do ſie ſolchs vernamen, fielen ſie in die bote und kleine ſchiffelein und flohen darvon. Als nu der ſtette volk hinein kam, funden ſie darinne ein groß gut, welchs ſie wegnemen und der Frieſen heuſer, darin ſie das gut funden, rieſſen ſie nieder [1]).

Umb dieſe zeit nemen c) der herzogen zu Schleswig volk in der ſehe konig Erichen bei 16 ſchiffe mit vitalien beladen, damit er Flensborg wolte geſpeiſet haben. Die Denen wurfen ſie uber bort, und brachten die ſchiffe zum Kiel [2]).

In dieſem jare wurt der rat und gemeinde zu Hamburg auf die vorige geſprochene urteil von dem Romiſchen konige Sigismundo zu Nurnberg offentlich in die acht erkleret und durch das reich denuncirt.

---

a) vier und vieɪzigſten. L.   b) die. L.   c) die. L.

[1]) Nach Korner z. J. 1422. Nach der Stadtrechnung z. J. 1422 waren die Koſten der unter des R. Hinr. Papendorp und des Marten Swartekops Befehl ſtehenden Expedition, 2758 Pfund 6 Schill. 11 Pf., doch war der Erlös der Beute 1098 Pf. 6 Sch.

[2]) Nach Korner z. J. 1422.

153

Donnerstags nach Nativitatis Mariä [1]) folgendes 1423. 1423 jares, am tage Mathei [2]) zügen die von Lubeck auf die see mit 1000 mannen und aller notturftigen kriegsrustunge. Zu denen kamen die von der Wismar mit 800, die von Rostock mit 600 mannen. Die von Hamburg liefen von der Elbe mit 900 gewapenten und 400 schuzen [3]), und kamen bei Ripen zusammen, plunderten und beraubeten des konigs velender und teten merklichen schaden. Konig Erich meinte, er wolt sie ein kampfstuck sehen lassen, versamlet sein volk und wolte ezliche große hollendische schiffe damit bemannet haben. Aber die stette wurden gewarnet, furen zu den schiffen, nemen in ire anfere, segel, raa und sture, und hieben in einen izlichen schiffe den stech entzwei. Do der konig sollichs erfur, vergleichet er sich mit inen einer freuntlichen handlunge, zu Nicopen zu halten. Aber der handel ging nicht fur sich [4]). Die Denen unterstunden sich umb diese zeit das schloß Tundern zu stormen; aber sie musten mit großem spot und schaden abziehen, verloren bei 346 man, die im sturm umblemen und auf der stette liegen blieben [5]).

---

[1]) Die Urkunde von 1422 Sept. 9. auf hiesigem Archive. Schon 1423 Mai 5. ward Niklas von Reibnitz vom Kaiser abgesandt, um zu unterhandeln. Die Aufhebung der Acht (datirt 1423 Mai 6.) händigte er dem Hamburg. Rathe 1424 Januar 6. für 3500 ungar. Gulden und „ein blau brüßlisch tuch" ein. Schon 1431 Juni 14. hebt der Kaiser die von neuem einer Rechtsverweigerung wegen verhängte Acht auf. Die Stadtrechnung z. J. 1423 führt 3800 Pfund 8 Schill. auf, wovon das kaiserliche Privilegium den größten Theil in Anspruch genommen haben wird.

[2]) September 20. nach Korner vigilia beati Matthaei ap.

[3]) Die Zahlenangaben weichen ab von Korner.

[4]) Nach Korner z. J. 1423. Die Kosten des von den Rathmannen Vicco vom Hove und Nic. Metzger gemachten Zugrs waren, der Stadtrechnung z. J. 1422 und 1423 zufolge 1165 Pfund 13 Schill. 5 Pf. und 75 Pfund 6 Schill., womit die von in Ripen Gefangenen gezahlten Lösegelder: 1422 158 Pfund 8 Schill.; 1423 197 Pfund. 1424 von vor Silt Gefangenen 188 Pfund, durchaus in keinem Verhältnisse stehen.

[5]) Nach Korner 1423.

1423 Der Romiſche konig ſchickete herzog Rumpolden aus
Schleſien an ben konig zu Dennemark, baz er zwiſchen
ine beme konige unb ben herzogen zu Holſtein; auch ben
ſtetten einen frieden und vertrag ſolte behandlen. Sollichen
befel richtet er mit vleiß aus und vermocht ben konig bahin,
baz er bie herzogen zu genaben aufzunemen, auch mit ben
ſtetten friede unb einigkeit zu halten willigte. Aber als her=
zog Rumpolt wider aus Dennemark ziehen wolte, befiel
er mit ber peſtilenz unb ſtarb. Konig Erich, der ine in ſeinem
lezten zugeſagt, ben behandelten friede ſtet unb veſt zu halten,
ließ inen zu Habersleuen furſtlich zur erden beſtatten [1]).

Anno 1424 zug konig Erich aus Dennemark an des
Romiſchen konigs hof gen Ofen, unb ließ herzog Hein=
richen von Schleswig zu recht fur ben Romiſchen konig
laben. Albo wurt bie ſach verhoret, unb bas herzogtumb
Schleswig ber kron zu Dennemark zuerkant. Biſchof
Johan von Lubeck, herzog Heinrichs anwalt, appellirete von
ſollicher urteil an ben bapſt gen Rom, zug bahin unb tet
ſeine appellation proſequirn.

Mitlerweile reiſete konig Erich uber mer zum heiligen
grabe [2]).

Anno 1425 nichtiget unb caſſiret ber bapſt bie urteil, bie an
des Romiſchen konigs hofgerichte fur konig Erichen wider
bie herzogen zu Schleswig war ausgeſprochen [3]). Idoch gab
er bem erzbiſchof zu Coln Theodorico befel, bie ſachen noch=
mals zu verhoren, unb in ber gute zwiſchen ben parten zu
handlen; barob blieb alle ding unverrichtet hengen [4]).

In bemſelben jare war ein ſchuler zu Hamburg,
bem hetten bie ſchweine in ſeinen kindlichen jaren beide hende

[1]) Nach Korners ausführlichem Berichte z. J. 1423.

[2]) Korner z. J. 1424.

[3]) Korner z. J. 1425.

[4]) Die Nachricht von ber Vermittlung des Cölner Erzbiſchofs iſt bem
Tratziger eigenthümlich.

abgebiffen, daz er allein die stumpfe a) hette. Noch war er 1425 so fertig damit, daz er gute leserliche schrift schrieb, bucher einbant, stikete seine schue, nehete b) kleidere und tete sunst viel seltzamer arbeit ').

Anno 1426 als konig Erich von dem heiligen grabe widerumb zu lande kam, und numer den behelf fur sich het, daz er die urteil in des Romischen konigs hofe, wie obberurt, wider die herzogen zu Schleswig erhalten, nam er ihm fur, alle seine macht wider die herzogen zu versuchen, zog mit hereskraft fur Gottorp und Schleswig, welchs die herzogen benestet und wol besetzt hetten; den herzogen kamen zu hilf die Hamburger mit 600 schutzen und einer ansehentlichen anzal kriegesvolkes ²). Sie verstopfeten die hauen Schliesmunde, welche die Denen mit gewalt widerumb offneten, und geschehen zwischen den Denen und Holstein viel gute scharmutzel. Herzog Heinrich befant, daz er den Denen zu schwach war, und nicht vermocht vor des konigs macht sich und seine brudere zu entsetzen. Darumb handelt er mit den sechs Wendischen stetten, und vermocht sie dahin, daz sie sich mit ime wider den konig verbunden ³).

---

a) strumpffe. L.   b) negett, L.

') Korner z. J. 1425

²) Schon 1425 kaufte der Stadtrechnung zufolge der Rathman Erich von Tzeven 417 Pfund Salpeter für 38 Pfund 11 Schill. (à Pfund ungefähr 1 Schill. 10½ Pf.) und 1512 Pfund für 138 Pfund 12 Schill. (à Pfund ca. 1 Schill. 1 7/10 Pf.) ein; die Kriegskosten d. J. 1426, zu denen Wittwen und Waisen, aus St. Petri 150 Pfund, aus St. Nicolai 100 Pfund, aus St. Katharinen 101 Pfund, aus St. Jacobi 36 Pfund beitrugen, waren zu Lande (versus Godtorpe et Sleswic) 1490 Pfund 18 Schill. 4 Pf. (außer 69 Pfund 9 Schill. für die Söldner); zu Wasser (versus Lubeke et Wismariam) 2181 Pfd. 18 Sch. 3 Pf., (außer 73 Pf. 16 Schill. für die Söldner).

³) Korner z. J. 1426 an verschiedenen Stellen. Eine Einleitung hat Tratziger zugefügt. Für Hamburg wurden der Stadtrechnung zufolge Heinr. v. Berge und Heinr. Hoyer entsandt.

1426   Folgends im herbste kamen die sechs stette in Roftock [1] zu einander, vergleichen sich, was ein ider stat wider den konig fur hilf tun solte. Idoch beschicketen sie erstlich den konig, und ließen einen frieden von ime begern [2]. Dieweil aber dazumal der friede nicht konte erlanget werden, entsagten die stette dem konige umb Michaelis nechstfolgende [3].

Unter diesen geschichten fielen etliche hundert freibeuter oder Vitalienbrudere, die der konig bei sich hatte, umb der Denen ubermutes willen, von dem konige zu den Hamburgern [4]. Als nu der konig der stette feldebrieve bekam, ließ er dieselben allenthalben in seinem reiche a) auskundigen. Er fordert auch abe das volk, damit er Schleswig und Gottorp belagert hatte.

Umb allerheiligentage schicketen die stette ein statliche anzal kriegsschife in die sehe. Bei den Denen war graf Gerhart mit den Holstein. Aber als es spat im jare war, und wetter und wind inen nicht fugen wolte, segelten sie widerumb zuruck in ire hauen [5].

Anno 1427 auf der heiligen drei konigtage versambleten sich abermals zu Roftock die Wendischen stette. Dahin wurden von Hamburg geschicket her Heinrich Hoiger, burgermeister und Bernt Borstell. Sie vergleichen sich, daz sie widerumb schiff ausrusten und in die Oftsehe wider die Denen schicken wolten, und wurt die ausrustunge folgender gestalt geteilet, daz die von Lubeck und Hamburg ein iglice stat solte ausrusten vier großer schiffe mit vorcaftelen; die von Roftock, Wismar eine izliche stat zwei großer schiff mit vorcaftelen, und die vom Stralsunde drei großer schiffe mit vorcaftelen. Darzu solt eine idere stat haben krieger und andere kleine schiffe, so viel deren nutz und notig, dieselben bemannen und mit geschutz und anderer notturft beweren und

a) reichen. L.
[1] Sept. 14.   [2] Korner z. d. J.
[3] Diese Aufkündigung dieses Friedens ist nicht bei Korner erwähnt.
[4] Nach Korner z. d. Jahre.   [5] Nach Korner z. J. 1426.

verforgen, und folliche fchiffe folten alle fertig fein auf mitfaften 1427 nechftfolgents. Zudeme bewilligten die von Lubeck, Hamburg und Luneburg, daz fie einen reifigen zeug zu lande den herzogen zu hilf fchicken wolten [1]).

Als nu mitfaften heran kam, brachten die ftette ire fchiffe in die fehe, wie fich deffelben zu Roftock vereiniget hetten [2]). Ingleichem teten auch die Holftein, deren oberfter und ameral war graf Gerhart. Sie zugen an des konigs infeln Lalant, Bornholm und Gefor, plunderten und bekamen einen großen raub. Darnach zugen fie mit der ganzen flate fur Flensburg und belagerten die ftat und fchloß zu waffer und lande. Die Hamburger fchickten eine große anzal kriegesvolk zu roß und fuß uber lant dahin, deren haubtman war Johan Kleiße [3]), einer von den foftigen, den fie hernacher zu fich in den rat erwelet hetten. Die fchlugen ir befunder lager, und follichs gefchah in der creuzwochen. Nu hetten fich aber die grafen mit der von Hamburg haubtman verglichen, dieweil fie noch gefchuß und funft eßlicher inftrument erwarteten, die inen zum fturm notig, daz fie nicht ehr, den freitags nach Chrifti himmelfart fturmen wolten. Der Hamburger haubtman Hans Kleiße gab eßlichen von feinen gefinde am himmelfartsabent eine tunne Hamburger biers zuvorn, daher fich verurfachet, daz eßliche von inen, die etwas befchenket waren, fewerpfeile zu den feinden in die ftat fchuffen, und ift ein lermen in dem leger worden, alfo daz eßliche gemeint, wie der Hamborger kriegsvolk die ftat zu ftormen angefangen. Als follichs graf Heinrich vernommen, wolte

---

[1]) Vermuthlich mit Benutzung eines durch den Brand von 1842 zerftörten Berichtes der Hamburgifchen Abgefandten über die Verfammlungen.

[2]) Vom Tage zu Roftock und den oben erwähnten Befchlüßen nach Korner z. J. 1426.

[3]) Die Stadtrechnung z. J. 1427 giebt als Koften diefes erften Zuges 4125 Pfund 15 Schill. 3 Pf., als Führer die Rathmannen Johan Kleßen, Heinr. Papendorp und Symon von Utrecht an.

1427 er der a) letzte nicht sein, ergrief eine sturmleiter, und lief an den zaun, den die feint auf die graben umb den berg gemachet hetten. Do er aber alda niemants vor sich fant, und die feinde zumal stille weren, verwunderte er sich, woher der rumor sich erhaben, leinet die leiter an den zaun, stig darauf und wolte sehen, was die feinde fur hetten. Her Heinrich von Alefelt kam darzu, sah den fursten auf der leiter und bat in, daz er sich dermaßen nicht wolte unnotig in gefar begeben. Solchs horet ein Deue, und stach mit seinem spieße durch den zaun, verwundet den herzogen, daz man inen von der leiter nemen und in sein gezelt tragen muste. Unterwegen ließen inen seine diener aus unfursichtigkeit hart fallen. Also schlug eines zum andern, daz er ganz balt darnach im gezelt seinen geist aufgegeben, seines alters noch nicht 30 jar, und wart zu Itzehoge in seines vaters grab bestetigt. Er ist gewesen ein furst mit trefentlichen gaben und tugenten gezieret, den seine undertanen und kriegsvolk ganz wemutiglich beklaget. Sein bruder, herzog Adolf troftet die haubtleute und trat in seines verstorbenen bruders stette. Aber die von Lubeck wolten nicht lenger alda verharren, sunder zugen ir segel auf und furen davon; ingleichem teten auch die andern stette. Also nam die belagerung ein ganz traurig und unfruchtbar ende [1]).

Als nu Johan Kleitze, der Hamburger haubtman, widerumb anheim kam, wurt ime zugemessen, daz er zu des herzogen tote fursetzlich ursachen gegeben. Etzliche bezuchtigten inen, daz er mit des herzogen feinden ein heimliche verstentnus gehabt. Darumb ließ in der rat in des bodels haus gefenglich setzen und mit peinlicher frage scharpf verhoren, meineten, er solte etwan verreterei bekant haben; man kunte aber nichts von ime erfragen [2]).

Desselben jares umb Mariä Magdalenä legten die von Lubeck und Hamburg abermals etzliche haubtschiffe, schnig

---

a) die. L.

[1]) Nach Korner z. J. 1427.   [2]) Nach Korner z. J. 1427.

gen und andere kleine schiffe in die Ostsehe, die bemanneten sie 1427 wol mit 6000 werhaftiger leute; uber diese schiffe wurden zwene a) haubtleute verordnet, aus Lubeck: her T i d e m a n S t e e n, und von Hamburg: her H e i n r i c h H o y e r '), beide burgermeistere. Inen wurt befoln, daz sie solten segeln in den S u n t, und sich von dannen nicht hinweg begeben, ehr den die B a y - s c h e flate were angekommen.

Do sie un zusammen mit gutem wetter und wind in den S u n t kamen, wurden die D e n e n ir gewar, und liefen mit iren kriegsschiffen aus der hafe zu C o p p e n h a g e n gestraks auf sie. Als her H e i n r i c h H o y e r, burgermeister zu H a m - b u r g, sollichs ersah, eilete er zu her T i d e m a n S t e e n, sprach: „Die feinde kummen uns unter augen; was ratet ir, daz wir anfangen?" Her T i d e m a n sprach: „Wir wollen es im namen Gottes mit inen wagen." Des wurt her H e i n r i c h erfreuwet, schicket sich zu der were und vermanet die seinen, daz sie ein herz fassen und sich redlich erzeigen solten.

Den H a m b u r g e r n viel der erste angrif, die setzten tecklich zu den feinden herein und teten inen einen merklichen schaden. Aber letzlich wurden sie von den feinden umbgeben, und die bei leben bleiben, wurden alle gefangen. Her T i d e m a n S t e e n segelte an eine großen barsen, darin viel großer herren waren, aber er wolte sie nicht angreifen, und ließ die barse fur ime uberschießen b). Die andern teten, was sie von dem L u b e c k s c h e n haubtman sehen und wolten den suchten nicht beißen; wiewol von etlichen zur entschuldigung furgewendet worden, daz sie mit den großen schiffen nicht haben mogen fortkomen.

---

a) schwene. L.   b) uberscheißen.

') Außer ihm nennt die Stadtrechnung den Rathmann Heinrich Papendorp und Johan Bos. Die Kosten waren 1092 Pfund 4 Sch. 8 Pf. Dazu kamen 170 Pfund 16 Schill. 10 Pf. an Conrad v. Wanderslo und seine Genossen, welche wohl in Hamburgs Sold standen, und 215 Pfund 17 Schill. für ein Geschenk an die Schleswigschen Herzoge, in Butter und Bier bestehend.

1427 Als nu diese niderlag geschehen war, reumete der Lubed=
schen haubtman den Sunt, ehr die Baysche flate ankam
wider das gebot und befel der stette und segelte nach der deut=
schen seiten. Desselben tages kam die Baysche flate an, und
meinete in der stette geleite durch den Sunt und die Ost=
see zu segeln; aber der konig schickete inen die seinen stark
unter augen, von den wurden sie angefallen, geschlagen
und gefangen bei 46 großer schiffe mit einem treffentlichem
gute beladen.

Folgends umb Purificationis Mariä kemen der stette ge=
santen gen Lubeck[1]). Die herzogen zu Holstein schicketen
die iren zu inen, und ließen begern, daz sie inhalts irer
aufgerichten einigung forter wider den konig hilfe leisten
wolten; darauf begegnet den grafen ein gefellige antwort.

Darnach verklageten die Hamburgischen gesanten her
Tideman Steen, daz er die iren verlassen und inen keine
hulfe getan, darburch sie geschlagen und gefangen worden.
Die Lubeckschen kaufleute, welche in der Bayschen flate das
ire verloren hatten, hulfen inen, zugen an, daz er seinen befel
uberschritten und, ehe sie in den Sunt gekomen, widerumb
davon gefaren were. Umb sollicher klage und beschuldigung
willen ließ der rat her Tideman Steen in den torn furen,
darin saß er uber drei jar gefangen[2]), und wurt darnach
durch bitt des bischofs zu Lubeck aus der gefengnus gelassen,
und in sein haus eingelegt, so lang biz daz er starb[3]).

---

[1]) 1428 Febr. 2. Tratziger seiner Quelle folgend beginnt hier das Jahr
erst mit dem 25. März, und berichtet also z. J. 1427, was wir z. J.
1428 stellen würden.

[2]) Nach einem gleichfalls durch den Brand d. J. 1842 zerstörten hambur=
gischen Berichte, aus welchem der übereinstimmende Lübeckische, von Ru=
fus (Grautoff, die Lübeck. Chroniken in niederdeutscher Sprache II.
p. 553—557.) aufgenommene, wie mir eine früher gemachte Verglei=
chung gezeigt hat, in Einzelheiten sich berichtigen läßt.

[3]) Korner z. J. 1429.

Konig Erich trachtete mit vleiß darnach, daz er in den 1427
Wendischen stetten zwischen der obrigkeit und gemeinde
widerwillen stiften mochte, ließ briefe an die gemeinden der
stette schreiben, darin er uber ire räte heftig klaget, wie sich
ire räte mit ime in buntnus eingelassen, darauf siegel und
briefe ausgegeben und denselben zuentkegen sich kegen ihn und
das reich Dennemark in offenbare feide eingelassen [1]. Die
gemeinde zu Hamburg wurden ungedultig auf den rat [2],
erwelten abermals 60 burger, die das gemeine beste in acht
nemen solten; durch derselben rat und meinunge wurt Jo=
han Kleißen, der, wie obberurt, ein zeitlang gefangen ge=
sessen, der kopf abgeschlagen. Solchs geschach auf dem berge
bei S. Peter amb abende Antonii [3].

Die gemeinde zu Lubeck hielt sich kegen iren rat be=
scheidentlich und wolten sich durch des koniges schreiben nicht
verhetzen lassen.

Aber zur Wismar erhub sich ein schrecklich aufrur,
in welcher der gemeine pofel zwene redlicher menner: hern
Johan Bantzkowen, burgermeistern, und hern Heinrich
von Haren, ratsverwanten, fangen und auf dem markte
enthaupten ließen [4]

Ingleichem regete sich auch das ungluck in Rostock,
derwegen die vier burgermeister, nemblich: Heinrich Kazow,
Heinrich Buck, Frederich von Tzeine und Johan
Ottberg heimlich aus der stat entwichen. Die burger ließen
sie dreimal nach ordnung ires statgerichts fur gericht laden,
und, als sie nicht erscheinen, wurden sie friedlos gelegt und
aus der stat verfestet [5].

---

[1] Korner oder Detmar z. J. 1427.
[2] Der Stadtrechnung z. J. 1427 zufolge nahm auch Hamburg an
einem Zuge gegen Dänemark Theil.
[3] 1428 Jan. 16. Korner, Detmar und Rufus z. J. 1427, mit deren
Erzählung Tratziger sonst übereinstimmt, geben als Tag der Hinrich=
tung St. Pauls Bekehrung (1428 Jan. 24.) und als Ort den Markt=
platz an. St. Antonii (Jan. 17.) und den Berg s. in Niedersächsischen
Hamburg. Chroniken, S. 12, vgl. S. 37. 252. 407.
[4] Korner z. J. 1427. S. unten z. J. 1430.
[5] Ausführlich bei Detmar z. J. 1427, wo für Ottberg: Otbrecht.

Tratzigers Chronik.   11

1427 Umb diese zeit war zwischen den Ditmarschen in irem lande große uneinigkeit, den es waren zwene hauptsacher, der eine Radelef Maß [1]), der ander Kruse Johan genennet. Deren ider hette einen großen anhang, teten mit raub, brant und mort einander großen schaden. Zuletzt bewilligten beide teil in schiedsrichtere, als von Lubeck: her Heinrich Rapesulver, burgermeistern, und Timmer Harderwergk, ratman; von Hamburg: her Erich von Zeuen und Clawes Meiern; von Luneburg: her Albrecht Semmelbecker und Hartwich Schumachern, alle ratsverwante; durch dieselben wurden alle irrungen un widerwille durch einen machtspruch erortert, und das lan Ditmarschen widerumb in friede a) gesetzt, angeregtes 2 jare sontags vor Jacobi [2]).

Anno 28. im frulinge ließen die stette abermals ei merkliche anzal schiffe ausrusten, deren oberster hauptman wa herzog Gerhart von Schleswig. Auf den schiffen hette die stette bei 8000 [3]) mannen, ohne die freibeuter, die herzo Gerhart volgeten. Sie vermeinten das konigliche schl Coppenhagen mit sturm zu erobern, aber der kon war dermaßen zur kegenwer gefasset, daz ihr furnemen verge lich. Darumb sie mit kleinem rume und vorteile widerun musten heimziehen. Herzog Adolf aber zug mit herz Wilhelm von Braunschweig b) und Luneburg, sam

---

a) fryde L. b) Braunschwig L.

[1]) S. unten z. J. 1434.

[2]) 1427 Juli 20. Das Document ist nicht mehr nachzuweisen, doch wi in den weiter unten anzuführenden Urkunden mehrfach Bezug dara genommen.

[3]) Korner 12,000, Tratziger scheint IIX. und XII. zu verwechseln. D die unter dem Befehl der Rathmannen Hove, Nicol. Mey und Albert Wydinghusen entsandte Macht sehr viel großartig war als frühere Rüstungen, beweist die der Stadtrechnung zufol verausgabte Summe von 16,192 Pfund 13 Schill. Ein ordentlich Schoß — den geistlichen einbegriffen — von 6128 Pfund 7 Schill. ein außerordentlicher (specialis collecta a quibusdam civibus) von 31 Pfund 15 Schill. 6 Pf. deckte nur einen Theil.

den Lubeckschen und Hamburgeren in Jutlant, alba 1428 erwurben sie an silber und golde eine statliche beute, darzu uber 3000 [1]) haupt viehes, welchs sie darnach zu Gottorp teileten [2]).

Anno 29. wurfen sich zusammen etliche von den Denen und bemanneten 76 schiffe und liefen damit fur den Stralsunt. Die burger dorften sich erstlich nicht aus der stat begeben, derwegen die Denen viel spotlichs ubermuts treiben. Zuletzt treib sie der wint nach Wolgast und es kamen etzliche schiffe, mit korn und andern kaufmanswaren beladen, fur den Sunt, die losseden die burger, bewerten und bemanten die gelosseden schiffe, als viel in der eil geschehen mochte. Do nu a) die Denen widerumb vor dem Sunde furuber zu segeln vermeinten, wurden sie von den Sundischen menlich angegriffen und die 76 schiffe von 7 kleinen schiffen erleget und uberwunden, mit einer großen beute [3]).

Die freibeuter plunderten und verbranten dieses jares Bergen in Norwegen [4]). Die von Rostock und der Wismar nemen zur sehe dem konig seinen schatz, der ime aus dem konigreiche Schweden wurt zugefuret [5]). Die Holstein gewunnen mit hilf und zutun herzog Wilhelmes von Braunschweig das stetlein und schloß Appenrade in Jutlant, und es gaben die stette herzog Wilhelmen 20,000 mark, daz er mit 400 pferden inen wider den konig zu Dennemark dienete [6]).

---

a) du L.

[1]) Korner 30,000.

[2]) Bis auf die Abweichung in den Zahlen nach Korner's ausführlichem Berichte zum Jahre 1428; vermuthlich sind die in der Einnahme d. J. (de reisa ad mare orientale) in Rechnung gebrachten 1728 Pf. 12 Sch. 8 Pfen. Beutegelder.

[3]) Korner z. J. 1429, doch haben hier die Dänen 75 Schiffe.

[4]) Korner z. J. 1429.

[5]) Rufus z. J. 1429. Der Stadtrechnung z. J. 1429 zufolge erhielt, dem Uebereinkommen gemäß, der Herzog zum Zuge gegen Brunlunte in drei Raten 4267 Pfund 6 Schill. 4 Pf.

[6]) Korner z. J. 1429, welcher jedoch so wenig als Detmar und Rufus die dem Herzoge gezahlte Summe angiebt.

11 *

1429   Dieses jares forderten die burger zu Stettin von irem rate rechenschaft und bescheit tres einkommens. Solchs teten sich zwene burgermeister, als Johan Grabow und Gert Rode, beschweren, begaben sich aus der stat an den herzogen. Der herzog furet die beiden burgermeister widerumb gen Stettin, setzte sie in den ratsstul und ließ fahen die anstifter der aufruer und mit dem rade strafen [1]).

Die gemeinde zu Bremen wurt gleichergestalt aufrurisch wider iren rat, den sie entlich entsetzten und aus der stat verjagten und erwelten an ire stat einen newen rat [2]).

Anno 1430, do der Hamburger kriegesvolk, welchs sie iren lantsfursten den herzogen zu Schleswig wider den konig zu Dennemark fur Appenrade oder Brunlunte [3]) zu wasser zugeschicket [4]), wider anheim keret und auf die Elbe kemen, wurden sie durch storm und ungewitter an das lant zu Ditmarschen getrieben, alda sie zu lande gingen und von den Ditmarschen sich nichts boses versahen. Aber Radelef Kerstens, vogt in Ditmarschen, sampt seinen mithelfern, uberfielen sie unverwarneter sache, schlugen etzliche zu tote, die andern wurden auch totlich verwundet, gefangen und ir schiff, harnisch und proviant genommen. Diese sache unterstunden sich der erzbischof zu Bremen, die von Lubeck und Luneburg in der gute zu vergleichen oder mit recht zu entscheiden, derwegen ein tag zu Stade gehalten wurt, alda von wegen des rates zu Hamburg erschienen folgende herren des rates: Johan Wige, burgermeister, Erich von Zeuen und Vicke vom Hofe, ratsverwanten, und Er Herman Creigenberg, secretarius [5]). Aber es stellet sich Radelef Kerstens und

---

[1]) Kosner z. J. 1429   [2]) Ausführlich bei Korner z. J. 1429.

[3]) 1411 hatte Königin Margaretha die alte Burg Rabenraahuus mitten in der Stadt abbrechen und statt dessen vor der Stadt ein neues Schloß Brundlond (Brönlund) erbauen lassen, welches im 16ten Jahrhundert Wohnung des Amtmanns wurde, und daher den Namen Amthaus erhielt.

[4]) Die Stadtrechnung z. J. 1429 erwähnt diesen Zug, welchen der Rathmann Albrecht Wydinghusen befehligte.

[5]) Der Verhandlungen der Abgesandten gedenkt die Stadtrechnung.

die andern gefanten der Ditmarschen so freuentlich, daz 1430 weder a) in der gute noch zu rechte etwas verrichtet wart.

Hiebevorn ist angezeigt, wie die Wismarischen irer burgermeister Johan Banzkowen b) und Heinrich von Haren, ratsverwanten, in der aufrur ließen die kopfe abschlagen und den rat ganz veranderten [1]). Es ließ aber gemelter Banzkow zwene sone nach ime, als Lutke und Johan Banzkowen; diese sampt Heinrich von Haren freuntschaft verklageten die Wismarischen vor dem Romischen konige Sigismundo und erlangeten heftige ponnalmandat wider den newen rat und gemeinde zur Wismar, und es wurden die von Lubeck geordenet zu executorn und verfolgern sollicher mandaten. Dadurch wurden die Wismarischen dahin gedrenget, daz sie neben irem kegenteil, Banzkowens sonen und Heinrichs von Haren freuntschaft, bewilligten und als schiedsrichtere erweleten fraw Catharinen, herzogin zu Mecklenburg, witwen, die von Lubeck, Hamburg, Stralsunt und Luneburg.

Diese schiedsrichter erkenneten durch einen machtspruch [2]) wie folget:

Erstlich, daz der newe rat zur Wismar fur sich und ire gemeinde auf dem markte zur Wismar vor der louingen hern Johan Banzkowens sone und Heinrichs von Haren freuntschaft umb verzicht und vergebnus bitten solten. Von dannen solten sie in die kirche gehen und fur die entleibten selemesse lesen lassen und darzu opfern mit 200 ehrlichen

---

a) wider L.   b) Banzowen L.

[1]) S. oben z. J. 1427. Eine in der Stadtrechnung erwähnte Reise der Hamburgischen Rathmannen Hinrich vom Berge und Erich von Tzeven nach Lübeck und Wismar, wird wohl als ein Versuch, die Stadt zu beruhigen, anzusehen sein.

[2]) Der zu Wismar 1430 (Dienstag vor Mitfasten) von der Herzogin verkündete Schiedsspruch, dessen wesentlichste Bestimmungen hier Tratziger ins Hochdeutsche umschreibt, nachdem er dessen Eingang für die Erzählung des Aufstandes benutzte, ist aus dem Zeugebuche Wismars gedruckt in Burmeisters Bürgersprachen und Bürgerverträge der Stadt Wismar p. 72—80. Benutzt ist er auch von Reimar Kock.

1430 frawen und jungfrawen und dieweil geopfert wurt, solten in die kirche zwene serche gesetzet werden, bedecket und mit brinnenden kerzen umbsetzet [1]).

Folgents solten sie ausschicken auf des gemeinen gutes unkostigunge drei pilgrim, einen gen St. Jacob, den andern gen Rom, den dritten zu St. Ewalt *), die got fur der entleibten selen beten [2]).

Sie solten furter auf Unser lieben frauwen kirchhof zur Wismar zur gedechtnus von dem gemeinen gute bauwen eine capellen, darzu zwo vicarien stiften, und ibere mit 20 marken ewiger hebunge begiftigen, darzu ornat, kelche, bucher 2c. verschaffen [3]).

Sie solten auch auf dem markte an dem orte, da sie hern Johan Banzkowen und Heinrich von Haren entleibet, einen stein zu ewiger gedechtnisse der geschicht setzen laßen [4]);

Und solten Lutken und Johan Banzkowen fur ire kost und zerunge, die sie dieser sachen halber aufgewendet, von dem gemeinen gute entrichten und bezalen 600 reinische gulden [5]).

Folgents sol sich der newe rat des ratstuls verzeihen und der alte rat widerumb in ire stette gesetzt werden, die der newe rat offentlich umb vergebnus bitten solt [6]);

Auch alle priuilegia, siegel, gelt, schlußel, bucher, guter 2c. einantworten [7]);

Item inen eine verzeichnusse der statschulden zustellen [8]);

Sich genzlich hinfortan der regirunge enthalten [9]);

---

*) Ein Kloster der beiden St. Ewald ist mir nicht bekannt. — Ihre Schädel waren im Dom zu Münster, die Körper zu St. Cunibert in Cöln am Rhein. Auch zu Apelerbek bei Dortmund, wo sie getödtet wurden, ward ihr Gedächtniß gefeiert und geschahen durch sie Wunder. S. Werner Rolefink de antiqua Saxonia L. ll. c. I. bei Leibnit. SS. rer. Brunswic. T. lll.

[1]) Art. 1.   [2]) Art. 2.   [3]) Art 3.   [4]) Art. 4.
[5]) Art. 5.   [6]) Art. 6.   [7]) Art. 7.   [8]) Art. 8.
[9]) Art. 9. enthält hiervon nichts, sondern ordnet eine allgemeine Sühne der beiden Parteien an.

Und zu keinen zeiten sechszig uber den rat erwelen [1]). 1430

Dargegen solte bei wirden bleiben, was bei irer des newen rats regirunge in die statbucher geschrieben; item confirmirte testament und contract ire wirklichkeit behalten [2]).

Die macht, ratspersonen zu erwelen, solte dem alten rate hinfortan freistehen [3]).

Die gemeinheit und rat solte dem lantsfursten, wie recht und gebreuchlich, huldigen [4]);

Desgleichen iren burgerlichen eit leisten [5]).

Die alterleute und werkmeister der ampten solten vom rate hinfortan bestellet werden [6]).

Alle buntnuße und conspiration, dieser sachen halber aufgericht, solt tot und abe sein [7]);

Und niemants aus der burgerschaft sich unternemen, einige conspiration oder aufwiglunge wider den rat zu erregen, bei verlust leibes und gutes [8]).

Damit solten alle sachen genzlich sein aufgehaben. Dieser machtspruch ist von allen teilen angenomen und erfolget worden und ist geschehen zur Wismar am tage Benedicti [9]) angeregtes 30. jares. Und seint von wegen der stat Hamburg darbei gewesen: her Heinrich vom Berge und her Erich von Zeuen, ratsverwante [10]).

In diesem jare wurt ein handelstag gehalten zu Nie-

---

[1]) Art. 10. Natürlich wird diese Vorschrift den Bürgern gemacht, nicht dem Rathe, wie aus Tratzigers ungenauem Auszuge hervorgehen würde.
[2]) Art. 11.   [3]) Art. 12.
[4]) Art. 13, welchem im Schiedsspruch die für Wismars Stellung als Landstadt bezeichnende Huldigungsformel beigefügt ist.
[5]) nämlich dem Rathe, wie aus Art. 14 zu ersehen ist.
[6]) Art. 15.   [7]) Art. 16.
[8]) Art. 17 und 21. Art. 18. Bestätigung der städtischen Privilegien, Art. 19. Abhülfe der Wismar drückenden Schuldenlast, Art. 20. Amnestieversprechen seitens des wieder eingesetzten alten Rathes, hat Tratziger übergangen.
[10]) Die städtischen Rathssendeboten nennt der Schiedsspruch alle, die Hamburgischen auch die Hamburgische Stadtrechnung.

1430 copen, zwischen dem konige zu Dennemark und den stetten. In dieser handlung sunderten sich die Rostocker von den andern stetten und vertrugen sich mit dem konige; demselbigen exempel volgeten auch die von Stralsunt. Aber Lubeck, Hamburg sampt den andern stetten blieben mit dem konig unvertragen [1]).

Die von Bremen fingen iren burgermeister, Johan Vasmern und ließen ime das haupt abschlagen. Sein son verklaget sie vor dem Romischen konige und bracht sie in die acht, fieng ire burgere, und kamen durch sollche verhandlunge in merkliche beschwerunge [2]).

Dieses jares umb Mathei hielten die stette mit dem konige zu Dennemark abermals eine tagleistunge.

Unterdes unternamen sich die Denen in Alsen zu fallen, aber die von Lubeck und Hamburg schicketen volk dahin, die hielten die Denen zurucke. Zu deme kam ein storm und ungewitter in die sehe, daz der Denschen schiffe bei zehen amb strande blieben, die andern wurden in der sehe verschlagen [3]).

Zu Rostock regiret der newe rat. Der alte rat bearbeitet soviel bei der herzogin zu Mecklenburg, daz sie mit hilf etlicher anderer herren furnam, die stat mit gewalt einzunemen, versamblet biz zu 1800 man guter leute. Aber die

---

[1]) Nach Korner z. J. 1430. Die Stadtrechnung erwähnt eine Reise der Rathmannen Hinrich vom Berge und Erich von Tzeven, zum Hansetag nach Lübeck und Rostock. Dieselben Rathmannen mit dem Secretarius Herm. Kreygenberge und den übrigen städtischen Gesandten sind der Stadtrechnung zufolge zu Verhandlungen mit dem dänischen Könige nach Nicopinge gereist; Kosten: 220 Pfund 3 Schill.

[2]) Die Hinrichtung Joh. Vasmers bei Korner z. J. 1430. Interessante Nachrichten über Vasmers Proceß finden sich in meinen Bremischen Geschichtsquellen. S 159—168.

[3]) Korner z. J. 1430 vergl. Detmar. Der Stadtrechnung des Jahres zufolge übernahm, der Abrede mit den Städten gemäß, Hamburg allein die Zahlung an Herzog Wilhelm von Braunschweig für den Zug vor Brunlunte mit 1066 Pfund 13 Schill. 4 Pf., außerdem 75 Pf. 2 Schill. 6 Pf. Ein kleines Rechnungsbuch war dafür angelegt.

von Rostock wurden der sachen verwarnet a), stelten sich zur 1430
kegenwer. Demnach wart durch solliche kriegsrustunge nichtes
ausgerichtet ¹).

Anno 31. rusteten die Ditmarschen, so mit den von
Hamburg noch unvertragen waren, etzliche kleine schiffe,
furen fur den torn zum Newenwerle, und brenten die
vorberg abe, nemen das vieh, auch etzliche schiffe und andere
habe und furen damit zu lande. Nu ware es eben zeit, daz
die schiffe mit Hamburger bier von der Elbe wolten ab-
siegeln, und besorgten sich die Hamburger, daz die Ditmarschen dieselbigen nemen wurden. Demnach rusteten sie
aus 600 man, welche die schiffe mit dem biere beleiten solten,
und geben inen zum hauptman Marten Schwartekop, iren
ratsverwanten. Do sie an Ditmarschen kamen, teten sie
einen lantgang, idoch wider ires hauptmans willen; die Ditmarschen griffen zur were, trieben sie zuruck, und wurden mererteils erschlagen. Es blieb auch alda Marten Schwartekop, der
haubtmann. Etzliche wolten, daz diese geschicht sich begeben
anno 30, am abende Peters stulfeier ²).

Angeregtes 31. jares gewunnen die herzogen zu Schleswig und Holstein mit hulf der von Lubeck, Hamburg
und anderer stette Flensborch das stetlein; aber die auf dem
schlosse auf dem berge wolten sich nicht ergeben, derwegen sie
ein zeitlang zu wasser und zu lande belagert und zuletzt durch
mangel aufzugeben genotiget wurden ³).

---

a) verwarnet, corrigirt in verwarschewet.

¹) Rufus z. J. 1430.

²) Ausführlich bei Korner z. J. 1431, doch werden dort zurückkehrende
Flanderfahrer erwartet, und fehlt der Tag (Februar 21.) welcher auch
in den Hamburg. niedersächsischen Chroniken erwähnt wird. Vergl.
die sehr ähnliche, lebendige und dramatisch gehaltene Erzählung bei
Reimar Kock z. J. und Kranz Saxonia IX. 17. Der der Stadtrechnung
zufolge unter dem Befehl von Marten Swartekop, Nycolas Lan-
ghen und Nicolas Meyer ausgerüstete Zug kostete 1018 Pfund
19 Schill. 10 Pf., zu diesem Zweck kamen 222 Pfund 11 Sch. ein.

³) Korner und Detmar ausführlich z. J. 1431. Der Stadtrechnung
zufolge betrugen die Kosten der unter dem Befehl von Albert Wy-

1432 Anno 32. wart zuß Coppenhauen in Dennemark
losgegeben her Heinrich Hoyer, burgermeister zu Hamburg, der etliche jar sieder der niderlage, die her Tideman
Steen, burgermeister zu Lubeck, verursachet, gesenglich alba
gelegen. Fur seine und der andern Hamburger leute, so mit
ime waren gefangen worden, erledigung bekam der konig
10,000 mark lubsch [1]).

Anno 33. geschach viel sehrauberei aus Frieslant, inson-
berheit weren zwene furneme Friesen, Sibolt und Emelo,
die hetten zwo starke vestungen an der Emse [2]), darauf sie
die sehrauber erhielten. Ditz war den Hambergischen und
Bremischen kauflenten ser ungelegen, darumb rusteten sie
schiffe aus [3]), und gerieten auf der sehe an etliche sehrauber,

---

dinghusen, Micko Wygershoy und Conrad Moller zu
Land und Wasser ansgesandten Kriegsmacht 6488 Pfund 3 Schill.
3 Pfen., außerdem für Schwergerüstete unter dem Befehl von Ert-
mann Schulte, 958 Pfund 8 Pfen. Als entsprechende Einnahme
für ersten Posten sind 101 Pfund 18 Sch., für den zweiten 685 Pf.
7 Schill., außerdem als Schoß der Bürger 2438 Pfund 6 Sch. 4 Pf.
in Rechnung gebracht.

[1]) Korner z. J. 1432.

[2]) Siboldsburg und Emben. Der Stadtrechnung zufolge wurden 1432
für vor Copenhagen verlorene Schiffe (über eine Entschädigung an
Lübecksche Bürger für ihr dort verlorenes Schiff von 510 Mk., eine
Urkunde 1432 März 10.) und die dort Gefangenen 600 Pfd., für Unterhalt und als Lösegeld dort gefangener Bürger 7954 Pfund 17 Schill.
4 Pf.; im Jahr 1433: 2328 Pfund und 1866 Pfund 13 Sch. 4 Pf.,
außerdem für Unterhalt gefangener Söldner 113 Pfund 12 Schill.;
im Jahr 1435 für die Gefangenen 268 Pfund und durch drei Rathmannen (de achisa) 981 Pfund 8 Schill.; 1436 als letzte Termin-
zahlung des Lösegeldes (1666 Pfund 17 Schill. 6 Pf. in 2667 Arnold. (?) Gulden, welche zu 12 Schill. von Seiten Dännemarks angenommen, doch für 12½ Schilling eingekauft werden mußten, einge-
rechnet) 2666 Pfund 13 Schill.; endlich 1437 als letzte Zahlung
119 Pf. Für die sicher nicht einfache Rechnung darüber war ein besonderes
Buch (liber papiraceus) bestimmt, dessen Jble Stadtrechnung gedenkt.

[3]) Die Rathmannen Hinr. Roting und Bernh. Gronewold führten die
mit einem Zuschuß von 786 Pfund 3 Schill. 9 Pf. aus der Lade
der Bürger gerüstete Kriegsmacht gegen die Friesen.

die wurden von inen erschlagen und vierzig davon gefangen 1483
gen Hamburg gefuret, alda sie gerichtet und sehrauberlon
entpfingen[1]. Die heuptlinge in Friesland, so starke vestun=
gen hetten, als Sibolt, Emilo probst und Udo, feindet
der gemeine man an, erboten sich kegen die Hamburger und
Bremer inen zu helfen, daz die raubschlosser durch ganz
Friesland gebrochen wurden. Solchs namen die stette fur gut
an, schicketen kriegsvolk in Friesland und ließen Siboldes
borg erstlich belagern. Sibolt und Udo wolten das schloß
entsetzen, brachten ein große anzal volles zusammen. Den be=
jegnete bei Norden der stette kriegsvolk sampt den Friesen,
die sich zu inen geschlagen hetten, teten alda ein treffen, er=
legeten und schlugen Sibolt und Uden mit iren[a] helfern[2].
Folgents versucheten sie ire macht an Sieboldes burg, die sie
entlich eroberten und in grunt niberbrechen[3]. Von dannen
zugen sie vor Embden, welchs Emilen zugehoret. Do er
aber vernam, daz Sibolt und Udo erschlagen und Siboldes
burg gewunnen und erbrochen war, ergab er sich an die Ham=
burger und uberantwortet denselbigen sein schloß und stat
Embden. Die Hamburger besetzten das schloß und fureten
Emeln gefangen mit sich gen Hamburg; dieses gefiel den
Friesen nicht, den sie hetten gehoffet, das schloß solte sein ge=
brochen worden, ingleichem hetten es die Bremer auch wol
anderst gesehen[4]. Daher verursachet sich, daz die Friesen
ein auflauf macheten und vermeinten, diejenigen, mit denen
das schloß besetzt, zu erschlagen. Aber sie wurden gewarnet
von den Deutschen, die zu Embden woneten[5], stelleten sich
zur kegenwer, und wurden der Friesen bei 100 erschlagen[6].

---

a) irem S.
[1] Korner spricht von 240 Gefangenen und Hingerichteten.
[2] Die Stadtrechnung z. J. 1433 erwähnt eine kirchliche Dankfeier für Sieg (Messe mit Weihrauch) und Todtenfeier für die Gefallenen.
[3] Der Stadtrechnung zufolge übernahmen die Bremer die Zerstörung der Siboldsburg von Grund aus, und erhielten von Hamburg i. J. 1435 228 Pf.
[4] Die Wünsche der Bremer erwähnt nur Trasiger.
[5] Daß zu Emden Deutsche wohnten, erzählt nur Trasiger.
[6] Nach Korner z. J. 1432, doch nicht ohne kleine Abweichungen.

1433   In diesem jare nam herzog Gerhart von Schleswig
zur ehe fraw Annen, marggraf Wilhelm von Baden
schwester; die gebar ime zwene zwilling, ein frewlin und ein
herlein. Die geburt kam aber zu frue, welchs sich durch einen
fall, den die herzogin getan, verursachet. Aber es kamen bos
zungen darzwischen, die herzog Gerharten einbildeten und in
den argwan fureten, daz sie zuvor, ehe er sie genomen, were ge-
schwengert gewesen. Daraus die uneinigkeit zwischen inen erfolget, daz sich die herzogin aus dem lande zu iren brudern
begab. Herzog Gerhart aber zug walfaren und starb durch
sorg und leit zu Emerich am Reine. Die kinder blieben
im lande, das frewlin wurt in ein kloster bestettiget und das
herlein sturb. Also fiel die regirunge der lande Schleswig,
Holstein und Stormarn allein an herzog Adolfen. Der
vermelet ime des grafen von Mansfelt schwester, zeugte aber
keine erben mit ihr, welchs, als etzliche wollen, vileicht der
almechtige zur strafe über ihm verhenget, dieweil er der
uneinigkeit zwischen herzog Gerharten und seinem gemahel ein
anstifter mit gewesen [1]).

   Zu diesem jare handelten die von Lubeck, Hamburg
und Luneburg mit dem newen rate zu Bremen, daz sie
den alten rat widerumb in ire stette setzen musten, und dahin
wurden sie furnemblich durch ire kaufleute genotiget, den sie
ohne das in den anfestetten zu handlen und kaufmanschaft
zu treiben nicht verstattet wurden [2]).

   Anno 34. [3]) kamen zusammen allgemeiner anfestette geschickten zu Lubeck und beratschlageten sich mit einander, nachdem den stetten an iren privilegien und freiheiten in den reichen
Dennemark, Schweden, Norwegen, Engelant und

---

[1]) Saxonia XI. S. 21.   [2]) Korner z. J. 1433.

[3]) 1434 Juni 5., nach Köhler bei Willebrandt Hanf. Chronik p. 221 ff.
    wo aus dem Berichte über die Verhandlungen Weiteres mitgetheilt
    ist. — Der Stadtrechnung zufolge wurden die Rathmannen Joha**
    Wigen und Simon von Utrecht mit dem Secretarius Joha**
    Wakenfathe entsandt.

in Burgundischen Niderlanden abbruch und verkur= 1434
zunge widerfure, durch was mittel daselbige furgekommen und
abgeschaffet werden mochte, und entschlossen, ire ansehentliche
botschaft zu schicken an den hohmeister des teutschen ordens
in Preußen [1]), und denselbigen anzulangen, daz er sich mit
den stetten vereinigen und sie kegen diejenige, von denen sie
an iren priuilegien wider recht beschwert wurden, schutzen und
hanthaben wolte. Sollichs erhielten die gesanten und der
hohmeister schrieb gestracks an konig Erichen zu Dennemark,
Schweden und Norwegen, auch an den konig von En=
gelant nnd den herzogen von Burgundien, daz sie die
furgenommene beschwerunge abstelleten. Er ließ auch allen
englischen kaufleuten ankunbigen, daz sie innerhalb sechs
monat sein lant reumen solten. Die gesanten, so diese wer=
bunge ausgericht, seint gewesen, von Lubeck: her Johan
Gerwen ratman, von Coln: her Euert Hardefaust
burgermeister, von Hamburg: her Erich von Zeuen rat=
man, sampt den gesanten des a) lants zu Preußen und vom
Gripswolde. Diese kamen von irer reise widerumb gen
Lubeck angeregtes 34. jares am abende vincula Petri [2]).

Hierauf wurt verordnet die beschickunge in die Burgun=
dische Niderlande und an den konig zu Engelant;
von Lubeck: her Johan Klingenberg, von Collen: her
Eberhart Hartefaust, von Hamburg: her Heinrich
Hoyer und von Danzig: her Heinrich Vorrat, alle
burgermeistere.

Es wurden auch etzlicher stette gesanten abgefertigt gen
Werdingborch [3]) an den konig zu Dennemark, den es
war ein receß zwischen dem konige und den stetten zu Hor=

---

a) des fehlt L.

[1]) Für Hamburg der Stadtrechnung zufolge der Rathmann Erich v. Tzeven.

[2]) Juli 31.

[3]) Für Hamburg der Stadtrechnung zufolge Herr Herman Lange,
Rector der heil. Geistcapelle zu Hamburg, und, wie auch Trasiger
bemerkt, Johan von Assel, Bischof von Verden; die Kosten ihrer
Sendung waren 572 Pfund 6 Schill. 3 Pf.

1434 niffe aufgerichtet, darin beide teile ire fachen auf schieds=
richtere gestellet. Nu hatte der tonig zu schiedsrichtern genom=
men: hern Magnuffen, bischofen zu Hildensheim, Bugs-
loff a) und Barnim b) zu Stettin und Pommern,
und hern Heinrichen zu Mecklenburg ic. herzogen. Der
stette gesanten brachten mit sich hern Johan zu Verden,
und Paridum zu Ratenburg, bischofe. Als man nu zur
sachen greifen solte, wolten die gesanten der stette, daz die
sachen des friedbruchs, so den stetten uber den receß zu Hor-
niß aufgerichtet widerfarn, erstlich furgenomen und ent-
schieden wurden. Der tonig drang darauf, daz alle klagen
zugleich ubergeben und durch die schiedsherren zu recht erortert werden solten. Damit brechten sie viel tage zu. Und
als sich auch die schiedsrichter beschwerten, in so einer wichtigen
sachen zu erkennen, wurt die sache zuletzt dahin verabscheidet,
daz beide teil einen friedstant annemen zu halten biz auf
Petri und Pauli ¹) nechstvolgent, und daz auf Philippi und
Jacobi ²) die stette widerumb an den tonig schicken und gutliche handlunge versuchen solten; do aber die gute nicht wolte
zulangen, solten die ermelte schiedsrichtere sich widerumb alba
zur stette verfugen und beider teile flage, antwort und beweis,
damit auch ein ider teil mitler weile sich gefasset machen solte, annemen und mit recht entscheiden. Solcher abschiet wurt von beiden
teilen angenommen und bewilliget, angeregtes 34. jares am
abende Mariae Magdalenae ³).

  Hiebevorn ist angezeigt, wie die Ditmarschen mit der
stat Hamburg in feide und widerwillen geraten, welcher uneinigkeit ein anstifter und redleinfurer war Radelef Ker-

---

a) Brugsloff. L.   b) Barnim. L.
¹) Juni 29.   ²) 1435 Mai 1.
³) Juli 21 Sartorius a. a. O. ll. 2. S. 809. führt einen schiedsrich-
 terlichen Spruch zwischen dem Könige und den vier Städten von 1434
 Juli 1. an. Tratziger wird einem Hamburger Berichte folgen. Die
 Stadtrechnung gedenkt noch einer Tagfahrt des Burgermeisters Hinrich
 vom Berge und Rathmann Albert Wibinghusen nach Apenrade.

ften '), voget in Ditmarschen, ein boser tyrannischer mensch, 1434
Do nu den Ditmarschen viel schadens von den Hamburgern
wurt zugefuget, des sie wenig ergetzung darlegen haben moch=
ten, wurden sie mit gemeltem Radelef Kerstens und seinem
anhang auch uneins, fingen an, einander zu verfolgen und zu
beschedigen, und damit sie Radelef Kerstens mechtig wurden,
versonten und verbunden sie sich mit der stat Hamburg, die
inen 800 schutzen sampt anderer kriegsnotdurft a) zuschicketen '),
uberzogen also Radelef Kersten und seinen anhang, brenneten,
plunderten und vertrieben zuletzt inen und seinen anhang aus
dem lande ').

---

a) notturfft L.

') Radelef Kersten gehörte, wie aus der unten angeführten Urkunde
v. J. 1435 Juni 4. hervorgeht, dem Kirchspiel Wesselingburen im
nordwestlichen Ditmarschen an, auf welches sich die im folgenden
erwähnten Streitigkeiten und Kämpfe beschränkt zu haben scheinen.

') Der Stadtrechnung zufolge rüstete man mit einem Aufwande von
1326 Pfund 13 Schill., eine Kriegsmacht, mit welcher die Rathmannen
Nicol. Meyger, Alb. Widinghusen, Johan Saffe und Cord
Moller entsandt wurden.

') Im wesentlichen nach Korner z. J. 1434 erzählt. Indeß giebt er die
Stärke der Hamburgischen Mannschaft auf 600 (Detmar u. Neoforus
500) Mann an. Führer von Radelef Kerstens Gegnern in Ditmarschen, welche Hamburg unterstützte, war Bortholtes Kruse
Johan; Führer der Hamburger war (nach Neoforus S. 404.,
vergl. S. 216.) der Rathmann Cord Moller. In Folge der Ankunft der Hamburgischen Hülfe im Juni und um Michaelis 1434,
schloß man, wie wir aus den Urkunden unseres Archives ersehen, Bündnisse mit den einzelnen Kirchspielen, 1434 Juni 27. mit Büsum,
wodurch Ralf Kerstens mit seinem Anhang geächtet, den Hamburgischen Kaufleuten Sicherheit versprochen ward; Juli 25. mit den
Kirchspielen Oldenworten, Weddingstede, Hemmingstede, Rygenkerken
Lunden, Tellingstede, Alverstorpe, Nordherflede, über Sicherheit des
Kaufmannes; Sept. 28. mit denselben zu Ralph Kerstens Bezwin-
gung, mit dem Versprechen, Hamburg schadlos zu halten; 1436 Februar 6. auch mit dem Kirchspiel Meldorp, über Sicherheit des Elb-
stromes. 1435 Juni 4. kam es zwischen den streitenden Parteien zu
einem Vertrage und allgemeiner Sühne, bei welcher Lübecker und
Lüneburger Rathmannen Schiedsrichter waren. Der Hamburgische
Probst Johan Middelman nahm von den Dithmarschen Geiseln

1430 copen, zwischen dem konige zu Dennemark und den stetten. In dieser handlung sunderten sich die Rostocker von den andern stetten und vertrugen sich mit dem konige; demselbigen exempel volgeten auch die von Stralsunt. Aber Lubeck, Hamburg sampt den andern stetten blieben mit dem konig unvertragen [1]).

Die von Bremen fingen iren burgermeister, Johan Vasmern und ließen ime das haupt abschlagen. Sein son verklaget sie vor dem Romischen konige und bracht sie in die acht, fieng ire burgere, und kamen durch sollich verhandlunge in merkliche beschwerunge [2]).

Dieses jares umb Mathei hielten die stette mit dem konige zu Dennemark abermals eine tagleistunge.

Unterdes unternamen sich die Denen in Alsen zu fallen, aber die von Lubeck und Hamburg schicketen volk dahin, die hielten die Denen zurucke. Zu deme kam ein storm und ungewitter in die sehe, daz der Denschen schiffe bei zehen amb strande blieben, die andern wurden in der sehe verschlagen [3]).

Zu Rostock regiret der newe rat. Der alte rat bearbeitet soviel bei der herzogin zu Mecklenburg, daz sie mit hilf etlicher anderer herren furnam, die stat mit gewalt einzunemen, versamblet biz zu 1800 man guter leute. Aber die

---

[1]) Nach Korner z. J. 1430. Die Stadtrechnung erwähnt eine Reise der Rathmannen Hinrich vom Berge und Erich von Tzeven, zum Hansetag nach Lübeck und Rostock. Dieselben Rathmannen mit dem Secretarius Herm. Kreyenberge und den übrigen städtischen Gesandten sind der Stadtrechnung zufolge zu Verhandlungen mit dem dänischen Könige nach Nicopinge gereist; Kosten: 220 Pfund 3 Schill.

[2]) Die Hinrichtung Joh. Vasmers bei Korner z. J. 1430. Interessante Nachrichten über Vasmers Proceß finden sich in meinen Bremischen Geschichtsquellen. S 159—168.

[3]) Korner z. J. 1430 vergl. Detmar. Der Stadtrechnung des Jahres zufolge übernahm, der Abrede mit den Städten gemäß, Hamburg allein die Zahlung an Herzog Wilhelm von Braunschweig für den Zug vor Brunlante mit 1066 Pfund 13 Schill. 4 Pf., außerdem 75 Pf. 2 Schill. 6 Pf. Ein kleines Rechnungsbuch war dafür angelegt.

von Roftock wurden der fachen verwarnet a), ftelten fich zur 1430 fegenwer. Demnach wart durch folliche friegsruftunge nichtes ausgerichtet [1]).

Anno 31. rufteten die Ditmarfchen, fo mit den von Hamburg noch unvertragen waren, etzliche fleine fchiffe, furen fur den torn zum Newenwerfe, und brenten die vorborg abe, nemen das vieh, auch etzliche fchiffe und andere habe und furen damit zu lande. Nu ware es eben zeit, daz die fchiffe mit Hamburger bier von der Elbe wolten ab= fiegeln, und beforgten fich die Hamburger, daz die Dit= marfchen diefelbigen nemen wurden. Demnach rufteten fie aus 600 man, welche die fchiffe mit dem biere beleiten folten, und geben inen zum hauptman Marten Schwartefop, iren ratsverwanten. Do fie an Ditmarfchen famen, teten fie einen lantgang, idoch wider ires hauptmans willen; die Dit= marfchen griffen zur were, trieben fie zurud, und wurden merer= teils erfchlagen. Es blieb auch alda Marten Schwartefop, der haubtmann. Etzliche wollen, daz diefe gefchicht fich begeben anno 30, am abende Peters ftulfeier [2]).

Angeregtes 31. jares gewunnen die herzogen zu Schles= wig und Holftein mit hulf der von Lubeck, Hamburg und anderer ftette Flensborch das ftetlein; aber die auf dem fchloffe auf dem berge wolten fich nicht ergeben, derwegen fie ein zeitlang zu waffer und zu lande belagert und zuletzt durch mangel aufzugeben genotiget wurden [3]).

---

a) verwarnet, corrigirt in verwarfchowet.

[1]) Rufus z. J. 1430.

[2]) Ausführlich bei Korner z. J. 1431, doch werden dort zurückfehrende Flanderfahrer erwartet, und fehlt der Tag (Februar 21.) welcher auch in den Hamburg. niederfächfifchen Chronifen erwähnt wird. Vergl. die fehr ähnliche, lebendige und dramatisch gehaltene Erzählung bei Reimar Kock z. J. und Kranz Saxonia IX. 17. Der der Stadtrechnung zufolge unter dem Befehl von Marten Swartefop, Nycolas Lan= ghen und Nicolas Meyer ausgerüftete Zug foftete 1918 Pfund 19 Schill. 10 Pf., zu diefem Zweck famen 222 Pfund 11 Sch. ein.

[3]) Korner und Detmar ausführlich z. J. 1431. Der Stadtrechnung zufolge betrugen die Koften der unter dem Befehl von Albert Wy=

1436 des konigs Densche vogte, und beuelichsleute in Schweden
ubeten. Nach langer handlunge wurden von beiden teilen angeregte der stette gesanten zu schiedsrichtern angenommen, die
teten zu Calmar einen machtspruch, damit sie auf billige wege
alle widerwertigkeit zwischen dem konige und den Schweden
aufhuben: also daz der konig widerumb zu volkomener regirunge des konigreichs Schweden gestattet wart, und die Schweden ihrer furgewendeten beschwerunge halber klaglos gestellet
wurden [1]).

In diesem jare geschach merklicher schade umb Hamburg und sunst in Marschlanden durch das grosse wasser:
ingleichem der wint und sturm an gebeuten auf dem lande und
in der sehe an schiffen, leuten und gutern unzelichen schaden teten,
dergleichen bei menschen gedenken nie erhöret war [2]). Do
auch konig Erich nach aufgerichtem vertrage mit den Schweden von Calmar noch Gotlant segelte, besiel inen so
ein grausamer storm, daz er bei 500 man verlor und mit
grosser not in einem bote zu lande kam.

Anno 37. erlangeten des hohmeisters und der ansestette
botschaft in Engelant irer sachen ein gut ende, als daz die
beschwerungen, so die Englischen an castunen und andern dem
Teutschen kaufman aufgelegt hetten, abgestellet, und der ansestette privilegia und freiheiten im reiche Engelant widerumb
ernewert und bestettiget wurden [3]).

In demselben jare erwecket Radelef Kersten mit seinem anhang abermals ein unruhe in Ditmerschen und
wurt zuletzt erschlagen. Sein son vermeinete seins vaters

---

[1]) Vermuthlich nach Hamburger Berichten. Hamburg war der Stadtrechnung zufolge wieder durch Herm. Lange und den Rathmann Nic.
Meyger vertreten. Die Kosten betrugen 95 Pfund 18 Schill. 1 pfen.
[2]) Von diesem an den nördlichen Küsten weitverbreiteten verderblichen
Sturme spricht auch Kranz, Wandalia XI. 39.
[3]) 1437 März 22. zu London s. Rymer Foedera Tom. V. 1. p. 39. Für
Hamburg ward Bürgermeister Vicco von dem Hove entsandt. Kosten
1407 Pfund 4 Schill. Vergl. auch meine Geschichte des Stahlhofs
S. 47. Beil. S. 103. Hirsch Danziger Handelsgeschichte S. 110.

tot zu rechen a), aber die von Lubeck und Hamburg schlu= 1437
gen sich in die sache und handelten so viel, daz die sache aller=
seits hingelegt und gutlich vertragen wurt. b) ¹).

Dieweil sich auch in dieser zeit die von Hamburg
uberfals besorgen musten an deme hause Ritzebuttel und den
beiden carspeln Groden und Oldewolde, macheten sie eine
buntnusse mit den Wurstfriesen, die gelobeten, inen auf
sollichen zustant mit aller irer macht zu helfen und das haus
Ritzebuttel sampt beiden carspeln zu entsetzen ²).

Es starb auch in diesem jare ³) der löbliche furst, keiser
Sigmunt, und wurt von des reichs churfursten zu Frank=
fort am Mein zum römischen konige widerumb erwelet: her=
zog Albrecht von Osterreich, keiser Sigmunts toch=
terman, welchs geschach volgents 38. jares, dingstags am tage
Gertrudis ⁴).

Anno 39. verklageten die herzogen zu Luneburg den
rat zu Hamburg vor dem romischen konige Alberto, der
ursachen, daz der rat iren underlanen die furbeifure durch die
Suder=Elbe nicht gestatten wolte, erlangeten darauf eine
ladunge und mandat wider den rat und gemeinde zu Ham=
burg. Sie verfolgeten aber ire sachen nicht, und die von
Hamburg blieben bei irer gerechtigkeit, daz, weil ein zol zu
Hamburg lag, daz alle, die den Elbstrom auf oder ab=

---

a) rechnen. L.   b) w. fehlt L.

¹) Vergl. Saxonia XI. 26., wo jedoch der Name von Radelef Kerstens
und das über die Thätigkeit des Sohnes Gesagte fehlt. Eine Urfehde
von 1438 Nov. 16. von Clawes Kersten, seinen Brüdern und allen
Angehörigen der Rolemans Slachte dem Rath zu Hamburg ge=
schworen, befindet sich auf unserm Archive.

²) Eine Urkunde über ein im J. 1437 abgeschlossenes Bündniß ist nicht
vorhanden, wohl aber über ein 1440 Juni 12. unter denselben Be=
dingungen eingegangenes.

³) 1437 Dec. 9.

⁴) Die Bestätigung der städtischen Privilegien zu Nürnberg 1438 Mit=
wochen vor St. Gallen (October 15.), erhielt der Stadtrechnung zufolge
der Secretarius Magister Joh. Quentin.

12*

1439 furen, iren weg auf Hamburg zu nemen und den zol befuchen muften ¹).

Diefes jares erhub fich ein frieg zwifchen den Hollen-
bern und den ftetten an der Oftfehe ²).

Es ftarb auch Albertus, der Romifche fonig, zu Pres-
burg am abende Simonis und Judä; und wurt volgendes
40. jares, am tage Purificationis Mariä widerumb zum Ro-
mifchen fonig erwelet herzog Friderich zu Ofterreich,
fonigs Albrechts vetter ³).

Anno 41. wurt ein gemeiner henfetag gehalten zu Lubeck ⁴), dahin vom rate zu Hamburg gefchicket wurden her
Heinrich Hoier und Heinrich Koting, beide burger-
meiftere ⁵). Alda wurden verhandlet allerhant fachen, die zu
gemeiner anfe faufmanfchaft a), nuz und vorteil gereichen mochten. Die von Hamburg wurden verflaget durch den fauf-
man zu Brugge, daz fie zu Rizebuttel den dritten teil der
geftrandeten guter nemen. Darauf den gefanten von alge-

---

a) faufmanfchaz L.

· ¹) Vermuthlich mit Benuzung der Aften des Proceffes. Der Stadtrechnung zufolge zahlte der wieder an den faiferlichen Hof entfandte Secretarius Quentin [dem Procurator Magifter S. Hotel 20 rhein.
Gulden als Honorar für einjährige Führung der Hamburger Sache.

Aehnliche Befchwerden brachten die Lüneburger fchon 1419 vor
dem Lübeckfchen Schiedsgerichte vor, doch wurden diefelben als unbe-
gründet zurückgewiefen; denn es fei ein gräflicher Zoll. Vergl. z. J.
1394 und 1412.

²) Saxonia XI. 29. ohne Jahr, Delmar zum Jahr 1437. Der auch z.
J. 1441 wiederfehrende Ausdruck „ftette an der Oftfehe", könnte aus
der Bezeichnung der wendifchen Städte „ofterfche, ofterlinger" ent-
ftanden fein. Die Stadtrechnung hat eine Ausgabe von 3909 Pfund
14 Schill. 7 Pf. als Kriegsfoften (versus Albiam).

³) Die Beftätigung der ftädtifchen Privilegien, zu Bafel Nov. 11. aus-
geftellt, nachzufuchen, ward der Secretarius Mag. Quentin entfandt; Koften der Stadtrechnung zufolge: 109 Pfund 8 Schill.

⁴) März 12. nach Köhler bei Willebrandt. S. 215.

⁵) Der Stadtrechnung zufolge mit dem Protonotar Johann Rotgers;
Koften: 129 Pfund.

meinen ftetten befolen wart, an iren rat zu bringen, daz fie 1441 hinfortan uber ein billig berggelt niemants befchweren folten.

In diefem jare wurt auch durch konig Chriftoffern zu Dennemark behandlet ein zwolfjariger ftillftant zwifchen den ftetten an der Oftfehe und den Hollendern [1].

Anno 42. wurt ein anfetag gehalten zum Stralfunt [2], darzu von Hamburg verordnet wurden: her Heinrich Koting, burgermeifter, und M. Johan Pren, fecretarius; die wurden alba abermals angefprochen von wegen des dritten pfennigs, den die von Hamburg zu Ritzebuttel von den geftrandeten gutern nemen, und wurt den gefanten von den ftetten auferleget, bei irem rate zu verfuchen, daz follichs wurde abgefchaffet.

Anno 43. wurt vertragen die ftat Luneburg mit irem furften von wegen des zollens und anderer gerechtigkeit, darumb fie ein zeitlang mit einander in irrunge geftanden waren [3].

Anno 44. vermelete ihm konig Chriftoffer zu Dennemark frewlein Dorotheam, marggraf Johanfen zu Brandenburg tochter, und hielt fein beilager zu Coppenhauen, fontags nach Crucis [4]. In demfelben jare wurt er konig zu Schweden gekronet [5]

Nachdem herzog Adolf zu Schleswig um des herzog=

---

[1] Vergl. Detmar z. J. 1441. Doch ward nach ihm der Stillftand auf 10 Jahre abgefchloffen, was der Vertrag von 1441 Auguft 23., bei Sartorius a. a. O. II. 2. p. 812. nachgewiefen, beftätigt. Der Stabtrechnung zufolge wurden Burgermeifter Hinrich Koting und Rathmann Erich van Tzeven nach Dänemark entfandt, dort mit den Holländern zu verhandeln; Koften: 480 Pfund 2 Schill.

[2] Auf Pfingften Mai 20. nach Köhler bei Willebrandt u. a. O. 216. Die Koften betrugen der Stadtrechnung zufolge 93 Pfund.

[3] Näheres f. bei Detmar z. J. 1442.

[4] Sept. 20. Königsfeldt genealogifke hiftorifke Tabellen fetzt die Vermählung 1445 Sept. 26. Unter den von ihm angeführten abweichenden Angaben, entfpricht keine der Tratzigers.

[5] 1441 Sept. 14. in Upfala, zu Ripen erft 1443 Jan. 1.

1444 tumbs Schleswig mit konig Erichen vertragen war, entpfing er daſſelbige von konig Criſtoffern zu lehen und wart mit ime gutlich vergleichet, alſo daz herzog Adolfs gebiete ſich biz an die bruden zu Colbingen erſtreden ſolte [1].

Im jar 45. verpfendet abermals herzog Bernhart zu Sachſen ꝛc. den von Hamburg die graffſchaft Attern= borp ſampt dem hauſe Bederleſa und aller zugehorunge und verſchrieb inen ſolliche heuſer und guter innerhalb drei= ſig jaren nicht abzuloſen [2].

Anno 47. war zu Lubeck eine treffliche verſamblunge aller anſeſtette. Von Hamburg weren dahin geſchidet: her Heinrich Koting und her Detlef Bremer, beide bur= germeiſtere, ſampt dem ſecretario ern Johan Rotgero [3], alda wurt eine newe buntnus und confederation der ſtette aufgerichtet und die anſeſtette in vier vierteile geteilet. Des erſten vierteils heupt ſolten ſein: die ſtat Lubeck; des andern: die ſtat Hamburg; des dritten: die ſtette Magdeburg und Braunſchweig; des vierten: Munſter, Neumegen, Deuenter, Weſel und Palborn. Und es wurden do= mals alle receß zuſammen gezogen und auf eine eintrechtige meinunge in einem receß verfaſſet.

Man verordnete auch botſchaft an den herzogen zu Bur= gunbien, den konig zu Frankreich und zu Engellant, allerlei newerunge, ſo dem Teutſchen kaufman zur beſchwe= runge waren furgenomen wurden, abzuhandeln. Die geſanten waren von Lubeck: her Arnolt Weſtfal, der geiſtlichen

---

[1] Dania VIII. 22., das Jahr Saxonia XI. 31.

[2] S. meine Schrift über Hadeln S. 30. Aus der Stadtrechnung z. J. 1444 u. 1445 erſehen wir, daß die Pfandſumme 1000 rhein. Gulden betrug, daß der bereits im J. 1444 vom Kanzler des Herzogs Arnold Blaze für 10 Pfund und 11 Schill. ausgeſtellte und beſiegelte Pfandbrief ins Waſſer gefallen war und deswegen (für 5 rh. Gulden) vom Kanzler erneuert werden mußte. Offenbar hatte dieſen Traßi= ger vor ſich.

[3] So auch die Stadtrechnung.

rechten doctor, dechant zu Lubeck, und her Wilhelm von 1447
Kaluen, burgermeister doselbst; von Collen: her Godert
von Waßeruas, burgermeister; von Hamburg: her Heinrich Roting, burgermeister, und her Johan Rotger, secretarius; von Danzig: her Arnold von Telchten, ratman.

Die Ditmerschen und Friesen [1]) hetten umb diese
zeit viel widerwillens unter inen, verfolgeten einander mit
brennen, rauben und morden. Zuletzt wurden ob sollichen irrungen zu schiedsrichtern erwelet der tumbprost zu Hamburg
und die räte beider stette Lubeck und Hamburg [2]). Aber die
sachen verzugen sich biz in das 56. jar, ehr sie ire entschaft
erreicheten [3]).

Anno 49 auf Jacobi [4]), do die gesanten der stette widerumb aus Burgundien anheim kemen, wurt eine tagfart
gelegt gen Bremen [5]); und als die vorige botschaft wenig
fruchtbarlichs bei den herzogen von Burgundien ausgerichtet, wurden anderweit etzliche abgefertiget, die sachen zu volziehen [6]).

Folgents 1450. jares regete sich widerumb die sehrauberei
aus Ostfrieslant [7]), und es understunden sich etzliche, die
Siboldesborch, die vorlangst geschleifet war, widerumb
anzubauwen. Darumb, als die stette desselben jares auf Johannis Baptistä zu Bremen bei einander waren, wurt

---

[1]) Der Stadtrechnung z. J. 1447 zufolge ward ein Feldzug gegen Em-
    bengemacht; Kosten laut einem besondern Buche (liber longus): 163 Pf.

[2]) Aus Saxonia XI. 37. Der Schiedsspruch von 1447 Mai 4. und Proceß-
    akten bei Michelsen, Urkundenbuch zur Geschichte des Landes Dith-
    marschen No. 28 und 29.

[3]) Vergl. unten z. J. 1456.

[4]) Juli 25.

[5]) Die Stadtrechnung nennt als Abgesandte die Bürgermeister Hinrich
    Rotingh. Hilm. Lopow und den Secretarius Joh. Rotgers.
    Kosten: 75 Pfund.

[6]) Vergl. Köhler bei Willebrandt S. 220. Der Stadtrechnung zufolge
    wurden mit einem Aufwande von 182 Pfund Bürgermeister Detlef
    Bremer, Rathmann Joh. Oherwer und Secretarius Joh. Rigen-
    dorp nach Bremen und weiter nach der Jade entsandt.

[7]) Vergl. oben z. J 1433.

1449 den von Bremen und Hamburg befoln, zu verhindern, daz das angeregte haus nicht widerumb erbauwet wurde. Als sie aber begerten zu erleichterunge der unkost, die sie derwegen tun musten, einen zollen aufzusetzen, wurt dasselbige sampt aller anderer sachen beratschlagung biz auf die nechste zusammenkunft algemeiner ansestette verschoben [1]).

Anno 1450 wurden gen Lubeck algemeine ansestette verschrieben [2]), und eintrechtiglich beschlossen, dieweil die gesanten an den herzogen zu Burgundien die newerungen, damit der kaufman zur unbilligkeit beschwert wurde, abzuschaffen nicht erhalten mogen, daz man alle hansische kaufleute von Brugge aus Flandern solte abfordern, und die residenz des kaufmans solte biz auf weitern bescheit gen Deuenter gelegt werden. Es wurden auch darbei etzlich mittel und wege bedacht, dadurch man die Burgundischen dahin bringen und vermogen konte, daz sie sich der billigkeit erzeigten. Bei dieser versamblunge weren von Hamburg: her Detlef Bremer, burgermeister, Lutke Struve, ratman, und er Johan Rigendorp, secretarius [2]).

Anno 51. wurt durch die ansestette gehalten eine gemeine tagleistunge [3]) mit den gesanten des koniges zu Engelant, aber nichts eigentlichs abgehandlet, den allein, daz sich beider teile gesanten auf bewilligung irer principaln eines andern handelstages und eines friedstandes mitlerweile zu halten vereinigten. Der stelle halben konten sie sich nicht vergleichen, den die Englischen wolten, daz die handlunge im reiche Engelant solte werden gehalten, aber die gesanten der stette schlugen fur funf

---

[1]) Sept. 21. nach Köhler bei Willebrandt S. 220.

[2]) Dieser Versammlung in Lübeck und der Hamburger Abgesandten gedenkt die Stadtrechnung.

[3]) Juni 13. zu Utrecht nach Willebrandt S. 221. Vergl. Detmar z J. Eine Reise des Bürgermeisters Hilmer Lopow, des Rathmannes Lütke Struve und des Secretarius Joh. Rigendorp nach Utrecht zur Verhandlung mit den Engländern (Kosten: 195 Pfund 2 Schill.) erwähnt auch die Stadtrechnung. Ob das die hier erwähnte oder die zweite Versammlung war, für welche man Utrecht bestimmte, ist nicht klar.

orter, nemblich: Lubeck, Bremen, Hamburg, Collen 1451
und Utrecht, daraus der konig eine zu erwelen macht haben
solte.

Des 52. jares umb Inuocauit kamen der anseftette ge=
santen widerumb zusammen in Lubeck. Albo wurt beschlossen,
daz des kaufmans residenz umb allerlei ungelegenheit willen
gen Antorf ¹) und Middelborch solte verleget werden,
also daz mit tewerbaren waren der stapel zu Antorf, mit
aschen, pik, ter, holz und fentewar zu Middelborch wurde
geholten. Die Fleminge ließen domals bei den stetten anre=
gunge tun umb gutliche handlunge, damit die gebrechen zwischen
inen und dem kaufman verrichtet und der stapel widerumb
gen Brugk gelegt wurde. Auf dieser tagfart waren von
Hamburg: her Ditrich Luneborch, burgermeister, Jo=
han Gerwer, ratman, und er Johan Nigendorf, secre=
tarius ²).

Hiebeuorn ³) ist worden angezeiget, wie die von Ham=
burg die schlosser Embden und Lerorde in Ostfries=
lande erobert und bestellet, darauf inen den jarlich ein merk=
lich unkost ging, also daz sie sich etzlich mal desselben kegen
den andern ansetteten beklagten mit bitte, weil sie zu befrie=
digung der sehe und dem gemeinen kaufman zum besten sollche
heuser mit schwerer unkost bestellen und halten musten, daz
inen die stette durch eine zulage des kaufmans oder einen
zollen darzu hilf tun wolten; aber die stette verschuben es
alwege auf andere tagfarten, daz also der rat zu Hamburg
gedrenget wurt, auf andere mittel zu trachten. Darumb wur=

---

¹) Schon 1437 hatte Herzog Philipp von Burgund einen ernstlichern
Versuch gemacht, die hansischen Kaufleute nach Antwerpen zu ziehen;
1440 hatten sie einen Vertrag mit Antwerpen auf 12 Jahre geschlossen,
dessen Ablaufe im J. 1452 also die von Tratziger erwähnten Verhandlungen gefolgt sein werden. Vergl. Sartorius Geschichte des
Hanseatischen Bundes II. S. 557. 558 und 810. 811. Ein Haus
zu Antwerpen erhielten sie erst 1468.

²) Gesandt e und Tagfahrt erwähnt die Stadtrechnung.

³) S. z. J. 1433. S. 170.

1453 den sie des zu rat und nemen von junker Ulrichen, zu
Norden, Berun, Aurik und Ezenze heuptlinge, einen
summen geldes auf beide heuser Embden, Lerorden, sampt
der stat Embden und geben ime auf schloßglauben a) di
heuser ein, idoch neben einer eidlichen verpflichtigunge, daz e r
den kaufman beschirmen, beschutzen und bei seiner alten frei
heit lassen wolte. Sollichs geschach anno 1453, dingstags na
Quasimodogeniti [1]).

Dieser zeit undernam sich graf Gerhart von Olden
burg vieler unrichtigkeit kegen den gemeinen kaufman, sa
nicht allein durch die finger, und verhanget, daz den wanderer
den kaufleuten das ire genommen wurt, sondern ließ sie au
mit irem gelt und gute, wenn sie zu Delmenhorst durch
reiseten, anhalten und gefenglich einziehen b); darumb wu
den von Hamburg und Bremen von den stetten auferlege
derwegen einsehen zu tunde, auch vorzukommen, daz er ni t
volk in die sehe brechte und also ferner den kaufman betru
bete [2]).

Es wurt auch in diesem jare eine tagleistunge m t
den Burgundischen zu Lubeck gehalten [3]), aber ni
eigentlichs abgehandlet. Die gesanten nemen an sich der stet
beschwerungen, die sie schriftlich ubergeben, an den herzoge
von Burgundien und die 4 gelider des landes Flander

---

a) scholßglauben. L.   b) einzehen. L.

[1]) 1453 April 10 gedruckt in (Brenneisen) Ostfriesische Historie u
Landesverfassung T. l. Documente No. 26. S. dieselben. Bergl. D
mar z. d. J. Die Stadtrechnung hat unter den Einnahmen d.
1453 als Abschlagszahlung von der Pfandsumme (10,000 Mk. Lü)
4800 Mark (in 6000 rhein. Goldgulden), unter denen d. J. 14 4
3000 Pfund (in 4000 Gulden).

[2]) Reisen des Bürgermeisters Detlef Bremer nach Haseldorf zum Gr
fen Moritz von Oldenburg, der Bürgermeister Detlef Br
mer und Hilmer Lopow gemeinschaftlich mit dem Herzog von Schle
wig nach Hetlingen zur Verhandlung mit dem Grafen Gerha
von Oldenburg erwähnt die Stadtrechnung.

[3]) Mai 31. nach Köhler bei Willebrandt S. 222, wo Weiteres mit
theilt ist.

zu bringen, darauf man sich den einer andern tagleistunge und 1453 ferner handlunge hette zu vergleichen. Bei dieser handlunge war: her Detlef Bremer, Heinrich Lopow, burger=meistere, und Johan Nigendorp, secretarius [1]).

Anno 1454 [2]) kamen des herzogen von Burgundien und der vier glieder des landes Flandern geschickten zusam=men zu Lubeck, dahin auch algemeiner ansestte gesanten beschrieben [3]). Die Burgundischen ubergaben eine notel, welcher gestalt der herzog zu Burgundien die kaufleute ver=sichern wolte, daz sie a) sich wider gen Brugk begeben [4]), welche notel der stette beger und meinung, die sie in voriger tagleistunge ubergeben, merers teils gemeß war. Sie erregten aber viel andere beschwerunge, deren zuuor nicht gedacht, und dauon die Burgundischen keinen befelich hetten. Derwegen die sachen auch domals unabgehandlet blieben.

Dieweil auch, als vorberurt, graf Gerhart zu Olden=burg den gemeinen frieden in viel wege betrubet, verbun=den sich die stette wider ihn, und schrieben konig Christian von Dennemark, seinem brudere, daz er graf Gerharten von sollichem straflichem furnemen wolte abweisen [5]).

Dieweil auch zwischen den gesanten des koniges zu Enge=lant und der stette geschickten zu Utrecht verabscheidet, daz man einen andern handelstag ernennen solte, schrieben die stette

---

a) sie fehlt L.

[1]) Die Stadtrechnung gedenkt der Reise dieser Abgesandten nach Lübeck zu Versammlungen mit dem Gesandten des Herzogs von Burgund, Grafen von Rostock und der Glieder des Landes Flandern.

[2]) Juni 20. nach Köhler bei Willebrandt S. 222. uppe pinxten (Juni 9.) bei Detmar z. J.

[3]) Von Seiten Hamburgs wurden mit einem Aufwande von 98 Pfund 18 Schill. die Rathmannen Detlef Bremer und Hinrich Lopow, mit dem Secretarius Joh. Nigenborpe entsandt.

[4]) S. oben z. J. 1450.

[5]) Als Zeichen spätern guten Einvernehmens dürfen wir die in der Stadtrechnung v. J. 1455 erwähnte Bewirthung des Grafen in Ham=burg ansehen.

1454 an den konig zu Engelant, bittende, daz er zu sollicher tag=
leiftunge feine gefanten gen Hamburg ober Lubeck wolte
abfertigen. Und es wurt den von Hamburg befoln, die
antwort zu erbrechen und an die andern ftette zu gelangen.

Anno 55. war ein heftiger krieg zwifchen dem orden in
Preußen, den ftetten und der ritterfchaft des landes. Die
ftette und der adel beklageten fich, daz fie mit ubermeßiger
tirannei durch den orden bedrucket wurden, forderten auf ire
feiten den konig zu Polen. Der orden verfuchet feine äußerfte
macht, und weret follicher krieg etzliche jar mit merklichem blut=
vergießen und verwuftung des landes.

Die von Luneburg undernamen fich umb diefe zeit
einer fchatzunge von fulzgutern, die den geiftlichen auf der fulz
zugehorten; darob kamen fie in den ban und acht und fetzen
in trefflicher befchwerunge, daz entlich durch unterhandlunge
etzlicher benachbarten die fache gutlich vertragen wurt [1]).
Zu follichem furnemen wurden fie gedrungen durch die tref=
liche fchulde, darein die ftat geraten war [2]).

Im 56. jare wurt durch die von Lubeck und Ham=
burg hingelegt die zwiefpaltigkeit, die fich etzliche jar zwifchen
herzog Adolfen zu Schleswig und den Ditmerfchen er=
halten hette [3]).

---

[1]) Schon 1454 ift in den Stadtrechnung eine Reife der Rathmannen Detlef
Bremer und Hinrich Lopow (Koften: 53 Pfund 8 Sch. 4 pfen.)
zur Vermittlung der Lüneburger Prälatenfehde, ebenfo 1456 (Koften:
84 Pfund 5 Schill), und eine zweite Sendung des Syndicus Joh.
Maler im J. 1454 erwähnt. Die Stadtrechnung d. J. 1458 führt
die Summe von 155 Pfund, verausgabt für Bewirthung des Herzogs
von Schleswig und feiner Begleitung auf der Durchreife nach Lüneburg zu demfelben Zwecke an.
[2]) Saxonia II. 37. Detmar z. J. 1454.
[3]) Sühne und Vergleich bei Michelfen a a O No. 30. vergl. z. J. 1447.

Die geschickten des herzogen von Burgundien ¹) tagten 1456
abermals mit den stetten ²), aber die sachen blieben nochmals
unabgerichtet, und der Teutsche kaufman hielt domals seine
residenz zu Utrecht ³).

Des 57. jares kamen die Burgundischen abermals
gen Lubeck ⁴), und alda wurt biz auf wenig artikel alle
bing abgehandlet.

Der orden aus Preußen schrieb ganz kleglichen an die
stette, wie jamerlich das lant durch den langwirigen krieg ver=
wustet wurde, und begerten, daz sich die ansestette darein schla=
gen und gutlichs handels undernemen wolten, wie den auch
nach der zeit geschach, aber mit des ordens merklichem und un=
wiberbringlichem schaden.

Folgendes 58. jares geriet die stat Hamburg zu einem
widerwillen mit den einwonern des landes zu Hadeln: den,
wie hiebeuor angezeigt, war das lant zu Hadelen der stat
Hamburg versetzt von den herzogen zu Sachsen. Die

---

¹) Die Instruction für die flandrischen Gesandten, welche den Herzog
von Burgund um seine Vermittlung ersuchen sollten, dat. 1455 Oct. 7.
ist im Archive zu Ypern, ein Brief des Bürgermeisters und Schöffen
und des Rathes von Brügge an die Genter, mit der Bitte, sie in
der von Flandern abgehenden Gesandtschaft zu vertreten, dat. 1456
Juni 14., so wie dem Erbieten eine bedeutende Summe zur Schad=
losshaltung der Hanse zu zahlen, dat. 1456 Oct. 13—16. im Genter
Archiv noch vorhanden. (S. die Auszüge im Messager des sciences et
arts T. l. p. 198 sq. No. 19. S. 466. No. 2 und 3.

²) Juni 24. zu Lübeck nach Köhler bei Willebrandt S. 224. Der Stadt=
rechnung zufolge reisten Rathmann Hinrich Lopow und Rathmann
Albert Schilling dorthin; Kosten: 77 Pfund 4 Pfen.

³) Für Hamburg hatte der Verkehr mit Utrecht schon früh eine ganz
besondere Bedeutung, welche uns schon die häufige Erwähnung der
Beziehungen zu Utrecht im älteren Schiffrechte, Art. 1. 2. 17. 18. 19.
beweist. S. meine Hamburg. Rechtsalterthümer, Bd. 1. p 75 u. 81.

⁴) Von Seiten Hamburgs wurden die Rathmannen Detlef Bremer
und Albert Schilling, der Stadtrechnung zufolge, entsandt;
Kosten: 62 Pfund 8 Schill.

190

1459 Habeler ließen sich bedunken, der stat Hamburg solte ni[...]
mehr den allein die ordentliche jarliche nutzunge und heb[...]
des landes geburen, wolten inen derhalben nicht schweren, [...]
fur ire richter nnd oberherren sie erkennen, worauß be[...]
beschwerliche weiterunge erfolgen mogen. Aber herzog Adol[...]
zu Schleswig und graf zu Holstein undernam sich [...]
sachen und richte sie auf billige und leibliche wege [1]).

Darnach, als man schrieb 59. am tage Barbarä, der [...]
war der 4. Decembris, starb der lobliche furst ohne men[...]
erben, und war der letzte von dem Schouwenburgisch[...]
stammen, der die Holsteinischen lande beherschet [2]).

---

[1]) 1458 August 31. S. meine Schrift über Habeln, bericht. Abbr. 16[...]
S. 55. ff. Im J. 1450. 11. Aug. muß es zu hartnäckigem Ka[...]
gekommen sein, da die Stadtrechnung die bedeutende Summe [...]
9586 Pfund 13 Schill. für den Krieg in Rechnung bringt; 1[...]
reisten der Stadtrechnung zufolge die Bürgermeister Th. Lüneborg
Albert Schilling und Syndicus Joh. Maler zu Verhandlun[...]
mit den Wurstfriesen nach Hadeln; 1459 war letzterer ge[...]
Benefizien wegen in Groden.

[2]) Wandalia XII. Nach der Stadtrechnung gingen Bürgermeister Hin[...]
Lopow und Rathmann Joh. Gherwer nach Itzehoe, um [...]
Leichenbegängnisse des Herzogs Adolf beizuwohnen.

Ueber die hier folgenden Namentafeln des Schaumburgischen und
Oldenburgischen Hauses ist das Nöthige in der Einleitung bemerkt.

Der Hamburgischen chroniken
vierte und letzte teil,
von der zeit keiser Friderichs des dritten biz auf
keiser Carolum den funften.

———————

Nach totlichem abgang herzogen Adolfs zu Schleswig 1459
erhub sich ein zank und widerwillen zwischen konig Christian
zu Dennemark dem ersten und grafen Otten zu Scho‑
wenburg und seinen kindern von wegen der grafschaft
Holstein und Stormarn; den graf Otto tet sich der‑
selbigen als der nechste vetter und lehensfolger anmaßen. Dar
entkegen konig Christian mit seinen brudern, Gerhart und
Moritzen, grafen zu Oldenburg, sich vor nechste bluts‑
verwante und erben zu ermelten landen angaben, dieweil sie
von herzog Adolfs schwester geboren waren. Demnach
kamen zusammen die ritterschaft beider lande Holstein und
Stormarn, beratschlageten sich ob den sachen, und schicketen
an den rat zu Hamburg hern Otten Sesteden, rittern,
Hansen Pogwisch und Goriesen von Qualen, ließen
inen den tot herzogen Adolfs ankundigen und darneben
vermelden, daz sie ires rates darzu brauchen wolten, wen sie
widerumb fur einen herren der lande annemen, sintemal Ham‑
burg were ein furnemblich g.lit des landes Stormarn.
Darnach wurden etzliche tagleistunge gehalten mit graf Ot‑
ten zu Schouwenburg, welcher von der lantschaft die
stette und heuser aufforderte, aber er wurt mit der antwort
abgeweiset, daz noch andere mer herren vorhanden weren, die sich

1459 zu den landen berechtiget zu sein vermeinten. Nicht lang darnach wurt durch die lantschaft ein tag zu Rendesburg [1])
angesetzet, darzu die von Lubeck und Hamburg auch gefordert wurden. Zu demselbigen tage schickte konig Christian
seinen brudern, grafen Gerharten von Oldenborg, und
hern Clawes Ronnowen, des reichs Dennemark mar-
schalken, und ließ begeren, daz die lantschaft ine als dem nechsten von dem geblute herzogen Adolfs zu irem herren wolten
erwelen und annemen. So wolte er sich mit seinen bruderen
freuntlich vertragen, daz sie mit ime in guten friedlich sein
solten; auch wolte er sich gutlich vereinigen und vergleichen
mit grafen Otten zu Schouwenburg, und, ob die gute
nicht wurde statt haben, wolte er inen von den prelaten und
manschaft der lande rechtens pflegen. Was aber fur antwort
darauf gefiel, blieb den von Lubeck und Hamburg verborgen.

Folgents verschrieb der konig prelaten und manschaft der
lande Holstein und Stormarn gen Ripen, handelte
alda etzliche tage mit inen. Zuletzt wurt der handel dahin
geschlossen, daz sie den konig fur einen herzogen zu Schleswig und grafen zu Holstein und Stormarn annemen,
ließen inen durch bischof Niclassen zu Schleswig offentlich
vom rathause abkundigen. Mit was bescheit aber sollichs geschen sei, tut volgender inhalt der verschreibunge, die inen
der konig darauf gab, mitbringen.

Sollichs geschach im jare 1460 mitwochens nach Invocauit.
Aber zu diesem allem wurden die von Hamburg nicht gefordert.

Wir Christian [2]), von gottes gnaden zu Dennemarken, Schweden, Norwegen, der Wenden und

----

[1]) Der Rathmann Ludolf Voß ward der Stadtrechnung zufolge entsandt.
Im Jahre 1460 sind Gesandte an den König nach Segeberg geschickt.

[2]) Das Original der hier von Tratziger ins Hochdeutsche übertragenen
Urkunde König Christians vom J. 1460 März 5. in niedersächsischer
ausbrucksvoller Sprache, früher auch auf unserm Archive aufbewahrt,
ist gedruckt in Jensen und Hegewisch, Privilegien der Schleswig-

Goten kuning, graf zu Oldenburg und Delmenhorst, 1460 bekennen und bezeugen offenbar mit diesem jegenwardigen unserm briefe vor allen denjenigen, die inen sehen, horen oder lesen, daz die erwirdigen prelaten, strengen ritterschaft, ersamen stette und inwoner des herzogtumbs zu Schleswig, der lande und grafschaft Holstein und Stormarn uns haben gekoren zu einem herzogen zu Schleswig, grafen zu Holstein und zu Stormarn vorbenant, haben uns auch angenommen und gehuldiget fur iren hern, nicht als einem kunig zu Dennemark, besonder als irem hern dieser vorgeschrieben lande, mit underscheide aller artikel und stucke hirnach ausgedruckt.

Zum ersten, umb bestendigkeit derselben lande in friede zu haltende, wollen wir und sollen den christlichen glauben, gottesdienst und die rechtfertigkeit halten, halten lassen, beschermen und nicht krenken, besonder meren nach unserm vermugen. Einen itzlichen einwoner der erbenenten lande geistlich und werltlich a), ritterschaft, stette, als Schleswig, Flensburg, Haderslebe, Hamburg, Kiel, Itzeho, Rendesburg und alle ander stette klein und groß der vorgenanten lande, ire inwoner, kaufman und wanderenden menschen bei irem rechte und vreiheide zu lassende und sie daranne beschirmen, und alle ire privilegia, freiheiten, recht und alle erliche sitten und gewonheiten uber alle diese vorgeschrieben lande wollen und sollen wir besiegeln, verbriefen und bestetigen semptlichen und einen itzlichen insonderheit, der das fordert. Die wir auch in kraft dieses brieues itzt vulborden, zulassen und bestetigen ewich zu bleibende. Auch arge setten b), die jegen got und recht

---

Holsteinischen Ritterschaft No. 9. S. 42—58. Tratzigers Uebersetzung giebt mehrfach nur die Worte, nicht den Sinn wieder, behält niedersächsische Formen und Wendungen unübertragen bei, oder entstellt aus Unkunde der niedersächsischen Sprache den Sinn der Urkunde. Es schien daher nothwendig, an einigen Stellen die Worte der Originalurkunde (O.) anzuführen.

a) werltlich, werlik O.   b) arge sede O. d. h. arge, böse Sitten.

Tratziger's Chronik.   13

1460 feint, abzuferende. Die Lubeckschen sollen brauchen aller vreiheite, die sie und ire kaufmanne mit rechte an diesen landen gehabt haben bei zeiten unsers seligen ohmes, herzogen Adolfs. Haben sie auch priuilegia, die inen unser ohm pflichtig was a) zu haltende, die geloben wir inen auch zu haltende.

Ferner bekennen wir und stehen zu, nachdeme daz wir mit sampt unsern lieben brudern hern Mauriciussen b) und Gerharten, grafen zu Oldenburg und Delmenhorst, von geburt wegen die nehesten erben nach absterben unsers saligen ohms, herren Adolfen vorgenent, zu demselben lande sein, daz wir zu demselben lande gekoren seint zu einem herren, als geschrieben ist, nicht als ein kunig zu Dennemark, besonder umb gunst, die die inwoner dieser lande zu unser personen haben, nicht zu erbende diese lande c) jemandes von unsern kindern oder freunden. Besonder nach unserm lebende, als wir nu von frien willen gekoren sint zu diesen landen von den inwonern erbenent, so mugen sie und ire nakomlinge alse dick, als diese lande los werden, behalten ire chur zu kiesende zu einem herren einen von unsern kindern; ob gar keines were, das got abkere, zu kiesende einen von unsern rechten erben. Der denne b) gekoren wirt als furgeschrieben stet, der soll seine lehne eschen und entpfahen von seinem lehenherren, dar sie abe zu lehen gehen, und tuen als es sich von rechts wegen geburet.

Uf daz sodan woltat und gunst der inwoner dieser furgeschreiben lande inen und iren nakomelingen sei unschetlich, besonder zu ewigen zeiten fromblich und nutze, sollen sie oder niemants von iven, er sei geistlich oder weltlich, pflichtig sein uns zu folgende, dienen oder hilfe tun auswendig diesen landen.

Auch sollen wir niemants aus diesen landen vorbenent in sachen, die leib e) oder gut antreffen, fur uns laden zu rechte, besonder ein itzlicher in solchen sachen sein recht suchen innerhalb landes, als sich geburt.

Ob wir krieg anfingen umb friede und nutz dieser lande,

---

a) so L. für war.   b) Mannussen L.
c) nicht to eruende desse land, mit Dativ O. d. h. zu vererben.
b) denen L. denne O.   e) lieb L.

nach rate und vulborde und willen der gemeinen rete dieser 1460
lande, oder wolte jemant außerhalb oder innerhalb landes diese
furgeschrieben oder nachgeschrieben articule krenken, so sollen
und wollen wir darkegen sein, und ein itzlicher soll pflichtig
sein trewlichen darzu zu helfende diesen brief und eintracht
an allen tren stucken zu beschirmende.

Wir und unse erben und nachkomelinge sollen und wollen
auch keine schatzunge oder bede tun uber die inwoner dieser
lant, semptlichen oder besundern, ausgescheiden unse eigene
bunde und lansten [1]), die unversetzet und unverpfendet sein,
souder freuntlichen willen und zulassent, eindrechtlichen vulbort
aller rete und manschaft dieser lande, geistlich oder weltlich.

Wollen auch und sollen bezalen alle schulde und pflichte
unsers saligen ohms Adolfs, weilant herzogen zu Schleswig
ergenent. Und wanner wir wollen inlosen verkaufte und uf
widerkauf versetzebe oder verpfendebe guter dieser lande, das wollen
wir und sollen tuen mit unserm eigenen gelte. Geloben auch,
wollen und sollen alle briefe unsers vorfarn saligen ohms halten, die sich geburen zu haltende mit rechte.

Wir und unse nakomelinge sollen unsen gemalen keine
guter geben oder verpflichten an diesen landen, es sei den nach
rate und vulborde aller unser rete a) der lant.

Wir sollen nach rate und willen und vulbort unser rete
an dem herzogtumb Schleswig stets haben einen lantgebor-
nen man aus diesen landen zu einem drosten uber das herzogtumb, der alle sache soll entscheiden, die ime nach ausweisunge
des rechtens gehorn zu entscheidende; desgleichen zu habende
uber das lant zu Holstein und Stormarn einen marschalk,
der auch sein ampt tue, als sichs geburet. Denselben drosten
und marschalk sollen wir damit versehen, davon sie tren stant [2])
abhalten und deren, die sie zu sich ziehen an den rat, nachdem
wir des mit inen ubereinkommen. Unser droste und marschalk

---

a) retr L.
[1]) bonden, dienstpflichtige Bauern mit freiem Eigengute; lansten
dienstpflichtige Bauern, deren Besitz zur Hälfte dem Herrn gehört. A.
a. D. S. 47. Anm. 5.
[2]) So hat auch der Text von Jargow; das Original: staet = Hofstaat.

13 *

1460 sollen auch des jares ofte ding und recht halten an den orten des lants, do es am meisten von noten ist. Wir wollen und sollen auch all jar einmal selbst lantrecht halten in izlichen lande, wen wir sonder hinder a) sein, und horen den alle merkliche klage und die entscheiden nach rate unser rete.

Unser drost und marschalk sollen fur allen dingen got vor augen haben und huten sich, so ferne sie ire er und gut lieb haben, daz sie keine gunst oder gabe nemen für recht; were es, daz sie des befunden wurden, wir wollen das richten ufs hogste. Darumb sollen alle drosten und marschalke uns schweren zu den heiligen, daz sie wollen richten, als sie rechts wissen und erfragen konnen, keine gunst oder gabe dafur zu nemende. Hirumb beuelen wir allen unsern reten, vogten und undertanen nu und in zukunftigen zeiten, ob imandes wolte vergewaltigen unsern drosten und marschalk, daz sie inen bestendich sein und helfen ir recht beschirmen, wo und wan sie das fordern werden.

Diese vorbenompten lant geloben wir nach allem unserm vermugen halten an gutem friede, und daz sie bleiben ewig zusamende ungeteilet; darumb soll niemants reiben den andern, besonder ein izlicher soll sich genugen lassen an rechte.

Uf daz solcher friede desto besser gehalten werde, sollen und wollen wir unser amptmanne b), als droste, marschalk, schenken, kuchemeistere, vogte und dergleichen haben in diesen landen inwonere dieser lande und ine unsere schlosser und burge und lehne darselbst tun und sonst niemants. Wan wir wollen an diese lant verreisen, so sollen unser droste, marschalk und amptman und vogte dieser lant uns bestellen genughaftige c) diener, die uns annemen und bei uns bleiben, dieweile wir in diesen landen reisen willen b); wollen auch mit vielheit volkes, gesterei unser, unser gemale oder unser kinder die lande keinerlei weis beschweren, besonder sollen alle unse zerunge und stant e) halten von unsern renten.

Den plugman oder hausman soll niemants berauben oder bernen.

---

a) so L. mit O. — unbehindert.   b) so mit O. = Beamte.

c) nogaftige O. = die nöthigen.

b) uf. Form mit O. für wollen.   e) stad O., d. h. Hofstaat.

Nachdem die inwoner diefer obgefchrieben landen uns fo= 1460
tane freuntfchaft und gunft beweifet haben, fo geloben wir
inen und iren nachfomlingen, fie alle fchablos zu-haltende vor
idermentglichs zufpruche, feide und anfechtung, die gefchen
mochten, ob etliche fagen wolten, fich recht zu habende zu
diefen obgefchrieben landen, femptlich oder befondern, von zufpruche wegen unfer lieben brodere und der heren von Schouwenburg; auch ob fich imant vermeinte zu fein ein lehenher
der lande Holftein und Stormarn femptlichen oder befondern; ob auch nun imants- fich achtede verlehunge zu habende uf etliche diefer lant von macht wegen des keifers oder
wovon es wer, geiftlich oder werltltch a).

Ob die rete diefer lande mit dem droften und marfchalt
nutz der lande b) etwas gebuten, fetzeden, fchicfeden, oder friet
macheten mit den nachbarn diefer lande, follen wir und wollen
alles ftete veft halten biz zu unfer zukunft und darnach uns
halten in den fachen nach rate unfer rete dafelbft nach gelegenheit der fachen. Wir laffen auch das nun zu und vulborten
in kraft diefes briefs, als daz der drofte und marfchalf oder
unfe rete mugen verfolgen und richten diejennen, die darfe-
gen tun.

Auch wollen wir und follen nach unferm vermugen fchicfen,
daz man halte in dem herzogtumb das lobuch, fo es nicht ift
fegen artteul diefes brieues.

Die fchloffe der lande foll men halten von den renten;
und ob dar redeliche ¹) broke fallen, die follen unfe vogte gewinnen nach lantrechte oder mit freuntfchaft und nicht mit
gewalt.

Hat imants in den lauden Holftein und Stormarn
Hollefch oder ander recht, der das will abfetzen, fo wir darzu
geforbert werden, wollen wir folchs ablegen und gonnen inen
Holfteinifch recht.

Was ein inwoner diefer lant, geiftlich oder ritterfchaft,

---

a) wertlich L. werlif O.
¹) redlich O., d. h. gering.

b) te nuttícheit der lant O.

1460 haben will zu feiner eigen behuf und nicht zur kaufmanschaft, das darf er nirgents verzollen in diesen landen.

Unse vogte in diesen landen sollen die schlosse und stette halten zu unser trewen hant [1] unser erbenompten rete, die fie alsbald sollen halten zu trewer hant des, der denne a) herro wirt zu diesen landen nach vorgeschriebener weise.

Ob etzliche innerhalb oder außen mit gewalt diese lande obgeschrieben beschedigen wolte oder kegen lantrecht tete, so mugen unser droste, marschalk und rete unse undertanen versamblen in unsem abwesende und keren solche gewalt und arg abe; da soll ein itzlicher zu helfen.

In unsem abwesende mugen unse drosten und marschalk gebieten, was inen dunket nutze sein vor die lant, biz zu unser zukunft.

Alle die obgeschrieben articule schweren wir zu den hilligen in gutem truwen nach unserm besten vermugen stete und vest zu haltende, und geloben fur uns, unse erben und nachkomelinge, alle diese selben articule und stucke obgeschrieben und einen itzlich bei sich, den erwirdigen und wirdigen herren prelaten, ritterschaft, manschaft und gemeinen inwonern des herzogtumbs zu Schleswig und der lande Holstein und Stormarn, und zu trewer hant den reten derselben lande vorbenompt, stete und vast zu haltende unverbrochen, sunder arg, und haben des unser koniglich secret hir unten an diesen brief heißen hengen. Und zu merer wissenschaft haben wir, Johannes zu Arhusen, Kanutus zu Wiborch, Jacobus zu Borlen, Hinricus zu Ripen, von desselben gnaden bischofe; Otto Nielssen, Erik Ottons, hofmeister, Clawes Ronnouw, marschalk, Eggert Frille, Niels Eriksen b), Peter Howenschilt, Knut c)

---

a) Denen L.   b) Erickse L. Erichs E.   c) Kandt L.

[1] Tratziger hat aus Flüchtigkeit einige Worte weggelassen und ist daher unverständlich: Unse vogede in dessen landen scholen de slote unde stede holden to unser truwen hand, na unserm afgande to truwer hand unser erben. rede, de se vord scholen holen to truwer hand des u. s. w. D.

Hinriks, Johan Biorns, Strange Niels, Johan 1460
Ore, Lodwich Niels, Johan Ranzow und Johan
Frille, ritter, rete unsers allergnedigsten herren obgeschrieben,
unse ingesegel hengen lassen zu ende an diesen brief, der gegeben ist zu Ripen des neheften mitwochens nach dem sontage, als man singet in der hilligen kirchen Invocauit, nach
unsers herrn geburt 1400 in dem 60ften jare ¹).

Anno 1461, in den octauen der heiligen drei a) konige,
kam konig Christian gen Hamburg, die huldigung alda
zu entpfahen ²), den der rat bofelbst mit einer statlichen anzal
irer burger entkegen zugen, ihn herlich entpfiengen und in die
stat fureten; dem rate ordenten die burgerschaft zu 40 man,
den sie volkomene macht geben in der handlunge mit dem
konige zu tun und zu lassen. Folgents mitwochens rit der
konig auf das rathaus und hette von reten bei sich: Arnolden, bischofen zu Lubeck, herrn Johan von Aleuelt, rittern,
Benedictus von Aleuelt, Wolfen von der Wisch,
Clawes Ranzowen, Volraten von Bockwolden, Otten Spliten, Hennig Pogwtschen, ein Conradum
Conradi, archidiacon zu Schleswig, und magifter Da-
nieln, seinen canzlern. Der bischof von Lubeck zeigete an
des konigs beger, nemblich dieweil er zum herren beider lande
Schleswig und Holstein aufgenomen, und ime algemeine
prelaten, ritterschaft und stette gehuldiget, begerte er, daz ime
der rat und gemeine der stat Hamburg, die ein gliet obberurter furstentumb were, auch die huldigung leisten wolten;
erbot sich dargegen, ire priuilegia zu confirmirn. Hrauf erbot sich der rat, inen für iren herrn anzunemen und sich zu

---

a) drier L.

¹) März 5.

²) In der Stadtrechnung z. J. 1460 werden als Kosten des Aufenthalts
König Christians in Hamburg an Getränke, Speisen, Heu, Hafer u. s. w.
898 Pfund 9 Pf. aufgeführt. Die Abweichung von Tratziger in der
Jahreszahl ist für uns ein interessanter Beweis, daß damals in Hamburg das Jahr, mindestens das Rechnungsjahr, wie in Frankreich, Holland, Flandern, und in England und Schottland bis zum Jahre 1753
mit Mariä Verkündigung (März 25.) begann.

1461 ime zu halten, wie sie sich zu herzog Adolfen, seinem ohmen,
gehalten hetten, beten, daz inen darkegen ire priuilegia bestett-
get, und im reiche Dennemark und dem herzogtumb Sch le s-
w i g korn, vieh und andere waren zu kaufen und ohne ver-
hinderunge gen Hamburg zu furen vergunstiget wurde. Aber
der konig war an sollicher antwort nit gesettiget, funder drang
furnemblich darauf, daz sie ime eine huldigunge schweren solten, inmaßen sollichs von algemeinen stenden der lande geschehen. Des tat sich der rat aus dieser ursach weigern,
daz sie weder herzog Adolfen noch einizem des konigs vorfarn an ermelten landen imals vermittelst eides gehuldigt.
Daher erwuchs eine langwirige disputation, damit derselbige
tag wurt zugebracht. Als aber der rat und vierzig burger
auf irer meinunge entlich beharreten, war der konig damit zufrieden und kam des andern tags widerumb aufs rathaus,
dahin auch der rat sampt den vierzig burgern beschieden waren.

Alda wurde von wegen des rats und der burger durch den
burgermeistern hern Detlef Bremern angezeigt [1], daz sie inen
den konig annemen fur iren herren, gleichwie er von prelaten,
manschaft und einwonern der lande Schleswig, Holstein
und Stormarn bevorn erwelet, wolten sich auch zu ime
halten, wie sie sich zu seinen vorfarn herzog Adolfen gehalten, und nemen nach seinem, des konigs tode denjenigen fur
iren herren an, den die prelaten, manne und einwoner gemelter
lande mit wissen und willen des rats zu Hamburg darzu erwelen wurden, und beten, er wolte sie annemen und der stat
freiheit, priuilegia, redliche gewonheiten und hantfesten bestäti-
gen, sie mit freiheiten im herzogtumb Schleswig besorgen,
und sie und ire burgere bei gleich und recht schützen und
hanthaben [2].

Darauf antwortet der konig: „Ich neme euch und ewere
burgere an fur meine undertanen, will euch alle ewere priuilegia

beſtetigen, verbitten und vertedigen, als ein fromer furſt ſeinen 1461 undertanen von rechtswegen tun ſoll" [1]).

Darauf gab der konig dem rate und den vierzig burgern die hant, und ſchieden alſo von einander. Und der rat ver= eret dem konig mit wein, bier, fleiſch, fiſch, auch etzliche her= lichen ſilbergeſchirn. Alſo wurt dieſelbige hanblunge in gena= den und gutem geendiget.

Deſſelbigen jares, montags nach Viti, wurt ein anſetag gehalten zu Lub eck, dahin von Hamburg verordnet wurden hern Detlef Bremer, burgermeiſter, Albert Schilling, ratsverwanter, und magiſter Johan Niendorp, ſecretarius [2]). Es wurt alda anderſt nichts gehandlet, den wie etzliche be= ſchwerunge, die dem teutſchen kaufman zu Brug begegnet, geandert und abgeſchaffet, auch was ſunſt zu gemeinen kauf= manſchaft der anſeſtette dienlich, befurdert wurden.

Deſſelbigen jares in der faſten kam der biſchof zu Ver= den vom Reinefelde, alda er bei dem konige zu Denne= mark geweſen war, und fur durch Hamburg. Nu war er eben auf die zeit im banne, den er hing dem rate zu Lune= burg an, die umb des zankes willen, den ſie von wegen der ſulzen mit den geiſtlichen hetten, mit allen iren anhengern in ban getan waren. Als ſollichs etzliche leichtfertige leute und junge buben gewar worden, liefen ſie dem wagen heufig nach und wurfen mit brecke und ſteinen zu ime, unangeſehen, daz er vom rate durchzuziehen geleit hatte. Solche ſchmach wolte der biſchof nicht ungerochen laſſen und ließ kurzlich dar= nach den von Hamburg im gebiete Morborch einen ein=

---

[1]) Die Beſtätigung der Privilegien von 1461 Jan. 15. ebendaſ. No. 3., auch in den Urkunden über Lübecks und Hamburgs freien Tranſitoverkehr S. 54, wo auch ein Freibrief des Königs v. J. 1462, April 8. über den Verkehr der Hamburger mit Korn, Vieh u. a. nach ſeinen drei Rei= chen. Eine Reiſe der Bürgermeiſter Detl. Bremer, Hinr. Lopouw, des Syndikus Magiſter Arnold Sommervaet, des Secretarius Hinr. van der Lue in Sachen der ſtädtiſchen Privilegien zum Könige nach Itzehoe erwähnt die Stadtrechnung j. J. 1462.

[2]) Dieſelben Geſandten und dieſelbe Verſammlungszeit erwähnt die Stadt= rechnung j. J. 1463.

1462 fal tuen und die leute darunter gesessen plundern. Solcher widerwil ist folgends 62. jares hingelegt, als die langwirige streitige sache zwischen dem rate zu Luneburg und den geistlichen der sulze halben durch einen machtspruch des koniges zu Dennemark und der bischofe zu Lubeck und Schwerin entlichen verrichtet wurt[1].

Es waren beide gebrudere Gerhart und Mauriz, grafen zu Oldenburg, ein zeitlang uneins von wegen der grafschaft Delmenhorst, deren sich ein iber annaßet. Graf Maurizen hulfen die grafen zur Hoya und stat Bremen: herzog Wilhelm[2] hing sich an graf Gerharten. Sie teten mit einander ein treffen[3], und wurden auf beiden teilen viel erschlagen nnd gefangen.

Anno 63. nechstfolgent wurden die beiden brudere zu Verden vertragen. Graf Gerhart behielt Oldenburg, graf Maurizen wurt Delmenhorst zu teile[4].

Umb diese zeit weren zu Hamburg im rate folgende herren: Clawes Remstede, Jurgen vom Holte, Ja-

---

[1] Wandalia XII. 26 und 27, vergl. Detmar z. J. 1461, wo über die Veranlassung genauer berichtet ist. Der Machtspruch König Christians, dat. 1462, Sonnabend nach Lucia (Dec. 18.), ist aus Hammenstede's Lüneburgischer Chronik mitgetheilt von Stapharst, Hamburg. Kirchengeschichte I. 4, p. 902 ff.

[2] von Braunschweig-Lüneburg.

[3] auf der Borsteler Halde unweit Elberg.

[4] Der Delmenhorster Streit aus Saxonia XII. 2. Unserer Stadtrechnung zufolge war König Christian bereits 1462 Cantate (Mai 16.) in Hamburg, um den Streit zu vertragen. Die Kosten seiner Bewirthung, Geschenke an seine Köche, Trabanten (clavigeri) und Schauspieler (mimi) inbegriffen, waren 85 Pfund 14 Schill. In demselben Jahre reisten in dieser Angelegenheit der Stadtrechnung zufolge Bürgermeister Hinr Lopouw, Rathmann Pardam (Paridom) Lütken mit dem Bischof von Lübeck und Benedict von Anrveld nach Bremen, vermuthlich um zu vermitteln. Der zu Hamburg 1463, Janr. 12. (O. A.) getroffenen Vereinbarung über demnächstige Verhandlungen folgte der Friedensvertrag von 1463, Febr. 15. S. Halem Geschichte des Herzogthums Oldenburg I. S. 341 ff.

cop Struve, welche alle drei einer nach dem andern ampts- 1468
verwesere zu Bergerdorf gewesen, Herman Beckendorp,
Heinrich Murmeister, der keiserlichen rechten doctor, hernacher burgermeister, Meine von Eitzen, Johan Huge,
ist gewesen ein zeitlang amptman zur Steinburg, die der
rat domals in pfandsgeweren hette [1]), Clawes de Schwa-

---

[1]) Der bisher ungedruckte, nur gelegentlich (bei Michelsen Nordfriesland im Mittelalter S. 170) angeführte, über Verpfändung des ostwärts von Krempe gelegenen, vor 1320 erbauten (S. meine Erläuterung zur Elbkarte des Melch. Lorichs S. 104) Schlosses und Amts Steinburg im Jahre 1465 ausgestellte Pfandbrief scheint auch für den Hamburgischen Handel besonders günstige Bestimmungen enthalten zu haben. Die Pfandsumme, 8000 Pfund (10,000 Mk.), wurde in demselben Jahre durch die Kämmereiherren den drei Bevollmächtigten des Königs von Dänemark ausgezahlt (Stadtrechnung.). In dieser Summe wurden i. J. 1478 (Stadtrechnung.) die Kosten der 1472 von Hamburg gegen Grafen Gerhard von Oldenburg geleisteten Hülfe, 538 Pfd. 16 Schill. (673 Mk. 8 Schill.), und eine Schuld von 1200 Pfd. (1500 Mk.) (Stadtrechnung) geschlagen. Außerdem verpflichtete sich der König, die von Hamburg bis z. J. 1478 (Stadtrechnung 1479.) getragenen Kosten für Bauten, Ausrüstung und Unterhalt von Mannschaft x. (Stadtrechnung 1465, 1466, 1479.), im Betrag von 3137 Mk 8 Schill. 6 Pf. zugleich mit der Hauptsumme zurückzuerstatten. Die Auszahlung von 574 Pfd. jährlicher Rente von Schloß und Amt übernahm Hamburg, doch löste es 1470 die bedeutendste, dem Knapen Luder Rumor zu zahlende und 1466 Dec. 13. (laut Quitung, O. A.) gezahlte 10 % Rente von 240 Pfund mit 2400 Pfund (3000 Mk.), welche auf älteren Darlehen Rumor's an den König beruhte, ab. (Stadtrechnung.) Doch 1480 betrugen die Renten wieder 442 Pfd. 16 Schill. 1470 wurden der Aebtissin von Itzehoe 743 Pfd. 12 Schill. gezahlt. Das Schloß ward von der Königin Dorothea 1484 Janr. 24. (1485 Janr. 22, wenn das Rechnungsjahr mit dem 25. März beginnt) wieder eingelöst für die Hamburg geschuldete Summe von 14848 Pfd. 16 Schill. (18311 Mk.; die Summe der angeführten Ausgaben beträgt 6 Pf. mehr) und durch die Rathmannen Hinr. Salsborgh und Erich von Tzeven übergeben.

Die Einkünfte für Hamburg betrugen im ersten Jahre 1467 im Ganzen 1139 Pfd. 13 Schill. 6 Pf., dazu 100 Pfd. 19 Schill. Brüche, 1470 1207 Pfd. 7 Schill., 1480 1393 Pfd. 8 Schill., 1485 im letzten

1463 ren, feint beide zu burgermeistern gekoren, Otto vom Mere, kemerer, Hennig Buring, burgermeister, Eberhart vom Kruge, kemerer.

Anno 64. kam des bapsts botschaft ein bischof gen Hamburg und in die andere Wendische stette und gab das creuze und ablaß benen, die wolten streiten wider die Turken. Es lief viel volkes zusamen, aber unwerhaftig, nakent und bloß; und weil der bapst zu Ancona am fieber starb, ging der ganze zug und kriegsrustunge zurucke [1]).

In diesem jare war ein groß sterben an| der pestilenz zu Hamburg, welchs fer viel leute, beide jung und alt, hinweg nam [2]).

Umb diese zeit a) war abermals feide und unwillen zwischen der kron zu Engelant, den von Lubeck und andern anseststetten. Die Englischen hetten dem teutschen kaufman zur fehe viel guter genommen; so wurt inen auch die confirmation irer priuilegien geweigert. Entlich wurt ein handelstag zu

---

a). zeit fehlt L.

Jahre 1125 Pfd. 10 Schill.; auch eine Mühle war dort, wie der Müllerlohn, 1470: 24 Pfd. 12 Schill., 1480: 35 Pfd. 12 Schill., beweist. Verwaltet wurde Amt und Schloß, wie Bergedorf, die Riepenburg in früherer Zeit und noch jetzt Ritzebüttel, anfänglich durch einen vom Rathe ernannten Amtmann Johann Huge, hernach durch bestallte holsteinische Adlige, Jürgen Krummendyk, dessen bei der Anstellung zunächst auf ein Jahr gegebener Revers noch vorhanden ist (1468 Nov. 11. O. A.) und Hinr. Ranzow (Stadtrechnung 1481, 1484, Tratziger 1482).

[1]) Zusammengezogen aus Wandalia XII. 30. Papst Pius II. sandte den Bischof von Creta. Daß der Kampf gegen den Erbfeind der Christenheit damals auch in Hamburg Theilnahme fand, beweisen uns die in der Stadtrechnung z. J. 1459 und seitdem häufiger aufgeführten Geschenke an verschiedene Soldaten, welche gegen die Türken gekämpft.

[2]) Vgl. Detmar und die Korte Chronik der wendischen Städte z. J. 1464. S. 257. Nach H. Ranzow Cimbr. Chersonesi descriptio bei Westphalen Mon. inedita l. 8. starben an dieser Pest von Pfingsten (Mai 20.) bis Bartholomäi (Aug. 24.) 20,000 Menschen zu Hamburg, womit die Hamburgischen Chroniken S. 40. 257. HS. 3. übereinstimmen.

Hamburg gehalten, anno 65. um Nativitatis Mariä [1]), da- **1465**
hin kamen die gesanten des konigs zu Engelant, item des
konigs zu Polen zum beistande der Preußischen
stette, die von Lubeck Coln, Danzig und der andern
ansestette botschaften. Die von Coln, Hamburg und
Danzig weren mitteler und hendler zwischen beiden teilen;
wiewol sie die sache mit anging, wurt inen doch als wolmei-
nigen von den Englischen das vertrauwen gestellet. Aber die
handlunge ging unfruchtbar abe, dan die von Lubeck, Bremen, Rostock und Wismar wolten sich in keinen handel
einlassen, es wurde ihn den vor allen dingen der geraubten
guter und zugefugten schadens erstattunge zugesagt. Als aber
die Englische geschickten des keinen befel hetten, wurt der handel
auf eine andere zusammenkunft, die nach gelegenheit beider
teil solt angesetzt werden, verschoben [2]).

Anno 66. auf mitwochen nach Mariä Magdalenä kamen
die Wendischen stette zu Lubeck zusammen, und waren
alda von Hamburg: her Heinrich Lopow und Albert
Schilling, beide burgermeistere, und Paridum Lutke,
ratman. Es wurt aber anderst nicht domals verhandlet,
den wie etzliche gebrechen, die in gemeiner kaufmanschaft
und hantirunge eingerissen, abzustellen und zu verandern
weren [3]).

Anno 67. kam graf Gerhart von Oldenborch, konig
Christiani broder, ins lant zu Holstein. Den machet konig Christian zu seinem stathalter. Unter dem scheine nam
graf Gerhart die furnembsten heuser ein, Gottorp, Ren-
desborg, Segeberge, Hanrow, und hielt sich kegen den

---

[1]) Die Stadtrechnung z. J. 1465 erwähnt Eilboten, welche die Ladung
auf Jacobi nach Cöln überbrachten.

[2]) Vgl. Detmar z. J. 1465 und im Allgemeinen meine Urkundl. Geschichte des hansischen Stahlhofes zu London S. 50 ff.

[3]) Vgl. Köhler bei Willebrandt S. 226, wo mehr über den Hansetag
mitgetheilt ist. Schon zu Anfang des Jahres, Januar 13, hatten die
Städte Hamburg und Lübeck einen Bund geschlossen. S. im Hamburger Archive.

1467 gemeinen man ganz freundlich. Aber dem abel war er ser gestrenge; darumb fordert der abel den konig in das lant zu kommen, damit sie wissen mochten, wer ihr herre wer. Also kam der konig und ließ graf Gerharten gen Segeberge zu sich furdern, alda er inen in guter auffsicht und erlicher verwarung enthielt, biz ime das gelt entrichtet war, welchs er vermog eins aufgerichten vertrages fur die verzicht des landes Holstein haben solte; danit zog er uber die Elbe in die graffschaft Oldenborch [1].

In diesem jare befestigten die von Lubeck und Hamburg Bergerdorp, den es ließ sich ansehen, daz der herzog zu Sachsen darnach trachtet, wie er es widerumb mochte erobern [2].

Anno 68. ließ konig Christian etzliche Englische anhalten, fangen und inen schiff und guter nemen, der ursachen, daz die Englischen ime des verschienen jares seinen vogt in Islant erwurget und iren mutwillen im lande getrieben [3]. Die Englischen bezichtigten die ansestette, daz sie darzu geholfen hetten; darumb wurden die teutschen kauffleute zu Lunden gefangen in die turne gelegt [4], alle ihr privilegia, brief, siegel und barschaft genommen; daraus den volgents merklich viel widerwilliens, krieg und unrue zwischen den stetten

---

[1] Saxonia XII. 7 und 8.

[2] Wandalia XII. 37.

[3] Vermuthlich hatte König Christiern die Verletzung eines 1465 Oct. 3. (Dumont corps diplom. III., p. 384 ff., Rymer foedera et acta V. 2, 134 ff.) mit König Eduard IV. abgeschlossenen Vertrages zu beklagen, welcher diesem die Verpflichtung auferlegte, zu hindern, daß ohne des Königs von Norwegen Erlaubniß seine Unterthanen die Insel Island beträten. Ueber Handel und Schiffahrt englischer Kaufleute nach Island im 15. Jahrhundert findet sich ein lehrreicher Aufsatz von Finn Magnusen in Nordisk Tidsskrift for Oldkyndighed. Kjöbenhavn 1833. Bd. II. H. 1. S. 112—169, womit die Gött. Gel. Anzeigen 1835 S. 1686. zu vergleichen sind.

[4] Die Stadtrechnung erwähnt einer Ausgabe von 4 Pfd. 12 Schill. an die Schreiber des dänischen Königs für einen Brief (litera oerificationis seu excusationis) des in England gefangenen Kaufmanne.

und dem reiche Engelant erfolget. Die Colnischen kaufleute 1468 hielten es domals mit den Englischen, verließen die Teutschen und erwurben fur sich sunderliche priuilegia der kaufmanschaft im reiche Engelant [1]. Aber es bekam ihn vbel, wie hernacher zu vernemen, wan wir von dem vertrag der teutschen stette und der Englischen schreiben werden.

In diesem jare haben die von Lubeck, Hamburg, Luneburg und Wismar erstlich angefangen, ganze schillinge zu munzen [2].

Es haben auch die Ditmarschen uf zehen jar lang sich in eine verbuntnus mit der stat Lubeck eingelassen, den sie hetten es an der Holsteinischen grenze durch etzliche mutwillige handlunge also ausgerichtet, daz sie sich vor konig Christian und den Holstein furchten musten; derhalben suchten sie trost und hilf bei der stat Lubeck [3].

Anno 69. understunden sich etzliche barfußermunche nicht weit von Hamburg ein kloster zu bawen, aber die munche zu St. Marien Magdalenen in Hamburg, welche desselben ordens waren, besorgten sich, es wurde irer bettlei dadurch etwas abgehen. Derhalben brachten sie bei den burgern zu Hamburg soviel zu wegen, daz der angefangene baw genzlich muste nachbleiben [4].

---

[1] Erzählt nach Wandalia XII. 38. Vergl. Dania VIII. 34.

[2] Wandalia XII. 38. Der Münzrereß von 1468 Febr. 22. ist übertragen ins Hochdeutsche bei Langermann Hamb. Münz- und Medaillenwerk, S. 300. Doch kommen schon im Münzrereß von 1432 Sept. 18. Schillinge vor. S. Grautoff verm. historische Schriften III. 318. — Die Stadtrechnung d. J. hat eine Summe von 234 Pfd. 13 Schill. für den Schlagschatz und als Ausgleichungssumme der verschlechterten Münze wegen.

[3] Wandalia XII. 40.

[4] Wandalia XIII. 3. Die Brüder von der Observanz aus dem Orden S. Francisci aus dem Kloster zu Zelle beabsichtigten zuerst ein Kloster vor, sodann in Oldesloe zu bauen. Die Domcapitel zu Lübeck und Hamburg vereinigten sich mit den Räthen beider Städte, um diesen Plan beim Könige von Dänemark, dem Bischofe von Lübeck und zuletzt beim Papste zu hintertreiben. S. Detmar z. J. 1469.

·1470   Anno 70. kam graf Gerhart widerumb ins lant zu
Holstein und brachte an sich die Cremper=Marscher,
Wilster=Marscher und Eidersteder, die weren ime
alle anhengig, teten sich auch an des koniges schreiben und
befelich wenig keren; dadurch wurt der konig gedrungen zur
wer zu greifen. Item teten die von Hamburg stattliche hilfe [1]
und brungen endlich graf Gerharten dahin, daz er aus dem
lande entweichen muste. Also bracht der konige die aufrurische
marschleute widerumb zu seinem gehorsam [2]. Nach dieser
zeit hat graf Gerhart die von Lubeck und Hamburg alweg
verhasset, mit furwendunge, daz sie inen von seinen landen
und leuten vertreiben helfen; und sollichs hat mancher kaufman hernacher entgelten mussen, dem das seine genommen
worden.

In diesem jare uf Ascensionis Domini war zu Lubeck
eine versamblunge gemeiner ansestette, darzu von Hamburg
geschickt waren: hern Albert Schilling, burgermeister, und
Heinrich Murmeister, der rechten doctor, ratsverwanter [3].
Es wurt auf diesem tage nichts beschlossen, sunder allein die
articul beratschlaget, darauf man die kunftige tagfart solte
ausschreiben. Die von Coln blieben außen und teten fur-
wenden, es hetten die von Lubeck nicht macht sie zur tagleistunge zu fordern; sie wurden aber darauf, wie geburlich, be-
antwortet.

---

[1] Das Bündniß mit ihnen wurde 1470 Oct. 9. vom Könige Christian,
als Herzog zu Schleswig, Graf zu Holstein und Stormarn abgeschlossen.
Auch in dem bedeutend erweiterten Bündnisse vom Oct. 11. sind die
Städte mit eingeschlossen. S. Michelsen Nordfriesland in Falck's
Staatsb. Mag. VIII. 689 und Klefeker a. a. O. IX. S. 701. Hamburgische Chroniken S. 40. 258. 410. Die Kosten dieses Zuges gegen
die rebellischen Bauern in der Wilstermarsch und Krempermarsch betrugen nach der Stadtrechnung 445 Pfd. 16 Schill. 9 Pf.; die Einnahme
von Bürgern, welche keine Söldner stellten, betrug 26 Pfd. 10 Schill.

[2] Wohl nach Saxonia XII. 9. und Wandalia XIII. 4.

[3] Die Stadtrechnung nennt zu demselben Tage außer den Gesandten noch
den Secretarius Laurentius Rodtbeken; Kosten: 80 Pfund
11 Schill. 8 Pf

Der konig zu Frankreich begert auch frieden und bunt= 1470
nuß mit den stetten zu machen [1]); zugleichem begeret die vertrie=
bene konigin zn Engelant Margaretha sampt irem son
Eduardo hilf wider den eingedrungenen konig [2]). Der her=
zog von Burgundien, des konigs zu Engelant schwager,
erbat sich zwischen den Englischen und den stetten zu hande=
len und die sachen zu vertragen. Es wurt aber alles biz zu
der nechstfolgenden zusamenkunft in bedenken genommen.

Desselben jares auf Bartholomei kamen der stette gesan=
ten dem abschiet zuvolge in Lubeck widerumb zusammen,
bei denen aus Hamburg erschienen: hern Albert Schil=
ling, burgermeister, Heinrich Murmeister, der rechten
doctor, ratman, und er Laurenz Rottidike, secretarius [3]).
Es wurden anfenglich die notwendigsten gesetze zur erhaltunge
der kaufmanschaft aus allen vorigen recessen zusammengezogen
und vereiniget. Darnach wurt beschlossen, daz man der Eng=
lischen laken und andere habe und guter in keinen ansestetten
leiden solte, inen auch niemants etwas zufuren, noch in andere
wege mit inen handel und gemeinschaft halten. Es wurt auch
beschlossen, daz eine izliche stat ire herschaft und obrigkeit in
allen iren gebieten solchs also zu verordnen und zu bestellen
vermugen solte.

Die von Collen wurden heftig von dem teutschen
kaufman, daz sie in zeit der not so gar untrewlich bei inen ge=
handlet hetten, beklaget, und derwegen auch ires ungehorsames

---

[1] Der auf 10 Jahre, 1473 Aug. 25. bis 1483 Aug. 25, mit dem Könige
Ludwig XI. durch die hansischen Abgesandten Jacob Bos und Ni=
colaus Geddrie abgeschlossene Waffenstillstand befindet sich in einem
Transsumpte des Lübischen Rathes von 1473 Dec. 1. auf hiesigem Archive.
Auffallend ist, daß erst 1475 der Stadtrechnung zufolge Jacob Bos
die von Lübeck Namens der Hanse besiegelte Urkunde dem Könige
überbrachte.

[2] Ihr Schreiben, 1470 Mai 1. aus St. Michel an der Maas datirt, bei
Willebrandt Hansische Chronik S. 105 ff. Vgl. Stahlhof S. 52.

[3] Kosten, zufolge der Stadtrechnung, welche Tag (August 24) und Na=
men der Gesandten bestätigt: 121 Pfd. 8 Schill.

Tratziger's Chronik.						14

1470 halben aller freiheit und gerechtigkeit der Anse entsetzet, also daz ire guter und waren in den vier cuntorn, noch in einiger ansestette nicht solten gelitten werden [1]).

Dieweil auch in der zeit die Friesen auf der sehe und Elbe wider umb sich griffen, verordenten die von Hamburg zehen wolbemante schiff, die seherauberei damit zu verhindern und abzuwenden, und sollichs wurt hernacher auf einer andern tagfart ins werk gerichtet, welche gehalten wurt zu Hamburg anno 71, montags nach Reminiscere [2]).

Desselben jares auf Michaelis kamen die Wendischen stette zu Lubeck zusammen, alda waren aus Hamburg: herr Heinrich Murmeister, doctor und burgermeister, und Paridum Lutke, ratman, er Johan Mestweter, secretarius. Dieselbige tagleistunge wurt furnemblich etzlicher beschwerunge halben, die dem kaufman zu Brugk in Flandern bejegnet, angesetzet.

Anno 72. forderten die marschleute graf Gerharten von Oldenborch abermals in das lant zu Holstein. Er kam mit schiffen zu Husem an und brachte mit ime viel balken und beume, damit er blockheuser und anders mer zur were notig gedacht aufzubauwen.

Der konig saumet sich nicht lang, rustet sich zur legenwer. Die von Hamburg schickten ime zu hilf ein statliche anzal volkes zu roß und fuß, deren hauptman war Heinrich

---

[1]) Fernere Mittheilungen hat Köhler bei Willebrandt a. a. O. S. 229.

[2]) Hamburg hatte seit 1468 Aug. 23 vom Kaiser Friedrich III. das wichtige Privilegium über die Beschützung des Elbstroms und Verfolgung von Uebelthätern (bei Klefekr a. a. O. VII. S. 633 ff.), für dessen Ausfertigung (oder Erweiterung) der Stadtrechnung z. J. 1470 zufolge 342 Pfd. gezahlt wurden. Die Kosten der gegen Gerhard von Oldenburg und seinen Anhang, die Friesen, Holländer und übrigen Seeräuber gerüsteten Macht betrugen laut derselben z. J. 1471 im Ganzen 4657 Pfund 5 Schill. 1 Pf., wozu von Kaufmannsgütern 1424 Pfd. 9 Schill, von Seiten Lübecks 1616 Pfd. 8 Schill. beigesteuert wurden.

Murmeister, boctor und burgermeister [1]). Der marschleute 1472
hauptman und furer war Hennike Wulf. Aber der konig
trennet die aufrurische pawern und trieb seinen bruder, graf
Gerharten, widerumb aus dem lande. Hennike Wulf ent=
wich in Ditmarschen und wurt doselbst kurz hernacher er=
stochen. Nach der zeit ist graf Gerhart nicht wieder ins
lant zu Holstein kommen [2]).

Hiebevorn ist worden angezeigt, wie die ansestette mit
der kron zu Engelant in eine offenbare seide geraten. Die=
weil nu ein teil dem andern nicht allein merklichen großen
schaden zufugte, sunder auch des kaufmans narunge liegen
blieb [3]), begab sich, daz etzliche kaufleute und auch darnach
des konigs zu Engelant botschaft an den herzogen von
Burgunbien mit den alterleuten des cuntors zu Brugk
sich in rede und gespräch einließen, wie und was gestalt sollche
entstandene seide zu verrichten und zwischen der kron in Enge=
lant und den ansestetten fried und einigkeit mochte gestiftet
werden. Und wurt die sache durch den teutschen kaufman zu
Brugk so weit befordert, daz angeregtes 72. jares auf Visita=
tionis Mariä die Wendischen stette in Lubeck zusammen

---

[1]) Der Stadtrechnung zufolge betrugen die Kosten der wider Husum,
Tondern, Bredsted, Stapelholm, Eydersted u. a. geleisteten Hülfe,
den von Bürgern privatim den Söldnern gezahlten Soid nicht einge=
rechnet, 396 Pfd. 17 Schill. 3 Pf. Auch im Jahre 1473 wurden zu
diesem Zwecke 115 Pfd. 8 Schill. verausgabt.

[2]) Saxonia XII. 9. mit Ausnahme der Nachrichten von der Hamburgischen
Hülfe. Vgl. Detmar. Hamburg sandte dem Könige 600 Mann zu
Hülfe, wogegen es die Zerstörung Husum's verlangte, welches seinem
Handel eine bedenkliche Concurrenz drohte, s. Waitz in den Nort=
albingischen Studien, Bd. V. S. 96 ff.

[3]) Der Stadtrechnung zufolge steuerten die Camerarien 1693 Pfund
13 Schill. 10 Pf. für den Zug bei. Die Hauptsumme fehlt; doch sind
1473 von verschiedenen Ausgaben 3596 Pfund 1 Schill. 11 Pf. in
Rechnung gestellt. Die von den Hamburgischen Schiffen aufgebrachte
Beute wurde der Mannschaft ganz oder theilweise abgekauft. Ein spa=
nisches Schiff mit einigen englischen Gütern ward ebenfalls genom=
men; also deckte neutrale Flagge feindliches Eigenthum nicht.

14 *

1472 famen [1]), unb auf gehorten bericht des faufmans zu Brugk
fecretarien sich entschlussen, einen freuntlichen handelstag mit
ben Englischen zu halten, unb zu bes behuf die gemeine
anfestette zu beschrieben. Solche handlunge ist bestimmet
worden zu Utrecht ben ersten tag Julii anno 73, unb seint
barzu verordnet worden mit aller andern volmacht zehen stetter
gesanten, auß Lubeck: hern Heinrich Castorp, burgermeister,
Johan Ofthausen, der rechten doctor, sindicus, Johan
Luneborch, ratman, Johannes Versenbrugge, secretarius; von Hamburg: der Heinrich Murmeister, der
rechten doctor, burgermeister, Hennig Buring, ratman, unb
Laurentius Robtybele a), secretarius; neben ben verordenten
der von Bremen, Dortmunde b), Munster, Braunschweig, Magdeburg, Danzig, Deventer unb Nim-
wegen. Diese handlunge erstrecket sich biz in das jar 74;
da wurt ein entlicher unb eigentlicher vertrag unb vereinigunge
aufgericht unb vollenzogen den letzten tag Februarii [2]). Die
anfestette erlangeten wider alle tre priuilegia unb freiheiten
im reiche Engelant [3]); was in ben priuilegiis mißverstend-
lich war, wurt nach billigfeit erfleret, unb der fonig verwill-

---

a) Robbeke L.   b) Drottmunde L.

[1]) Juli 2. Hamburgs Beschwerden betrafen besonders die hohe Bieracife
zu Gent unb wurden, da die Genter Abgesandten von dem Hansetage
zu Lübeck ausgeschlossen wurden, durch die Aldermänner der Haufe zu
Brügge ausgeglichen. S. die Auszüge aus Schreiben von 1472 Juni
25 Juli 1. 7. 8. Aug. 7. im Messager de Gand T. l. p. 400 sq. No. 4—8.

[2]) 1474 Febr. 28. bei Rymer Foedera et acta, alte Ausgabe T. XI. p. 793.
Die Kosten dieser offenbar mit großem Glanze auftretenden han-
fischen Gesandtschaft betrugen der Stadtrechnung zufolge für Hamburg
1883 Pfd. 18 Schill. 4 Pf.; außerdem erhielt der Secretair 77 Pfd.
14 Schill. Doch wurden 1482 von Seiten der Hanse in London dem
Hamburgischen Rathe 2723 Pfd. 16 Schill. zurückgezahlt für bei ben
utrechter Verhandlungen der Jahre 1473 unb 1474 gehabte Kosten.
(Stadtrechnung.)

[3]) S. die Urfunde 1474 Juli 28. Stahlhof No. 122.

get' einen statlichen summen geldes ben stetten zu widerstattunge 1174 ires schadens zu erlegen [1]).

Angezogenes 74. jares zog konig Christian walfart gen Rom [2]), und bracht underwegen am hinzuge bei keiser Friderichen zuwegen, daz ime Ditmarschen zu einem herzogtumbe verlehnet wurt. Der keiser machet ihn auch zu dem ersten herzogen zu Holstein und Stormarn [3]), den zuvor waren sie alleine grafen bes reichs; siber der zeit aber haben er und seine nachkomlinge sich herzögen zu Holstein, Stormarn und der Ditmarschen geschrieben.

Anno 75. wurden zu Hamburg zwo newe ratspersonen erwelet, nemblich her Heinrich Salsburg, welcher hernacher kemerer gewesen, und ist gestorben anno 1503 dingstags nach Magnt [4]), und her Kersten Barschamp, der nachmals amptman zu Bergerdorf gewesen und folgents zum burgermeister erwelet anno 1493 am abende Peter stulfeier [5]). Er starb des nechsten tages nach Elisabet [6]) anno 1511.

Dieses jares freitags nach Margarete [7]) hielten die Wendischen stette eine tagfart zu Lubeck etzlicher sachen halben die Schonreise betreffende und von wegen bes stifts Dorpt, welchs der meister zu Eislant teilich sich understunt zu beschweren, auch etzlicher irrunge halben zwischen den Hollendern, Selandern und Friesen und den sechs Wendischen stetten; bes rats zu Hamburg geschickten waren hern

---

[1]) A. a. O. No. 126. Der König leistete die Zahlung durch Erlaß von Zöllen bis zum Betrage von 10,000 Pft.

[2]) Der König kehrte über Hamburg zurück (Stadtrechnung) und ward dort bewirthet. 1475 erhielt er 1000 rhein. Gulden, 1480 448 Pfd. für Verwendungen am kaiserlichen Hofe, namentlich seine erfolgreichen Bemühungen, Hamburg von einer Hülfeleistung zum Kriege gegen Karl den Kühnen zu befreien.

[3]) Saxonia XII. 12. Die kaiserliche Urkunde 1474 Febr. 14. bei Michelsen Urkundenbuch zur Geschichte des Landes Dithmarschen No. 36.

[4]) Aug. 22. [5]) Febr. 22. [6]) Nov. 20. [7]) Juli 15.

1475 Heinrich Murmeister, der rechten doctor, burgermeister, Paridum Lutke, ratman, und Johannes Meftweter, secretarius.

Anno 76. uf Purificationis Mariä [1]) wurt zwischen den gemeinen ansestetten und den gesanten der stat Lubeck gehandlet, auf was mittel die sache vertragen und die von Coln widerumb zu gemeiner ansestette priuilegia und freiheiten zu verstatten; idoch wurt domals nichts schließlich verhandlet, sunder eine andere tagfart uf Bartholomei desselben jares zu Bremen angesetzt. Aldo gewan die sache iren entlichen beschiet, und wurden die Colnischen widerumb als glitmaßen der ansestette aufgenommen [2]).

Anno 77. wurt zu Lubeck volzogen der frietstant, so zwischen den Selandern, Hollandern und Friesen an einem und den sechs Wendischen stetten andernteils war behandlet: darbei waren von Hamburg hern Erich von Tzeuen, burgermeister, und Paridum Lutke, ratman [3]).

Anno 78. uf Natiuitatis Mariä [4]) handelten die stette gesanten zu Coppenhauen mit konig Christian von wegen etzlicher irrunge, die sich zwischen dem nordischen und teutschen kaufman zu Bergen zugetragen [5]).

In diesem jare wurt konig Christians sone Johansen, erweltem konige zu Dennemark rc., herzog Ernsten zu Sachsen und churfursten eltiste tochter vereliget und die hochzeit mit großer pracht zu Coppenhauen uf Bartholomei gehalten [6]).

---

[1]) Febr. 2.

[2]) Der Stadtrechnung zufolge waren Bürgermeister Erich von Tzeven, Hinr. Murmeister und Secretarius Laar. Rodtiken Hamburgs Abgesandte; Kosten: 284 Pfd. 16 Schill. 4 Pf. Die Wiederaufnahme Cölns erfolgte 1476 Septbr. 11. S Stahlhof Urkunde No. 136. Ein Schutzbündniß vieler wendischen und sächsischen Städte, dai. 1476 Oct. 31, befindet sich auf unserm Archive.

[3]) Dieselben Gesandten und als Versammlungstag Frohnleichnamstag (Juni 5.) nennt die Stadtrechnung.

[4]) Sept. 8.

[5]) Die Hamburgischen Gesandten waren Rathmann Paridom Lutke und Secretarius Joh. Meftwerte; Kosten: 257 Pfd.

[6]) August 24. Wohl ein Irrthum. Nach andern Quellen fand die Ver-

Anno 79. beschebigte graf Gerhart von Altenburg 1479 den wandernden kaufman vielfaltiglich, sahe auch mit andern durch die finger, dadurch die straße uf Delmenhorst ganz unsicher wurt [1]). Solchs abzuwenden verbunden sich die stette Lubeck, Hamburg, Bremen, Stade und Burtehude mit bischof Heinrichen zu Munster [2]), der auch des erzstifts Bremen administrator war, kegen obgemeltem graf Gerharten von Oldenburg, und wurt also der graf von dem bischofe und den stetten uberzogen, das haus Delmenhorst belagert und zuletzt erobert, welchs die bischofe zu Munster etzliche viel jar hernacher ingehabt [3]).

Desselben jares, montags nach Oculi [4]) wurden vom rate zu Hamburg doctor Heinrich Murmeister und Johan Huge, beide burgermeistere, sampt ern Ludolf von Hadelen gen Lubeck abgesant [5]), etzliche sache, die gemeine kaufmanschaft und hantirunge in Dennemark und Norwegen betreffende, zu verhandlen.

In diesem jare wurden zu Hamburg in den rat gekoren her Herman Langenbeke, beider rechten doctor, welcher

---

mählung am 6. September statt. Es verehrte der Rath dem Fürsten zwei silberne Krüge im Gewichte von 16 Mk. weniger 4 Farbinge, im Werthe von 192 Pfd. 10 Schill. S. die Stadtrechnung.

[1]) Der Stadtrechnung zufolge sind 1480 einige Seeräuber geköpft, Knechte des Grafen von Oldenburg, dessen Namen Tratziger verhochdeutscht.

[2]) zu Qualenbrück. Halem a. a. O. I. 376.

[3]) Die ausführliche Erzählung der Metropolis XII. 5. 6. 11. 12. erwähnt das Jahr und den Abschluß eines förmlichen Bündnisses der Städte und des Administrators nicht. Der Stadtrechnung z. J. 1481 zufolge erhielt der Bote, welcher den Fall des Schlosses Delmenhorst meldete, 2 Pfd. 8 Schill., der Bischof von Münster ein Geschenk von 600 Pfd. in 500 rhein. Gulden. Die Hamb. Chroniken S. 260. 44. geben an Jan. 20. 1481, oder nach neuerer Rechnung 1482. Dieses Jahr hat auch die Fortsetzung der Rynesbergischen Chronik (S. 174) Halem a. a. O. S. 378 gar 1483. In demselben Jahre reisten Bürgermeister Joh. Huge, Rathmann Paridom Lütken und Secretarius Laurentius Nodtitken nach Burtehude zu Verhandlungen.

[4]) März 5.

[5]) Dieselben Gesandten nennt die Stadtrechnung; Kosten: 43 Pfd. Vgl. unten z. J. 1484.

1479 anno 82. nechstfolgende burgermeister wurt und starb anno 1517, am abende Philippi und Jacobi [1]). Item her Euert Bockholt, hern Heinrich Buckholtes, bischofs zu Lubeck vater, starb anno 1488. Item her Clawes Tode, welcher sechs jar amptman zu Ritzebuttel gewesen und burgermeister worden anno 1517, den nechsten tag nach Ascensionis domini [2]), starb anno 1524, donnerstags nach den heiligen ostern [3]); und her Erich von Zeuen, des alten hern Erichs burgermeisters bruder-son, war etliche jar amptman zu Ripenborch, wurt neben hern Detlef Bremern burgermeister gekoren anno 99, dingstags nach Jubilate [4]), ist gestorben anno 1504, am abende Luciae [5]) und in seiner voreltern erbbegrebnus zu St. Peter bestetigt.

Anno 80. uf Margarethae schrieb konig Christian zu Dennemark aus einen gemeinen lanttag zu Rendesburg, darzu befordert er auch die von Lubeck und Hamburg [6]). Er ließ doselbst den Ditmarschen die keiserlichen lehenbriefe furhalten, inhalts welcher er mit dem lande Ditmarschen belehnet, und begeret, daz sie ime darauf huldigen, auch inen und seinen nachkommen fur ire obrigkeit und lantsfursten erkennen und halten wolten. Die Ditmarschen gaben zur antwort, der keiser wer nicht recht berichtet, sie gehorten unter den erzbischof zu a) Bremen, hetten von zeit grafen Hartuici, der mit der grafschaft Stade das lant Ditmarschen an die kirche zu Bremen verwendet, alwegen die erzbischofe fur ire ordentliche obrigkeit erkennet. Wiewol nun sollichs dergestalt widerlegt wurt, daz sie sider der zeit, daz die grafschaft Stade dem erzstift inverleibet, andere herren gehabt als nemblichen konig Woldemarn zu Dennemark, item ein zeitlang die grafen zu Holstein, blieben sie doch auf

---

a) zu fehlt L.

[1]) Mai 1. [2]) Juni 22. [3]) März 31. [4]) April 23. [5]) Dec. 12.

[6]) Von Hamburg wurden der Stadtrechnung zufolge die Bürgermeister Hinr. Murmester und Joh. Huge, die Rathmann Baritom Lütken und Secretarius Joh. Mestwerte entsandt; Kosten: 109 Pfd. 9 Schill.

trer meinunge, und wurt entlich der handel auf einen jarigen 1480 anstant verabschiedet [1]).

Anno 1481 uberfielen die Moscouiter die Littawer und Eiflander, mordeten, branten und gebraucheten unmenschliche tirannei. Die Eiflander begerten hilf von den sechs Wendischen stetten; die schickten ire ratsgesanten gen Lubeck zusamen, sontags vor Lamberti; und waren alda von wegen des rats zu Hamburg her Clawes de Schwarn, burgermeister, Otto vom Mere und Hennig Buring, ratmanne, und wurt zu behuf des krieges wider die Moscouiter gewilliget der hundertste pfennig von allen gutern und waren, die in Liflant verhandlet wurden [2]).

In diesem jare begab sichs, daz der dechant zu Hamburg [3]), als bapstlicher commissarius, einen Meklenburgischen edelman in ban tate, welchs herzog Albrechten zu Meklenburg ser ubel verdroß, schrieb derwegen zum

***

[1]) Dania VIII. 38. Der Vergleich von 1480 Montag nach Oculi bei Michelsen a. a. D. No. 46. Vgl. ebdf. No. 45 und 47.

[2]) September 16. Tratziger's Worte sind alles, was über diesen zur Unterstützung ihrer Vertheidigung gegen die Russen bewilligten Pfundzoll bei Willebrandt hans. Chronik zu dem Jahre aus ihm dem Sartorius Geschichte des hansischen Bundes II. S. 455 bekannt ist. Schon 1480 Oct. 10. beabsichtigte der livländische Ordensmeister Bernhard von der Borch Abgeordnete an die Hansestädte zu schicken, an welche zu demselben Zwecke bereits Gesandte von Dorpat, Memel, Riga abgegangen waren, um sie zur Hülfe gegen die von Plesow und unter dem Zaren Iwan III. (Wassiljowitsch) in ihr Land eingefallenen Russen zu bewegen. S. Napiersky Corp. historiae Livoniae p. 2128, 2141 u. a. Die Mitwirkung der Hanse galt zunächst der Erhaltung ihrer Privilegien zu Nowgorod. 1482 wurde mit den Deutschen ein Friede auf 10 Jahre, im folgenden Jahre auf 20 Jahre vereinbart. Der 1483 zu Narva geschlossene Waffenstillstand führte zur Beendigung des Krieges, worauf erst 1487 die Erneuerung der Privilegien folgte. Vgl. Riesenkampf der deutsche Hof zu Nowgorod S. 92. Karamsin Russische Geschichte Bd. VI. S. 130 ff. Strahl Geschichte Rußlands Th. 2. S. 394.

[3]) Der Domdechant Albrecht Grverdes.

1481 oftermale an das capitel zu Hamburg. Als aber der dechant
den edelman nicht absolviren wolte, samblet herzog Albrecht
ein statliche anzal hofleute aus dem lant zu Meklenburg
und der Prignitz, fiel damit dem capitel in ire dorfer und
lantguter, plundert und nam alles, was er uberkomen kunte
und zog damit davon. Der amptman zu Trittaw sahe durch
die finger, den er war dem capitel nicht wol gewogen, auch
umb der ursach willen, daz sie ine in den ban getan hetten [1].

Dieser zeit erhub sich zu Hamburg und in andern
wendischen stetten eine große tewrunge des getreides a),
die sich insonderheit daher verursachet, daz den Niderlandern
von wegen des krieges zwischen dem b) konige zu Frankreich
und Maximilano, herzogen zu Burgundien, alle zufur aus
Frankreich versperret, und demnach alles getreide aus den ost-
wartischen stetten haben musten. Sollicher mangel und
tewrunge, die durch die vielfaltigen ausfur verursachet ward,
hat folgents große emporungen und aufrur zu Hamburg erwecket [2].

In diesem 81. jare, den 22. Mai [3], starb der fromme
und lobliche furst, konig Christian zu Dennemark. Er
verließ zwene sone, Johansen, konigen zu Dennemark,
und Friderichen, zu Schleswig, Holstein ꝛc. herzogen.

---

a) getreides L.   b) dem fehlt L.

[1] Wandalia XIII. 28. Wie wir aus dem Concepte eines Schreibens des
Capitels an den zum Richter bestimmten Abt des Stader St. Georgs-
klosters ersehen, welches mit andern den Streit betreffenden Papieren
und Documenten das Archiv bewahrt, verlangte das Capitel für den
vom Trittauer Vogte Benedikt von Alevelde in den Jahren 1480
bis 1484 besonders an den Capitelsdörfern Poppenbüttel, Wulfs-
felde und Rodenbeke ihm zugefügten Schaden 4000 Goldgulden
Entschädigung. Eine vorläufige Vereinbarung zu Oldesloe Febr. 24.
vor Schiedsrichtern stellte einen Austrag des Streites April 24. zu Oldesloe in Aussicht und hob den Bann auf. Der 14. Artikel des Recesses v. J. 1483 machte es dem Rathe zur Pflicht, bei Kriegen des
Capitels mit Fürsten, Prälaten, geistlichen oder weltlichen Leuten neu-
tral zu bleiben.

[2] Wandalia XIII. 25.   [3] Vielmehr Mai 21.

Anno 82. in der fasten kam konig Johans mit seinem 1482
bruder herzog Friderichen ins lant zu Holstein; alda
wurt mit den Holstein gehandlet, daz sie inen solten hulbi=
gen, welchs sich die Holstein beschwerten, mit furwendung,
daz sie durch konig Christian, iren vater, insonderheit befreiet
weren, aus seinen kindern fur iren herren anzunemen, wen sie
wolten und erwelen wurden. Es handelten zwischen beiden
teilen die Denischen rete, die von Lubeck und des rats
zu Hamburg gesanten: her Herman Langenbeke, der
rechten doctor, burgermeister, Paridum Lutken, ratman, und
Johan Mestweter, secretarius[1]). Es wurt aber die hand=
lunge aufgeschoben und widerumb zum Kile angesetzet, alda
sich die Holstein, ohne der von Lubeck und Hamburg mit=
wissen und zutun, mit den herren verglichen und beiden, dem
konige und herzog Friderichen, als iren erbherren hul=
digeten[2]).

Desselbigen jares, montags den 5. Rouember, kamen konig
Johans und herzog Friderich in Hamburg mit 600 pfer=
den und hetten von iren reten mit sich: hern Albertum
Krummendick zu Lubeck, hern Heirich von der Wisch
zu Schleswig, hern Carel Rounouum zu Odensehe
und hern Nicolaus Glob zu Wiborg bischofe, graf
Adolfen zu Oldenborch und Delmenhorst, Johan
Jebsen canzlern, hern Erich Ottensen hofmeistern, hern
Hansen von Aleuelt rittern, und Heinrich Rantzowen
Breidenson, amptman zur Steinborg.

Der konig und herzog Friderich forderten eine gewon=
liche erbhuldigunge, welcher sich der rat und gemeinde wei=
gerten, wendeten fur, daz sie keinen grafen oder fursten von

---

[1]) Der Stadtrechnung zufolge reisten diese Gesandten zuerst nach Schles=
wig, dann nach Kiel, wohin später auch Bürgermeister Herman
Langebeke und Rathmann Henning Buring gesandt wurden.
[2]) 1482 Dec. 12. auf der Leuensau bei Kiel. Privilegien der schleswig=
holsteinischen Ritterschaft No. 14. Vergl. Detmar, welcher auch drei
Lübecker Rathsherren als Anwesende nennt.

1482 Holstein jemals gehuldigt; die handlung erstrekt sich biz auf den tag Martini. Entlich namen sie beide herren an fur ire lantsfursten, in der gestalt wie sie konig Christian, iren vater, angenomen[1]). Damit weren die herrn friedlich und confirmirten inen ire priuilegia und freiheit. Der rat vereret die herren mit etzlichen klenodien, auch sunst mit wein, bier, fleisch und fisch, und quittirten sie alle aus den herberg.

Desselben jares, montags nach Oculi[2]), wurden die von Hamburg von dem teutschen kaufmanne zu Bergen uf der tagfart zu Lubeck[3]) heftig beklaget und angefochten, daz sie dem Bergischen cuntor und gemeiner kaufhandlunge zu großen verfang und nachteil in Islant segelten, und wurt inen von den gesanten allgemeiner stette auferleget, solliche fart genzlich abzustellen. Aber sollichs ist im werke nicht erfolget.

Anno 83. wurden zu Hamburg in rat geloren her Kersten von der Hoya, Detlef Bremer, der hernacher burgermeister worden, und Jurgen Lamb.

In diesem jare erhub sich eine gefehrliche entporung zu Hamburg: erstlich von wegen der fart in Islant, den der gemeine man klagete, es wurde das getreid a) umb etzlicher eigennutz willen heufig dahin gefuret und die armut muste hunger und not leiden[4]).

---

a) getreidt L.

[1]) S. die Formel in der Apologia Hamburgensis Beilage No. 4. Westphalen, Monumenta inedita IV. praef. 30 hat eine darauf bezügliche Erklärung der Ritterschaft, welche, zwar 1487 Nov. 11. datirt, vermuthlich in's Jahr 1482 gehört.

[2]) März 4.

[3]) Die Bürgermeister Nicolaus de Swaren und Heinrich Salsborch waren dort anwesend. S. Stadtrechnung z. d. J.

[4]) Aus der Stadtrechnung des Jahres 1476 ersehen wir, daß der Rath selbst zum Vortheil der Stadtkasse nach Island-Handel trieb mit eignen Schiffen oder als Partner bei andern Schiffen betheiligt, in diesem Jahre freilich ohne bedeutenden Vortheil. Daß dies bei größerer Ausdehnung dem bürgerlichen Geschäft Abbruch thun konnte, ist nicht zu leugnen. Art. 21 des Recesses vom J. 1483 untersagt die Fahrt nach Island gänzlich.

In der „Chronica der vornemlichsten Geschichte vnd Handel der

Neben deme begab fichs, daz der abminiftrator des erzftifts 1488 Bremen etliche abte und prelaten gen Hamburg schickete, die solten reformiren den conuent des jungfrauwenklofters zu Heruestehude, schrieb auch bei benselben an den rat zu Hamburg, daz sie etliche aus irem mittel verordnen wolten der visitation und reformation beizuwonen, darauf auch zwo ratspersonen zu sollichem werk verordnet wurden.. Do sie nu mit einander hinaus zugen, lief das volk, man, weiber und andere heufig aus der ftat, schulten und flucheten des bischofs gesanten; da sie nu sollithe ungesteumigkeit sahen, gingen sie inen aus dem wege; die beide ratspersonen zugen wider in die ftat, stilleten das volk mit anzeigunge, sie weren alleine darzu verordnet zu horen und zu sehen was sich wurde zutragen, und es wurde ohne iren willen nichts furgenommen und geschaffet worden. Den andern tag liefen die burgere heufig uf das rathaus, begerten, es mochte die visitation nachbleiben, den solchs geburte nicht dem erzbischofe von Bremen, funder dem abte zum Reinefelde, dreweten barneben, es were fo gar feltzam nicht, ob man gleich etlichen pfaffen den hals entzwei schluge. Der rat entschuldigte sich zum fuglichften, als daz sie auf des abminiftratorn zu Bremen schriftlich begeren etliche aus irem mittel desselben geschickten zugeordnet; es

keyferlichen Stabt Lübeck, vp dat körtefte vervatet vnd mit vlite vortekent torch Mag. Herman Bonnum, Superintendent", S. 89, findet sich die folgende eigenthümliche Erörterung über die Veranlaffung diefes Auffandes: „Anno 1482 was grote düre tybt van forn in den feefteben, fönterlifen tho Lübeck vnd Hamborch, Wente de rifeften Koeplübe hebben alle Korne by fite gekoft, und hebbent in Hollandt geschepet. Daruth fick grote Vneinigkeit in den Steben vororfaket, vnb is tho Hamborch detwegen ein groth Vplop gewefen. Vnb is bith Exempel wol tho mercken, dat men in Koephandelinge alfo fyn egen vordeel vnd gewinft nicht föfe, dat itt der gantzen gemene, vnb fünderlifen der Armot, nadeel vnd schaden bringe, wente folten gewinft let Got nicht gebyen, vnb vlecht ock vneinicheit vnb vpror darut entftan, alsdenn hyruth entftan is in biffen Steben, dat etlike von den rifeften hebben alle Korne by fick gekoft, der gemene tho nadele, dat dor ock ein grote düre tybt vthgefamen is."

1483 solte aber ohne ire und der Klosterjungfrawen freuntschaft bewilligunge nichts ins werk gerichtet werden, baten darauf, daz sie den
gesanten zeit hinwegzuziehen gunnen wolten, wie den auch geschach. Die jungfrawen forderten den abt zum Reinefelde;
als er nu kam und der sachen gelegenheit befant, wolte er sich
damit nicht einlassen; darumb ließen sie inen ohne danksagunge
hinwegziehen, und er muste die unkost derselbigen reise aus seinem beutel entrichten [1]).

Dieses verdruß dem gemeinen man. Die steckten die kopfe
zusammen und wurden von tage zu tagen auf den rat un-
gedultiger. Entlich trat ein bobbiler herfur, Heinrich vom
Lo genennet [2]), sprach uberlaut, do ein große anzal burger bei
einander weren: „Ach! lieben burger, horet doch, wie wir armen
leute geplaget und undergedrukt werden, wir verschmachten schir
fur hunger; aber gestern ist ein große anzal ochsen und schweine
uber die Elbe gefurret worden. Do wir nicht bei zeit darzu
tun werden, seint wir alle verdorben." Solchs redet er darumb, daz er den rat wolte bei den burgern in den argwan
bringen, als nemen sie geschenke und gaben und verursacheten
tewre zeit. Er klagete auch, daz der rat ganz und gar keine
auffsicht hette auf das gemeine beste, trachteten auf keinen
vorrat, sunder teten sich alleine mit irer eigennußigkeit be-
kummern. Er sprach auch einen andern burgern offentlich an

---

[1]) Aus der Wandalia XIII. 29. Vergl. über den Versuch, in Harvestehude
zu reformiren, meinen Auffaß über das Kloster in der Zeitschrift des
Vereins für Hamburgische Geschichte Bd. IV. S. 535 ff., wo auch der
Brief Bischof Heinrichs von Schwarzburg an den Rath zu Hamburg,
dat. 1482 Dec. 9., mitgetheilt ist. Ueberall ist der in den Hamburgischen Chroniken S. 340—75 mit Erläuterungen abgedruckte sehr lehrreiche Bericht des Bürgermeisters Herman Langebeke über den Aufstand im Jahre 1483 zu vergleichen, welchen freilich Krang, doch Tratiger nicht unmittelbar kannte.

[2]) Die bis zum Jahre 1390 zurückgehende auf unserm Archive aufbe-
wahrte Liste der zu Hamburg Hingerichteten nennt ihn einen Bötger-
alten, während er bei Langebeke a. a. O. S. 350 als ein Brauer
bezeichnet wird.

auf dem fischmarkte, wie er korn ausschiffte [1]) und der rat 1483
sehe mit ime durch die finger, ließ sich auch horen, er wuste
wol, wie entlich alle dinge wurden tren ausgang haben; und
viel mer andere aufrurische reden wurden von ime gesprenget.
Darumb ließ inen der rat am abende himmelfart Christi
gefenglich annemen [2]) und in turm setzen.

Damit sie den ferner den sachen mit der ausfure des
korns nicht zu viel teten, ließ der rat die burger aufs rathaus
fordern und begerten ire meinunge zu horen, wie man es hinfortan mit der ausschiffunge des getreides halten solte. Die burger
unterredeten sich darauf und gaben wider die antwort: sie sehen
fur gut an, daz man sich in werender tewerunge mit der ausschiffunge meßigte; wan aber widerumb gute wolfeile zeite
wurden, were es nit ratsam, die schiffart und kaufmanschaft
genzlich liegen zu lassen. Darauf wurt zu der zeit die ausschiffunge genzlich bei hoher und schwerer strafe verboten [3]).
Aber der gemeine man was damit nicht friedlich, ließen sich
bedunken, daz viel dinges unter dem hutlein gespielet wurde.
Also tet der verdacht und widerwille kegen den rat bei der
gemeinde teglich wachsen und zunemen [4]).

Als nu Heinrich vom Lo, obangeregter aufwiglunge-

---

[1]) Diese Notiz über den Streit Heinrichs mit Herman Meier fehlt bei
Langebeke a. a. O. S. 350. vgl. S. 363 No. 9. wie überhaupt die
Angelegenheit der Kornausfuhr von Tratziger, welcher auch hier dem
Cranz a. a. O. Cap. 30. im Allgemeinen eng sich anschließt, mehr
als von Langebeke hervorgehoben wird.

[2]) Mai 7.

[3]) Durch Art. 32 und 33 des Recesses v. J. 1483. Ein in der Stadtrechnung z. J.
1482 zufolge erworbenes kaiserliches Privilegium verbot die Ausfuhr
von Getreide aller Art, von Wein und Bier mit Umgehung von Hamburg, wo diese Artikel gelandet und verkauft werden mußten. Eine
Vereinbarung der Städte Bremen, Hamburg, Stade, Barte-
hude von 1487 April 25. über wechselseitigen Kornhandel mit Ausschluß
der Verschiffung seewärts wird als Erneuerung eines von Hamburg ausgegangenen Verbotes bezeichnet. S. Pratje Sammlung von
Bremischen Sachen VI. S. 175, No. 54.

[4]) Wandalia XIII. 30.

1483 anstifter und redleinfurer, gefenglich enthalten wurt, versambleten sich seine gesellen und buntsgenossen und entschlussen
sich, den gefangenen des tages aus seiner gefengnus mit gewalt
zu erledigen. Dieweil sie auch wusten, daz einer von den
vier burgermeistern mit einer ratspersonen verreisen und die
reitende diener mit sich nemen wurde, ließen sie ihr vorhaben
so lang beruhen, daz der burgermeister mit den dienern hinweg
zog. Als sollichs des morgendes geschach, kamen sie auf den
nachmittag zusammen, gingen hin und sucheten den eltesten
burgermeister in seinem hause; als sie inen aber im hause
nicht funden, liefen sie nach der andern burgermeistere behau-
sungen. Auf dem wege bei St. Peters kirchhof begegnet inen
einer von den dreien burgermeistern, die daheim gebleiben waren; den umbringeten sie und begerten mit großer ungestrumigkeit,
daz er den gefangenen Heinrich vom Lo aus der gefengnus
solte losgeben. Indeme trafen sie den eltisten burgermeister
an; den namen sie mit und drungen beide, mit inen fur das
gefengnus zu gehen. Der probst und tumbbedant, als sie
vernommen, was den beiden burgermeistern widerfaren, vermeinten sie, die burger zu stillen, kamen herzu und sprachen sie
mit guten worten an. Aber da war kein gehor, sunder eitel
schelten, fluchen und drauwen, daz sie entlich mit genawer not
in die nechsten heuser entkemen. Also musten die beiden burgermeister mit inen nach der gefengnus gehen; der jungste [1]
bekam ein orschlag, daz ime das blut uber das angesicht herab
ran. Es wurt ihm auch so viel nicht gegunnet, daz er mochte
das blut vom angesichte abwischen. Do sie fur die gefengnus

---

[1] Nikolaus de Swaren, wie außer Langebek a. a. O. S. 351.
die Chronik der wendischen Städte (S. 260) angiebt. Im Jahre 1483
war Joh. Meiger ältester, Joh. Huge zweiter Bürgermeister, also
muß Herman Langebeke die Stadt verlassen haben. Dies bestätigt die
Stadtrechnung, welcher zufolge er mit dem Rathmann Henning Baring und dem Secretarius Conr. Rodtike zur Versammlung der
wendischen Städte nach Lübeck, dann mit andern Begleitern nach Barte-
hude, nach Wismar und nochmals nach Lübeck reiste.

lamen, wurden die schlosser mit gewalt eroffnet und der gefangene 1483
Heinrich vom Lo herausgenommen. Den eltisten burgermeister ließen sie seiner wege gehen, der jungste aber muste
mit dem blutigen kopfe zur a) rechten hant neben Heinrichen vom
Lo gehen und inen biz in sein haus beleiten. Er muste ime
auch zum oftermal die hant geben und damit offentliche ehr-
erbietunge tun. Als sie fur das haus kemen, kert sich Heinrich
vom Lo umme und dankete den turgern, daz sie sich seiner
hatten angenommen; der burgermeister ging betrubt daruon
und begab sich aus der stat ¹).

Die burger versambleten sich volgends in großer anzal auf
dem Hopfenmarkte und in der brawer gesellschaft ²),
ließen die sturmglocke schlagen ³), welchs manchen einen großen
schrecken gab. Der eltiste burgermeister verhoffte etwas gehor
bei inen zu haben, schickete zu inen und ließ bitten, sie solten
sich zufrieden geben, es wurde den nechsten freitag der rat
zusammen kommen und mit irem rate und gutbedunken dasjenige verordnen, was nuz und billig were. Aber der bote
wurt nicht gehoret, bekam zur antwort: ob der burgermeister den burgern etwas wolte, were es nicht unzimlich,
daz er zu inen keme. Also begab sich der alte betagte man
auf seine fuße, vermante die burger bestes vleißes und erhielt
entlichen so viel, daz sie von einander gingen und alle ding
in ruhe stelleten ⁴)

Des nechstfolgenden freitags ⁵) kam der rat im chore zu
St. Niclas zusammen, die burger versambleten sich in der
kirchen, alda oftgedachter Heinrich vom Lo etzliche articul
dem rate als aus befelich der burger furstellet, und fragete

---

a) zu L.
¹) Nach Langebek a. a. O. versteckte Herr Johann Hugs sich in der
  Domkirche.
²) Der Brauer-Gesellschaft gedenkt Langebek a. a. O. S. 353 nicht.
³) Auf dem Nicolaithurme. Vergl. a. a. O. S. 352. Note 1.
⁴) Ebendaher c. 31.   ⁵) Mai 9.

Tratziger's Chronik.   15

1483 barnach bie burger, ob fie ime follichs befolen hetten. Die
nechft ftunden rufeten: „Ja!", bie hinberften, wiewol fie nicht
gehoret, was bem rate furgetragen, gleichwol fagten fie auch
ja barzu. Der rat ließ barauf anzeigen, baz ein burgermeifter
unb ratsperfon nicht anheimifch [1]), berwegen notig were,
bieselben anheim zu beforbern, baten berhalben, weil ber articul
viele, baz fie inen fchriftlich mochten zugeftellet unb biz auf
wiberfunft ber gefanten bebenffrift gegeben werben. Sollichs
ließen bie burger zu. Do nu bie abgefanten wiber von Lubeck angelangt, beratfchlaget fich ber rat auf bie ubergebene
articul, bewilligten ben merenteil unb ließen fie am pfingft-
abenbe offentlich abfundigen [2]). Mitlerzeit aber unb weil
bie aufruer geweret, hetten bie burger bie fchluffel zu ber ftat
toren in irer verwarunge, beftelleten alle nacht bie wacht, ben
fie vertrawten bem rate nicht, beforgten, es mochten anbere in
bie ftat geforbert werben, bie fie an irem furnemen behin-
berten [3]).

---

[1]) S. oben S. 224. Anm. 1.

[2]) Mai 17. Was Tratziger über bie auf Uebergabe ber Artifel folgen-
ben Erwiberungen bes Rathes unb Annahme einiger Artifel auf
Pfingften erzählt, weicht troß allgemeiner Uebereinftimmung boch im
Einzelnen von Kranß (c. 32.) ab, unb ift wohl als freie Umfchreibung
feines nicht ganz flaren, gebrängten Berichts anzufehen. Den Wiber-
fpruch, welcher barin zu liegen fcheint, baß in bem Eingange bes Receffes vom J. 1483 ber Tag ber Abfünbigung, wie hier, als Pfingft-
abenb angegeben wirb, während ber Abfchluß bes Receffes erft Juli
19., wie am Enbe behauptet wirb, erfolgte, bürfen wir uns wohl fo
erflären, baß ben 17. Mai bie neu verrinbarten Artifel veröffentlicht
wurben, am 19. Juli bagegen bie burch fie veranlaßte, uns vorliegenbe
Umarbeitung bes Receffes von 1458, auf beren Abfaffung vermuthlich
bie unten S. 230 ff. erwähnte Verfammlung am 18. Juli nicht ohne
Einfluß blieb. Bemerfenswerth ift es gewiß, baß bie Stabtrechnung bop-
pelte Abfchriften bes neuen Bolfsbefchluffes (novi plebisciti, vermuthlich
ber von Hinrich von Lo übergebenen Artifel) zur Bertheilung in bie
Kirchfpiele unb bie burch Rath unb Bürger vereinbarten Artifel, welche
im Rathhaufe angefchlagen wurben, unterfcheibet.

[3]) Ebenbaher c. 32.

Es weren aber die aufrurischen damit noch nicht fried= 1483
lich, funder fucheten ursachen, mittel und wege, dadurch sie der
stat regirunge und anderer leute guter an sich bringen moch=
ten, wurden der sachen mit einander eins, daz sie an St.
Johans abent, uf welche zeit domals nach alter gewonheit der
rat und die furnembsten burger zusamenkemen [1]), den meren
teil des rates und der furnemen burger wolten a) vom leben
zum tote bringen. Damit aber sollichs aus irer rustunge nicht
vermerkt wurde, stoffirten sie nachfolgende lugen: einer aus
der gemeinde [2]) hette briefe bekommen aus Lubeck von sei=
nem bruder, welcher daselbst ein reitender diener were, wie der
burgermeister, der, als obberurt, in den kopf war gewundet,
sich mit dem burgermeister zu Lubeck unterredet hette [3]), und
wurden S. Johans fest mit einander zu Hamburg halten.
Aus dieser lugen schluffen sie, wie sie vorhabens weren, so
stark in die stat zu kommen, daz man sich irer nicht unbillich
zu besorgen, und were derhalben notig, daz sie sich kegen und
wider vermutlichen uberfal mit iren weren gefasset mache=
ten. Solche rede wurden unter die burger gesprenget. Viel
redlicher leute sagten ime [4]), er solte solchs nicht verschweigen,
funder den burgermeistern b) anzeigen. Darauf wurt geantwortet:
es were einem von den burgermeistern berichtet, der hette sich
vernemen laffen, wie der rat solchs albereit wol wuste, hette
auch derwegen an den rat zu Lubeck geschrieben. Als aber
basselbige etzliche burger dem burgermeister selbst anzeigten,
befunden sie, daz ime kein wort dauon vermeldet worden.

---

a) zusamen — wolten fehlt L.   b) burgermeister L.
[1]) Diese Feste am St. Johannis=Abend sind noch lange erhalten und
pflegten auf einer der Alstermühlen zu Fuhlsbüttel begangen zu wer=
ben. Vielleicht beziehen sich auf dieses Fest, wenn nicht etwa auf das
Petrimahl die zum Convivium Dominorum von den Mühlenherren berech=
neten Gelder.
[2]) Es war ein Brauer, Cort Riquerbes. S. Langebek a. a. O. S. 360.
[3]) interloquutum cum Lubicensibus et caeteris. Kranz a. a. O. c. 33.
[4]) Dem angeblichen Empfänger des beunruhigenden Briefes.

15 *

1483 Der rat ließ denjenigen, der solche rede ausgebreitet, fur
sich fordern; wurt erstlich vom burgermeister gefraget, ob er
ime einig wort von obgedachtem handel angezeigt, darauf be-
kent er alsofort, daz er ime nichts vermeldet. Man fraget
ihm forder, wo der brief were, den er von Lubeck bekommen;
darauf antwortet a) er: er hette inen zerrissen. Weiter wurt er
gefraget, ob er lesen kunte; er saget: „nein!", aber sein son
hette ihm den brief gelesen. Do er nu auf so offenbaren lugen
begriffen wart, wurt er aus befel des rats und der burger
gefenglich eingezogen, und obwol sollichs seine aufrurische mit-
genossen heimlich ser ubel verdroß, dorften sie sich doch umb
der andern burger willen, die solchs falles der sachen mit dem
rate eins waren, nichts merken lassen [1]).

Aber nicht lange darnach ergriffen sie eine andere ursachen, brachten dem rate fur, wie vier großer schiffe mit korne
in der Stor geladen wurden [2]), die nach westen von der Elbe
segeln wolten, begerten, daz etliche schiffe bemannet und beweret wurden, die sollichs verhinderten. Der rat willigte darein, und wurden alsofort etliche schiffe ausgerustet und abgefertiget. Aber sie funden nicht mer den ein schif, welchs auf
der Weser korn hette eingeladen und vom storm und ungewitter uf die Elbe war verschlagen. Der schipper war ein
burger zu Hamburg und hette ein gemein pasbort vom rate;
das namen ime die burger, legten es zu Hamburg den gemeinen burgern fur, mit anzeigunge, daz der rat zu nachteil des
kornkaufes und gemeinen nutzes sollich pasbort ausgegeben.
Als aber die burger sahen, daz es nichts anderst war den
allein ein gemein und gewonlich pasbort, wurt entlich die sache
dermaßen verrichtet, daz der schipper muste ein eit tun, daz

---

a) antwort L.

[1]) Ebendaher c. 33.

[2]) In der 1465 über Verpfandung der Burg und des Amtes Steinburg ausgestellten Urkunde (S. oben S. 203 ff) war bestimmt,
daß nur mit Erlaubnis des Hamburgischen Amtmannes Korn von der
Störe verschifft werden dürfe, mit Ausnahme des von rittermäßigen
(ritdermatesch) Holsten selbst gebauten und verladenen.

er das korn an der Elbe nicht eingeschiffet; damit mochte er 1483
hinsegeln, wo er wolte, und wurden ime seine briefe widerumb
zugestellet [1]).

Mit diesen geschichten nahet sich der tag, daz sich die
aufrurischen zu obgedachter irer grausame hanblunge mit einander verglichen. Aber der rat und die furnembsten burger
hetten ire sachen in guter aufachtunge; derwegen dorfte sich
niemandes regen. Folgendes tages ging ein fewer auf uf
dem Brote [2]) durch unfursichtigkeit der hauslinge. Solchs
deutete der aufrurer anhang dahin, als solte es vorsetzlich von
dem rate und vermuglichen burgern anzulegen bestellet sein;
sammeleten sich abermals den eilften Julii und liefen heufig
mit obgedachtem irem anfurer vor den rat, begerten, der rat
solte etliche articul willigen, die sie gestellet, die waren Flandern, Hollant und Frieslant betreffent, dauon doch etwas
zu ordnen in des rats macht und gewalt nicht stunde. Derhalben wurden sie mit glimpflichster antwort abgeweiset. Uber
das begerten sie, der rat solte inen einen erlichen furnemen
burger, welcher, irer anzeigung nach, die gemeinde mit eren-
rurigen worten solte haben angegriffen, zu rechte stellen, welchs
geschach. Als er aber auf vorgehent geleit fur den rat kam,
war niemants, der in anklagete. Folgends mitwochens [3]), als
zwene burgermeistere vom rathause anheim gehen wolten, umb-
ringete sie die aufrurische rott und begerten, den gefangenen,
dauon hiebeuorn meldunge geschen, aus der gefengnus loszu-
lassen; als sich aber die burgermeistere entschuldigten, daz solchs
in irer macht alleine nicht were, gerieten sie an denjenigen,
dem die schluffel zur gefengnus befolen, und notigten ihn, daz
er aufschließen und den gefangenen aus der gefengnus in ein
gemach fur den schorstein bringen muste, liefen darnach zu
den gerichtsherren, begerten ine genzlich los zu geben, aber die
gerichtsherren gaben inen einen freuntlichen bescheit und erhielten bei inen, daz der gefangene in obberurtem gemache

---

[1]) Ebendaher c. 34.
[2]) Langebek a. a. O. S. 360.   [3]) Juli 16.

1483 ruiglich gelaſſen wurde biz auf die nechſte zuſammenkunft des
ganzen rats [1]).

Folgends tages [2]) beful der rat den morgenſprachherren,
daz ſie mit den werkmeiſtern der ampte reden ſolten, wie der
rat geneigt, eßlicher ſachen halber mit den burgern zu handlen, daran der ſtat wolfart merklich gelegen, und daz ſie demnach auch unbeſchweret ſein wolten zu erſcheinen, daz ſie auch
ihr geſinde wolten daheim laſſen, damit der meinunge halben
nicht unordnung zu beſorgen. Solchs willigten die ampte.
Der rat beſtellet des tages, als ſie ſich zuſammen beſcheiden,
an allen orten kuntſchaft, ob die aufruriſche etwas furhetten.
Als ſie aber vernamen, daz alle ding ſtille waren, verſamleten
ſie ſich mit den burgern, unter denen der entporunge hauptman und redleinfurer mit war, auf dem rathauſe und ließen
die tur, wie gebreuchlich, zuſchließen. Indem wurt ein getummel vor dem rathauſe, den es kam ein ſchifszimmerman
mit ſeiner rott, den ſich der gemeine pofel anhieng, liefen die tur
amb rathaus auf, in meinunge a), mit gewalt hineinzudringen.
Die burger, ſo darin verſamblet, traten zuſammen und drungen ſie widerumb zuruck heraus. Als ſie nu die gewalt zum
andern mal verſuchet und anderweit hinausgeſtoßen wurden,
als muſten ſie vergeblich abziehen. Gemelter ſchifszimmerman lief nach dem b) kirchtorn und wolte die ſturmglocken
geſchlagen haben; aber der turn war zugeſchloſſen, daz ime
alſo der anſchlag auch feilet [3]). Die burger ſahen fur gut
an, der rat ſolte mitten zwiſchen inen auf den Hoppenmarkt gehen, auf daz man ſehe, wo die ſachen hinaus wolten,

---

a) meinuge L.   b) den L.

[1]) Ebendaher e. 35.   [2]) Juli 18.

[3]) Aus der unten erwähnten Urfehde (Hamb. Chron. S. 372. No. 2) des Bürgers Clawes van Kymmen erſehen wir, daß der Schiffszimmermann (faber nauticus nach Krantz) ſein gewiß ſehr hochbetagter gleichnamiger Vater war, daß der Sohn den Verſuch machte, die Sturmglocke (auf St. Nicolai) zu läuten und beswegen, bis er Urfehde ſchwur, in der Stadt „hechte und vorwaringe" geſetzt ward. In den Receß ward ein beſonderes Verbot, die Sturmglocke zu läuten, ausgenommen bei Feuersgefahr, aufgenommen.

sie wolten ihr leib und leben bei dem rate lassen. Es wurden 1483 auch zwo ratspersonen mit etzlichen dienern geschicket, die den schifbawwer gefenglich annamen und in S. Niclas kirchen in der sacristei verwarten. Do solbchs geschach, lief einer [1] von seinem anhang nach S. Peter, die sturmglocken zu leuten, aber sein eilen und zitterent geberde verrieten inen, wurt also von etzlichen fromen burgern unterwegen aufgehalten und in S. Niclas kirchen zu dem schifbawer in verwarunge gefuret [2].

Der rat und burger gingen vom rathause in großer an= zal auf den Hoppenmarkt. Etzliche des schifbawers gesellen entwichen aus der stat, etzliche aber hingen sich an a) die andern schifszimmerleute und schmide, kamen mit exen, beilen und hemmern, ire gefangene gesellen zu entlebigen. Do sie aber sahen, daz die burger so stark beisammen waren, dorften sie nichts anfahen. Der rat fragete die burger, wie sie sich kegen den ge= fangenen aufrurischen halten solten; also wurt beschlossen, daz man inen ihr recht tun solte; aber iren anfurer [3], weil der mit auf dem rathause gewesen were, der solte aufs newe seinen burgerlichen eit leisten und damit zu genaden werden aufgenommen. Also wurden die zwene gefangenen fur gericht gebracht und volgends, als sie gebeichtet und ihr kirchenrecht entpfangen, auf dem berge bei S. Peter mit dem schwert gerichtet [4], und die ausgewiesenen wurden verfestiget. Damit wurt dieser aufrur entlichen gestillet [5].

Etzlichen von den verfesteten, die in andern stetten sich

---

a) an fehlt L.

[1] Rype Renkel. Langebek a. a. O. S. 367. 369.

[2] Krantz a. a. O. c. 36.

[3] Heinrich van Lo.

[4] Der Tag der Hinrichtung war der Stadtrechnung zufolge der 18. Juli, also schon der Tag des Hochverraths. Mit diesen Hinrichtungen war der Aufruhr unterdrückt, wie auch in seiner Urfehde Kopeke Lulkens 1484 ihn als im vergangenen Sommer geschehen bezeichnet.

[5] Wandalia XIII. 37.

1483 enthielten, bejegnet nachmals a) ire geburliche ftrafe [1], und
der dem burgermeifter, wie hiebeuor angezeigt, in den kopf gewundet b), wurt diebftals halben eingezogen und zum galgen
uber alle diebe zu henken verurteilet. Aber die bobbiler, deren
amptsbruder er war, erbaten ime das ſchwert [2].

Mit Heinrichen vom Lo, der aller aufrur meuterei
ein urfprung und anftifter gewefen war, begab ſich diefe ge-
ſchicht. In werender aufrur, als gemelter vom Lo aller regirunge in Hamburg unterſtunt, kam einer vom adel, Heinrich
Freitag genent, mit feiner hausfrawen in S. Veits market [3]
gen Hamburg. Nu war derfelbige Heinrich vom Lo unter
ime geboren, daz er ihn fur feinen eigen man hielt, ließ in demnach
zu ſich fordern und ermanete ime ingeheim, daz er ſich mit
ime wölte vertragen und ſich loskaufen, damit ſolliche feine
gelegenheit nicht andern kunt getan und weitleuftig gefprenget
wurde. Solchs verdroß ihn fer ubel, und ſetzt ime bald fur fein
leit zu rechen; er nam zu ſich etzliche feiner gefellen und einen
pfaffen, den er fur einen ſchreiber brauchete, wen er gemeiner
ftat geſchefte verhandlete, ging mit denfelben zu gemeltem Freitag in feine herberg und ſprach ihn an mit vielen ſchimpflichen
und verdrießlichen worten. Aber Heinrich Freitag fahe, wie
die fachen gelegen waren, wolte ſich derhalben mit ime weiter nicht
einlaſſen, funder ging zu ſchif und fur nach der Harburg,
befal feiner hausfrawen, daz ſie etzliche geſchefte ausrichten
und ime alsden folgen folte. Do ſie nu zwene tage alba
verharret und ſich auf den weg anheim begeben wolte, bejegnet ihr oftgemelter Heinrich vom Lo, grif ſie an mit ganz

---

a) nochmals L.

b) in — gewundet fehlt L., doch ſtehen von neuerer Hand am Rande
die Worte: ſo ganz vbel beſchadiget.

[1] Kranz Wandalia XIV. c. 2. Diderik Vaged, ein Mitanſtifter des
Aufruhrs, war nach Hannover entflohen, ward indeß dort belangt und
geköpft. Langebek a. a. O. S. 372 ff. und Anmerkungen.

[2] Von tiefem Böttger Hans Meier ſpricht auch Langebek a. a. O.
S. 374. z. J. 1489. Kranz a. a. O.

[3] Juni 15.

unhoflichen worten. Sie antwortet ime kecklich und sprach: Fur= 1483
war, ich sehe hir einen tewern man, der den rat und ganze
stat will regiren, und hat vergessen daz er ein leibeigner kerl
und darzu nicht ehlich geboren ist. Ob sollichen worten wurt
er heftig erzurnet, umgab sie mit etlichen seines anhanges, verhonet
sie nicht allein mit schmelichen worten, sunder hub ihr die klei=
der auf und tet sie einer ackermeren vergleichen ¹); die er=
lich fraume muste solchs gedulden a). Also wurt sie gedrun=
gen mit großer ungesteumigkeit, mit inen nach des eltisten
burgermeisters hause zu gehen. Als sie den nicht funden,
gingen sie zu dem jungern burgermeister, begerten, daz die
fraw in der stat schloß und helden gefenglich gesetzt wurde. Der
burgermeister handlet so viel, daz die fraw in des baumeisters
haus wurt eingelegt und der burgermeister wurt burge fur
sie, daz sie nechstfolgendes tages zu recht stehen solte. Der
burgermeister tete die versehunge, daz etliche erbare frawen ihr
gesellschaft leisteten, und wurt inen wein und confect dahin
beschaffet. Folgendes tages verordnet der rat zwene ires mit=
tels; die handelten zwischen beiden teilen und vertrugen sie
dergestalt, daz einer dem andern verzeihen solte und darauf
einander die hende geben; damit zug die fraw davon. Als
nun, wie obberurt, die aufrur gestillet war, kamen brief uber
brief von irem manne Heinrich Freitage und andern mer vom
adel, darin begert wurt, Heinrichen vom Lo sollicher schmelichen
tat halber ernstlich zu strafen; darumb ließ ihn der rat gefeng=
lich einziehen und fur gericht stellen, und wurt derwegen, daz
er die freiheit und sicherheit des jarmarkts gebrochen, zum tode
verurteilet und zwischen beiden toren enthauptet ²).

Nicht lang darnach wurt einem alten man, dem man
schult gab, daz er die aufrur widerumb zu erwecken vorhabens,
auch der kopf abgehauwen, daz also die aufrurische redleinfurer
und aufwigler allenthalben iren verdienten lon entpfiengen ³).

a) die — gedulden fehlt L.
¹) Wandalia XIV. 2. Vergl. Langebek a. a. O. S. 355 ff.
²) Wandalia XIV. 3. Die Hinrichtung geschah am 10. October. S. meine
Hamburg. Chroniken. S. 372. Not.
³) Wandalia XIV. 3.

1484   Anno 1484 hielten die sechs wendischen stette einen tag zu Lubeck [1]), donnerstags nach Innocauit; des rates zu Hamburg gesante waren: Herman Langenbecke, burgermeister, und Hennig Buring, ratman. Es wurt beschlossen, das man den ewigen frieden mit der kron zu Frankreich durch alle ansestette verkundigen solte [2]), auch von wegen des erschlagenen bischofs zu Bergen und hern Olaf a) Nigelsen, ritters, konig Hansen zu Dennemark beschicken, mit bitte, das die sache mit der entleibten freuntschaft zu gutlicher handlunge durch den konig gerichtet wurde [3]).

Ju diesem jare raubete und nam zur sehe graf Jacob von Oldenborg, graf Mauritzen son, uf die stette und kaufman, unter dem scheine, das ime die stette Delmenhorst, sein vaterlich erb, welchs domals der bischof zu Munster inhette, abbringen helfen [4]).

Anno 85. des andern tages nach Andreä wurden zu Hamburg in den rat gekoren hern Clawes Michelsen, welcher

---

a) Oloff L.

[1]) Die Reise zu diesem 1484 März 11. gehaltenen Hansetage erwähnt die Stadtrechnung.

[2]) 1483 im September bestätigte Karl VIII. die von seinem Vater Ludwig XI. im August gegebenen Privilegien, doch ward die Urkunde erst 1484 einregistrirt und publicirt. Gedruckt in Série de traités et d'actes, contenant les stipulations faites en faveur du commerce et de la navigation entre la France et la ville libre et hanséatique de Lubec depuis 1293 p. 32 ff. Die Urkunde über einen bereits 1473 Aug. 25. auf 10 Jahre abgeschlossenen Waffenstillstand Ludwig XI. mit der deutschen Hanse in einem Vidimus des Lübecker Rathes von 1473 Dec. 1. bewahrt das hiesige Archiv.

[3]) S. meinen Aufsatz über Harvestehude a. a. O. S. 541.

[4]) Wandalia XIV. c 4. Im Jahre 1482 wurden der Stadtrechnung zufolge 6778 Pfd. 16 Schill. 5 Pf. für Feldzüge gegen den Grafen verausgabt, 1483—1485 steuerten die Kaufleute bedeutende Summen bei. — Delmenhorst (S. z. J. 1479) war bis 1497 in Münsterschem und Bremischem Besitz, bis 1547 in Münsterschem, nachdem man den Bremischen Drosten aus der Stadt hinausgelockt hatte. Vgl. Halem a. a. O. I. 384. und II. 64—69.

barnach ftarb anno 1508, am tage Lamberti; Marquart 1485 vom Lo, der war amptman zu Ritzebuttel eilf jar lang und wurt barnach burgermeifter erwelet anno 1507 auf Petri, ftarb anno 1519; Johan Barfchamp, der wurt amptman zu Bergerdorf, ftarb anno 1496, dingftags nach Corporis Chrifti.

In biefem fare, dingftags nach der heiligen drei konige, waren zu Lubeck verfamblet der wendifchen ftette gefchickten, und kamen dahin herzog Magnuffen und herzog Baltha-far zu Meklenburg gefante; bie klageten uber bie von Roftock. Die urfache folcher klage war biefe, baz die herzogen S. Jacobs kirchen zu Roftock zu einer tumkirchen machen wolten, welchem fich der rat und gemeinde bofelbft heftig wi-derfetzten. Der abfchiet zwifchen den furftlichen gefanten und den ftetten war bitz, baz bie ftette bie herzogen befchicken und fich gutlicher unterhandlunge unternemen wolten ¹).

In biefem fare rufteten bie ftette eine ftarke fchiffsflate aus, bamit ber kaufman ben markt zu Bergen in Norwegen ficher befuchen mochte.

Es war auch funft feibe und krieg in Flandern zwi-fchen herzog Maximilian und ben lantftenden; in Sach-fen zwifchen bem bifchofe und ber ftat Hildensheim ²); in Lieflant zwifchen bem erzbifchof zu Riga und ber ftat eins- und bem orben anbersteils ³). So nemen bie Denen und Holftein in ber fehe allenthalben auf bie Englifchen; baz alfo an allen orten wenig friedens war.

Anno 86. handelten bie wendifchen ftette zu Lubeck von ber erftreckunge irer buntnus, es wurt aber bomals nichts vollenzogen. Des gubernators aus Schweden, hern Stein Steuer ⁴), und ber prelaten und ritterfchaft gefanten kamen

---

¹) Wandalia l. l. c. 6—11.
²) Der Stabtrechnung zufolge zahlte man ben Luneburgern, welche es ubernommen hatten, Hildesheim zu unterftutzen, als Beihulfe 480 Pfund in 400 Gulden und unterhielt außerdem eine kleine Schaar zur Hulfe ber den Hildesheimern gefandten Reiftgen. Vgl. Wordenhagen de rebus publ. hanseat. IV. 20.
³) Wandalia l. l. c. 15.
⁴) So fur Sten Sture; bie HS. hat fogar Stein Stauen.

1486 alda auch an, begerten eine conföderation und verstentnus mit
den stetten aufzurichten, welchs der stette geschickten willigten.
Als wurt inen ein begrif zugestellet, welchen sie an den gu-
bernatorn und des reichs rete zu bringen annamen. Der hochmeister aus Preußen schrieb an die stette und uberschicket
inen darneben eine keiserlich mandat, daz sie der stat Riga
und dem capitel wider den orden keine hilf tun solten. Zu
dieser tagleistunge waren von Hamburg geschicket her Herman Langenbecke doctor, burgermeister, und Erich von
Zeuen, ratsverwanter ¹).

Im jare 1487 in den acht tagen nach der heiligen drei
konige fest kamen gen Rostock Magnus und Balthasar,
beide herzogen zu Meklenburg, sampt iren gemalen und
beiden bischofen zu Schwerin und Ratzenburg, die stift-
kirchen, derwegen sie etzliche jar beuor mit dem rate und burgern zu Rostock in irrung und widerwertigkeit gestanden, aufzurichten und weihen zu lassen; welchs den den nechstfolgenden
freitag nach einer herlichen procession ins werk gebracht wurt,
aber zu einer unglücklichen zeit. Den als die fursten vermeinten, daz alle ding numer zu rue und friedsamkeit gebracht,
und des nechsten sontags, als sie die fruhmisse gehoret, wolten
dauon ziehen, liefen etzliche gemeine burger in S. Jacobs
kirchen, wurfen die bucher von den pulpeten, kereten die stul
umb und hießen die tumbherren in des teufels namen stilschwei-
gen. Darnach liefen sie nach des probsten, hern Thomas
Roden, hause, welcher der herzogen canzler war, schleppeten
ihn bei den haren heraus und wolten ine furen in den turn,
der an der Warnaw liget. Do sie biz zu der regentien,
der halbe man gennenet, kamen, stunt er stil und wolte
nicht forder; also schlug ihn einer fur den kopf, daz er umb-
sturzet. Die andern alle volgeten demselbigen und schlugen in
inen gleich als einen wullensack; die nicht schlagen konten, wurfen mit steinen zu ime, treten ihn mit fußen und speieten ihn

---

¹) Wohl nach Hamburgischen Protocollen; die Stadtrechnung nennt dieselben Hamburgischen Gesandten; Kosten: 52 Pfund.

an. Die weiber kunten auch ihr mutlein an ime nicht unge= 1487
kulet laffen, do er albereit tot war, ließen ihn alfo wie einen
hunt liegen. Etzliche von den burgern fucheten den archidiacon,
hern Heinrich Ponfien; ben funden fie im fpital zum
heiligen geifte unter den alten weibern, dahin er fich verftecket;
den brachten fie in den turn auf dem Rainsberge. Do follichen
lermen die herzogen vernamen, eileten fie aus der ftat, herzog
Magnus gemal volgete nach; der wolten etzliche den wagen haben
umbgeteret, riefen, fie hette einen pfaffen darein verborgen.
Darnach bezichtigten fie zwene burgermeifter, nemblich hern
Bartolt Kirkhof und Arnolt Häffelbecken, als folten fie mit irem rate uud zutun der furften furnemen befor-
bert und fortgefetzt haben, maleten inen galgen und reder fur
die turen und macheten es entlich fo grob, daz gemelte burgermeifter ires leibes und lebendes nicht ficher waren, funder aus
der ftat entweichen muften [1]).

Nach follichen gefchichten deffelben 87. jares auf Ascenfio-
nis Domini [2]) kamen zufammen zu Lubeck gemeiner anfeftette gefchickten. Von Hamburg waren her Herman
Langenbeck, doctor, Henning Buring, beide burger-
meiftere, und Laurentz Rottibke, fecretarius [3]). Die herzogen zu Meklenburg fchicketen dahin ire rete und botfchaft,
hern Gerhart von Tzerfen, der rechte licentiaten, hern Johan Tun und hern Johan Berner und Wiparten
Pleffen, ließen der ftette gefanten die grawliche unmenfch-
liche tat der von Roftock berichten und barneben anzeigen
und warnen, daz fie die ftraßen auf Roftock meiden folten
und von der Wismar auf Butzow und Schwan zu ziehen,
alba ein itzlicher ficher vergleitet und mit notburft an herberg,
fpeis und getrenke a) verforget werden folte, wurde aber

a) gebrencke L.
[1]) Wandalia XIV. 7—10, bis auf die genauere Angabe der Orte und Namen, welche dem Tratziger durch feinen Aufenthalt in Roftock bekannt
fein mußten.
[2]) Mai 24.
[3]) So auch die Stadtrechnung; Koften: 239 Pfd. 16 Schill. 7 Pf.

1487 imants a) die straßen auf Roſtock ziehen und demſelbigen etwas
darob bejegnen, des wolten die furſten ſich damit entſchuldigt
haben. Zu der zeit waren der von Roſtock geſanten, nemblich:
Bicke von Herueden, burgermeiſter, Radolef Buſing,
Johan Wilken, ratmanne, und M. Johan Rieman, ſecretarius, kegenwertig, erboten ſich, dem rat und gemeinde zu
Roſtock zu entſchuldigen; aber die furſtlichen geſanten wolten
ſich mit inen nicht einlaſſen. Die andern der ſtette geſchickten
baten darumb, daz die furſten die ſache zu verhor und haud-
lung wolten kommen laſſen, erboten ſich die von Roſtock zur
billigkeit zu weiſen. Sollichs namen die furſtlichen rete an,
iren genedigen herren mit vleiß zu vermelden, begerten aber,
die ſtette irer warnunge eindenkig ſein wolten, und ſchieden
damit von Lubeck. Den Roſtockſchen geſchickten wurt furgehalten der gemeinen geſanten bedenken, nemblich, weil die tat
an hern Thomas Groten begangen offenbar, ſo muſte der
rat zu Roſtock aus zweien eins tun, als daz ſie die teter ſtrafeten oder fur die tat kor, wandel und abtrag teten. Do nu
ſie, die geſchickten, befelich und volmacht hetten, wolten ſie ſich
gerne mit dem handel bemuen; wo nicht, ſo muſten ſie ſich
anheim begeben und ſich befelichs erholen. Alſo zugen die
geſanten widerumb nach Roſtock. Herzog Magnus aber
ſchrieb an die gemeine geſanten und ernennet inen einen tag
zum Schoneberge, den ſonnabent nach pfingſten [1]); darzu
wurden verordnet von Collen, von Danzik und der wen-
diſchen ſtetten geſchickten iderem teile eine perſon, die erhielten mit embſiger bit ſo viel, daz der herzog benennet den
dingtag in der octauen Corporis Chriſti [2]), zu Greuesmolen
der von Roſtock entſchuldigung zu horen. Sollicher beſcheit
wurt der von Roſtock geſchickten, die widerumb gen Lubeck gekomen waren, furgehalten. Aber ſie hatten nochmals keinen
befel, teten ſich entſchuldigen, daz der rat were durch den jar-
markt daran verhindert worden. Darumb wurt ſollicher be-

---

a) ihmandts L.

[1]) Juni 9.   [2]) 1488 Jan. 2.

scheit an den rat zu Rostock schriftlich gelanget; der gab dar- 1487
auf zur antwort, daz sie sollichen verhorstag besuchen wolten,
aber es erfolgete nichts [1]).

Darumb rusteten sich die herzogen zu Meklenburg und
belagerten mit hulf ires schwagers, herzog **Bugslafs** von
Pommern, die stat Rostock angeregtes 87. jares umb die zeit,
als das korn im felde reif war, und ob sie wol kurz darnach
widerumb abzogen, weret doch die selbe etzliche jar aneinander,
und wolte kein handel zwischen beiden teilen zureichen [2]).

Anno 88. geschahen in der sehe viel zugriffe von den
Friesen, unter dem scheine, als gulte es wider die **Hollender**, die ire feinde waren. Als sich aber in der tat befant,
daz sie nicht alleine die Hollender, sunder auch die kaufleute
und den sehfarenden man aus den stetten beschedigten und beraubeten, bemanten die von **Hamburg** etzliche schiffe, die
kamen an der **Friesen** soldener, so einsteils an lant gesetzt
hatten, spacirn gingen und sich keins uberfals vermuteten: do
sie aber sahen, daz man inen mit ernst zusetzte, stelleten sie sich
zur kegenwer, aber sie wurden ubermannet, gefangen und gefenglich gen Hamburg gefuret a), in der zal 74 man. Sie entschuldigten sich vor gerichte, daz sie herren bestellunge hetten
und weren keine sehrauber. Do man lang nicht wuste, durch
was fug man inen das leben nemen mochte, wurt zuletzt ein
frembder schiffer furgebracht, dem hatten sie ein faß vol eiser-
ner negel genommen, darauf sie zum tote verurteilet und inen
die heupter auf dem Brote abgeschlagen wurden. Solchs
mochte wol ein scharpf recht heißen [3]).

---

a) gefuret fehlt L.
[1]). Die Verhandlungen vermuthlich aus Hamburgischen Berichten.
[2]) Wandalia XIV. 11.
[3]) Saxonia XIII. 14. Ihr Hauptmann war Hinrik Stumer. (S. meine
Hamburg. Chroniken S. 258. 409, Zeitschrift des Vereins für Hamburgische Geschichte. IV. 214 ff.) Den aus verschiedenen Chroniken zu-
sammengetragenen holsteinischen Nachrichten (Manuscript der Stadtbibliothek) zufolge waren es dreißig Westfriesen, gerüstet von Junker
Omeken, vielleicht dem Lubbe Omeken, welcher 1474 im Septbr.

1488   In demselbigen jare auf Gregorii [1]) wurden zu Hamburg in den rat erwelet her Heinrich Vaget, welcher starb anno 1501, und Heinrich Muller, welcher mit tobe abging anno 1512, am abende purificationis Marie [2])..

Anno 89. wurden etzliche hendel und tagleistunge gehalten zwischen den herzogen zu Meklenburg und der stat Rostock, darin sich der churfurst zu Brandenburg und die von Lubeck, Hamburg und Luneburg alles ernstes und vleißes bearbeiteten; es war aber als vergeblich [3]).

Anno 1490 erwelet der rat zu Hamburg zu sich hern Ditrich Bremern, welcher gestorben volgendes 92. jares, freitags nach Vincula Petri [4]); und Curt Mollern, der wart amptman zu Bergerdorf, starb anno 1527, des andern tages nach Calixti [5]).

Nachfolgendes 91. jares hielten die von Lubeck, Cöln, Hamburg und Danzig anstatt und von wegen gemeiner anfestette einen handelstag mit den geschickten des konges von Engelant zu Antorf. Die ursach dieser tagleistunge war diese, daz sich der teutsche kaufman vielfeltiger beschedigunge, die inen auf der sehe von den Englischen zugefuget, item, daz inen ire priuilegia und freiheit im reiche Engelant entzogen wurden, beklagten; darkegen wendeten die Englischen fur, daz sie merklichen von den Denen beraubt und beschediget, mit welchen die stette eine heimliche verstentnus hatten. Sollche irrunge hinzulegen, wurt von beiden teilen obberurte handlunge gewilligt, darzu aus Hamburg verordnet wurden hern Her-

_____

(O. A.) mit andern ostfriesischen Häuptlingen einen Sühnbrief ausstellte. Der Stadtrechnung zufolge wurden dem Büttel Nicolaus Fluggen 22 Pfd. 14 Schill. 8 Pf. und 17 Pfd. 10 Schill. für Hinrichtung von Friedbrechern gezahlt. 1489 sind ähnliche Ausgaben und für Vertheidigung von Seeräubern durch den Vorspraken (proloculor) Hans Schrober angemerkt.

[1]) März 12.   [2]) Febr. 2.

[3]) Wandalia XIV. 14. Die Tagleistung zu Wismar 1489 Aug. 29., der Spruch der Städte bei Krabbe, die Universität Rostock im 15. und 16. Jahrhundert. I. S. 209. 213.

[4]) Aug. 6.   [5]) Oct. 16.

man Langubeck, doctor, und Detlef Bremer. Sie 1491
und die Lubeschen gesandten zugen nach Antorf mit einem
großen pracht, hatten zusammen in die funfzig reisige pferde.
Do sie un vast ein monat zu Antorf biz zu der Englischen
ankunft gelegen, weret der handel noch ein monat darzu, und
wart nichts fruchtbarlichs ausgerichtet und beschlossen [1]).

Die von Brugk in Flandern schickten auch gen Antorf und ließen mit den gesanten der stette handlen von reparation des cunters zu Brugk. Dieweil aber Flandern noch
mit krieg behaftet war, erlangten sie keinen eigentlichen bescheit [2]).

Gleichergestalt als die Hamburgischen geschickten mit
den Hulle ndern ta handlung pflegten, daz inen ir war ins
land zu bringen und zu verhanteln, wie von alters gewonlich
gewesen, mochte furschehen, erlangten sie nichts mer den schöne
wort, darauf nichts würcklich erfolgete. Und wurt die große
unkost, so auf dieße wige prechtiger beschickunge ging, ganz vergeblich angewendet [3]).

In diesem jare waren werttagen der krieg zwischen den
herzogen zu Mecklenburg und der stat Rostock, welcher
numer in das funfte jar geweret, und es musten die von
Rostock den herzogen etliche tausent gulden zum abtrag ge-

---

[1]) Wandalia XIV. 16. Der Vollmacht der englischen Gesanten nach, bei Rymer, foedera XII. S. 441, 1491, 20. April, sollte der Tag Anfang Mai
beginnen. Die Vergleichsbedingungen theilt Köhler bei Willebrandt
A. 238 mit. Vergl. Urkundl. Geschichte des Stahlhofs S. 92. Kranz
hat seinen Namen verschwiegen, doch zeigt sein Bericht, wie genau er
unterrichtet war. Die Stadtrechnung nennt ihn nicht, da er von Seiten der Hanse deputirt war. S. sein Leben S. 10.

[2]) A. a. O. doch muß auch ein Hamburgischer Bericht benutzt sein. Die
Stadtrechnung z. J. 1491 bestätigt die von Tratziger genannten Namen und
giebt die Kosten auf 2058 Pfd. 18 Schill. 4 Pf. an. Die hansischen
Städte beschwerten sich besonders über die hohe Accise (Overn drückte
das Hamburger Bier, ebenso Agat, wo im Jahre 1506 statt 8 Gro-
schen 24 und mehr zu zahlen war). S. Messager I. S. 202. No. 20
bis 22. S. 407. No. 9.

[3]) Wandalia XIV. 16.

1491 ben und sich daruber bei straf etlicher tausent gulden verpflichten, die tumbherren tetlich nicht zu beleidigen noch anzufechten [1].

Anno 92 war ein ganz harter winter und so eine große
teuerunge, daz viel leute hungers sturben. Der scheffel roggen
galt 2 mark lub. 4 ßl., die tunne bier 2½ mark biß 14 ßl. a) [2].
Sollichs ist dazumal teure zeit gewesen; itzt gilt korn und
bier iner, wen es gute zeit und wolfeil ist.

In diesem jare wurt der newe teich gemacht auf der Billen mit der schleusen [3].

Hiebevorn ist worden aufgezeitet, wie die von Hamburg
das haus und schloß Embden einem reichen Friesen, Ulrich von Norden genent, fur einen pfantschilling eingetan.
Do er nu sollichs ein zeitlang ingehabt und sich merklich an
gelt und gute bereichet, wurt er auf sein anregen von keiser
Friderich gekröset [4], also daz er hinfurdan der graf von
Ostfrießlant solte genennet werden und solliche seine grafschaft vom riche zu lehen entpfangen. Die von Hamburg
vermeinten ihr pfantgut wider abzulosen, welchs sich graf Ulrich
und nach ime seine nachgelassene witfraw Theda weigerte,
wendete fur, daz in erhaltunge des hauses trem herren seligen
merkliche unkosten aufgelaufen, deren widerstatunge sie haben
wolte, ehe sie ermelt haus und stat reumete. Zuletzt als die
von Hamburg sahen, daz sie ohne merkliche mue und dar-

a) 2½ Mk 14 Schill. L.
[1] Wandalia XIV. 17. Der Vertrag von 1491 Mai 20. verpflichtete den
Rath zur Zahlung von 21,000 rhein. Gulden. Abtretung zweier Dörfer an die Landesherren und künftiger Abbüße. Die für Beleidigung der
Domherren bestimmte Strafe wird in einer besondern dem Kapitel
ausgestellten Urkunde enthalten gewesen sein. S. Schröder Papist.
Mecklenburg S. 2453. Der Stadtrechnung zufolge wurden damals
Herm. Buring und Hinr. Galsborch entsandt. Kosten 131 Pf.
5 Schill.
[2] Nach der Chronik der wendischen Städte vom Jahre 1534 (Hamburg.
Chroniken S. 262) 2 Pfd. 4—6 Schill. (2 Mk. 12 — 2 Mk. 14 Schill.),
was mit Tratziger's Angabe fast übereinstimmt.
[3] S. die angeführte Chronik und meine Anmerkungen a. a. O.
[4] S. die Urkunde von 1454 Septbr. 30. in Ostfrießischer Historie und
Landesverf. T. I. Lib. III. No. 29.

tage ihr sollich haus und stat nicht wurden konnen abdringen, 1493
vertrugen sie a) sich mit ihr und beiden iren sonen, grafen Etzhart
und Ulen, also daz die grafen dem rate zu Hamburg geben und bezalen solten 10,000 mark lubisch: dafur solten sie
angeregte haus und stat erblich und unablöslich behalten; sollichs geschach anno 1498 [1]). Sider der zeit haben die grafen
von Oftfrieslant erwelte stat und schloß als ihr erb und
eigen geruiglich besessen.

Anno 94 wurden zu Hamburg newe ratsheren erwelet,
als newblich Albert Westede, kemerer, der starb anno 1517
am tage Exaltationis crucis [2]); Arnolt Grimholt, hern
Johan Grimholts b), bischofs zu Lubeck, vaters bruder,
starb 1510 umb Catharinä [3]); Herman Rodenborch,
starb 1511 am tage Valentini [4]); und Mathias Schiphower, der letzte amptman zu Ripenborch. Den nachdem
die zeit seins ampts c) geendiget, ließen die von Lubeck
und Hamburg das haus abbrechen, und wurden die zubehorige lant und leute zum hause Bergerdorf gelegt [5]).
Dieser Mathias Schiphower starb anno 1505 donnerstags
nach Trium regum [6]).

In diesem jare waren zu Lubeck versamblet die gemeine
ansestette, darzu von Hamburg geschicket war her Herman Langebeck, doctor und burgermeister, Kersten Bar-

---

a) sie fehlt L. b) Grimholt L. c) ampt L.
[1]) Der Vertrag, 1493 in der Pfingstwoche (Mai 26. bis Juni 1.) abgeschlossen, ebendaselbst XI. Lib. IV. No. 20. Noch im J. 1541 mußten, wie aus den Stadtrechnungen zu ersehen ist, die Rathsherren Dithmar Koel und Joachim Sommerfelt, um den Rest der ausbedungenen Summe mit 1550 Pfd. (= 1000 Joachimsthaler) beizutreiben, eine Reise nach Ostfriesland machen.
[2]) Sept. 14. Die Bezeichnung Kämmerer ist unpassend, da Westede gleich seinen Collegen dieses Amt in turno bekleidete.
[3]) Nov. 25.   [4]) Febr. 14.
[5]) Daß der Hamburger Rath von 1430 bis 1505 einen eignen Amtmann auf der Ripenburg hielt, beweist, wie hohen Werth man der Sicherheit der Oberelbe wegen auf ihren Besitz legte. Vergl. Hamburger Urkundenbuch Th. 1. No. 845, Note 1. Der erste, bei (Klefeker) Hamburg. Gesetze und Verf. X 337. fehlende Amtmann war der 1431 verstorbene Martin Swartelop.
[6]) Jan. 10.

16 *

1496 schamp, ratsverwanter, und M. Johan Netwicke, secretarius. Es wurt mit allem vloithe gehandelt von vergleichunge
der muntze, aber doch wenig fruchtbars darnk beschaffet.

Nachdem, als obberurt, der krieg und widerwil zwischen
dem herzogen zu Mecklenburg und der stat Rostock vertragen worden, erhub sich ein newer zwißspalt. Der, als die
herzogen mit a) inem hofgesinde in Rostock ziehen wolten,
wurden vor inen die tore zugeschloffen. Sbil hetten auch
etliche des rats gegen dem gemeinen sich hören lassen,
daz inen von den herzogen weder brieue noch siegel gehalten
wurden, welche fot und reden, die fursten und bile hoße schmach
und injurien anzugen. Die Rostocker waren des krieges müde
worden, begaben sich mit den fursten in eine gutliche handlunge, deren sich die gesante der Wendischen stette zur
Wismar des 95. jares unternamen[1], und bewilligten noch
uber den vorigen vertrag etlich tausent mark den fursten zu
geben und, wan sie, die fursten, zu Rostock wurden einziehen,
daz der ganze rat und furnembste burger inen aus der stat
entgegen ziehen und umb vergeihunge vermittelst einer fußfalls
demutiglich bitten solten[2].

Anno 97: wurt von den gemeinen anseestetten abgefertiget doctor Albertus Crantz, die handlunge mit den
gesanten des koniges zu Engelant neben der von Cotten
geschickten zu versuchen. Es wurt aber nichts mer schließlich
behandlet, den daz zwischen beiden teilen, der kron zu Engelant
und den anseestetten, ein frict und stilstant zwei jar lang die
nechsten solte gehalten werden.

Folgents verrucket gemelter doctor Albertus Crantz aus
befelich der stette in Franckreich, behandelte und erhielt bei

a) mit fehlt E.

[1] Der Grisen Hamburgische Ratgesandten gedenkt die Stadtrechnung.
[2] Wandali XIV. 10. Vergl. Wittenkamp S. 112. Da bi Wismar eine
Vereinbarung nicht erreichbar gewesen, gelangte man endlich 1495
Nov. 29. zu einer Aussöhnung welche auch voroben angegebenen Bedingungen enthält. Vollständig ward der Streit erst 1498 geschlichtet.

dent admirolds, daz keinem schiffe von orlege aus einiger ha- 1407
fen im Frankreich zu segeln solte, verstattet werden, es were
den zuvorn der verstant und versicherunge geschehn, daz niemants, so der kron zu Frankreich mit buntnus verwant, da
von solte beschediget werden. Also geschahen etliche far hernacher, ungleich weniger zugriffe und namen auf der sehe den
zuvorn geschehen [1].

Es wurden auch dieses jares die teutschen kaufleute zu
Neugarden und deselbich des grosfursten in der Muschkow
gefanglich eingezogen und enthalten, darumb daz die von
Reuel einen Reussen seiner viehischen unzucht halber verbrennen lassen; zu deren entledigunge wurden in namen der
Hanse etliche abgefertiget, welche doch nit weiter als bis Eisslant kamen, den sie musten sich besorgen, daz man eben sogleich
wie mit den teutschen kaufleuten zu Neugarden mit inen
wurde umbgehen [2].

Anno 98 Ascensionis Domini [3] war zu Lübeck eine grosse
versamblunge der gemeinen an feste tette, alda von wegen der stat
Hamburg erschienen: her Herman Langenbeck, doctor und
burgermeister, und Kersten von der Hoya, ratsverwanter [4].
Unter vielen andern sachen, daran domals die gesanten ratschlageten, wart beschlossen, dem meister zu Eifflant hulf und
beistant zu leisten wider die Reussen, darumb er den durch
seine ansehentliche botschaft bitten und ansuchen liess [5]. Zubeme,
daz von wegen der urteil [6], durch des herzogen zu Burgundien parlament wider den tentschen kaufman ausgesprochen,

[1] Wandelin I. l. c. 21. doch verschwigt auch hier Krantz seinen Namen.
[2] Walhalla l. l. c. 22. [3] Mai 24.
[4] Die Kosten betrugen nach der Stadtrechnung, welche die Namen der
Gesandten bestätigt, 165 Pfd. 8 Schill. 2 Pf.
[5] Vergl. m. Hamb. Chroniken. S. 263, 445.
[6] Ein solches in dem Processe Jorris Edwardsens und schottischer Kaufleute wider Jan van Stralen und deutsche hansische Kaufleute, welcher
ein Schiff mit Tuch, Pelzwerk und andern Gütern im Werthe von
23,000 rhein. Gulden betraf, abgegebenes Urtheil, datirt Brüssel 1497
Oct. 13., in einem Transsumpte, von 1498 Mai 12., ist auf unserem
Stadtarchive noch vorhanden.

1498 und sunst anderer mer inen zugefugter beschwerung die teutschen kaufleute semptlich sich vom Brugk hinweg begeben solten, so lange die sache in andere wege gerichtet und verglichet wurde.

Es wart auch bewilligt eine tagleistunge mit den Englischen zu halten auf Exaltationis crucis [1], dazu die stette Lubeck, Coln, Hamburg und Danzig benent, und wart derwegen an doctor Albertum Kranz gen Hamburg geschrieben mit bitt, daz er sich zu sollicher beschickung und handlunge wolte gebrauchen lassen. Es ging aber die handlung auf ermelte zeit nicht fur sich, sunder wart allererst des folgenden 99. jares gehalten [2].

Es wurden dieses jares zu Hamburg in den rat erwelt folgende herren: Niclaus Luneborg, der starb anno 1506 am tage Petri und Pauli [3] und war der letzte von mansperionen des namens und geschlechtes der Luneborge zu Hamburg; Bartolt vom Rein, der wart burgermeister anno 1505, mitwochens nach Valentini [4]; er dankte abe alters halben und starb anno 26. am abende Nativitatis Christi; Johan von Spreketzen wart zum burgermeister erwelt anno 1512 sonnabendes nach Cathedra Petri [5]; er starb volgendes 1517. jares mitwochens nach Cathedra Petri [6]; Johan Holthusen, war acht jar amptman zu Ritzebuttel, starb anno 1513 den 15. tag septembris.

Anno 1499 den 1. Junii zugen von Hamburg nach Brugk Albertus Kranz und Matheus Packebusch, syndicus zu Lubeck, beide der rechten doctores, auf daz sie alda von wegen gemeiner anjestette handelten mit den gesanten des konigs zu Engelant. Die handlunge erstreckt sich eben lange zeit mit vieler vergeblicher disputation. Zuletzt zugen die gesanten unbeschafter ding von einander [7].

In diesem jare erhub sich abermals ein widerwil zwischen

---

[1] Sept. 14.   [2] Vergl. Wandalia l. l. c. 24.
[3] Juni 29.   [4] Febr. 20.   [5] Febr. 27.   [6] Febr. 26.
[7] Vgl. Wandalia l. l. c. 24, doch verschweigt auch hier Kranz seinen Antheil.

dem tumbcapitel und dem rate und burgern zu Hamburg. 1499
Der rat und gemeinde begerten, daz die tumbherren ihre brawheuser, deren sie achte. hetten, den burgern verkaufen solten,
damit der vorteil des brawwerkes bei der bürgerschaft bliebe,
daz sie auch zu graben und wellen mitstewern und zulegen
solten; und noch mer articul wurden dem capitel vom rate
und der gemeinde furgehalten, welchs sie mererteils, weil es
nicht anderst sein wolte, bewilligen und einreumen musten.
Jdoch wurt inen nachgegeben, daz sie von den acht brawheu-
sen vier behalten mochten [1].

Umb diese zeit unterstunt sich herzog Magnus zu Sachsen, welcher bei leben seines vaters das lant Hadlen inne
hette, Wurstfrieslant dem stift Bremen zu entziehen.
Solchs zu verhindern verbunden sich die von Bremen und
Hamburg mit dem erzbischofe zu Bremen, brachten ein
haufen kriegsvolk ins felt und namen das lant zu Hadlen mit
gewalt ein. Herzog Magnus beklaget sich bei den benachbarten fursten, daz ime sein vaterlich erb, wie obberurt, mit gewalt were abgedrungen. Also wurt eine verstentnus zwischen
den fursten aufgerichtet und die grobe garbe, welch kriegsvolk zu der zeit iderman scheuwete, bestellet und angenommen, durch welcher hilf herzog Magnus das lant zu Hadlen
widerumb erobert [2]. Es wurt in diesem zuge Stade und
Burxtehude auch versuchet, aber die Hamburger hetten
so viel volkes zur besatzunge inen zugeschicket, daz sie damit
vor den feinde genugsam gesichert waren. [3]

Do die garbe das lant zu Hadlen widerumb eingenom-

---

[1] Wandalia XIV. 23. Die Beschwerden der Bürger s. bei Stayhorst l. 4.
S. 113 ff. 162 ff.

[2] Den Friedensvergleich zwischen dem Erzbischofe Johan und dem Herzoge s. daselbst S. 165.

[3] Vergl. auch meine Geschichtsquellen der Stadt und des Erzstifts Bremen
S. 175 und über von den Hamburgern dem Erzbischofe geliehenes grobes
Geschütz S. 225. Die Stadtrechnung von 1499 gedenkt mehrfacher Reisen
von Rathmannen deswegen, auch einer dem Bischof von Hildesheim
gegen die Garbe gegebenen Hülfeschaar von 52 Söldnern, sowie der
in Hamburg gefangen gehaltener Soldaten von der Garbe.

1499 men, wie obberurt, wurden sie durch könig Hansen zu Dennemark 2c. und herzog Friderichen zu Holstein 2c., ge= brudere, gefordert und über die Elbe ins lant zu Holstein geforet *). Beide gebrudere zugen mit einölter garden, die in 6000 stark war, und einen stattlichen anzal ires eigenen und auch auslendischen adels, reuter und lantvolkes, in Ditmer= schen den 13. februarii.

Anno 1500 wurden sie durch einen quadweg von einem Ditmerschen ohne verhinderung ins lant geforet. Sie gewun= nen in der eil das stetlein Melborp und erschlugen alles, was darin befunden wart, alt und jung *). Den 17. februarii, der da war der montag nach Valentini, zugen sie von der gest in die marsch. Die Ditmarschen hetten allo sachen von einem kuntschafter, welchen sie gefangen hetten, erfaren, stelleten sich zur legenwer, und als durch tat der heutsleute von der gar= ben der könig in ungelegenem wetter die Ditmarschen in trem großen vorteil angriff, wart sein kriegesvolk zu roß und fuß nidergelegt und jamerlich erschlagen *). Der könig sampt den herzogen kamen mit genawer not davon, wie sollichs ferner in der Holsteinischen chroniken *) mit allen umbstenden angezeigt und ausgefuret wirt.

Ehr die schlacht verlorn wart, besorgten sich die von Ham= burg, daz inen auch zuletzt der tanz für die tür gebracht wer= den mochte; darumb befestigten sie die stat im harten winter mit trefflicher großer unkost *), den sie stunden in ungraben

---

*) Die Erzählung nach Wandalia XIV. 27. und Saxonia XIII. 23.

*) Saxonia XIV. 24.

*) Ebendaher XIII. 25. 26.

*) Joh. Petersen Chronika der Landa zu Holstein 2c. z. d. J. doch giebt auch er nur eine etwas gedehnte Uebersetzung von Krantz's Be= richt. Ausführlicheres hat Neocorus Chronik von Ditmarschen Bd. l.

*) Die Stadtrechnung des Jahres 1499 hat eine Ausgabe von 2640 Pfd. an den Magister Johann Hermens, Wallmeister von Hannover, für den Graben zwischen Schaarthor und Milernthor (den Herrengraben), außerdem ein Geschenk von englischem Tuch, 30 Pfd. werth. Auch detaillirte Nachweisungen über die Summe von 557 Pfd. 10 Schill.

bei Herzog Friederichen zu Holstein eine auflaufs halben, 1500 den sie bürgere und kaufleute in dem heringsfang uf Heilige Lande angerichtet. Sie schickten auch, ehe der zug in Ditmarschen geschach, an den herzogen und teten sich bei ime aufsöhnen.

Anno 1501 erhub sich eine feide zwischen könig Hansen zu Dennemark und der stat Lubeck, der ursachen, daz sich die von Lubeck des reichs Schweden, welchs von könig Hansen widerumb war abgefallen, mit enthalten wolten. Der seibne fürst herzog Friederich zu Holstein schlug sich in die sachen, hette gerne zwischen beiden teilen frieden behandlet, es war aber vergeblich.[*])

Anno 1502 eraberten die Schweden etliche heuser in Norwegen und stifteten eine aufrur unter den Nordischen wider könig Hansen. Herzog Friederich erbot sich, könig Hansen auf sein ansuchen zu helfen, daz die Nordischen zum gehorsam gebracht wurden, sofern ihie der könig seinen halben [...].[*)

[...] 4 Pf., welche für Geschütz und Arbeiten an den Blockhäusern vor dem Steinthor, Spitalerthor, Mülrenthor, Schaarthor ꝛc. verausgabt ward, finden sich dort. Vergl. m. Hamb. Chroniken, S. 15. 264. 415.

*) Wandalia XIV. 28. Der von Tratziger berührte Streit war schon im Jahre 1497. In den Stadtrechnungen z. J. 1497 war bemerkt, daß mit vielem Kostenaufwande von 184 Pf. 2 Schill. ein Tonnenschiff nach Helgoland zum Schutze der dort sich aufhaltenden Hamburgischen Bürger abgesandt ward; z. J. 1498, daß die Rathmänner Herman Langenbeck, Erich von Zeven und Joh. Rodcken, um den Herzog zu versöhnen, nach Kiel gesandt wurden. In Folge ihrer Bemühungen ward 1499 Febr. 6. ein Stillstand bis zum Mai abgeschlossen; vertragen ward jedoch der Streit erst 1500 Mai 7. durch den Schiedspruch Albert Krantz's. S. Michelsen Urkundenbuch zur Geschichte des Landes Dithmarschen No. 65. und die Urkunde bei Neocorus Chronik des Landes Dithmarschen I. S. 528. Nach den Stadtrechnungen z. J. 1500 bestädigte Hamburg den Herzog Friedrich durch Zahlung von 4800 Pfd. in 4000 rhein. Gulden; dazu gaben sie die gemachten Gefangenen frei 1500 August 28. Michelsen Nordfriesland in Falck's Staatsbürgerl. Magazin Bd. VIII. S. 725. Separatabdruck S. 275.

*) Wandalia XIV. 29. 30.

1502 teil an Norwegen, sampt den halben teil der aufgehabenen
nutzungen von zehen jaren, welche er, der konig, Norwegen ingehabt, wolte folgen lassen. Aber solchs weigert sich der konig
und schicket seinen son Christiern in Norwegen; der vertrieb
die Schweden daraus und bracht die Nordischen widerumb
zum gehorsam [1].

Anno 1503 kam der cardinal Raimundus, des bapsts
gesanter, von Lubeck gen Hamburg. Die ganze clerisei
gingen ime entkegen in iren weißen korrocklein; der rat und
burger stunden vor dem tore in irer ordnunge, entpfiengen ihn
erbarlich und begleiteten ihn durch die stat in den tumb, alda
er nieder kniet und sein gebet tete, wurt darnach in des canters
hof auf dem berge, alda ime die herberge bestellet war, gefuret. Den nechstfolgenden sontag hielt er eine herliche procession; und nach der missen war auf des tumbs kirchhof vor
des primarii lectoris hofe ein hoher stul aufgerichtet, darauf
stieg der cardinal, gab dem volke den segen. Ihm dienete fur
einen subdiacon herzog Christoffer zu Braunschweig,
postulirter des erzstifts Bremen und administrator zu Verden. Der graf zu Kirchperg diente ime anstatt eins dia-
cons und verdolmetschte a) seine reden dem volle, den er redete
in lateinischer sprache.

Volgender tage hat er sich bearbeitet, die zwispalt zwischen
dem herzogen zu Lüneburg und den stetten Lubeck und
Hamburg von wegen des teiches in der Gamme zu vertragen. Aber es war alle arbeit vergeblich [2].

Er beschaffete, daz die irringen zwischen der geistligkeit
und dem rate und den burgern zu Hamburg in ein com-
promiß verfasset wurden [3]; gebot bei dem banne den pfaffen,

---

a) vordelmetschte L.

[1] Aus Petersen's Chronica der Lande zu Helsten ꝛc. z.J. 1502, doch
hat Tratziger die dort gegebene Darlegung der Forderungen des Herzogs und Anerbietungen des Königs durch flüchtiges Kürzen entstellt.

[2] Ein vor dem Legaten zu Hamburg 1503 Mai 20. von Seiten des
Herzogs erhobener Protest, so wie ein Auszug aus dem Protokoll ist
in Schütze's Geschichte von Hamburg S. 388 angeführt.

[3] Nach Kranz vertrugen zwei Lüneburger Bürgermeister den Streit.

daz sie ire beischleferinnen innerhalb einer monatsfrist von sich 1503
tun solten [1]), besuchete die manche in den clostern, vermanet
sie, daz sie in stetem gehorsamb und willigkeit die regeln ires
ordens halten und ihr leben darnach richten solten.

Darnach zug er von Hamburg nach Stade [2]) Er
hette zuvor neben herzog Magnussen zu Mecklenburg
und herzog Friderichen zu Holstein zu Lubeck auf ge-
misse maß und bescheide vertragen die widerwertigkeit und
feide zwischen konig Hansen zu Dennemark und der stat
Lubeck [3]) und unterwant sich auch gutlicher handlunge zu
Stade zwischen dem erzbischof zu Bremen und dem bischofe
zu Lubeck, die von wegen des zollens in irrunge stunden.
Zu sollichem handel befordert er der stette Lubeck und Hamburg gesanten. Aber es wurt nichts fruchtbarlichs beschaffet [4]).

In deme jare starb der lobliche furst herzog Magnus
zu Mecklenburg und wurt in dem closter Dobberan
neben seinen voreltern begraben [5]). Nicht lange darnach starb
auch sein gemahel fraw Sophia, eine fromme tugentreiche
furstin; die wurt irem beger nach zu Wismar im prediger-
closter zur erden bestettiget [6]).

Anno 1505 wurden zu Hamburg in den rat erwelet
volgende hern: Gerhart vom Holte, der rechten licentiat,
obgemelten hern Georgen vom Holte son. Er war sechs
jar lang amptman zu Ritzebuttel, und wurt burger-

---

[1]) Die Stadtrechnung z. J. 1503 hat Kosten für die Ausfertigung einer
    Bulle des Kardinals; einer Bulle desselben. Bestätigung eines alten
    Statuts der Hamburger Kirche, erwähnt das in Staphorst a. a. O.
    I. 1. S. 510 abgedruckte Urkundenverzeichniß No. 711.

[2]) Wandalia XIV. 30. 31.

[3]) Ein Schreiben des Pabstes Julius II, aus Rom, dat. 1505 Juni 15.,
    dankt dem Könige Hans für den durch Vermittlung des Kardinals
    Raymund mit Lübeck geschlossenen Frieden, welcher der Stadt Tür-
    kenhülfe zu leisten gestatte; ein anderes, undatirt, bittet den Herzog von
    Holstein, für die Beständigkeit des Friedens Sorge tragen zu wollen.
    S. Baronius ad a. 1505.

[4]) Wandalia l. l. c. 31.   [5]) Ebendaher c. 32.   [6]) Ebendaher c. 35.

1505 meister gekoren anno 1521 am Petri [1]); er dankede abe auf anno 29 und starb int jare 1537 am tage Vincktrationis Mariä [2]); Michel Meyer, wart amptman zu Bergedorf und starb daselbst, wart gen Hamburg gefüret und begraben anno 1522; Jochim Riegel, lenerer, starb anno 1528 den negsten tag nach Dorothea [3]); Dietrich Hoythusen, wart sampt hern Clawes Thoden zum bürgermeister erwelet anno 1517 sechstfolgendes tages nach Ascensionis domini [4]). Er starb im jare 1546, sontabendes nach Deuli [5]).

Anno 1506 kam ein Hamburger schiffer, Pawel von Börstel genennet, von S. Jacob auf die Elb, hatte in seinem schiffe von pilgrimen und botsleuten [a] bei hundert man und bleib mit schiff und man bis auf sechzehn personen, die wurden gerettet [6]).

Anno 1507 auf Gregorii [7]) wurden nachfolgende ratsherren erwelet: Gert von Stendelen [8]), starb anno 1520, am tage Drothea [9]); Pawel Peck, war amptman zu Ritzebuttel sechs jar lang, starb anno 1537 den 22. septembris; Curt Korthumb, starb in dem jare als er war zu rate gekoren, freitags nach Cantate [10]); Jacob von Wintzen starb anno 1514 am abende Ceciliä [11]).

Anno 1508 und 1509 war noch krieg zwischen dem reiche Dennemark und der stat Lubeck, den sie waren nach oberurtem vertrage [11]), den der cardinal Raimundus behandelt, widerumb zur feide geraten. Her Herman Langenbeke, der rechten doctor und burgermeister zu Hamburg, ein weiser, verstendiger man, verhindert alles vleißes, daz sich die von Hamburg neben den Lubeckschen der feide nicht mit an-

---

d) botsleuthen L. b) Stendeln L.

[1]) Febr. 22. [2]) Febr. 2. [3]) Febr. 7. und [4]) Mai 26. [5]) April 9.
[6]) Vergl. die fast wörtlich übereinstimmende Chronik der wendischen Städte 1684, Hamburg Chronik S. 262.
[7]) März 12. [8]) Febr. 6. [9]) Mai.
[10]) Nov. 22. [11]) S. z. J. 1503.

348

hengig macheten .¹), wiewol der gemeine man darzu großen 1509
lust hette; damit schaffet er der stat so ein treffentlichen vorteil, daz weil der Sunt geschlossen und die Ostsehe ganz
unsicher war, die Hollender, Brabanter und andere
nationes mit iren gutern gen Hamburg kamen; und hat auf
das mal die stat an kaufmanschaft sich merklich gebessert und
vermeret.

Anno 1510 in den heiligen osterfeiertagen ²) segelte von
Hamburg Hans Hoge mit einer großen anzal pilgrime
und wolte nach S. Jacob; auf der hinrese unter der Schel-
lingen segelte er das schif umb, welchs war ein trassel von
sechzig lasten, und wurt niemandes davon geborgen.⁴)

Anno 1541 kos der rat zu sich volgende herren: Johan
Hulp, der wurt burgermeister anno 25 auf Cathedra Petri ⁵)
und starb anno 1546 auf Dorothee ⁶); Albrecht Hackeman starb anno 84 dingstages in den heiligen ostern ⁷); Mathias von Emersen, kemerer, starb anno 1522; Ditrich
Lange, kemerer, wart hauptman zu Ritzbuttel und starb daselbst

Anno 1512 wurt genzlich aufgehaben, und vertragen die

---

¹) Die Kriegserklärung Lübecks datirt erst von 1510 April 21. Hvitfeldt
    Danm. Riges Krön. S. 1076. Die Hamb. Chroniken S. 80 u. ff.
    und 1544 enthalten unter andern die Nachricht, daß in Folge der Neutra-
    lität (welche indeß nicht hinderte, daß Lübeck im J. 1510 als Unter-
    stützung 8019 Pf. 8 Schill. gezahlt wurden, Stadtrechnung) auch die
    ganze Bergenreise mit Ausfuhr und Einfuhr nach Hamburg verlegt
    wurde. Die unter den Einnahmen der Stadtrechnung z. J. 1491 auf-
    geführte, von den verschiedenen Kirchspielen eingegangene, bedeutende
    Summe von 126 Pf. 10 Schill. zum Solde der Bergenfahrer in
    Lübeck führt uns auf die Vermuthung, daß die Lübschen Bergenfah-
    rer, deren norwegischer Handel älter, fester begründet war, den Trans-
    port der Hamburgischen Waaren übernahmen, welche zu Lande oder
    mit Benutzung des Steckniskanals nach Lübeck geschafft werden konnten.
²) März 31.
³) Vergl. die minder genaue Nachricht in der Chronik der wendischen
    Städte S. 365.
⁴) Febr. 22.   ⁵) Febr.   ⁶) Apr.

1513 feide zwischen konig Hanfen zu Dennemark und der ftat
Lübeck [1]).

Und es ftarb konig Hans nachfolgendes 1513. jares zu
Alborch in Jutlant. Nach ime wurt zum konige erwelet
fein fon Chriftiern der andere [2]).

Anno 1514 wurden zu Hamburg in tal geforn nach-
befchriebene herren: Gerhart von Hutlem, wurt amptman
zu Bergerdorf; Peter Barchman, ftarb anno 23 den
10 nouembris; Pawel Grote, wurt burgermeifter anno
32, ftarb im jare 1537, donnerftags nach Trinm regum [3]);
Wilhad Wife, dem wurt das newe werk [4])verlehet anno 36;
dofelbft ftarb er anno 39 montags in der ftillen wochen [5]).

In diefem jare wurt großer krieg in Friefslant durch
die heitzogen in Oberfachfen und zu Braunschweig
erwalet, und gefchahe viel mordes und raubes [6]).

Anno 1515 vermelet ihm a) konig Chriftiern zu Dennemark fräulein Ifabellam, herzog Philips von Burgundien tochter. Sie wurt ime zu fchiffe aus Sehlant ger
Coppenhafen gefuret, alda das beilager gehalten wurt.

Anno 16 wurt zu Hamburg das oberfte maurwerk auf

---

a) ihm fehlt L.

[1]) Die Verhandlungen mit Lübeck über Befchickung des Friedenstages in
Malmö und freies Geleit ihrer Gefandten dorthin begannen 1512
Februar 29. S. Regefta diplom. hiftoriae Danlae I. S. 613. Die
Zahlung von 30,000 rhein. Gulden von Seiten Lübecks an König
Hans innerhalb 12 Jahren, wozu Lübeck 1512 Apr. 23. fich verpflich-
tete (a. a. O. S. 614.), war eine wefentliche Bedingung des an dem-
felben Tage abgefchloffenen Friedens von Malmö. Becker Gefchichte
der Stadt Lübeck I. S. 497.

[2]) Wohl aus Peterfen Chronika der Lande Holften &c. z. I. J.

[3]) Jan. 6.

[4]) Er ward 1535 noch im Auguft Nachfolger des am 18 d. M. hingerichteten Bernd Befele. Hamb. Chroniken S. 126.

[5]) März 31.

[6]) Die Stadt rüftete dazu zwei fogenannte Kravelen mit einem Koften-
aufwand von 2570 Pfd. 1 Schill. 6 Pf. aus. S. Stadtrechnung.

S. Nielawes torn gesetzet und anno 17 negstfolgendes so 1516 hoch volfurt, als man itzo die spitzen darauf stehen siehet [1]).

Desselben jares nam der erzbischof zu Bremen Wurstfrieslant ein und brachte die mutwilligen Friesen zu geburlichem gehorsam.

Anno 18 zug könig Christiern mit großer macht in Schweden, aber der zug war unglücklich, und muste nach vielem mangel an speise und trank unbeschaffter ding wiederumb davon ziehen.

Zu Hamburg wurden in diesem jare newe ratsherren erwelet: Curt Destenbostel, der starb anno 30 sontags vor Purificationis Mariä [2]); Jürgen Plate, wurt eistlich kemerer, darnach amptman zu Ritzebuttel und wurt entlich burgermeister anno 48 montags nach Quasimodogeniti [3]), starb anno 1556; Albert Westede, obgemeltes herrn Alberts son, wurt burgermeister gekoren anno 1533, starb anno 38 den 5. Julii; Vincent Möller, wurt nach herr Georgen Platen amptman zu Ritzebuttel, war darnach etliche jare kemerer und starb anno 1554.

Anno 1519 starb Maximilianus römischer könig, und die churfürsten erwelten wiederumb Carolum den V., konigen zu Hispanien etc., itzigen [4]) Römischen keiser.

In diesem jare geschach die schlacht zwischen den herzögen zu Braunschweig und Lüneburg in stift Verden bei einem dorfe, heißet Sprengel, ungeferlich ein meil weges von Sulten [5]).

---

[1]) Vergl. über den Thurmbau die Chronik der wendischen Städte in den Hamb. Chroniken S. 44 und den Bau-Contrakt S. 13 und 287.

[2]) Jan. 30.   [3]) Mai 3.

[4]) Dies scheint vor dem J. 1556 September geschrieben zu sein, bevor Karl V. die kaiserliche Würde seinem Bruder, dem römischen Könige Ferdinand I. übertragen hatte, ein Act, welcher freilich erst 1558 Febr. 24. von den Kurfürsten auf dem Reichstage zu Augsburg anerkannt wurde.

[5]) Diese Schlacht entschied den unter dem Namen der Hildesheimischen Stiftsfehde bekannten Streit der braunschweigischen Herzöge mit dem

1520   Anno 1520 hielten die an f oft atf e eine tagleiftunge mit
den gefanten des koniges zu Engeland in Flandern zu
Brugf; dahin waren verordnet von wegen der ftat Hamburg: herr Gerh vom Holte, der rechten licentiat, und
Johan Hulp, beide ratmanne, und M. Johan Reinele,
protonotarius; fie handelten befelbft[1]) neben den gefanten
von Lubeck eine geraume zeit und richteden gleichwol nicht
mer aus, den das fie fich einer andern tagleiftungen des folgenden 21. jares mit einander verglichen und zu beiden teilen
einen fchern friedftant bewilligten.

In diefem jar gewan konig Chriftern mit gewalt
das konigreich Schweden und übet darin unmenschliche und
unhörde tirannei.

Es war diefes jares fo ein weicher winter, das es niemals
fo dick als fror, das eine trebe darauf hette geben können, der
wint wehete den ganzen winter durch aus dem woften, alfo
das kein hiervon der Elbe kommen mochte, fonnt alles wider
aufgefchiffet, und ein merklich gelt daran verloren.[a]

Anno 1521 im feptember wart zu Brugf in Flan-
dern gehalten die bewilligte tagleiftung zwischen den gefchickten des koniges zu Engeland und den fteten. Auch wart
gehandlet etzlicher irrunge halben zwischen den wendifchen
ftetten und den von Antorf fich haltende, und von verlegunge
des cuntors zu Brugf gen Antorf[2]) aus Hamburg
feint zu follichen handlen verordnet gewefen: herr Gerhart
vom Holte, der rechten licentiat, burgermeifter; Johan Hulp,
ratsverwanter, und M. Johan Reinife, protonotarius; die
zugen von Hamburg angeregtes 21. jares den 20. tag augufti.

In diefem jare war eine große peftilenz zu Hamburg, die fieng an umb Jacobi und weret bis auf Nicolai[3]).

[footnotes]
Bifchof von Hildesheim, Sixtus gal. wird in dem bekanten Quellen
nicht erwähnet, es gehört zum Pierg Schneverdingen, Amt Rotenburg.
[1] 1520 Aug. 18. wurde die Entfcheidung auf 1521 Wei. 1. verlagt.
S. meine urkundliche Gefchichte des hanfifchen Stahlhofes S. 94.
[2] Vergl. Sartorius Gefchichte des hanfeatifchen Bundes III. S. 208 ff.
[3] Juli 25. bis Dec. 0.

Sollich pestilenz volgete auf den vorgehenden welchen 1521 winter.

Es war auch den 26. februarii ein grausam hoch wasser zu Hamburg, welchs an vielen dingen trefflichen großen schaden tete.

Es wart auch einer diß jares zu Hamburg verbrennet, der nennet sich doctor Veit, hette frü und wider sel-zame abenteuer ausgerichtet und sich ein zeitlang für eine badenünne ausgegeben und bei den frawen in kindesnoten gebrauchen lassen [1]).

Anno 1522 verbunden sich die Jüten mit herzog Fri-derichen zu Holstein wider konig Christian zu Denne-mark von wegen seiner vielfältigen tirannei und trewlosigkeit, und herzog Friderich schiket seinen son herzog Kersten in Hamburg und ließ umb hulf und beistant fördern, der-gestalt daz ime die stat zu gut wolte halten 400 man zu roß und 4000 zu fuße [2]).

Anno 23 entsagete herzog Friderich konig Christiern [3]) und zug mit seinem kriegsvolk in Dennemark, und willig Christiern kam in die zagheit, daz er sich zu keiner gegen-wer stellet, sunder ging mit seiner gemahl und kindern zu

---

[1]) Vergl. Hamb. Chroniken z. J. 1521, S. 46 ff. welche beinahe wörtlich übereinstimmen, und daselbst die Anmerkung.

[2]) Den Stadtrechnungen z. J. 1523 zufolge sah die Stadt sich genöthigt, der drohenden Kriegsgefahr wegen drei Hauptleute mit Fußvolk auf neun Monate in Sold zu nehmen. Der Rath zahlte im Einverständ-niß mit den deputirten Bürgern 10,432 Pfd. 4 Schill. als ihren Sold und Kosten für zu Friedrich geführte 800 Mann. Vermuthlich sind die dort genannten Tovt van Alten, Jakob Monnychusen und Albert Stapfhorst, welche noch außerdem 700 Pfd. im Sold u. a. erhielten, die drei Hauptleute. Dem neugewählten Könige Friedrich zahlte der Rath 7200 Pfd. (= 9000 Mk.) Lübeck erhielt von Ham-burg 4800 Pfd. (= 6000 Mk.) zur Beihülfe im Krieg gegen König Christiern. Um die Mittel zu so bedeutenden Ausgaben zu beschaffen, bewilligten die Bürger eine Contribution (Schot) von den Kirchen, Brüderschaften, Erben, geistlichen und weltlichen Renten, welche 11,500 Pfd. 10 Schill. einbrächte. Auch für das Jahr 1524 willigten die Bür-ger in eine Contribution, welche gegen 7300 Pfd. brachte.

[3]) Das Manifest des erwählten Königs Friedrich ist gegeben im Lager zu Kopenhagen am 6. Juli.

Tratziger's Chronik.   17

1523 schiff, nam alle kleinoter und barschaft mit sich und segelte damit daruon ins Niderlant.

Es verbrenten diz jares in der Rodingsmarke a) vier brawheuser [1]. Der rat zu Hamburg erwelete zu sich newe ratsherren: Heinrich Salsburgen, der rechten doctor, welcher negstfolgendes 24. jares uf Petri [2] wurt burgermeister geforen, ist gestorben anno 1534; Otto Bremern, hern Detlef Bremers, weilant burgermeisters, son, starb anno 29, am abende Jacobi apostoli [3]; Johan Huge, hern Johan Hugen, des burgermeisters, son; Peter von Spreckelsen son, obgemelten hern Johan von Spreckelsen son, wurt burgermeister im jare 1539 am tage conuersionis Pauli [4]; er starb anno 53 sonnabendes nach Viti [5].

Anno 1524 war herzog Friderich des reichs Denne-mark allenthalben mechtig und wurt zum konige gekronet zu Coppenhafen acht tage nach Johannis Baptiste [6]. Zu solcher kroninge schickte der rat zu Hamburg: hern Heinrich Salsburgen, doctorn und burgermeistern, Gerhart von Hutlem, ratsverwanten, und M. Jochim Sommerfelt, secretarien [7]. Der burgermeister, her Heinrich Salsburg wurt domals von konig Friderichen ritter geschlagen [8].

In demselbigen jare versamblet konig Christiern mit hilf des churfursten zu Brandenburg, seines schwagers,

---

a) Rodingsmarkt L.

[1] Pfingstmontag Abends (Mai 25.) Hamb. Chroniken S. 47.
[2] Febr. 22.   [3] Juli 25.   [4] Jan. 25.   [5] Juni 17.
[6] Die Krönung, welche in den Hamb. niedersächs. Chroniken sogar auf acht Tage vor Johannis gesetzt wird (S. 22. 272. 419.), erfolgte erst am 7. August. S. Königsfeldt Tabeller.
[7] Nach den Stadtrechnungen i. J. 1524 betrugen die Reisekosten 337 Pfd. 10 Schill. 4 Pf.
[8] Den beinahe gleichzeitigen Nachrichten des Geschlechtsbuches der verwandten Familien Tile Rigel und Mockholt, in der Lade der noch vorhandenen Stiftungen, zufolge war des Rathsherrn Diarich Salsborch ältester Sohn, bevor er in den Rath gewählt warde, Rath des Herzogs von Geldern, in dessen Lande er von seinen zwei Frauen die erste nahm, und in dessen Diensten er durch den König von Frankreich zum Ritter geschlagen ward. Der jüngste Sohn aus jener Ehe so wie dessen Sohn lebten zu Cöln.

und anderer fursten ein statliche anzal kriegsvolk, in meinunge 1524 damit seine verlassene reiche und lande widerumb zu erobern. Es fiel auch ein haufen knechte ins lant zu Hadlen, deren man sich besorgen muste, daz sie uber die Elbe ins lant zu Holstein zu setzen vorhabens weren. Darumb rustet sich konig Friderich zur gegenwer und bracht zusammen von kriegsvolk und lantvolke zu roß und fuß bei 80,000 man; damit wartet er der feinde ankunft. Die von Hamburg rusteten auch schiffe aus, die sie legten auf den Elbstrom, zu verhinderen, daz die knechte aus dem lant zu Hadlen nicht uber die Elbe zugen [1]), und obwol konig Christiern mit seinem volke biz gen Perleberg kam, schicket es doch der almechtige got wunderbarlich, daz sein volk nit weiter wolte fortziehen. Also kam eine trennunge zwischen sie, daz sie von einander riten und verliefen, und also mit der großen rustunge nichts wart ausgericht noch beschaffet.

In diesem jare war abermals ein ser groß gewesser zu Hamburg, daz die teiche vor den marschlanden allenthalben einbrachen und das wasser uber die lander herlif und großen schaden tete [2]).

Es wurt diz jares ein statliche tagleistunge zu Hamburg gehalten, konig Christiern widerumb einzusetzen; darzu erschienen die geschickten des babsts, des keisers, des koniges zu Engelant und der stette gesanten [3]); aber es wart nichts beschlossen.

---

[1]) Der Stadtrechnung zufolge 16 Schiffe mit einem Kostenaufwande von 2912 Pfd. 18 Schill. 7 Pf., worin jedoch die durch Maaßregeln zur Sicherung von Ritzebüttel und Neuwerk veranlaßten Ausgaben einbegriffen waren. Vgl. Hamb. Chroniken S. 48.

[2]) Genauer in der Chronik der wendischen Städte S. 273, und Hamb. Chronik von 1559, S. 420.

[3]) Die Bestallung des Bischofs Heinrich zu St. Asaph und des Ritters John Baker als Gesandten des Königs Heinrich VIII. für die Hamburger Versammlung, dat. 1523 Febr. 27., f. bei Rymer VI. Pars 2. p. 7.; das Versprechen Herzog Albrechts von Mecklenburg, sich einzustellen, 1524 März 14., bei Eduard Christiern II. Archiv S. 696—98.

17 *

1525   Anno 1525 amb tage conports Christi [1] wart magister Steffan Kemp, ein barfußenmunch, der newlich von Ro- stock gen Hamburg gekommen war [2] und sich im closter zu S. Marien Magdalenen enthielte, von den vorstendern des closters berufen und gefordert, zu Hamburg zu bleiben umb zu predigen; welchs den geschach. Er war nach magister Oxpen Stiurln [3], pastorn zu St. Catharinen, der erste, der wider des babstumb seine leren und ceremonien predigt und dennegen viel widerstandes umb anfechtunge von den tumbherren und der cleresei zu Hamburg ein zeitlang leiden muste; den er strafete der pfaffen ergerlich leben und bekam in kurzer zeit von der gemeinde einen großen anhang, also daz sie, die anderen predigen nachließen und zu S. Ma- rien Magdalenen allein predigen horeten [4].

In diesem jare nam herzog Kersten zu Holstein, konig Friderichs son, frewlein Dorotheam, herzog Mag- nussen zu Sachsen tochter. Die hochzeit war zur Lawen- burg. Darnach zug er auf Hamburg, alda inen derum nach gebur entpfahen und gute ausrichtunge tun ließ. Er verharrete alda etzliche tage, rennete mit zweien vom adel auf dem hopfenmarkte, denen er den sattel lerete [5].

In diesem jare war in der sehe Clawes Kniphof, den die Burgundischen mit vier schiffen konig Christiern zum besten bestelt. Er tete dem kaufman aus den anstetten treffentlichen schaden. Derwegen rusteten die Hamburger umb pfingsten vier schiffe, die liefen von der Elbe und suchten Kniphofen, aber sie funden ine nit und kamen also wider- umb auf die Elbe. Der rat fertigte sie anderweit abe den 3. octobris und gab inen zu noch zwene boyerte; damit kamen

---

a) den E.
[1] Jan. 1.
[2] 1523 um Ostern. Vgl. Hamburger Chroniken S. 52.
[3] Ueber die Entstellung des urkundlich beglaubigten Namens Orbo Elenmes s. die Anmerkung in Hamburg. Chroniken S. 572.
[4] Vgl. die Hamburger Chroniken S. 50.
[5] Vgl. ebendas. S. 49 und die in der Anm. 2 aus der Stadtrechnung mit- getheilten Nachweise über die Kosten des Aufenthaltes. S. auch S. 276. 422.

fie an Kniphofen in der Ofter-Embfe, festen ihm mit 1525
erste zu, und namen ine felb 162 gefangen, die fie alle gen
Hamburg brechten [1]; darum wart Kniphof und noch 78
als feräuber mit dem fchwerte gerichtet, ire köpfe uf dem
brocke uf den ftacken gefetzt und ir hauptfenlin im tumb
uber den predigftul aufgehengt [2].

Anno 26 wurden gen Hamburg gefordert er Johan
Bezenhagen und M. Johan Fritze. Der wart erwelet
zum paftorn zu S. Jacobi; Bezenhagen aber wart erftlich capellan zu S. Catherinen, darnach wurt er gefetzt
zum paftorn zu S. Niclas [3]. Er beftellet den chor gleichwol
mit feinen capellanen, kuftern, fchulmeiftern und fchulern. Als die
burger fahen, daz mit denen der chor beftellet werden kunte, wollen
fie die pfaffen nit wider darein geftatten. Also wurden alle bäpft-
liche ceremonien erftlich in der kirchen zu S. Niclas abgetan [4].
Er Nicolaus Buftorp, ein tumbher, predigte, daz man
des facrament in beiderlei geftalt nicht folte reichen, auch hätte
Chriftus nicht gelitten fur die, fo nach feinem leiden in offenbare funde fielen, funder es muften dieselbigen fur ire funde
felbft gnug tun, und funft noch etliche mer articul. Dat-
wider gemelter her Steffan Kempe und die paftorn
zu S. Catharinen und S. Niclaus predigten. Als nu
die zwifpalt einrieß, wurden alle theologen und etliche rechts-
gelerte fur den rat befcheiden; alda difputirten er Steffan

---

[1] Oct. 22., wie die Chronik der wendifchen Städte von 1332 angiebt.
[2] Sie wurden hingerichtet Oct. 30. S. die Lieder Stephan Kempes und
Hans van Göttingen mit mehreln Erläuterungen, in der Zeitfchrift des Vereins für Hamb. Gefchichte Bd. II. S. 116 ff. und 141 ff. und den ausführlichen Bericht in der Niederf. Hamb. Chronik S. 22 ff. und Zeitfchrift IV. S. 212—235 mit den Documenten.
[3] Die Hamburgifche Chronik S. 50 berichtet Bezenhagen fei bereits
1525 gekommen, die offenbar aus befferer Quelle fließende Nachricht
S. 54., er fei 1526 in den Kaften gekommen. Vergl. meine Anmerkung u zu den Hamburgifchen Chroniken S. 579.
[4] Das über Bezenhagen's reformatorifche Thätigkeit Berichtete fchließt
in Wort und Wendung fich ziemlich enge den Hamburg. Chroniken
S. 54. 55 an. Vgl. Kempe a. a. O. S. 484 u. a.

1526 Kemp und beide obgemelte paftorn mit ern Nicolaus Buftorp und brachten ihn fo weit, daz er auf erkentnus des rats
bewilliget, angeregte articul zu widerrufen, welchs doch allererft
nach etzlichen jaren gefchach [1]).

Im ermeltem 26. jare war den fommer aber ein große
peftilenz zu Hamburg, daran viel menfchen ftorben" [2])

Anno 27 wart er Steffan Kemp erwelet zum paftorn
zu S. Catherinen; do verließ er das clofter und die rappen [3]).

Anno 1528 donnerftags nach dem fontage Quafimodo-
geniti [4]) verfambleten fich zu S. Johan achtundvierzig burgere und entfchloffen fich, an den rat zu fchreiben und zu begeren, daz die widerwertige predigen zwifchen den paftern der
cafpelkirchen und den andern theologen, fo der bepftlichen religion verwant, mochten abgeftellet und die lere des euangeli
einträchtiglich geprediget werden. Nachfolgende tage kamen fie
aber zufamen. Montags nach dem fontage Mifericordias Domini [5]) verfambleten fich die burger in großer anzal; da lief
zu alt und jung; kamen alfo fur den rat und teten ire begern,
deß fie fich wie obgemelt entfchloffen, dem rate furtragen. Darauf vereiniget fich der rat mit den burgern, daz fie volgendes
tages [6]) widerumb folten zufammen kommen, fo wolte der
rat alle prediger befchreiben und einen idem feine predigten und

---

[1]) Aus Kempe a. a. O. S. 487 ff., doch nicht ohne willkürliche Kürzun-
gen. Wir weifen hier auf die alte Beiträge zur Gefchichte der Ausbrei-
tung der neuen Lehre, in unfern Gegenden intereffante Nachricht hin,
daß die Bürgermeifter Gerhard vom Holte und Hior. Salsborch
mit zwei Secretarien nach Bergedorf entfandt wurden, „in causa seu
secta ut nonnulli eam vocant lutherana" (Stadtrechnung), doch waren
wohl Zwiftigkeiten der wendifchen Städte mit Antwerpen Hauptanlaß.
Vgl. meine Hamburg. Chroniken, S. 92.
[2]) Diefe Peft fetzte den papiftifchen Prediger zu St. Nicolai, Jegen-
hagen's Vorgänger, in folche Angft, daß er bei nachtfchlafender Zeit
die Wedeme und feine Kranken verließ. Hamburg. Chroniken S. 54.
[3]) Erwählt 1527 gegen Michaelis, A. a. D. S. 56.
[4]) April 23.   [5]) April 27.   [6]) April 28.

beter aus der schrift beweren koten. Als nu in jegenwardigkeit 1527
des rates die alten prediger und die pastorn der caspelkirchen
zusamen kamen, wart ob etlichen artikeln disputeret. Darnach verglich sich der rat mit den burgern, daz funf pfaffen,
heimblich ern Nicolaus Bustorp [1]), Bathower, Rendesborch und Matthias under der gruft, der stat
solten verweiset werden, den sie hetten ire predigen und leren
mit der heiligen schrift nicht beweren konnen; doctor Bar-
tolbus Moller, magister Friberich, er Heinricus
Schrover und er Fabianus zugen ungenotigt aus der stat [2].)

Desselbigen jares wurt auf Jacobi [3]) doctor Johan
Bugenhagen von Wittenberg gen Hamburg gefordert,
die kirchen zu reformiren, welches geschehen; und seint also die
alten ceremonien worden abgetan, und es hat doctor Bugenhagen eine kirchenordnunge a) gestellet, darnach man sich
hinforten richten und halten solte.

Es wurt auch den knochenhauern nachgegeben, daz sie
alle tage fleisch verkaufen mochten [4]).

Und es wurt der begrif des langen recesses zwischen dem
rate und burgern angefangen.

Der tumbprobst und dechant wichen aus der stat und be-

---

a) kirche ordnuge L.

[1]) S. über ihn das Lexikon der Hamburg. Schriftsteller l, S. 484, sowie
unten z. J. 1534 und oben z. J. 1526.

[2]) Vgl. über die Vorgänge des Jahres 1528 den Bericht der Hamburgischen Chronik S. 57—59, sowie der Wendischen Chronik von 1534 z. J.
1528; indeß scheint Tratziger Kempe's Bericht benutzt zu haben.
Der fünfte der vertriebenen Papisten war Bißhele.

[3]) Juli 25. Vgl. Hamb. Chroniken S. 59. 288. 420. 558. Neu gedruckt mit Erläuterungen in meiner Sammlung niedersächs. Chroniken.

[4]) Diese Bestimmung ist gegen das katholische Fastenfesten gerichtet und
am besten zu erläutern aus der Chronik der wend. Städte von 1534
z. J. 1528 S. 282. Vgl. daselbst S. 425.

1528 flagten von wegen obangeregter veranderunge den rat und gemeinde am cammergericht, erhielten auch wider sie ein mandat und bedinge, welche ausgegangen ermelts 28. jares den 10. tag decembris [1].

Es wurden auch in diesem jare auf Gregorii [2] in den rat geboren folgende herren: Johan Wette, secretarius; er wurt burgermeister anno 29 auf Cathedra Petri, [3] fiel darnach anno 33 in schwacheit und wurt an seinem verstande gekrenket, daz er sich hinfortan des ratstuls entschlug, und starb anno 38 den 26. februarii; Johan Rodenborch, obgemeltes bern Hermans son, wurt burgermeister gewelet anno 36 den 29. decembris, er starb 1547 des andern tages nach Antonii [4]; Heinrich Hesterbarch, starb anno 1500; Ditmar Keel, wurt burgermeister anno 48 und ist noch bei leben und neben bern Matthias Redern worthabender burgermeister gewesen anno 1557, als diese chronika durchgets verleihunge geendiget wurt.

Anno 1529 wurt aus befelich des rats der tumb zu Hamburg geschlossen; den als man noch darin lateinisch sang und etliche alte leute hineingingen und beteten, wurden sie bisweilen von dem losen gesinde uberfaren. Darumb tet der rat die verbebunge, daz die kirche genzlich verriperret wurt [5].

Die munche zu S. Marien Magdalenen ließen sich auch dahin berichten und bewegen, daz sie die kappen auszugen und weltliche kleider anlegten [6].

So musten auch die munche zu S. Johans das closter reumen; wer bleiben welt, dem wurt sein unterhalt zu S. Marien Magdalenen gegeben; wer nicht welte bleiben,

---

dem gab man zehen gulden gut abfertigung. Also blieben 1529
haufe, einsteils namen das gelt, etliche fingen davon und
nemen gar nichts. Und der rat und die burgers nemen beide
clostere in ire verwaltunge, und es wurt die schule in S. Johans
closter erstlich durch doctor Bugenhagen im reventer gelegt, darnach in das beichthaus verändert.[1] Domals wurden
publicirt doctoris Bugenhagens kirchenordnunge und
der lange recess, der, wie angezeigt, des nechstverschienen
jares war angefangen. Es wurt auch die gotteskasten[2] für
die armen zu S. Marien Magdalenen verordnet und
er Johannes Aepinus zum pastorn zu S. Peter berufen. In demselben jare war zu Hamburg ein groß sterben
an der schweißsucht.[3]

Und es wurden uf Gregorii[4] in den rat erwelet nach-
beschriebene herren: Gotke Müller, der starb anno 33 freitags nach dem sontage Judica; Heinrich Rüpert, der starb
anno 40 den 8. junii; Meine von Eitzen, welcher itzunt
noch lebet und kemerer ist; Johan Schroder, starb anno
40 am tage Laurentii[5]; Jochim Wolter, itziger zeit
hauptman zu Ritzebuttel; Matthias Neber, der wurt
burgermeister geborn anno 47 montags nach Esto mihi[6], lebet
und war noch im wote anno 57.

Anno 1530 waren etliche, die beredeten die nunnen zum
Reinebecke, daz sie konig Friderich das closter mit allen

---

[1] Hieronimus L.

[2] Oberster ist Kempe u. s. O. S. 540 ff. Quelle

[3] Der Haupt- und Bettelpfalkasten, auf dessen Verwaltung durch die
Oberalten um so mehr Gewicht zu legen ist, als hieran ihre politi-
schen Rechte und Befugnisse sich knüpften. S. mein Programm für die
Verfassungsfeier 1828 S. 35 und daselbst die Urkunde C.

[4] An dieser gefährlichen Krankheit, welche in dem päpistischen Berichte
in Hamb. Chroniken S. 568 ff. und Hamb. Chroniken S. 60. 426.
ausführlich beschrieben in der Thronik der wend. Städte von 1534 erwähnt wird, sollen in den vier Wochen nach Jacobi 1000, von Jacobi
bis Weihnachten 1100, seit Johannis 2000 Menschen gestorben sein.

[4] März 12. [5] Aug. 10. [6] Febr. 21.

1530 guteten verkaufen, abwesendes und ohne wissen des probstes, doctor Detlef Reventlowen. Sie schlugen turen, fenster, tisch und benk entzwei und furen darmit davon. Der probst, als er anheim kam, fand er das lehdige closter und sagte: obgleich die nunnen das closter verloffen hetten, so hette er doch seine probstei nicht verloffen. Also behielt er alles einkommen des closters, so lange er lebete [1].

In demselben jare den 10. tag februarii wurt das closter zur Hermestehude nidergerissen [2]. Darzu waren vom rate verordnet, die es regiren sollten: Heinrich Rademaker, Hans Menzel, Hans van Bergen, Michel Pannin! Warneke Warnekens, Matthias Mors, Asmus von Winßen, Hans Drewes. Und solchs geschach darumb, daz die jungfrawen die alten ceremonien nicht abstellen und die prediger, die der rat dahin verordnet, horen wolten.

In diesem jare in der fasten wurt gemachet die schleuse vor dem Milbötentore, daz man mit pramen mochte darturch faren [3].

Diß jares wurden zu Lübeck die alten gesenge und ceremonien abgetan und die kirchen durch doctor Johan Bugenhagen reformiret.

Anno 1531 ließen der rat und burger zu Hamburg den pfaffen das singen im tumb genzlich verbieten [4].

[1] Vgl. Hamb. Chroniken S. 287. 427. — Die Nachricht, daß der Kauf „mit volbort E. E. Rades zu Hamborg" geschah, erklärt sich, wenn man bedenkt, daß die Nonnen aus Hamburg so viel Renten bezogen, daß ihnen 1465 der Rath ein eignes Rentebuch gestattete, sowie daß sie zum städtischen Schoß beitragen mußten. Staphorst Bd. I. S. 235.

[2] S. darüber meinen Aufsatz in der Zeitschrift des Vereins für Hamb. Geschichte Bd. IV, S. 549.

[3] S. Hamb. Chroniken S. 80. Die Kosten betrugen der Stadtrechnung zufolge 1342 Pfd. 13 Schill. 1 Pf. Artikel 9 des Recesses vom J. 1531 bestimmt die Abgabe von jedem nicht für den Handel bestimmten Gegenständen durchzuschleusenden Pramen auf 4 Pf. außer dem 1 Pf. für den Schleusenwärter.

[4] S. Hamburg. Chroniken S. 62 und oben z. J. 1529.

Es war zu Hamburg eine große tewerunge [1], 1531 und es fiel des pingstages im pfingsten tegen abent ein großer hagel, der viel fenster außschlug [2].

In diesem jare wurt angefangen der graben und wall zwischen dem schartbore und dem nebbern baume [3].

Diz jares am abende Bartholomei [4] kamen gen Hamburg des keisers orator, konig Friderichs zu Dennemark und herzog Kersten zu Holstein und des rats zu Luneburg geschickten. Es wurt abermals gehandlet, auf was mittel und bescheit konig Christiern zu seinen landen widerumb mochte verstattet werden, aber nichts beschlossen [5].

Diz jar wurt bewilligt vom rate und burgern eine gemeine schatzunge zu behuf der graben und welle von zehen gulden sechs pfenninge [6].

Den 20. nouembris war ein grausamer sturm; darauf erfolget ein jar hoch wasser, welchs ser viel schadens tet [7].

In diesem jare kam konig Christiern aus Hollant mit 24 schiffen, alle wol bemannet und beweret, in Norwegen und wurt alda gefangen und in Dennemark gefuret [8].

---

[1] Genauere Nachrichten über den Preis des Kornes und Bieres s. Hamburg. Chroniken S. 62. 291.

[2] Mai 30. A. a. O. S. 60. 498.

[3] A. a. O. S. 61.   [4] Aug. 24.

[5] Ueber diese Verhandlungen vom 25. bis 31. Aug. s. die Auszüge bei Waitz, Lübeck unter Jürgen Wullenwever Th. I. S. 308 ff.

[6] Hamb. Chroniken S. 61. Den Rath war zu einer solchen Auflage um so mehr berechtigt, als im Netesse d. J. 1531 die Bürger die Haffaung ausgesprochen, der Rath werde für die Befestigung der Stadt sorgen und zur Hülfe sich erboten hatten.

[7] Hamburg. Chroniken S. 303.

[8] König Christiern II. verließ Medemblick 1531 Oct. 24.; Nov. 22. war er an den nordischen Küsten angekommen. Der Vertrag von 1531 Juli 1. gewährte Christiern freies Geleit, welches man bei seiner Ankunft in Kopenhagen Juli 23. nicht hielt. S. Waitz a. a. O. I. S. 121. 126. 173. 170. Der Stadtrechnung z. J. 1531 entnehmen wir die Nachricht, daß der Rath mit Zustimmung der deputirten Bürger

1532   Anno 1532 schickete der rat zu Hamburg gen Coppenhafen ire gesanten, nemblich: hern Pawel Groten, burgermeistern, Albert Westeden, ratman, und magister Herman Rouern, protonotarium; die handleten zwischen konig Friderichen und den Hollendern und brachten die sache zu einem vertrage und guter entschaft.[1])

In diesem iare war ein englischer kaufman in Islant Johan Breida genent, der leinete sich auf, legen des konigs vaget, weigerte ihm den zollen; er furenthielt auch den kauf leuten aus Hamburg iren fisch, beschanzte und begrub sich mit seinem gesinde und entbot den Hamburgern, spottisch zu sie solten kommen und den fisch holen.[2]) Der vaget und die Hamburger fielen bei nachtzeit zu ime in die schanz und erschlugen ihn mit allem seinem volke.[3])

---

[1])   nrit einem Kostenaufwande von 2062 Pfd. 4 Schill. 5 Pf. sieben Kriegsschiffe (naves expeditas, vredeschepe) auf die Elbe legte. Die deputirten Bürger bewilligten zu dem Zwecke einen Schoß von 3600 Pf. aus dem Vermögen der geistlichen (bereits säcularisirten) Brüderschaften. Die Stadtrechnung berichtet von dieser mit einem Kostenaufwand von 482 Pfd. 14 Schill. gemachten Reise. Der Friedensvertrag, dat. 1532 Juli 9., bei Waiß a. a. O. I. S. 340 ff. Vgl. S. 332.

[2]) Den Nachrichten der Stadtrechnung z. J. 1476 zufolge führten die Hamburgischen Schiffe besonders den Dolandsfisch (stokules) aus.

[3]) Vgl. die im Wesentlichen übereinstimmende Erzählung der niedersächsischen Chronik S. 303. König Heinrich VIII. verlangte, wie aus drei Schreiben 1532 Sept. 11., Dec. 40., 1533 April 8., (welche ich aus abserm Archive der Record-Commission für ihren Report Appendix C S. 34-38 mitgetheilt habe und bei einer anderen Gelegenheit zu veröffentlichen hoffe) hervorgeht, für den Kaufmann Nicolaus Grosso; dessen von Joh. Breida, wie es scheint, geführtes Schiff Hamburger Kaufleute mit Bremischer Hülfe genommen und dem Vogte im Namen des Königs von Dänemark überantwortet hatten, vom Hamburger Rathe Schadenersatz und gerichtliches Einschreiten gegen die Mörder seiner Unterthanen. Der Rath rief die Vermittlung des Königs von Dänemark an, mußte jedoch, weil Heinrich VIII. mit Repressalien drohte, nachgeben. Aus der Stadtrechnung zu J. 1533 ersehen wir, daß eine Gesandtschaft aus den Bürgermeistern Johan Gulpe und Paul Grote, dem Secretarius Magister Herman Rover und dem bekannten, auch später noch in dieser Angelegenheit thätigen und

Dieses jares am pfingstabende ¹) wurt doctor Johan- 1532
nes⁾ Aepinus a) zum superintendenten zu Hamburg erwelet ²).

Es wurden auch auf Gregorii ³) in den rat gekoren:
Herr Jochim Willenwuber⁴), der darnach des ratstuls
entsetzt wurt; Clawes Hertiges; so noch bei leben, Heinrich Rademather, starb anno '45 den andern tag septembris; Albrecht Olbehorst, starb anno '45 am abende Bartholomei.

Anno 1533 ist am cammergerichte ergangen die urteil
in sachen zwischen dem tumbcapitel an einem und dem
rate, kirchengeschwornen und gemeinde zu Hamburg anderteils, darin der rat sampt den kirchengeschwornen und gemeinde
zu der restitution verurteilt bi wurt. Es seint auch executoriales, eine peen 500 mark lotiges goldes inhaltende, darauf
ausgegangen und dem rate den 12. septembris verkundiget
worden ⁵).

In diesem jare wurt fürgenommen, daz man brenholz

_____

a) Hippius wie oben S. 205 f. b) vorläufet
für seine Müye mit 120 Pfr. bezahlten Dr. Joh. Olderdorp bestehend, nach Stargberg ging, daß Martin Gohel zwei Mahlwegen
zum englischen König reiste. Der englische Gesandte, Dr. Thomas
Lee wohnte mit seiner Dienerschaft beim Rathmanne Hinr. Rademather. Vielleicht war die undatirte Urkunde des Königs Friedrich
von Dänemark (in den Regesta diplomat. hist. Daniae l. 2. S. 791 in's
J. 1524 gesetzt), welche die Verhältnisse zwischen den englischen und
hansischen, namentlich den Hamburger und Bremischen Kaufleuten re-
gelt, durch ähnliche Streitigkeiten veranlaßt.
¹) Mai 18.
²) Er ward zum Superintendenten und Pastor am Dom ernannt. Aus
den Stadtrechnungen ersehen wir, daß man in demselben Jahre um
Weihnachten Seitens des Raths mit dem bekannten Lübischen Chronisten Magister Hermann Bonnus, welcher 1543 in Delmenhorst
reformirte, über die Annahme des erledigten Pastorats an der St.
Petrikirche verhandelte.
³) März 12.
⁴) Vgl. über ihn Zeitschrift des Vereins für Hamb. Geschichte III. S. 109 ff.
⁵) Ein Erkenntniß des Inhaltes, dat. Juli 7. bei Staphorst, Bd. 3. S. 847.

1533 aus dem lande zu Mecklenburg die Elbe herab kome, solten zwene burger dasselbige besichtigen und daruber den kauf setzen [1]). Darumb verbot der herzog zu Mecklenburg, das man aus seinem lande kein brenholz gen Hamburg furen muste. Daraus verursacht sich großer mangel an holze zu Hamburg. Wolte nu der rat widerumb aus dem lande zu Mecklenburg holz haben, musten sie zuvor den herzogen mit einer vererungen befriedigen. Und es hettens die burger etliche 1000 gulden schaden [2]).

Dieses jares rusteten die von Lubeck 24 schiff aus wider die Hallender, darumb daz sie konig Christiern in Norwegen gefuret; irer aller hauptman war Marx Meier; kam dadurch in Engelant, wart erstlich gefangen, darnach vom konige los gegeben, zu ritter geschlagen und herlich begabet [3]). Im herbst kamen von angeregter flate 8 schiff auf die Elbe, die legen den winter alda; das geschutz von den schiffen wart zu lande nach Lubeck gefuret.

In diesem jare starb der fromme, gutige und friedfertige furst, konig Friderich zu Dennemark: seinen namen hat er mit der tat beweiset [4]). Er verließ vier sone, herzogen Kersten, Johansen, Adolphen und Friderichen, und zwei frewlein, Elisabeth und Dorotheam.

Anno 1534 in der ersten fastwochen kamen gen Hamburg der bischof von Brixen [5]) und Maximilian Transilvanus, des hofes zu Burgundien geschickten [6]),

---

[1]) Dies setzte schon der Artikel 24 des Recesses von 1531 fest.

[2]) Die der Herzogin, nicht dem Herzoge getane Vererung bestand der Stadtrechnung zufolge in einem vergoldeten Becher (Werth 115 Pfd. 17 Schill. 6 Pf.), zu welchem der Goldschmied Dirck Ostorp ein an demselben angebrachtes Stadtwappen lieferte.

[3]) S. Chronik der wend. Städte von 1534 und Hamb. Chronik S. 65.

[4]) Trauriger spielt mit dem Namen Friedrich = der Friedreiche.

[5]) Georg V. von Oestrich. Er wohnte nach der Stadtrechnung mit andern Gesandten im Hause Georgs von Lewen. Er war ein Bastard, 1525—39 Bischof von Brixen, zuletzt 1544—57 von Lüttich.

[6]) Die burgundischen Gesandten wurden vom Schiffer Dirck Uthman nach und von der Stadt geführt (Kosten 5 Pfd. 8 Schill.); ihnen zu

ihm der von Lübeck gesanten: Georg Wullenweber und 1534
Marcus Meier. Sie kamen in vollem harnisch geritten
und ließen einen trummeter vor inen her blasen[1]. Es kamen
auch an, die geschickten der von Danzig, Rostock, Stralsund, Wismar und Luneburg[2]. Man handelte umb
einen frieden zwischen den Hollendern und den von Lubeck.
Es wart aber nur ein stilstant auf vier jar lang, die meisten,
bewilliget[3].

In demselbigen jare schickete der konig zu Engelant
seinen oratorn[4] an den rat zu Hamburg, und begerte, etliche
personen auß irem mittel neben einem gelerten theologo zu
inen in Engelant abzufertigen. Also that der rat darzu verordnet, hern Albrecht Wetheben, burgermeister, und Heinrich Salsberger, ratsverwanten, sampt doctore Aepino[5],
superintendenten. Sie seint zu segel gegangen den 12. tag
juni. Die ursach sollicher beforderunge war die veranderunge
der religion, so durch den konig wart furgenommen[6].

Diß jares, als der rat und gemeinde zu Hamburg mit
...

---

a) Doppina t.

[1] Ihren ließ man von den Thürmern (musici in turribus) blasen, die kos-
  steten 3 Pfd. 12 Schill. Stadtrechnung.

[2] Der Einzug des Lübschen Gesandten wörtlich aus den Hamburg.
  Chroniken S. 62. 63.

[3] Den Gesandten von Danzig und andern wurden der Stadtrechnung
  zufolge 21 Tönnen Bier geschenkt; auch für Gewürz und Consekt finden sich Ausgaben.

[4] 1534 März 20. Die wesentlichen Bestimmungen nach einem aus einer
  alten Abschrift durch Professor Werm gemachten Auszuge s. bei Salz-
  q. q. O. l. S. 400. 401. Vgl. auch Hamburg. Chroniken S. 85.

[5] Dr. Lee oder Leigh (Leglus), welcher bereits wegen der isländischen
  Händel in Hamburg thätig gewesen war. S. z. J. 1532. S. 269 Anm.

[6] S. die Zeitschrift des Vereins für Hamb. Geschichte III. S. 179 ff. und
  188 ff. Die dort gegebenen Auszüge aus den Stadtrechnungen kann
  ich noch durch eine Angabe über Dr. Lee's Aufenthalt in Hamburg
  vervollständigen: 1534 pro div. notab. Item 57 L. ad quitandum ex ho-
  spitio legalibrati (?) regis Angliae doctorem Lee, soluta ano Marico
  Rademaker.

1534 den executorialn vom tumbcapitel gedrenget wurden und
keinen entlichen handel und vertrag mit inen treffen konten,
schrieben sie an den churfursten zu Sachsen und lantgrafen
zu Hessen und beten, sie in die Schmalkaldische verstentnus mit einzunemen und legen den zwang des cammergerichts zu beschützen. Und erfolgete darauf, daz der rat hern
Jochim Mollern, ratverwanten, und magister Jochim Sommerfelt an den churfursten zu Sachsen abfertigte, die sich
aller gelegenheit, auf was bescheit sie des bundes teilhaftig
werden mochten, erkundigen solten. Darauf wurden von allen
stenden des bundes verordnet der churfürst zu Sachsen, herzog Ernst zu Luneburg, und die von Bremen, und wurt
der tag auf Petri und Pauli [1] berürts 34. jares bestimet.
Aber der handel ging domals nicht für sich, den der churfürst
konte anderer verhinderung halben darzu nicht schicken.

In diesem jare am tage ascensionis Domini [2] uberfiel
Marcus Meier ohne alle verwatunge mit etzlichem kriegsvolke das haus Trittaw in namen der von Lubeck [3]. Dardurch wurt herzog Kersten zu Holstein zur jegenwehr gedrungen, und erfolgete daraus die belagerung der stat Lubeck.
Entlich, do die Lubeckschen wenig glucks und vorteils entpfun-
den und dem herzogen merklich daran gelegen war, daz er mit
seinem kriegsvolke in Dennemark ziehen muste, wurt durch
herzog Heinrichen zu Mecklenburg und der Wendischen
stette geschickten sollicher krieg und widerwil vertragen, doch
ausgenommen das reich Dennemark, daran ein ider sein
bestes tun mochte [4].

Diz jares kor der rat zu Hamburg zu sich: herren Detlef Schuldorp, der starb anno 40 den 15. augusti; Johan Renzel, starb anno 44 des 4. tages nach Simonis
und Judae [5]

---

[1] Juni 29.   [2] Mai 14.

[3] S. hierüber Paludan Müller Aktstykker til Nordens Historie i Greve-
feidens. Tid. I. No. 301 und 302.

[4] Der Vertrag, datirt 1534 Nov. 18., s. daselbst No. 134 und Hamburg. Chroniken S. 63. 64.

[5] Nov. 1., doch muß die Tagesbezeichnung Tratziger's auffallen, wo er

Umb die zeit wurt M. Johan Garz zu einem pastorn 1534 zu S. Peter verordnet, und Nicolaus Bustorp ist wider in die stat gekommen a) und hat seine vorige lere offentlich im tumb vom predigstule widerrufen a) [2].

Anno 1535, als die von Hamburg in sachen mit dem tumbcapittel auf anhalten des tumbdechants durch des cammergerichts proceß heftig gedrenget und geenstiget wurden, versuchten sie b) zu vielen unterschiedlichen malen gutliche handlunge mit dem capittel; aber sie kunten zu keinem entlichen vertrage kommen, den das capittel begert nit allein die guter und hebungen zu restituiren, sunder auch die alten kirchengebreuch und ceremonien. Als sie nu sahen, daz kein handel wolte zulangen, und das cammergericht mittlerweil immer fortfure, haben sie die eußerste zuflucht gesuchet und sich mit einander einhelliglich entschlossen, daz sie sich wolten in den Schmalkaldischen bunt begeben, und sich also durch eine offentliche protestation den protestirenden stenden anhengig gemachet, den 16. tag novembris [3].

Darauf wurt auch M. Herman Rover, protonotarius, gen Schmalkalden, alda die protestirenden stende versamblet waren, geschicket, mit denselben alle ding genzlich zu polziehen, welchs er doch nicht ohne vernunftiges bedenken angestellet und gleichwol, so viel obgemelten proceß betreffen mugen, des rates und gemeiner stat notturft ausgerichtet [4].

---

a) widderruffen L.   b) So fehlt L

   Allerheiligen Tag meinen sollte. Vermuthlich übersetzt er feria quarta, d. h. Mittwoch nach Simonis und Judä, Oct. 29.

[1] S. oben z. J. 1528 S. 285.

[2] Genaueres in Kempes Bericht in den Hamburg. niedersächs. Chroniken S. 542.

[3] Die Hamburgische Erklärung über diesen Beitritt, in einem Manuscripte der Stadtbibliothek erhalten, s. bei Krabbe Eccl. Hamburg. historia p. 105.

[4] Es scheint, als wolle Tratziger hier dem Rover seiner Thätigkeit wegen gemachte Vorwürfe zurückweisen. Der Rath war mehr noch als die Bürger zum Anschlusse geneigt.

Tratziger's Chronik.   18

1535. Diz jares brente zu Hamburg die obermule abe am tage Corporis Christi, und geschach merklicher schaden an korn, das mit verbrante.[1] Es wurt ein gemein manhat kegen die widertaufer zu Hamburg angeschlagen und zwo ratspersonen verordnet, die derwegen auffsicht tun solten[2].

In diesem jare gewan herzog Kersten die schlacht in Junie[3], siegete auch zur see wider die Lubeckschen[4].

Es wurden etzliche seerauber auf der Elb gefangen, nach Hamburg gefuret[5].

Im ende nouembris wurt die obermule vor dem alstertore widerumb gerichtet und aufgebauwet[6].

Es wurt auch im sommer die newe kunst vor dem milrentore gelegt[7].

Vor dem steintore umb Bartholomei wurt die newe streichwer gemachet in den graben nach der Elbe[8].

Anno 1536 kamen gen Hamburg herzog Ernst zu Luneburg und die gesanten der stette Bremen und Braunschweig; mit den verttug sich der rat mit bewilligung irer gemeinde und ließen sich gentlich in den bunt sonnabendes nach Conuersionis Pauli[9].

---

[1] Mai 27. Vgl. über den Neubau z. J. 1536. Hamburg. Chroniken S. 430, wo Mai 26. der Tag des Brandes.

[2] „Der Erbarn Fry-, Ryke- vnde Seestede Lübeck, Bremen, Hamburg, Rostock, Stralsund vnde Lüneborch Christlick vnde Ernstlick Mandat wedder de Sacramentschender, Wedderdöpers und Godeslesterer", 1535 vermuthlich zu Lübeck gedruckt, 1603 mit Erläuterungen durch Magister Bernh. Vagetius, Pastor zu St. Nicolai, neu herausgegeben.

[3] Am Ochsenberge vor Assens Juni 11. S. Waitz a. a. O. II. S. 236.

[4] S. Waitz a. a. O. II. 238.

[5] Gerichtet am 18. August. Gysecke in den Hamburg. Chroniken S. 84.

[6] A. a. O. S. 88.

[7] Ebendaselbst.

[8] Ebendaselbst.

[9] Jan. 29. Den Tag der Aufnahme finde ich nur hier. Am 10. Januar

In diesem jar und Purificationis Marie [1] wart der 1536
krieg und unfriede zwischen Christiano, erweltem könige
zu Dennemark, und der stat Lübeck genzlich vertragen.
Die von Rostock, Wismar und Stralsunt willigten
allein auf ratihibition irer eltesten und obern. Dieses vertrages unterhendlere waren des churfursten zu Sachsen und
landgrafen von Hessen rete und die verordneten der stete
Bremen, Hamburg, Magdeburg, Braunschweig,
Luneburg und Hildensheim.

Anno 1537. auf Johannis Baptiste erhub sich zu Hamburg ein großer sterben an der pestileng, welcher zwischen
Johannis und Weihnachten uber 3000 menschen hinwegnam [2].

Diß jares wurden von dem rate zu Hamburg nach
Brussel abgefertigt her Johan Rodenburg, burgermeister, und M. Herman Rover; die handelten zwischen dem
konige zu Dennemark und den Hollendern und wirkten
einen stilstant auf drei jar lang [3].

---

ward zwischen Rath und Bürgerschaft über den Beitritt verhandelt.
Schon in diesem Jahre beschickte der Rath die im Februar zu Schmalkalden gehaltene Bundesversammlung durch Dr. Aepin und die Secretarien Magister Hinrick von dem Brole und Herman Rover.
S. Hamburg. Chronik S. 91, 102 und 138. Hamburg übernahm
einen Bundesbeitrag von 12000 Mk. Lübsch, zu dessen Aufbringung
die Bürger einen Schoß von 1 Schill. von jeder Mark Rente bewilligten. Die der Kammer überwiesene Einnahme von den 4 Kirchspielen betrug 11607 Pfd. 16 Schill. 5 Pf. Auch zu den Jahren 1537,
1538—1540 führt die Stadtrechnung zu Bundeszwecken verausgabte
Summen von 737 Pfd. 1 Schill., 3952 Pfd. 4 Schill. 2 Pf., 5197 Pfd.
14 Schill., 4130 Pfd. 6 Schill. 10 Pf. an.

[1] 1536 Febr. 2. bei Paludan Müller a. a. O. I. S. 515.

[2] Hamburg. Chroniken S. 133.

[3] 1537 Mai 3. bei Altmeyer histoire des relations commerciales des
Pays-Bas avec le nord de l'Europe p. 537—545. Die Kosten dieser Gesandtschaft betrugen nach der Stadtrechnung 1150 Pfd. 17 Schill.
9 Pf., außerdem 142 Pfd. 18 Schill. an Kleidung für die Gesandten
und ihr Gefolge. Bemerkenswerth ist, daß hier schon die Bezeichnung Nie-
derlande (diciones cesaree maiestatis sub regimine domine Marie,
regine Ungarie etc., dicte Nedderlande) vorkommt.

18 *

1537   In diesem jare wart könig Christian zu Dennemark durch doctor Johan Bugenhagen gekrönt zu Coppenhauen, sontags nach Laurentii ¹). Zu sollicher kronunge wurden aus Hamburg geschicket her Johan Rodenburg, burgermeister, und Vincent Moller, ratman ²).

Anno 1538 im martio war zu Braunschweig eine große versamblunge der protestirenden stende, dahin sich auch der könig zu Dennemark in eigener person verfugte. Von Hamburg zugen dahin hern Johan Rodenburg, burgermeister, Vincent Moller, ratsverwanter, und M. Herman Rover, secretarius, in die 28 pferde stark ³).

In demselben jare mitwochens nach Oßtsimvbogentti ⁴) kam könig Christian in seiner heimreise von Braunschweig in Hamburg, hette mit sich frawen Dorotheam, seine gemahl, und seine schwester frewlein Elisabeth, mit 500 pferden. Es kamen auch dahin, dem könige geselschaft zu leisten, herzog Franz Otto zu Luneburg und herzog Franz zu Sachsen. Der rat zu Hamburg schickten dem könige zwene burgermeistere, hern Albert Westeden und Johan Rodenborch, entkegen mit 66 pferden.

Den nachfolgenden freitag ⁵) kam der könig auf das rat-

---

¹) August 12.

²) Hamburg. Chroniken S. 127. Die Kosten der Reise der Hamburgischen Abgesandten betrugen 1183 Pfd. 8 Schill. 2 Pf. und für Kleidung 241 Pfd. 18 Schill. 4 Pf. Bugenhagen erhielt zu seiner Reise nach Dänemark 19 Pfd. 4 Schill. (Stadtrechnung.)

³) Hamburg. Chroniken S. 149. Die Kosten der Beschickung des Tages zu Braunschweig am Sonntag Reminiscere (März 17.) betrugen 794 Pfd. 16 Schill. (Stadtrechnung.)

⁴) Mai 1. Auch in dem folgenden Berichte Trapzigers finden wir unverkennbare Anklänge an die ausführliche Erzählung Gysle's in den Hamburgischen Chroniken S. 151—156.

⁵) Mai 3. Nach der Erzählung der Hamburg. Chroniken S. 152 Sonnabend, den 4. Mai; am 3. Mai handelte der König ebenfalls auf dem Rathhause, doch wegen des Domcapitels. Der Rathstuhl (sedes consularis) war, wo der König saß, mit rothem Tuch ausgeschlagen. (Stadtrechnung.)

Jens; alda der rat und die furnembsten burger versamblet, und 1538; wurt ime und seinen brudern gehuldiget in der form und gestalt wie seinen vorfarn, konig Christian dem ersten, konig Johansen und konig Friderichen, die huldigung war gelaistet worden ¹).

Der konig hette bei sich ohne die denschen folgende rete: herrn Johan Ranzowen, rittern, hofmeistern, Melchior Ranzowen, marschall, Gozick von Alefelt, Heinrich Ranzowen, her Wolfen Pogwosch, rittern, Hennicke Gesteden, rittern, Gozick Ranzowen, Clawesen von der Wisch, Benedictum Pogwischen, Friderichen von Alefelt zu Haseldorp, Jasper Ranzowen und Clement von der Wisch. Es wurt gerennet, gestochen und turnirt auf dem hopfenmarkte; auch hette der rht den konig zu gaste auf dem embeckschen hause ²).

Der konig underwant sich auch gütlicher handlunge zwischen dem tumbcapitel und der stat Hamburg ³), aber er konte nichts fruchtbarlichs beschaffen und zug widerumb hinweg, donnerstags nach Misericordias Domini ⁴).

---

¹) Die Annehmungsformel des Hamburg. Rathes siehe Apologia Hamburgensis No. 5; die jenseitge Erklärung 1538 Mai 4. in der Remonstratio Danica Lit. K. Auffallend ist es, daß in der, freilich der Oeffentlichkeit nicht bestimmten Stadtrechnung mehrfach der Ausdruck subjectio, wenn gleich mit dem Zusatz „precedentibus tractatibus conveniens" für die Huldigung gebraucht wird.

²) Sonntag den 5. Mai. Hamburg. Chroniken S. 153—158.

³) Montag den 6. Mai. A. a. O. S. 155.

⁴) Mai 9. A. a. O. S. 156. Die Bewirthung des Königs und seiner Begleitung, Quartier, Speise und Getränk (Rheinwein, Hamburger und Eimbecker Bier, auch 7 Faß Mumme) betrugen der Stadtrechnung zufolge 5639 Pfd. 9 Schill. 5 Pf., doch wurden außerdem noch bedeutende Geschenke gemacht: dem Könige bei der Huldigung ein schönes Pferd, 100 Pfd. werth, der Königin zwei silberne „Schouwere mit Schalen", 288 Pfd. 10 Schill. 6 Pf. werth, der Prinzeß Elisabethein „verguldet kop", 90 Pfd. 12 Schill., und eine goldene Kette, 64 Pfd. 13 Schill. 3 Pf. werth, den Hoffräulein und der Oberhofmeisterin (matrona dicta alt frouwe) Ringe und andere goldene Kleinodien

1538 Im maio nechstfolgende.¹) ließ der rat zu Hamburg
eine statliche anzal boßleute annemen; damit bemanneten sie
etliche schiffe und legten sie auf den Elbstrom, den es lagen im stifte Bremen die knechte, die der graf von Olben-
burg wider den bischof von Munster gebrauchet, und der
rat besorgte sich, daz sie sich unterstehen mochten, uber die
Elbe zu ziehen; darumb wurden die schiffe ausgerustet, inen
den paß zu verhindern ²).

Anno 1539 fiel ein hauffen kriegsvolk ins lant zu Ha-
deleu und teten dem rate in irem gebiete merklichen schaden.
Darnach vermeinten sie, durch das lant zu Luneburg uber
die Elbe zu ziehen. Dargegen ließ der rat etliche schiffe und
eyer mit guten boßleuten bemannen, auch mit geschutz und aller notturft versorgen; die legten abe von Hamburg montags nach Quasimodogeniti ³); ihr hauptman war her Ditmar Kol, burgermeister. Indeme kam auch ein großes
aufwasser, daz den knechten nicht muglich war, uber die Elbe
zu kommen; demnach zugen sie wider zuruck ins lant zu
Hadlen. Do sie sich aber teglich mereten und in 26 fenlein
stark wurden, und der rat vermerkt, daz ihr entliche meinunge
war, uber die Elbe zu ziehen: derhalben namen sie etzlich
kriegsvolk an und hielten es ein zeitlang in irer besoldunge.
Angeregte versamblunge war angestiftet durch pfalzgraf Friderichen. Und es wurden in Hollaut viel schiffe ausgerustet, mit denen er neben zutun beruttes kriegsvolks im
willen hat Denmark anzugreifen; aber er kontte so viel
volkes, als er bedurfte a) die schiffe zu bemannen, in der eil
nicht zusammen bringen. Darumb wurden die schiffe widerumb

---

a) bedorffte L.
im Werthe von 102 Pfd. 4 Schill. 6 Pf., dem königlichen Marschall
Melchior von Ranzow (ut eo magis civitati et negotiis ejusdem
faveret) ein vergoldeter Becher für 184 Pfd. 8 Schill., dem ersten
Secretair des Königs Caspar Fuchs 30 Pfd. u. s. f.
¹) Mai 17.
²) Hamburg. Chronikken S. 156.
³) April 14.

gelosset und das volk darauf enturlaubt. Balt darnach verlief 1539 der lauf im lant zu Haolen; also machte got der almechtige denselbigen anschlag auch zu nichten [1].

Anno 1540 dingstags nach Exaudi [2] wurden zu Hamburg in den rat gekoren volgende herren: Jochim Sommerfelt, etwan protonotarius, starb volgendes 47. jares sunabends nach Assumptionis Mariae [3]); Herman Rouer, protonotarius, ein geschickter und kluger man, der der stat viel getrewer dienste geleistet, starb anno 43 den 9. augusti; Georg vom Holte, obgemeltes hern Gert vom Holte son, itzo amptman zu Bergerdorf; Laurenz [Niebur], itziger zeit burgermeister.

Es wurden diz jares etliche versamblungs und tagleistunge der protestirenden stende gehalten [4], darzu der rat a) von Hamburg die iren alzeit mit verordnet.

Diz jares den 3. januarii des abends wurt a) zu Hamburg ein wunderzeichen am himmel gesehen, und es erfolgete eine newe krankhett, daran viel volles lag, auch viele bahin sturben [5].

Diz jares erhub sich der widerwil zwischen der stat Ham-

---

6). von Hamburg — wurd fehlt L.

2). Trotz mehrfach wörtlicher Uebereinstimmung mit dem Berichte der Hamburg. Chroniken S. 162—165 finden sich bei Tratziger Verschiedenheiten, welche auf eine von ihm benutzte abweichende Erzählung deuten. — Die Stadtrechnung z. J. 1539 schätzt die Zahl der Landsknechte im Stifte Bremen und Münster auf 8000 und mehr, die Zahl der in Holland versammelten Schiffe auf 100. Der Rath nahm „ein fenlin knechte" an unter dem Befehl von Valentin von Halle, hielt die Kauffahrer der Bürger zu Hamburgs Schutz zurück und legte bemannte Schiffe auf die Elbe bis nach Zollenspieker und Lauenburg hin, um den Uebergang zu hindern. Die Kosten dieser umfassenden Vertheidigungsmaaßregeln betrugen im Ganzen 5448 Pfund 17 Schill. 3 Pf.

7) Juni 22.   3) August 20.

4) Zu Schmalkalden und Speier s. Hamburg. Chroniken S. 174 u. 178. Die Stadtrechnung erwähnt außerdem noch andere Sendungen.

5) A. a. O. S. 178 und 179.

1540 burg und den von Bremen von wegen kornfart, und henget noch heutiges tages die sache untentschieden am keiserlichen cammergerichte [1]).

In diesem jare donnerstags in der marterwochen stunt so ein grausamer sturm und wint auf, daz in dem Sunde in die 182 schif blieben [2]).

Den 28. aprilis wurt gehenkt die große stundeglocke zu S. Peter in Hamburg, die zu Flensburg gegossen war [3]).

Es wurt auch gefertiget die streichwer vor dem steintore nach dem fpitalertore und die mauer vor dem walle an der Elbe aufgezogen [4]).

Den 23. octobris starb er Steffan Kemp, pastor zu S. Catherinen [5]).

Die keiserliche maiestet ließ etliche edicta ausgehen, die religion und lutherische bucher belangent.

In dieser zeit huben an der churfurst zu Sachsen, lantgraf zu Hessen an einem, und herzog Heinrich zu Braunschweig anders teils mit schmachschriften und buchern einander anzugreifen, welche schriften in druck ausgingen und eine solliche bittrigkeit zwischen den fursten erweckten, daraus hernacher viel beschwerlicher unrichtigkeit erfolgeten [6]).

Anno 1541 zug abermals eine garde ins lant zu Hassen und begerten von her Jurgen Platen, domals ampt-

---

[1]) A. a. O. S. 173, doch kommt es nach diesem Berichte zu einem vorläufigen Abkommen.

[2]) April 18. A. a. O. S. 174.

[3]) A. a. O. S. 177 und 178, nebst Anmerkung 4. Auch S. 433.

[4]) A. a. O. S. 179. Die Stadtrechnungen haben eine Ausgabe von 119 Pfd. 12 Schill. für 83000 Steine zu diesem Bau (ad ..... der nigen striekwer ante portam lapideam).

[5]) A. a. O. S. 180. Als Kempe 1538 schwer erkrankt war, hatte der Rath den Doctor Johan Wolmer, Bremischen Physikus, kommen lassen.

[6]) Hamburg. Chroniken S. 181. Der Stadtrechnung zufolge ließ der Rath sich Luthers Schrift wider den Herzog von Braunschweig senden.

manne zu Ritzebuttel, daz er fie wolte vor dem haufe laffen 1541
furuber paffirn. Solchs wolte er inen nicht geftatten. Die
hauptleute unter den knechten ließen fich horen: ob er es inen
mit mit willen zu geftatten gedachte, wolten fie gleichwol iren
zug furuber nemen. Am heiligen oftertage kamen fie gezogen
mit zehen fliegenden fenlein. Her Jurgen Plate fchoß vom
haufe unter fie fo heftig, daz fie begunden zu weichen; do
folchs die Habler erfahen, die hinter dem teiche fich gelegert
hetten, liefen fie mit iren weren an die knechte und erfchlugen
bei 800; die andern retteten durch die flucht ihr leben [1].

Anno 1542 uberzugen die proteftreuden ftende, darunter
die von Hamburg auch waren [2], herzog Heinrichen zu
Braunfchweig, vertrieben inen aus dem lande und namen
das lant ein [3].

In diefem jare wurt zu Hamburg angelegt ein tur-
kenftewer, von iderm hundert gulden einer [4].

Es wurt auch diz jares gehandlet zwifchen dem konige
zu Dennemark und den Hollendern zu Bremen: es

---

[1] Die Hamburg. Chroniken S. 182 und 183 enthalten eine abweichende
lebendige Erzählung.

[2] A. a. O. S. 180. Nach der Stadtrechnung (Rec.) wollten die Bürger
die Zahlung einer „zweiten doppelten Anlage" (secundi duplicis mensis)
nicht bewilligen, fo daß der Rath beim Ritter Johan Rantzow
Geld aufnehmen mußte, um feinen Bundespflichten zu genügen.

[3] Welchen Antheil daran man auch in Hamburg nahm, fieht man daraus, daß der Rath von dem Wittenbergifchen Künftler Lucas Cra-
nach ein Bild, die Belagerung von Wolfenbüttel darftellend, anfer-
tigen und nach Hamburg bringen ließ. Koften: 24 Pfd. 5 Schill.
(Stadtrechnung.) Vgl. Zeitfchrift für Hamburgifche Gefchichte. Th. 3.
S. 587.

[4] Von den Verhandlungen darüber zu Nürnberg und mit dem Chur-
fürften von Sachfen gibt die Stadtrechnung z. J. 1542 Zeugniß. Zum
J. 1544 (Rec.) ift bemerkt, daß man in Hamburg ftatt des bewilligten ½ pCt. nur ¼ pCt. (von je 100 Gulden ¼ Gulden) aufbrin-
gen konnte: dennoch betrug die gezahlte Türkenfteuer, zu der auch das
Landgebiet mit Ausnahme des Amtes Ritzebüttel herangezogen wurde,
11,177 Pfd. 16 Schill. 10 Pf. Vgl. auch Hamburg. Chroniken S. 187 ff.

1542 wolte aber der vertrag nicht volgen, daraus den ferner kriegrüstunge und handlunge zwischen beiden teilen erwuchs [1]).

Marten von Rossen überzug diz jares die Brabender, und do er allenthalben geplündert und gebrandschatzt, rückte er mit seinem haufen in Frankreich [2]).

Zu Hamburg wurden in rat gekoren: herr Clawes von der Hoya, Gobert Schröder, Jochim Holthusen, Jurgen Filter, die ohne her Clawsen von der Hoya noch alle bei leben.

Anno 1543 wurt zu Hamburg angefangen das rondel vor dem milrentore [3]), item der wall von dem rundel in die wische [4]), auch wurt verweitet der grabe von dem spitalertore biz in die Elster [5]).

Diz jares wurt fertig das große orgelwerk zu S. Catherinen.

Anno 44 lagen viel knecht im lande zu Holstein; darzu kamen die knechte, die in Dennemark gelegen und von dem konige waren verurlaubt worden; die sagen war, es gulte den Ditmarschen [6]), aber der ausgang beweisete,

---

[1]) Vgl. Hamburg. Chroniken S. 191.

[2]) Vgl. Altmeyer histoire des relations commerciales p. 413.

[3]) Hamburg. Chroniken z. J. 1544 S. 433 und Note 2. Der Stadtrechnung z. J. 1544 zufolge wurden zum Bau des Rondels mit dem Flügel nach der Alster hin 1350 Pfd. 4 Schill. 2 Pf. verausgabt. Schon 1542 hatte man mit 47 Pfd. 14 Schill. Reisekösten zwei Sachverständige nach Geldern geschickt, um die dortigen Befestigungen (die rundele und walle) in Augenschein zu nehmen.

[4]) Vermuthlich ist dies dieselbe Befestigung, welche in der Stadtrechnung z. J. 1547 als „vallum a. Rosendamme per pratum usque ad vallum rotundum prope Milrendor" bezeichnet wird. Sie ist in den Hamburg. Chroniken S. 439 genauer zu diesem Jahre aufgeführt. Vgl. S. 433.

[5]) Hamburg. Chronik z. J. 1544 S. 433 bemerkt, daß der Graben 1553 noch nicht vollendet sei.

[6]) Dieselben Befürchtungen spricht ein Schreiben der 48ger an das Bremische Capitel, dat. 1544 Donnerstag nach Maria Magdalena (Juli 24.) aus. S. Michelsen Urkundenbuch zur Geschichte des Landes Dithmarschen No. 72.

daz die Ditmerschen mit ernst it gemeinet, den die 1544
knechte bekamen tren bescheit und verliesen ohne einiges stundes
beschwerunge.

In diesem jare war ein grosser widerwil zwischen den predigern zu Hamburg, den der rat stillete und gutlich bei-
legte.[1]

Anno 1545 liesen etliche knechte im lande zu Mecklenburg zusammen, bei denen etliche heuptleute waren, herzog
Heinrichen zu Braunschweig verwant. Dieweil man nu
ihr furhaben nicht eigentlich wissen mochte, bracht herzog
Adolf zu Holstein in der eil ein anzal reuter und fußvolk
zusamen, zog damit nach dem lant zu Mecklenburg, in
meinunge den haufen zu trennen. Als die knechte sollichs vernamen, wolten sie uber die Elbe entweichen. Sollichs zu verhindern, wurden zu Hamburg drei euer mit gutem geschutze
und noch zwei Luneburger bote, alle wol bemannet, ausgefer-
tiget; diese furen von Hamburg abe mitwochens nach Trinitatis [2] und legten die Elbe hinauf bei der erteneborger
fere. Als der hauf gewar wurt, daz inen der paß uber die
Elbe gesperret, handelten sie mit herzog Adolfen, daz er
ihn den paß nachgab, und verwilligten sich niemandes zu be-
schadigen. Also furen die euer widerumb nach Hamburg.

Berurter haufe schweifete lang herumb, zugen durch das
lant zu Luneburg und das stift Bremen [3] in die grafschaft Hoya, darnach im stift Verden, alda sie die stat ein-
namen. Sie sterketen sich taglich und hatten zum obersten
Christoffel von Wrizberg. Entlich zugen sie ins lant
zu Wursten. Die Wursten liesen inen proviant und was
sie bedorften volgen, damit sie mochten ferner unbedrengt und

---

[1] Der Streit betraf die Auslegung des 16. Psalms: durch einen Spruch
des Rathes, 1548 im September, ward er vorläufig beigelegt. S. Kle-
feler Hamburg. Verfassungen und Gesetze VIII. S. 40 und 48.

[2] Mai 31.

[3] Das Vorstehende z. J. 1545 stimmt sehr mit der Einschaltung in der
Hamburg. Chronik S. 131 ff., doch ist Trazziger ausführlicher.

1545 unbeschädiget bleiben. Zuletzt zugen sie ins lant zu Hadlen, die Hadler wurden von inen geschlagen, verjaget und das ir ingenommen; einsteils wichen in Stade, etliche kamen gen Hamburg. Zuletzt nusten sie einen brantschatz bewilligen, der wurt im monate september ausgegeben [1]; das gelt haben die Wurster mererteils zu Hamburg aufgenommen.

Als sollichs geschahen, kam herzog Heinrich von Braunschweig zu dem haufen, dem schwuren beide reuter und knechte; zugen darnach den 20. tag septembris aus dem lande zu Hadlen nach Verden. Nu kunte niemandes wissen, wo sie letzt den [a] kopf wolten hinbieten. Einsteils meineten, es gulte wider die protestirenden stende, etliche sagten, sie wurden nach dem lande zu Braunschweig ziehen und das selbe wider einnemen. Der konig zu Dennemark und die Holstein besorgten sich, daz es pfalzgraf Fridrichs practiken weren und daz sie inen mochten auf die luchen kommen. Derhalben brachten sie in der eil voll zusamen, welchs sich bei Bramstete legerte; auch ließ der rat zu Hamburg etliche euer und bote mit geschutz ausrusten, ob der hauf uber die Elbe hette ziehen wolten, daz sie inen dasselbe mochten weren. Aber herzog Heinrich furet den haufen durch das lant zu Luneburg nach dem lande zu Braunschweig und nam die Steinburg, [2] ein; darnach rukete er fur Wolfenbuttel, darauf war her Bernhart von Mielen, ritter. Er war aber an voll und geschutz zu schwach, daz er an dem hause nichts beschaffen konte. Der lantgraf sampt seinen buntsverwanten machet sich balt zur jegenwer gefasset, darzu die von Hamburg das ire auch teten [3]. Also kamen beide

a) der L.

[1] Die Nachricht vom Zuge nach Hadeln und das Weitere stimmt fast wörtlich mit der Hamburg. Chronik S. 433 ff.

[2] Schloß Steinbrück an der Fuse gelegen. Vgl. Hamburg. Chroniken S. 318. Anm. 6.

[3] Hamburg zahlte als Beitrag zu den Kosten des Krieges an Johann Friedrich von Sachsen und Phillip von Hessen als Kriegsobersten 9157 Pfd. 12 Schill. in 8098 Thlrn. (à 30 Schill.) außerdem schickte man 102 Söldner. Das Geld mußte von einem holsteinischen Adligen Dethlev van Dame aufgeliehen werden. Die Stadtrechnung hat außer der detaillirten Abrechnung einen interessanten Bericht über den Krieg.

telle, an einander den 20. octobris; und herzog Heinrich er- **1545**
gab sich dem lantgrafen sampt seinem sone Carolo Vic-
tore. Herzog Heinrich wurt gefurt auf Ziegenhein und
Carolus Victor nach Cassel. Das kriegsvolk muste
schweren, in einer benanten zeit wider die protestirende stende
nicht zu dienen. Und der lantgraf gab seinem kriegsvolk urlaub.

In deme jare wurt gefertigt die newe brucke vor dem
milrentore zu Hamburg [1]; und das grabengelt, von
iderem brauhause acht ßl. und von iderem wonhause vier ßl.,
bewilliget.

Anno 1546 war eine große tewerunge zu Hamburg
und an andern orten.

Diz jares zug keiser Carolus der funfte und die protestirenden stende gegen einander zu felde. Die von Hamburg schickten die iren auch zum haufen, und wurt zweimal
eine schatzunge bewilliget, iderzeit von einem gulden ein halben. [2]

---

[1] Nach der Stadtrechnung sind 465 Pfd. 18 Schill. verausgabt für
„551 fira tho 18 Schill. 'secti kulden, wellche gehowen sin im selve
und gesowen sin tho der brugen und strikwere vor deme Milrendore"
und 438 Pfd. 10 Schill. für 485½ Ellen gehauene Strine zum
Strichwehre (ad munitionem transversalem) und der Brücke vor dem
Milrenthore. Auch im J. 1545 wurde noch fortgebauet: unter andern
erhielt das Milrenthor ein vergoldetes Stadtwappen.

[2] Nach der Stadtrechnung betrug der von den Bürgern einstimmig
(unanimi consensu) bewilligte Schoß von ½ pCt. 16,189 Pfd. 18 Schill.
und 15,599 Pfd. 18 Schill., zusammen 31,789 Pfd. 16 Schill. —
Gezahlt wurden 56,269 Pfd. 15 Schill. 3 Pf. als sechsfache duppelte
größere Anlage (6 duplicibus mensuium maiores contributiones) zum Bun-
deskriege und 24,000 Pfd. an den Churfürsten zur Wiedereroberung
seiner von Herzog Moritz eingenommenen Lande. Außerdem sandte
man durch Barthold von Heymbroke und in Holstein durch
Eweder Melstede, Hamburg. Bürger, geworbene Reiter, sowie nach
Magdeburg zur Hülfe gegen Moritz durch Herrn Cord Penning, eines
auratus und Einwohner von Hamburg, geworbenes Fußvolk. Als Kriegs-
commissaire wurden Rathmann M. Rebers und Mag. Alexander
Spies abgeordnet, deren Unterhalt 21 Wochen lang 1689 Pfd. erforderte. Im Ganzen verausgabte Hamburg zu Bundeszwecken laut
des detaillirten Nachweises der Stadtrechnung, welchem ein interessanter Bericht über den Krieg beigefügt ist, 58,966 Pfd. 8 Schill. 7 Pf.

1546 Jn biesem jare den 18. februarii starb doctor Martinus Lutherus zu Eisleben und wurt von dannen nach Wittenberg gefuret und erlich zur begrebnus bestattet.

Diz jares am tage Michaelis [1]) wurden zu Hamburg in den rat erwelet: her Heinrich vom Brake, der rechten licentiat; er wurt burgermeister gekorn desselben jares am tage Clementis [2]) und starb anno. 48 des funften tages nach Felician [3]); Garlof Langenbecke; Gerhard Niebur, starb anno. 57; Hieronimus Wissenbecke.

Anno 1547 weret noch der krieg zwischen dem keiser und den protestirenden stenden. Aber die protestirenden wurden in die lenge sere krank im beutel, den auf so ein treffliche rustunge monatlich ein merkliche unkost auslief. Do in kein gelt vorhanden [4]), wurden der oberlendischen stette knechte mit parchem bezalet. Entlich als sie befunden, daz in irem vermugen nicht wat, einen beharlichen krieg wider den keiser zu furen, ergaben sie sich an den keiser und erlangten genade. Ingleichem tet pfalzgraf Friderich bei Rein, der herzog von Wirtenberg und andere mer; lantgraf Philip a) von Hessen zug auch von dem haufen abe in sein lant.

Umb diese zeit versamblete sich ein grosse anzal reuter und knechte im stifte Munster. Dieweil man den kuntschaft bekam, daz solliche versamblunge wider die von Bremen und Hamburg gerichtet, wurt der graben zu Hamburg zwischen dem steintore und spitalertore sechzig fuß in die breite erweitert. Ingleichem wurt wetter gemachet der graben zwischen dem schartore und dem milrentore. Es wurt auch gefertiget der graben und wal sampt den rundelen auf

---

a) Phlilps L.

[1]) Sept. 29.   [2]) Nov. 23.   [3]) Oct. 25.

[4]) Daß es an Gelde fehlte, gesteht die Stabrechnung (Rea.) offen ein. An Schoß konnte nur 17,218 Pfd. 11 Schill. 4 Pf. aufgebracht werden, doch lieh der Rath mit Wissen und Willen der Bürger besonders bei begüterten holsteinischen Adligen 52,960 Pfd. und 87,714 Pfd. 8 Schill. auf, wofür ihnen verkäufliche Kammerbriefe ertheilt wurden.

dem knoke von dem winserbaume bis zu dem nibern a) 1547 baunte *).

Über das volk, welchs sich, als obberurt, im stift Munster versamblet, war oberster Christoffer von Wrtzberg b). Der zug damit durch Minden und ruckte von dannen und belagerte Bremen im faselabende; zu beme kam auch herzog Erich zu Braunschweig mit seinem kriegsvolke.

Den 12. martii zugen von Hamburg zwene burgemeister gen Lubeck; doselbst wurt beschlossen, den Bremern hulf zu luende *) und sie zu entsetzen, und wurden volgents sechs bolerte c) mit geschutz und volke zu Hamburg ausgerustet, die liefen von der Elbe nach der Weser *).

Den 4u aprilis wurden zu den dreien knechtlichen fenlein, die zu Hamburg lagen, noch zwei zugerichtet, die andern

---

a) Nibbern L.   b) Fritzberg L.   c) boirtte L.

*) Vgl. die im Ganzen übereinstimmenden Nachrichten in der niedersächsischen Chronik S. 438. In den genauen Angaben der Stadtrechnung über Ausgaben für den Bau eines hölzernen Befestigungswerkes (Stakel) vom Steinthor bis zum Röhdel in der Richtung nach dem Hammerbroke, für den Wall vom Steinthor zum runden Thurme und von da bis zur Alster, für das Rondel an der Alster, für eine Ziegelmauer auf dem Resendamme, für den Wall vom Resendamme zum Rondel beim Milrenthor durch die Wien, für ein Blockhaus auf dem Scharthorwalle, für den Bau steinerner Vorsetzen und des Walles im Brooke beim Garten Paul Barens, für das Rondel am Danthore, für Graben und Wall beim Wandrahm (iuxta ramenhave) — können wir die ganze damalige Befestigungslinie der Stadt verfolgen, welche auch auf der meinem Programme zur dritten Säcularfeier der bürgerschaftlichen Verfassung Hamburgs im Steindruck beigegebenen holländischen Ansicht aus der Vogelperspective deutlich zu erkennen und von mir a. a. O. S. 61 ff. erläutert ist. Vgl. ferner die angeführten Chroniken S. 335.

*) Schon 1545 mußte man auf Maaßregeln zum Schutze Ritzebüttels gegen diesen Söldnerführer bedacht sein. (Stadtrechnung.)

*) Nach der Stadtrechnung wurde auf Bremens inständiges Bitten zum Schutze der Stadt und um deren Feinden die Zufuhr abzuschneiden, 7 Boyerde auf die Weser gelegt (Kosten: 8471 Pfd. 2 Schill. 6 Pf.), auch zum Schutze der Elbe und der Hamburgischen Unterthanen (Elbinseln und Vierlande) wurden Schiffe ausgerüstet:

1547 sechsischen stette ließen zu **Braunschweig** voll zusammen laufen, auch wurden reuter in einer statlichen anzal bestellet, bereit selther war graf **Albrecht** zu **Mansfeit**. Die von **Hamburg** bestellten zu iren knechten eine faue reuter, deren ritmeister war **Caspar** a) **Tobing** von **Luneburg**. [1]

Am sontage **Misericordias Domini**, war der 24. aprilis, wurt der churfurst zu **Sachsen** bei **Mulberg** durch keiserliche majestet nidergelegt und gefangen.

Den 29. aprilis zugen [2] von **Hamburg** obberurte funf fenlein, darunter waren drei fenlein boßleute [3]. Den volgeten die reuter und zugen zu **Gisltingen** uber die **Elbe** ins lant zu **Luneborg**; darnach zugen sie fort nach dem lande zu **Braunschweig**, und kamen bei der andern stette haufen zu **Lafferde**. **Christoffer** von **Wrißberg** bekam die kuntschaft, wie der **Hamburger** kriegsvolk were aufgezogen. Derhalben zog er aus dem lager vor **Bremen** mit 600

---

a) **Georg** L.

[1] Der Stadtrechnung z. J. 1547 entnehmen wir die genauern Angaben über die Rüstungen des Jahres. Die Fahne Reuter 217 Mann stark unter **Caspar Tobing** 3½ Monate lang unterhalten, kostete 21,995 Pfd. 8 Schill., drei Fähnlein Bootsleute, vom Schiffshauptmanne und Bürger **Nicolaus Lange** befehligt, und zwei Fähnlein Fußvolk unter **Jacob Hintschen**, 4 Monate und 2 Wochen, endlich ein viertes Fähnlein Fußvolk unter **Jacob von Nürnberg** 1½ Monate lang gehalten, kosteten im Ganzen 49,180 Pfd. 15 Schill. 3 Pf.; außerdem an verschiedenen Ausgaben für das angenommene Fußvolk 1479 Pfd. 14 Schill. 6 Pf. Jener Hauptleute wird auch gedacht in den Hamburg. Chroniken S. 335 und 441.

[2] Der Ausmarsch der Truppen und der Transport der 6 großen Geschütze verursachte vom Neurm eine Ausgabe von 2216 Pfd. 6 Schill. 6 Pf. Die zu ihrer Bedienung erforderlichen 12 Geschützmeister, 2 Zimmerleute und 7 Erdarbeiter erhielten 378 Pfd. 16 Schill.

[3] **Jacob von Nürnberg** war mit **Martin** von **Gommern** und **Peter Kamken** unter dem Hamburger Obristen **Cordt Penninck** (f. unten z. J. 1549) auf der Versammlung der Städte zu **Braunschweig** am 29. März d. J. Siehe den Bericht der Braunschweigischen Abgeordneten bei **J. M. Kohlmann** Kriegsmuth und Siegesfreude der Stadt **Bremen** im J. 1547 (1847) S. 48

pferden und etlichen hakenschutzen des vorhabens sie niderzu- 1547
legen; aber er kam nicht an sie ¹).

Sonnabends nach dem sontage Vocem jucunditatis ²) brachen auf beide leger vor Bremen und zugen der stette kriegsvolk entjegen. Den montag nechstfolgent ³) kam der stette
volk an reutern und knochten sampt dem Tomeshern ⁴), der
von des churfursten zu Sachsen haufen den stetten zu hilf
gekommen, bei der Drakenborch an herzog Erichen zu
Braunschweig und seinen haufen, teten mit inen ein ernstlich treffen, schlugen sie und behielten das felt. Herzog Erich
kam mit genawer not darvon. Also wurt Bremen angeregter belagerunge entsetzt; und es haben die von Hamburg ire
boyrte von Bremen anheimbgefordert, auch reuter und knechte
enturlaubet.

Den 1. junii tet lantgraf Philip zu Hessen vor keiserlicher
majestet den fußfal; aber er wurt ohne genade in gefengnus und
verwarunge der Hispanier genomen und muste herzog Heinrichen zu Braunschweig aus seiner gefengnus wider losgeben. Als nu die von Hamburg des keisers sieg und gluck sahen
und daz ir widerstant vergeblich, haben sie durch furbit des
konigs zu Dennemark bei dem keiser erhalten, daz er sie
auf vorgehenden fußfal und aussonunge zu genaden wolte auf-
nemen. Demnach hat der rat an ire keiserliche majestet den
29. junii abgefertiget doctor Franz Pfeilen, sindikum, und
hern Gert Nieburn, ratsverwanten, sampt M. Martino

---

¹) An der Schlacht bei Drackenborg nahm Christopher von Wris-
berg keinen thätigen Antheil. Er kam zu spät und plünderte den
Troß, wobei er nach der Stadtrechnung den Wagen mit der Hamburgischen Kriegskasse, 14,556 Pfd. 19 Schill., für die Hamburgischen
Soldtruppen bestimmt, erbeutete. Die siegesfrohen Evangelischen
spotteten:
    Wir han das Feld,   Wir han das Land,
    Wrisberg das Geld!   Er hat die Schand!
    S. J. M. Kohlmann Belagerung Bremens und Schlacht bei
Drackenburg (1847). Havemann Geschichte der Lande Braunschweig-
Lüneburg II. S. 318, und die ansprechende Erzählung über die Schlacht
in Beneke's Hamburg. Geschichten und Sagen No, 76.
²) Mai 21.   ³) Mai 23.
⁴) Thamshirn, Befehlshaber Churfürst Johann Friedrichs.

1547 Gabeln, secretario. Diese haben ire keiserliche majestet den fußfal und abbittunge getan zu Nurmberg. Es ist auch fur
die außsoinunge eine große summa geldes außgegeben [1]) worden. Also wurt der Schmalkaldische bunt zertrennet,
und es ließ got die leute sehen, daz er, gleich wie der Gideon,
sso feinde nicht mit menschlicher macht, sunder durch seine
wunderwerk schlagen muste, auch den rum inen nit verhengen
wolte, als solten sie durch ire menschliche macht und gewalt
sehr wirt beschützt und erhalten haben. Es mag sich auch ein
ieder daran spiegeln, was es sei, wider die obrigkeit streben.

In diesem jare verhengete got uber die stat Hamburg
eine große pestilenz, daran viel menschen jung und alt
hinwegsturben.

Es wurden in den rat erwelet: herren Herman Schele,
Johan Wetken, Luder Schulte und Albert Hackeman; der wurt burgermeister anno 53 dingstags nach Misericordias domini[2]).

Anno 1548 wurt das interim an die von Hamburg
geschicket; und weil dasselbige auch den andern benachbarten
stetten war zugefertigt, haben die sechs wendische stette zu
Mollen einen tag gehalten und sich entschlossen, wie sie sich
derwegen verhalten wolten[3]).

Es wurt auch zu Hamburg die bierziese, von iter

---

[1]) Der Sühnbrief von 1547 Juli 15. ist mit andern interessanten Aktenstücken
in Krabbes Aufsatz über Hamburgs Theilnahme an den Handlun-
gen der schmalkaldischen Bundesverwandten und Aussöhnung mit Kaiser Karl V., in der Zeitschrift des Vereins für Hamburgische Geschichte
Bd. I. S. 196, mitgetheilt. Die von Hamburg zu zahlende Summe
betrug, wie auch die Stadtrechnung bestätigt, 60,000 Gulb. rheinisch
(= 80,590 Pfd. 14 Schill.). Von Seiten des Königs von Dänemark
wurden Petrus Suaven und Andreas von Barby mit der
Vermittlung betraut; außerdem war am kaiserlichen Hofe der Bischof
von Arras als Fürsprecher thätig, deren erfolgreiche Bemühungen man
durch Ehrengeschenke (vergoldete Becher) belohnte.

[2]) April 28.

[3]) In Folge davon erschien in niedersächsischer und hochdeutscher Sprache
die Schrift: „Bekenntnisse vnd Erkleringe vp dat Interim, dorch der
Erbarn Stede Lübeck, Hamborch, Lüneborch rc. Superintendenten, Pastorn vnd Predigern", von Aepin verfaßt. S. meine Schrift zur Geschichte der Buchdruckerkunst in Hamburg S. 30.

tunnen acht ßl., und den der hundertste pfennig von allen 1548 gutern angelegt und bewilligt [1].

Auch wurden abermals vierzig burger erwelet, mit denen der rat sich über zeit der stat anliggenden sachen halber zu beratfragen [2].

Anno 1549, als die von Bremen und a) Magdeburg in des keisers höchster ungnade waren, schickten die drei stette Lubeck, Hamburg und Luneburg an iro keiserliche maiestet dahin zu vermagen, daz sie die Bremer und Magdeburger zu gnaden nemen; es war aber unbsonst und vergeblich [3].

In diesem jare ist zu Hamburg die holzbrugge und die eussersde bruck vor dem schartore new gebauwet, der wal in der wische verhoget und das newe tor auf dem tamme sampt den andern maurwerke gefertiget [4].

Dieses jares den 13. maii wurden im chore zu S. Marien Magdalenen ordinirt M. Paulus von Etzen, secundarius, lector der theologie [5] und M. Joachim Degener, prediger zu S. Marien Magdalenen [6].

Curt Pfennig, oberster, zu Hamburg wonhaftig,

---

a) und fehlt L.

[1] Seit 1549 findet sich unter den Einnahmen der Stadtrechnung ein besonderer Posten „de acciza civium", in diesem Jahre 8386 Pfund 12 Schill. 6 Pf. Vgl. Hamburg. Chroniken S. 442.

[2] Die Folge war der bekannte Receß vom Jahre 1548.

[3] Die Kosten dieser vergeblichen zum Kaiser nach Brüssel von den drei Städten Namens der ganzen deutschen Hanse geschickten Gesandtschaft betrugen für Hamburg, dessen Gesandte Rathmann Hieron. Bissenbeken und Syndikus Dr. Joh. Struben waren, 1112 Pfund 5 Schill. 4 Pf. (Stadtrechnung 1550.)

[4] Die Stadtrechnung erwähnt Bauten zu den Befestigungen am Schaartore, doch nicht die Brücke, auch nicht die Holzbrücke. Vgl. Hamburg. Chroniken S. 444. Für den Wall in der Wisch, zwischen Resendamm und Milrenthor (vgl. oben z. J. 1543.) wurden 327 Pfd. 7 Schill. 6 Pf., für Mauer und Thor auf dem Resendamme 528 Pfd. 19 Schill. 3 Pf. verausgabt, doch muß eine Veränderung des Walles selbst nöthig gewesen sein, da sich für einen Wall vor dem Resendamm die bedeutende Ausgabe von 3015 Pfd. 8 Pf. findet.

[5] Vgl. über ihn Ed. Meyer Geschichte des Hamburg. Schul- und Unterrichtswesens im Mittelalter S. 109 und Schröder Lexikon der Hamburg. Schriftsteller Bd. 2, S. 161 ff.

[6] A. a. O. S. 23.

19*

1549 verfamblet ein haufen kriegsvolk zur Harburg; die furete er
dem könige von Engelant zu [1].

Anno 1550 belagerte herzog Heinrich zu Braunschweig
die stat Braunschweig. Als er nun abzug, nam herzog
Georg zu Mecklenburg das kriegsvolk widerumb an und
furet sie in das stift Magdeburg [2]. Die von Magdeburg
zugen heraus mit irer wagenburg, wolten herzog Georgen
mit seinem haufen niderlegen. Aber got schicket es anderst: den
die Magdeburgischen, die doch ungleich sterker waren als herzog Georg, wurden geschlagen und gefangen [3], und herzog
Georg lagerte sich fur Magdeburg [4]; darzu kam herzog
Moritz churfurst zu Sachsen, des churfursten zu Brandenburg volk, marggraf Albrecht zu Brandenburg [5]
und der keiserlichen majestet commissarius Lazarus von
Schwendi [6]; und die belagerunge weret eine geraume zeit.

Der keiser mandiret den von Hamburg, daz sie die
acht wider die Magdeburgischen solten exequiren helfen [7].

Graf Volrat zu Mansfelt und der herzogen zu Mecklenburg kriegsvolk, welchs sie im lande zu Mecklenburg
verfamblet, zugen in die stifte Bremen und Verden. Aber
herzog Moritz, churfurst, und herzog Heinrich zu Braun-

---

[1] Ueber diesen thatenreichen Mann vgl. meinen Aufsatz in der Zeitschrift
des Vereins für Hamburg. Geschichte Bd. V. S. 32—45.

[2] 1550 Sept. 16. Ich entnehme die genauern Angaben über den Ver-
lauf der Belagerung Sebastians Besselmeyer, eines Augenzeugen
bei Hyldesleben, gründlichen Bericht des Magdeburgischen Kriegs o. O.
u. J. A., welchen Tratziger gekannt zu haben scheint.

[3] Sept. 22. [4] Sept. 26.

[5] October 2. [6] Anfang December.

[7] Aus der Stadtrechnung ersehen wir, daß nach Jüterbock, wo über
die von den Ständen des niedersächsischen Kreises zu zahlende Kriegshülfe gegen Magdeburg verhandelt ward, der Secretarius Magister
Alexander Spies gesandt ward, die Stadt zu entschuldigen. (Kosten: 97 Pfd. 11 Schill.), ja man berieth sogar in Lübeck über Mag-
deburgs Befreiung und verpflichtete sich, Magdeburg mit 5000 Thlrn.
zu unterstützen und zahlte im J. 1550 1375 Pfd., im J. 1551 2098
Pfd., im J. 1552 4279 Pfd.; außerdem brachten die Bürger durch
einen Schoß von ½ vSt. 15,454 Pfd. 1 Schill. 2 Pf. auf, so daß
der Stadt noch 10,000 Mk. Lübsch gezahlt werden konnten, mit der
Bedingung, die Hälfte (5000 Mk.) in bestimmter Zeit zurückzuzahlen.

schweig zugen an sie mit einem ungleich großern haufen, 1550 und wurt das kriegsvolk ohne blutvergießen getrennet [1]).

In obberurter belagerunge wurt herzog Georg zu Mecklenburg gefangen, und blieben viele furnemer vom abel und anderer redlicher leute [2]).

Anno 1551 vertrug sich herzog Moritz mit der stat Magdeburg und zug abe mit allem kriegsvolke. Er besetzte aber die stat mit etzlichem kriegsvolk, damit er, wan es die notturft erforderte, ihr mechtig sein konte [3]).

Nach dem abzuge vor Magdeburg gingen große bestallunge aus von herzog Moritzen, churfursten, und des gefangenen lantgrauen junger herschaft und marggraf Albrechten zu Brandenburg. Sie verbunden sich mit dem konige zu Frankreich wider den keiser. Als dem keiser sollicher bewerbunge halber allerlei kuntschaft furkam, schicket er herr Wilhelm Bocklein, rittern, irer majestet rat, an alle stende des reichs, sich der sachen zu erkundigen und die stende zum gehorsam zu vermanen. Dtser Bocklein kam gen Hamburg in den heiligen weihnachten [4]).

Anno 1552 zug der konig zu Frankreich sampt seinen buntsverwanten wider den keiser zu felde, und hetten gluck und sieg.

Graf Volrat zu Mansfelt versamblet aus befel herzog Moritzen, churfurstens, bei Hamburg ein haufen kriegsvolks; er besuchte die stifte Bremen, Verben, Ratzenburg und bewug die von Lubeck, Hamburg und Lune-

---

[1]) Mitte December. — In Hamburg ließ man durch Sveder Melsinck 200 Mann Fußvoll annehmen, als die Grafen von Mansfeld ihr Heer entließen.
[2]) December 20.
[3]) 1551 Nov. 8 und 9. Vgl. Hamburg. Chronik S. 317.
[4]) Er ward in Catharina Rovers Herberge untergebracht; Kosten: 59 Pfd. 8 Schill.; doch waren schon Bürgermeister Peter von Spreckelsen, Rathmann Laurentius Nygebur und Secretarius Mag. Nicolaus Boegelers zu Verhandlungen mit den wendischen Städten über die dem Kaiser wegen des Interims und die Herzog Moritz zu gebende Antwort nach Lübeck gesandt: Kosten: 238 Pfd. 10 Schill. (Stadtrechnung.), doch scheint man sich über Neutralität geeint zu haben. S. unten.

1552 burg dahin, daz sie einen ansehentlichen summen geldes zu
sollichem zug legen und damit ire lande und guter entfreien
mußten ¹). — Seine werbunge tet er zu Hamburg in beisein
des rats und erbgesessener burger den 22. aprilis.

Auf diesem zug und kriegsrustunge erfolgete der Passo-
wische vertrag; und es wurden der alte churfurst zu
Sachsen und der lantgraf zu Hessen ohne entgeltnus
irer gefengnus erledigt.

Der junge, tewere und kune helt, herzog Georg zu
Mecklenburg wurt in obbezurten kriegshandlungen in der
belagerunge vor Frankfurt am Meine in den schenkel geschossen, darnan er balt hernacher seinen geist aufgab ²); des
tot billig ein ider beklagen sollen, den er war der manlig-
keit und gemutes, daz man inen den alten trefflichsten
kriegsfursten zu vergleichen.

In diesem jare war großer mangel an getreide, auch viel
storms und ungewitters. a)

Anno 1553 zugen wider einander zu felde herzog Moritz,
churfurst, herzog Heinrich von Braunschweig, die bischofe
von b) Bamberg und Wirzburg ³) und die stat Nurmberg
an einer, und marggraf Albrecht anderteils. Beide hausen
gerieten an einander bei Siuershausen, teten eine felt-
schlacht, darin herzog Moritz mit seinem anhang obsiegete
und das felt behielt, aber er wurt geschossen, daz er davon
starb. In gleichem starb von einem schusse herzog Friderich

---

a) In — ungewitters fehlt L.   b) von fehlt L.

¹) Dem Berichte der Stadtrechnungen z. J. 1552 zufolge ward von Moritz von Sachsen zugleich mit Volrath der kurz zuvor aus Hamburg.
Diensten entlassene Secretarius Mag. Alexander Spies abgesandt.
Ihm wird durch „verschmitzte Unterhandlungen" es gelungen sein, Lübeck und Lüneburg wider zu Lübeck getroffene Abrede zu gewinnen;
worauf der Rath zu Hamburg dem Drängen der Bürger nachgebend
sich dazu verstehen mußte, einen Tag zu Lübeck zu beschicken, wo
50,000 Gulden durch einen Schott von ½ pCt. aufzubringen als Unterstützung für die verbündeten Fürsten und 100 angelatti (Engelotten)
für Volrath bewilligt wurden.

²) Mitte Juli.

³) Wigand von Bamberg und Melchior von Würzburg.

von Luneburg; herzog Heinrichs zu Braunschweig zwote sone, Carolus Victor und Philip blieben sampt vielen herren, edlen und andern redlichen leuten auf der walstat; sollichs geschach den 9. julii[1].

In diesem jare schicketen die anseestede ire herliche botschaften in Engelant und erlangeten von der konigin widerstattunge irer privilegien, deren sie bei der zeit konigs Edwards entsetzt waren. Darzu waren aus Hamburg verordnet: herr Albert Hackeman, burgermeister, doctor Johan Grube[2] und Gert Niebur, ratsverwanter.[3]

Es sturben in diesem jare zu Hamburg doctor Johannes Epinus, superintendens, und herr Peter van Spreckelsen, burgermeister.

Herzog Heinrich zu Braunschweig gewan nochmals marggraf Albrechten[4] eine schlacht abe vor Braunschweig[5], und Erasmus Ebner, den von Nurmberg kriegscommissarius, vertrug die stat Braunschweig mit dem herzogen[6].

Anno 1554 wurt auf anhalten der bischofe in Franken und der von Nurmberg marggraf Albrecht am keiserlichen kammergericht in die acht erkleret.

---

[1] „Da Jacob van Nurnberch kith kin leuent", sagt ein geschichtliches Lied von jener Schlacht, gedruckt durch K. Göbel in der Zeitschrift des histor. Vereins für Niedersachsen 1853. S. 381. Unter jenem dürfen wir doch nur unsern z. J. 1547 genannten Hauptmann suchen.

[2] Er war damals Syndicus und noch eine kurze Zeit lang College unsers Chronisten.

[3] Die Stadtrechnung giebt die Kosten dieser Sendung auf 5801 Pfd. 11 Schill. 10 Pf. an; außerdem erwähnt sie eine Sendung des Secretairs Joh. Nitzenberg nach Lübeck der englischen Privilegien halber und einen Hansetag zu Lübeck, auf dem über die vier hansischen Comtoire (quatuor emporia) verhandelt ward. Die Aufhebung der hansischen Privilegien, durch die nach Selbstständigkeit des eignen Handels strebende englische Kaufmannschaft veranlaßt, ward 1552 Febr. 24. im Geheimrathe Edwards VI. ausgefertigt; indeß erlangte man noch bei seinen Lebzeiten Milderungen und 1553 Octbr. 24. von der Königin Maria die Wiederherstellung der alten Freiheiten. S. meine urkundliche Geschichte des hansischen Stahlhofes zu London S. 98 ff. und Urk. No. 155. 156.

[4] von Culmbach. [5] Septbr. 12. [6] Freitag nach Gallus.

1554 Herzog Heinrich von Braunschweig uberzug die von Hamburg, nam Bergerdorp, das haus und stetlein, ein sampt den angelegenen marschlanden, und sollichs der ursachen, daz die von Hamburg inen, den herzogen sampt andern iren Schmalkaldischen buntsverwanten von landen und leuten vertrieben, auch den grafen von Mansfelt als er ihm ins lant gezogen, mit gelde gesterket. Es wurden viel handlungen derwegen zu Bergerdorp gehalten, aber zuletzt konte die sache auf keinen andern weg vertrogen werden, sunder es musten die von Hamburg herzog Heinrichen 12,000 taler zur aussonunge geben [1]). Die von Lubeck und Luneburg wurden auch angesprochen, daz sie graf Volraten von Mansfeld'e mit gelde hilflich gewesen, und musten zusammen geben 14,000 taler. Also besuchete herzog Heinrich alle diejenigen, die ime entkegen gewesen und drang sie dahin, daz sie sich mit ime musten aussonen.

Anno 1555 erregte das tumbcapittel widerumb den proceß am keiserlichen cammergerichte wider den rat, ließen die arctiores executoriales dem rate verkundigen und procedirten auf erklerunge der acht. Aber der rat brachte bei der keiserlichen majestet zuwegen eine commission an den bischofen zu Oßnabruck, der zeit keiserlichen cammerrichtern, und herzog Franz Otten zu Luneburg und suspendirte den proceß am cammergerichte [2]). Darauf wurt gehandlet zu Verden zwischen

<hr/>

[1]) Dies bestätigt der beinahe wörtlich übereinstimmende (lateinische) Bericht der Stadtrechnung; wir ersehen jedoch aus ihm, daß Hamburg, um für alle Fälle gerüstet zu sein, Fußvolk, dem ein Sold von 5281 Pfd. 4 Schill. und Schiffsvolk, dem ein Sold von 1229 Pfd. 9 Schill. 9 Pf. gezahlt ward, angenommen hatte. Als Unterhändler zwischen der Stadt und dem Herzoge war Franz Bulouw thätig; er erhielt ein Geschenk von 232 Pfd. 10 Schill. Zu so bedeutenden Ausgaben des Jahres bewilligten die Bürger einen Schoß von 19,133 Pfund 16 Schill. 6 Pf. Die Eingesessenen von Billwerder zahlten 1312 Pfd. 19 Schill. 9 Pf.

[2]) Tratziger selbst ward, wie wir aus der Stadtrechnung des Jahres 1555 ersehen, nach Brüssel an den kaiserlichen Hof gesandt, um die commissarische Behandlung des Streites zu erlangen (Kosten: 1056 Pfd. 5 Schill. und 587 Pfd. 9 Schill. zu Geschenken an kaiserliche Räthe.). Außerdem war Dr. Johan Bowke beim Kammergerichte für

beiden teilen mit großem vleiß, aber der handel war vergeb= 1555
lich. Damit den das capitel den rat und gemeinde der stat
mit den processen des cammergerichts nicht übereileten, schicke=
ten sie an den Romischen konig und erlangeten so viel,
daz die commission erneuwert wart ¹). Also blieb die sache
in rue bestehen biz auf biz geendigte 57. jar, in welchem ich
diese jarbucher durch genedige verleihunge des obern almech-
tigen gottes beschlossen.

Der verleihe uns hinfortan zeitlich und ewig seine genade
und segen. Amen.

Absolutam est hoc opus Hamburgi Anno MDLVII.
die XXIX. Decembris.

Hamburg thätig (Kosten: 523 Pfd. 18 Schill.); auch ward zu Itzehoe
durch Bürgermeister D. Koel, Rathmann L. Niebur und Tra=
ziger direct mit den Gesandten des Königs von Dänemark und den
Capitularen verhandelt. Dem Herzog von Lüneburg schenkte man ein
Pferd, 75 Pfd. 8 Schill. werth, dem Bischof von Osnabrück, Mag.
Joh. Schrober, einen vergoldeten Becher, 403 Pfd. 4 Schill. werth,
224 Loth schwer.

¹) Auch bei den Verhandlungen dieses Jahres war Traziger thätig:
er hatte mit Hermann Wetken dem Bischofe von Osnabrück
über den Streit zu referiren, und wurde mit dem Bürgermeister Ditm.
Koel, dem Rathmanne Laurensius Niebur und dem Secretarius Mag. Nicolaus Voegler zu den Verhandlungen in Werben deputirt. Hamburg trug auch die Kosten des Aufenthalts der von
den beiden Commissarien gesandten Vertreter. Im Ganzen wurden
1886 Pfd. 10 Schill. 8 Pf. verausgabt. S. die Stadtrechnung.

Inhaltsübersicht von Trußiger's Chronik.

Einleitung.

956. Benedict mit nach Hamburg geführt, stirbt daselbst 956. —
984. Tod Hermann Bilings 984. — Hermanns Sohn Benno
989. schützt Hamburg vor Dänen und Wenden. — Adalag † 989.
994. — Libentius † 994. — Unwan besestigt Bremen, bauet
die Kirche und Stadt von Hamburg wieder auf aus Holz.
1010. werf. Einsetzung des Domcapitels. † 1010. — Libentius II.
1033. schmückt die Kirchen u. s. w. zu Hamburg. † 1033. —
1036. Hermann. Unmauert Bremen. † 1036. — Bezelin Alebrand. Sorge für das Domcapitel. Hamburg mit Mauer,
3 Thoren und 12 Thürmen versehen. Bisthümer in Dä-
1043. nemark und den Wendischen Landen. † 1043. — Albert.
Läßt die Stadtmauer niederreißen, die Kirche bauen. Das
Werf wird unterbrochen. Folgt dem kaiserlichen Hofe. Legt
eine Propstei und Festung auf den Sullenberg. Sein Ansehen
1072. im Reich. † 1072.—Herzog Bernhart bauet die Nene Burg.
Stirbt; sein Sohn Ordulphus folgt. — Liemar, Hamburg
1073. 1073. zweimal von den Wenden zerstört. Die Hamburger
1102. Erzbischöfe werden nach Bremen benannt. Liemar † 1102.—
Ordulf †. Magnus folgt. Stormarn und Holstein zusampt
1106. Hamburg erhält Gottfried. Magnus † 1106. Gottfried von
den Wenden erschlagen. Seine Herrschaft kommt an Herzog Luder von Querfurt. — Stammtafeln der Ottonen und Bilinge.

Dritter Theil: Von Lothar bis Friedrich III.

S. 33—190.

1120. Lothar belehnt Adolf von Schauenburg mit Holstein, Stormarn sampt Hamburg. Bündniß mit Swentepolg. Adolf
1137. † 1137. — Nach Hartungs Tod wird Adolf II. alleiniger
Erbe. Seine Mutter regiert Hamburg. — Bau von Säge-
berg. Adolf mit Lothar gegen die dänischen Könige, Heinrich von Baiern und Albrecht von Brandenburg im Kampf.
Heinrich von Badewide von Albrecht eingesetzt. Segeberg
und die Veste zu Hamburg werden niedergerissen. Adolf II.
erhält Holstein, Stormarn und einen Theil von Wagein
1140. zurück. Er bauet Segeberg wieder und beginnt den Bau
von Lübeck. In Wagern werden Ansiedler aufgenommen.
Bündniß mit Niclot. Niclots Söhne Pribislans und Werk-
fans von den Sachsen besiegt. Adolf II. † vor Demin.
Seine Witwe Mathilde für den unmündigen Adolf III.
Verhältniß zu Heinrich dem Löwen. Adolf III. verjagt.
Wiedereinsetzung durch Kaiser Friedrich; er nimmt Dithmarschen. Streit mit den Lübeckern. Kreuzzug. Privilegien der
1189. Hamburger, datirt zu Nuenburg 1189. Heinrichs des Löwen Rückkunft. Einnahme von Lübeck, Hamburg u. a. bis
1191. auf Segeberg. Adolf kehrt zurück. Hamburg ergibt sich
ihm. Lübeck kommt in seine Gewalt. Herzog Woldemar von

Schleswig zieht gegen Adolf, siegt bei Itzehoe, rückt bis vor
1201 Hamburg. Die Stadt ergibt sich ihm; Adolf flieht weiter.
—02. Hamburg nimmt Adolf wieder auf. Auch Lübeck an Woldemar. Woldemar wieder vor Hamburg. Adolf gefangen
nach Dänemark geführt. Er stirbt in seiner Grafschaft
Schauenburg. — Herzog Woldemar wird König. Albrecht
1204. von Orlamunde erhält Holstein und Stormarn. Streit zwischen den Domcapiteln von Bremen und Hamburg. Wahl
B. Woldemars von Schleswig. Erhebung der Holsteiner
gegen die Dänen; Adolf IV. — Hamburg ergibt sich Kai-
1215. ser Otto IV. und den deutschen Fürsten. König Wolbemar
nimmt die Stadt wieder, setzt Graf Albrecht zu Orlamunde
1218. da ein. Hamburg erhält durch ihn Privilegien. Nach W.
Gefangennahme erkaufen sich die Bürger von Albert die
1225. volle Freiheit. Adolf bestätigt die Privilegien der Hambur-
1227. ger, Friedrich II. die der Lübecker. Schlacht bei Bornhöude.
— Begründung der Hamburger Neustadt durch Wirad von
1235. Boizenburg. — Stiftung des St. Johannis-Klosters. —
1238. Verbindung Adolfs mit den Dänen; Hochzeitsgeschenk der
Hamburger. Wallfahrt des Grafen nach Liefland. — Bündniß der Hamburger mit den Wurstfriesen und Hadelern. —
1241. Bündniß zwischen Hamburg und Lübeck »die erste, davon
glaubwirdige Urkunde vorhanden sein". — Vertrag der
1239. Hamburger mit Herzog Otto zu Braunschweig und Lüne-
1240. burg. — Graf Adolf geht in's Barfüßerkloster zu Hamburg. Bestätigung der Hamburger Privilegien durch Graf
Johan, durch Herzog Abel, 1239 und 1240 (1241). Adolf
reist nach Rom, wird Priester. — Fehde zwischen den Dä-
1242. nen und Holsteinern, diesen leistet Hamburg Hülfe. —
Theilung zwischen Adolfs Söhnen, Johan und Gerhart.—
1247. Bündniß zwischen den Städten Hamburg und Braunschweig.
1252. — Gesandtschaft der Hamburger an Margaretha, Gräfin
von Flandern; die Anze. — Vertrag der Hamburger mit
1253. Herzog Albrecht von Sachsen. — Johan und Gerhart
1255. überlassen Hamburg den Königszins und die Münze. —
Münzvertrag zwischen Hamburg und Lübeck. — Ausbruch
der Streitigkeiten zwischen dem Domcapitel und den Mön-
chen des S. Johannisklosters; geschlichtet 1265. — Cardinal Guido verleiht den Hamburgern Privilegien (1266). —
Johann und Gerhart übergeben Hamburg den Friedschilling. — Vertrag der Hamburger mit Heinrich, Herzog zu
1257. Brabant und Lothringen. — Bernhart von Anhalt feiert
1258. zu Hamburg Hochzeit. — Neuer Vertrag der Hamburger
mit den Herzogen zu Braunschweig. — Johan und Gerhart übergeben den Hamburgern das der Stadt angrenzende
Gebiet. —Wiederherstellung des Schlosses auf dem Sülberg

durch die Grafen. — Hamburg unterstützt die Grafen gegen
1259. Otto von Barmstede und den Erzbischof. Friedlicher Aus-
1261. trag. Verträge der Hamburger mit dem Erzbischofe, mit Bremen, Lübeck, den Friesen. — Graf Adolf †. — Treffen
auf der Loheide. Königin Margaretha wird in Hamburg
gefangen gehalten. — Vertrag der Hamburger mit Schwe-
1263. den. — Verhandlungen über den Frieden mit dem Erzbischof. — Vertrag zu Leiden mit Graf Wilhelm von Holland. — Graf Gerhart bestätigt die Hamburgischen Privi-
1264. legien. — Zwist und Vergleich mit Magnus von Norwe-
1265. gen. — Johan von Lüneburg feiert Hochzeit zu Hamburg. —
1266. Vergleich mit den Dithmarschen. — Graf Johan † (1263).
— Herzog Birger zu Schweden stirbt; sein Sohn Waldemar. — Der Vertrag mit Lothringen und Brabant erneuert. — Vertrag mit Albrecht, Herrn zu Vorn und Sce-
land. — Der Vertrag mit Holland erneuert. — Hamburg
wird privilegirt durch Heinrich von England. — Bier-
production in Bremen und Hamburg. — Streitigkeiten der
1268. Hamburger und Fleminger; Aussöhnung zu Brügge. —
1269. Erster Widerwille und darauf erfolgter Vertrag zwischen dem
Rath und Domcapitel zu Hamburg. — Die Sülze zu Lüneburg wird ergiebiger; Aufschwung der Stadt. — Dänisch-
holsteinische Fehden; Hamburg steht den Grafen bei. —
Wahl Rudolfs von Habsburg. — Räubereien auf dem
Mühlenbroose; Schwerin-Lüneburger Fehde. — Streitige
Wahl in Magdeburg. — Theurung und wohlfeile Zeit in
1276. Hamburg, Lübeck und der Gegend. — Die beiden Rath-
häuser in Hamburg werden zusammengelegt. — Brand von
Lübeck. — Fehde der Hamburger mit Arnold von Blumen-
1279. thal. — Albrecht zu Braunschweig †; Erbtheilung. —
1280. Fehde und Vergleich zwischen Hamburg und Heiderwik über
Kornhandel. — Bestätigung der Hamburgischen Privilegien
1281. durch Adolf und Johan. — Graf Gerhard † (1290). —
1282. Brand von Hamburg (1284). Neubau mit Hülfe Hel-
molds von Schwerin. — Stiftung der Schule S Nicolas. —
1283. Fehde mit dem Geschlechte von Heinichshude. — Branden-
burg-Mecklenburgische Fehde. — Erscheinen zweier falschen
1284. Friedriche (II.) — Lübeck, Hamburg und die Städte der
Ostsee in Fehde mit Norwegen. — Zug und Sieg der Lübecker und Hamburger gegen die Raubritter. — Zug der
1292. Holsteinischen Grafen gegen die Ditmarschen. — Privilegi-
rung Hamburgs durch die Holsteinischen Grafen. Vertau-
schung des Lübischen Rechts mit sächsischem und kaiserlichem.
— Die Hamburger unterstützen die Grafen gegen Heinrich
1299. von Barmstede. — Vertrag der Hamburger mit den Herzögen Johan und Albert zu Sachsen; Bau des Thurmes

zum Neuenwerk. — Fehden der Holsteinischen Grafen mit
1306. ihrem Adel, dem Herzog von Sachsen und den Ditmarschen.
Treffen bei Uetersen. — Die Hamburger bringen die Alster
1310. an sich. — Vergleich über den Schauenburgischen Zoll. —
1311. Streit und Vergleich mit den Grafen über die Hatteborch.
1312. — Graf Gerhart II. †. — Neubau des S. Johannis-
1315. **Klosters 1314.** — Bau der Wedeme zu S. Peter. —
1318. Ermordung des Grafen Adolf. — Theurung zu Hamburg,
Lübeck und in Holstein. — Vertrag der Hamburger mit
1320. Haquin von Norwegen zu Tonsberch. — Vertrag mit Gerhart dem Großen gegenüber dem Holsteinischen Adel. —
1323. Starker Frost. — Verkauf der Münze durch die Grafen an
1326. Hamburg 1325. — Räubereien zwischen Lübeck und Hamburg.
1330. — Belagerung von Gottorp durch die Dänen; die Holsteiner
1331. mit den Hamburgern entsetzen es. — Sieg des Grafen Gerhart über König Christoffer. Ermordung der Holsten in
1335. Dänemark. König Christoffer †; Woldemar König. —
1339. Sein Bruder Otto von Gerhart besiegt und nach Segeberg
1340. geführt. — Festsetzung eines Landfriedens zwischen den um-
wohnenden Fürsten, Lübeck und Hamburg. — Gerhart der
Große ermordet. — Streit zwischen dem Capitel und Rath
und Gemeinde zu Hamburg; Berufung nach Rom. — Streit
1341. und Vergleich zwischen Stade und Hamburg über den Werkzollen. — Fehde der Holsteinischen Grafen mit Hamburg
und Lübeck. Einmischung des Markgrafen Ludwig von Brandenburg und der Schweden. Der Reichsmarschall Friedrich
1342. von Locken. Endlicher Friedensschluß zu Lübeck. — Neue
1343. Zwistigkeiten mit dem Adel; neuer Friedensschluß. — Kriegszug der Städte mit Herzog Albrecht von Sachsen gegen
1345. Erich von Sachsen. — Herzog Albrecht †. — Vertreibung
1346. der Scharpenberge aus dem Darsing. — Neue Räubereien
in Holstein; mehrere Vesten gebrochen. — Raubwesen in
1347. Sachsen. — Die Grafen verbinden sich mit den Hamburgern wider die Raubnester; Vertrag zu Hamburg. Die Ve-
1348. sten Waltorp, Linow, zum Stegen gebrochen. — Wahl Kö-
1352. nigs Karl IV. — Neue Kämpfe mit den Straßenräubern,
mit Hülfe Albrechts von Meklenburg. Einnahme verschie-
1354. dener Vesten. — Austrag der Streitigkeiten zwischen Ca-
1355. pitel, Rath und Gemeinde zu Hamburg; Casstrung des römischen Urtheilsspruches. — Angabe der Bürgermeister zu
1356. Hamburg. — Streitigkeiten zwischen den Hansestädten und
1357. Brügge. — Bestätigung der Hamburgischen Privilegien
durch Graf Adolf. — Aufrichtung eines Landfriedens durch
Fürsten und Städte zu Lübeck. — Vergleich mit den Herzogen von Sachsen über den Thurm zum Neuenwerk. —
1359. Graf Johan II. †. — Gesandtschaft nach Prag an Keiser

dem neuen Rath zu Lübeck. — Sigismund erklärt den neuen
Rath in die Aberacht; der Vollzug wird durch Bestechung
1415. verhindert. — König Erich nimmt die Lübischen Kaufleute
1416. auf Schonen gefangen; Hamburg und andere Städte leisten Bürgschaft. — Wiedereinsetzung des alten Rathes zu
Lübeck; Theilnahme der Hamburger. — Absindung mit König Erich und dem römischen König. — Einsetzung des alten
1417. Rathes in Rostock und Wismar. — Krieg zwischen Erich
und den Grafen von Holstein; Theilnahme der Hamburger.
Vermittlung durch die Städte. König Erich erscheint nicht
1418. zur verabredeten Zusammenkunft. — Hansetag zu Lübeck.
1420. Einnahme von Bergedorf, Ripenborch und Cuddevorde durch
Lübeck und Hamburg. Waffenstillstand. Herstellung des Frie-
1421. dens durch die in Perleberg versammelten Fürsten. — See-
sieg der Hamburger über die Dänen; die Holsteiner verhee-
ren Hadersleben. — Achtserklärung gegen Stade. — Graf
Heinrich zu Holstein †. — Hansetag; die Vermittlung zwischen Holstein und Dänemark wird beschlossen. — Pestilenz
zu Lübeck und Hamburg. — Sieg der Lübecker und Ham-
1422. burger. — Sieg der Lübecker und Hamburger über Raubritter aus der Priegnitz und aus Meklenburg. — Sieg derselben über die Friesen. — 16 dänische Schiffe werden von
den Schleswigern genommen. — Achtserklärung der Ham-
1423. burger. — Sieg der Städte über König Erich. Angriff
der Dänen auf Tondern. — Herzog Runwold von Schlesien wird von Sigismund zur Vermittlung des Friedens ge-
1424. sandt; er stirbt. — König Erich setzt zu Osten vor dem
König seine Sache durch; Berufung nach Rom. — Erich
1425. reist in's heilige Land. — Der Papst cassirt Sigismunds
Urtheil. — Ein Schüler ohne Hände zu Hamburg. —
1426. Neue Angriffe Königs Erich auf Schleswig; Graf Heinrich
verbindet sich mit den 6 wendischen Städten. Deren Kriegserklärung. — Vitalienbrüder fallen von Erich an die Ham-
1427. burger ab. — Das Jahr geht ohne Kampf zu Ende. —
Neue Versammlung der Städte zu Rostock; Feldzugsplan.
Gemeinsame Belagerung von Flensburg; Untergang des Grafen Heinrich; Aufgabe der Belagerung. Gefangennahme des
Johan Kletzen. — Niederlage der städtischen Flotte unter
Tideman Steen und Heinrich Hoyer durch die Dänen. Untergang der Bayschen Flotte. Neue Rüstung. Tideman wird
gefangen gesetzt. Erichs Wühlereien in den Städten. Hinrichtung Kletzens. Aufruhr zu Wismar, zu Rostock. — In-
nere Kämpfe bei den Ditmarschen; Schlichtung durch Ham-
1428. burg, Lübeck und Lüneburg. — Neuer vergeblicher Seezug.
Glücklicher Zug Adolfs und Bundesgenossen (dabei Hamburg)
1429. nach Jütland. — Niederlage der Dänen vor Stralsund.—

20 *

mit Ditmarschen. — Wahl zweier Rathmannen zu Hamburg. — Berathungen der wendischen Städte zu Lübeck;
1476. Theilnahme der Hamburger. — Wiederaufnahme der Cöl-
1477. ner zu Bremen. — Vollzug des Friedens zwischen Seeländern, Holländern, Friesen und den wendischen Städten
1478. zu Lübeck. — Verhandlungen mit K. Christian zu Coppenhagen. — Vermählung Johanns von Dänemark. — Eroberung
1479. oberung von Delmenhorst durch die Städte. — Gesandtschaft der Hamburger nach Lübeck.
1480. wahlen. — Landtag zu Rendsburg (unter Theilnahme von Hamburg und Lübeck) in Sachen der Ditmarschen. —
1481. Beschlüsse der wendischen Städte zu Lübeck gegen die Moscowiter. — Fehde Albrechts von Mecklenburg mit dem Capitel zu Hamburg. — Getreidenoth in Hamburg und den wendischen Städten †. — König Christian
1482. Johann und Herzog Friedrich empfangen die Huldigung in Holstein; Vermittlung von Hamburg und Lübeck; Verhandlungen und Abkunft derselben mit den Hamburgern.—Tagfahrt zu Lübeck. — Klagen gegen Hamburg. — Rathswahlen zu Hamburg
1483. burg — „Gefährliche empörung" zu Hamburg, unter Heinrich
1484. vom Lo. Bestrafung der Urheber. (S. 220—233).— Tag der 6
1485. wendischen Städte zu Lübeck. — Graf Jacob von Oldenburg beschädigt die Städte. — Rathswahlen zu Hamburg. — Tag der wendischen Städte zu Lübeck, in Sachen Rostocks. — Rüstung einer Flotte zum Schutz des Handels in Bergen. — Unfriede allerorts; in Flandern, Sachsen,
1486. Liestand, zur See. — Tag der wendischen Städte zu Lü-
1487. beck: Gesandte aus Schweden, von Preußen.—Aufruhr und Excesse zu Rostock in Folge der Einweihung der Stiftskirche. — Tag gemeiner Hansestädte zu Lübeck: vergebliche Verhandlungen in Sachen Rostocks; die Herzöge von Mecklenburg
1488. lenburg beginnen den Krieg. — Zug der Hamburger gegen Friessche Seeräuber; Hinrichtung von 74. — Rathswahlen
1489. len zu Hamburg. — Verhandlungen in Sachen Rostocks.
1490.} — Rathswahlen. v. 1490. — Verhandlungen der Hanse-
1491.} städte mit den Engländern zu Antwerpen; fruchtlos. Gesandschaft aus Brügge. Verhandlungen der Hamburger
1492. mit den Holländern. — Vergleich zwischen Rostock und den Herzögen. — Harter Winter und Theurung. — Teich
1493. auf der Bille. — Erhebung Ulrichs von Norden zum Grafen von Ostfriesland; Vergleich der Hamburger mit
1494. seinen Söhnen. — Rathswahlen zu Hamburg. (Abbrechen der Rixenburg). — Tag der Hansestädte zu Lübeck. —
1495.} Neuer Zwist der Rostocker mit den Herzögen; Vergleich
1497.} zu Wismar. — 1496? — Verhandlungen der Hansestädte mit England, durch Albert Kranz. — Derselbe ver-

handelt mit Frankreich. — Gefangennahme der deutschen
1498 Kaufleute zu Neugarden. — Versammlung der Hansestädte
zu Lübeck und Beschlüsse. — Rathswahlen zu Hamburg. —
1499. Verhandlungen mit den Engländern zu Brügge; fruchtlos.
— Streit zwischen dem Domcapitel und Gemeinde zu Ham=
burg. — Streit zwischen Bremen und Hamburg und Her=
zog Magnus von Sachsen; die große Garde nimmt Ha=
deln. — König Hans von Dänemark und Herzog Friedrich
von Holstein mit der großen Garde von den Ditmarschen
1500. geschlagen. Vergleich der Hamburger mit Herzog Friedrich.
1501. — Fehde zwischen König Hans und Lübeck. — Aufstand
1502 der Norweger gegen König Hans. — Anwesenheit des
1503 Cardinals Raimundus in Hamburg und Stade. Friedens=
stiftungen. — Herzog Magnus von Mecklenburg und seine
1505 Gemahlin Sophia †. — (1504?) — Rathswahlen zu
1506 Hamburg. — Schiffbruch eines Hamburger Schiffers —
1507. Rathswahlen zu Hamburg. — Krieg der Lübecker mit den
1508.9. Dänen; Neutralität Hamburgs. — Schiffbruch eines
1510.11. Hamburgers. — Rathswahlen zu Hamburg. — Ver=
1512.13. gleich der Lübecker mit König Hans. — Hans †
1514. Christiern folgt. — Rathswahlen zu Hamburg. — Krieg
1515. in Friesland. — König Christiern vermählt sich mit Isa=
1516.17. belle von Burgund. — S. Niklasthurm in Hamburg
1518. vollendet. — Unglücklicher Zug Christierns nach Schweden.
1519. — Rathswahlen zu Hamburg (1518). Wahl Kaiser Karl V.
— Schlacht der Herzöge von Braunschweig und Lüneburg
1520. bei Sprengel. — Verhandlungen der Hansestädte mit den
Engländern zu Brügge. — König Christiern gewinnt Schwe=
den. — Weicher Winter; Westwind. — Verhandlungen
1521. mit den Engländern und Antwerpen zu Brügge. — Pe=
stilenz zu Hamburg. — Hochwasser. — Dr. Veit zu Ham=
1522. burg verbrannt. — Bündniß Herzog Friedrichs mit Ham=
1523. burg. — Flucht K. Christierns. — Brand an der Rödings=
1524. marke. — Rathswahlen. — Krönung Friedrichs zu Koppen=
hagen; Hamburg, Gesandte. — Christiern rüstet, desgleichen
Friedrich und Hamburg; es kommt zu nichts. — Hochwasser zu
Hamburg. — Tagleistung zu Hamburg, für K. Christiern.
1525. Stephan Kempe predigt zu Hamburg. — Herzog Kersten
von Holstein vermählt sich; kommt nach Hamburg.
— Hinrichtung des Seeräubers Claus Kniphof mit 73 zu
1526. Hamburg. — Zegenhagen und Fritze nach Hamburg be=
rufen; Nicolaus Bustorp wider sie. — Pestilenz zu Ham=
1527. burg. — Stephan Kempe zum Pastor an S. Katharinen
1528. gewählt. — Ausweisung der Prediger der alten Lehre. —
Bugenhagen in Hamburg. — Täglicher Fleischverkauf. —
Der lange Receß. — Dompropst und Dechant klagen an

1529. Kammergericht. — Rathswahlen in Hamburg. — Der Dom wird geschlossen. — Die Klöster in Hamburg eingezogen und andere kirchliche Maaßregeln. — Sterben an der Schweißsucht. — Rathswahlen zu Hamburg. — Die

1530. Nonnen von Reinbeck ziehen aus. — Das Kloster zu Hervestehude niedergerissen. — Schleuse vor dem Milreuthore. — Reformation zu Lübeck. — Singen im Dom zu

1531. Hamburg verboten. — Theuerung; Hagel. — Graben und Wall zwischen Schaarthor und Niederen Baum. — Verhandlungen zu Hamburg für K. Christiern. — Sturm; Hochwasser. — K. Christiern wird in Norwegen gefan-

1532. gen. — Hamburgische Gesandtschaft nach Koppenhagen. — Johan Breida auf Island erschlagen. — Aeplaus Super-

1533. intendent. — Rathswahlen zu Hamburg. — Urtheil im Streit zwischen Domcapitel und Gemeinde. — Brennholzmangel. — Lübeckische Flotte unter Marcus Meier gegen die

1534. Holländer. — K. Friedrich †. — Verhandlungen zu Hamburg zwischen Lübeckern und Holländern. — Sendung von Hamburgern nach England zum Zweck der Reformation. — Verhandlungen über Aufnahme Hamburgs in den Schmalkaldischen Bund. — Marcus Meier überfällt Trittau; Herzog Kersten belagert Lübeck; Frieden. — Rathswahl zu Hamburg. — Johan Garz; Nicol. Bustorp. — Zutritt

1535. Hamburgs zum Schmalkaldischen Bund; H. Rover geht als Gesandter nach Schmalkalden. — Die obere Mühle brennt ab. — Mandat gegen die Wiedertäufer. — Siege Herzogs Kersten; auch über die Lübecker. — Seeräuber gefangen. — Neubau der oberen Mühle. — Anlage der neuen Kunst. — Streichwehr vor dem Steinthor. —

1536. Vollständige Aufnahme in den Bund. — Frieden zwischen

1537. König Christian und der Stadt Lübeck. — Pestilenz zu Hamburg. Gesandte vermitteln Waffenstillstand zwischen König Christian und den Holländern. — Krönung K. Christians durch Bugenhagen; Gesandte Hamburgs.

1538. burgs. — Versammlung der protestirenden Stände zu Braunschweig; Gesandte Hamburgs. — Anwesenheit Kö-

1539. nigs Christian mit Gefolge zu Hamburg. — Bewaffnete

1540. Schiffe auf die Elbe gelegt. — Gefährdung Hamburgs durch feindliche Söldner im Lande Hadeln. — Rathswahlen zu Hamburg. — Verhandlungen der protestirenden Stände. — Wunderzeichen am Himmel. — Streit zwischen Hamburg und Bremen. — Heftige Stürme. — Glocke zu S. Peter. — Streichwehr vor dem Steinthor. — Stephan Kempe †. — Kaiserliche Edicta. — Streitigkeiten der Fürsten

1541. von Sachsen, Hessen und Braunschweig. — Kämpfe in

1542. Hadeln. — Vertreibung H. Heinrichs von Braunschweig.

Geographisches Verzeichniß.

Personen - Verzeichniß.

21*

Wort=Register.

Tratziger's Jahrbücher dürften schon als Sprachdenkmal einige Berücksichtigung und Erläuterung verdienen, da sie als das älteste, zu Hamburg in hochdeutscher Sprache geschriebene Buch anzusehen sind. Sogar hochdeutsche Drucke sind vor dem Jahre 1557 zu Hamburg nicht nachzuweisen, mit Ausnahme zweier kleiner Schriften des zu Zelle verweilenden Urban Rhegius durch einen Fremden Franz Rhode 1536 und seit 1553 kleine Schriften des Predigers Magdeburg und anderer Hochdeutschen.

Die Sprache Tratziger's ist eine von der heutigen so verschiedene, daß sie manche Erläuterung ungewöhnlicher Ausdrücke verlangt, und dürfte die Nachweisung über mannigfache, in der späteren Schriftsprache ungebräuchliche Wortformen willkommen sein. Es schien zweckmäßiger, beide hier zu einem kurzen, alphabetisch geordneten Register zusammenzufassen, als solche Bemerkungen einzeln in den Noten zu geben. Es wird darin zugleich der übersichtlichste Beweis für die fränkische Herkunft unseres Chronisten gefunden werden und folgerecht für die Behauptung, daß Tratziger's Original nicht niedersächsisch geschrieben sei. Auch rechtfertigt sich dadurch die Bestimmung der für diese Ausgabe ausgewählten Handschrift.

Allerdings finden sich gelegentlich Spuren niedersächsischen Dialectes in unserm hochdeutschen Texte. Als solche habe ich bemerkt: caspelkirche, de süftiger, de Hoppenmarkt (S. 230, aber Hopfenmarkt S. 260), Niclaskirche (S. 231), vernbel, hollesch recht, scharbor, neddernbaum. Diese sind jedoch nur Bezeichnungen, welche dem Verfasser im täglichen Verkehr so geläufig geworden waren, daß er nicht immer darauf dachte, dieselben in seine eigene Sprache zu übertragen.

Auch bei Eigennamen ist zuweilen eine niedersächsische Form beibehalten, wenn nicht eine lateinische, sondern althamburgische Quelle dem Tratziger vorlag. So „Matthias under der gruft" und die Namen im Recesse vom Jahre 1410, wo bei den, dem Chronisten weniger bekannten das „van" nicht übersetzt ist. In gleicher Weise hat er die Namen in lateinischer Form und Flexion aufgenommen, wo ihm Quellen in dieser Sprache vorlagen.

In Tratziger's Sprache finden wir allerdings das Meiste, wie Luther und seine Freunde schrieben. Doch ist ihm vieles aus seiner süddeutschen Heimat verblieben und finden wir noch mehr Mittelhochdeutsches bei ihm, als es diesseit der Elbe und selbst des Maines in der Mitte des sechszehnten Jahrhunderts vereinigt erscheint.

Zuweilen überträgt er dagegen Namen in das Hochdeutsche, wo es seinen damaligen Lesern sehr fremdartig erschienen sein mag. So z. B. Heiligland (S. 120, vgl. geographisches Verzeichniß) für das gewöhnliche Helgoland oder Hilligeland. Er kann sich sogar in solchen Verdolmetschungen in einen höchst wunderlichen Purismus verlieren, wie in der vermeinten, silbenstecherischen Uebersetzung der Holsten (aus Holsaten) in Holstein (S. 41 l. 3., 70, 19 und 20 [1]), 219, 3 und 13.)

Eine weitere Ausführung über die Grammatik unserer Chronik, die zu einer Zeit geschrieben wurde, aus welcher es an werthvolleren Schriften nicht fehlt, erscheint durch seine geringen Eigenthümlichkeiten nicht geboten. Doch habe ich in dem Wortregister die grammatischen Rücksichten im Auge behalten.

Es sei in der Kürze nur noch Folgendes bemerkt: Die Diphtongen ae und ue fehlen ihm. Für Ersteres ist stets e, wie mechtig, lender, heuptmann. Für Letzteres finden wir i in unwirdig, glaubwirdig, doch meistens u, wie in fur, uber, tur, zuruck, abgunstig. Selten ist oe, wie in oelander, confoederation, doch nicht in romisch, bischofe, pofel, abgotter, volker; u ist noch unverändert in sunderlich, besunders, vulbort.

Bei der Declination ist der häufige Mangel der Endungen auffallend, z. B. um hulf anrufen 7, 21, zu hilf 8, 15, die keiserliche kron 23, 11 v. u., etliche bischoftumb 7, 10, ihre feind 7, 22, volgende vers 5 l. 3., uber 1100 jahr 8, 7, solch land 6, 12, solch konigreich 8, 3, sunderlich kriegsvolk 5, 7 v. u., ein fruchtbar land 9 12, verlaßen vaterland 9, 7, der romisch hauptman 8, 14, auf's kurzest 11, 1, ein kirchen 16, 3 v. u., ein entporung 17, 6, ein lange zeit, dieß namens 11, 21.

---

[1]) Es ist oben S. 70 irrig „Holsten" gedruckt.

Das schwache Substantiv bemerken wir häufig, wie die herzogen 7, 1, der herzogen 7, 2, auf der seiten 7, 6, aus welcher ursachen 7, 8 v. u., vom sechsischen stammen 20, 3.

In der Conjugation finden wir noch häufig die starke Form des Praeteriti, wie hulf, zug, wurf, zuweilen neben der schwachen.

In der schwachen Conjugation ist die volle Endung mit dem Bildungsvocal gebraucht, doch neben stark verkürzten Formen, im Praeteritum: sie ruckten aus 6, 6, er predigte 21, 4, er zehlte 17, 4, er setzte 17, 10. Häufiger und auffallender im Partizip Praeteriti, z. B. gelebt 1, 10, gestellt 8, 22, gesetzt 8, 2 v. u., besetzt 9, 21, gemelter II, 15. 7, 17, aufgericht 88, 10.

Der in älterer Sprache häufige Gebrauch des Gerundiums für den Infinitiv, in Fällen, wo Letzterer von einem frühern Zeitworte abhängt, ist auch bei Tratziger noch nicht ganz geschwunden, doch keineswegs regelmäßig, z. B. auferlegt zu kunde und vorzukommen S. 186, 16.

Tratziger's Chronik.

beratfchlagen, fich, auf et=
was 226, 10.

bereichen, reich machen 242, 14.

berggelt, n. Bergelohn (für
die Bewahrung gestrandeter
Güter) 181, 2.

berichten, richtig machen, —
auf den rechten Weg brin=
gen. Gr. Wb. I. 1521, f.

berichten lassen, Lehre anneh=
men, fich überreden lassen
264, 24.

befchaffen, ausführen, in's
Werk fetzen 9, 13.

befchedigen, mit todfchlag, raub
und brande 116, 17, als
feinde b. werden 117, 2.

befchickunge, f. Gefandtfchaft
241, 17. 246, 9.

befchiet, m. Befcheid, Entfchei=
dung 214, 10.

befchreiben, aus=, verfchrei=
ben 187, 8.

befchweren, fich einer Sache,
über e. S. 219, 4.

befchwerunge, f. Laft, Be=
fchwerde 168, 11. 173, 12.
246, 1.

befonder, adv. 1) befonders, ab=
getrennt von den übrigen
193, 10.
2) sed, fondern 194, 12, 15.

beforgen, fich, fürchten 117,
12. 169, 10. 177, 4.
179, 5. 207, 19. 227,
17. 248, 22. 259, 4.
278, 6.

beftallunge, Beauftragung,
Anwerbung 293, 10.

beftellunge, plur., Aufträge,
Autorisation, vgl. d. vorige
Wort. 239, 8 v. u.

beftettigen, eine Stätte an=
weisen, locare 172, 12.
beftatten 216, 13.

befuchen, den Zoll 180, 2.

beteichen, fchw. v., mit Teichen
(Wällen) verfehen 16, 4.
vgl. begraben, befriedigen.

beleidigen, ausmachen, be=
fchließen 176, 14.

betrüben, beläftigen, hindern,
ftören 186, 17. 187, 17.

beuten, 114, 21.

beuelichsleute, des konigs
178, 1.

beweifen, praet. beweifete
197, 2. 282 l. 8.

beweren, bewähren, beweifen
263, 1, 8.

bewerbunge, f. Anwerbung
293, 15.

bewug, praet. zu bewegen 293
l. 8.

bezwingen, einen zum Gehor=
fam 33, 9.

bierziefe, f. Bieraccife 290
l. 8.

bitterigkeit, f. Erbitterung
280, 21.

bonde, m. 195 Am. 1.

boyert, m. curtam naviculum
260, 29. 287, 11. 299, 13.

brantfchatz, m. 284, 4.

braßeln, 107, 26.

brauchen, ihren willen mit ein=
ander 107, 10.

braw=haus, 247, 2. 285, 9.

braw=werk, 247, 4.

brechten, praet. zu bringen
174, 13.

brente, brante, praet. zu
brennen 274, 1 und 3.

brumlein, n. „ein leifer Schlag
auf die Lippen, daß fie ei=
nen Schall von fich geben".
Grimm.

buntauffe, f. 179, 7. 182,
15.

Darlegen, 129, 13. 195,
5. 197, 20. 278, 12.

barlage, f. Auslage 243, 1.

dick, häufig, oft, alfe dick, als 194, 17.

ding, n., ding und recht halten 196, 1.

do, da 226, 9.

domals, 189, 3. 207, 2. 226, 5.

droste, m. des Herzogthums Schleswig 195, 26 u. l. 3.

Eigen, adj. leibeigen 232, 12.

einantworten, überantworten, übergeben 118, 25.

eindenkig, adv. eingedenk 238, 13.

eingeben, übergeben, einliefern 118, 22.

einhalten, Einlager halten 118, l. 3.

einlegen, zum Einlager hinsetzen 160, l. 3.

enthalt, m. Aufenthalt, Zuflucht 65, 14.

enthalten, sich, versteckt halten 232, 1. enthalten werden, gefangen gehalten werden 245, 9.

entlegen 191, 17. 276, 20.

entledigunge, f. Entlassung, Freilassung 245, 12.

entpfahen, 194, 22. 260, 19.

entpfangen, 3, 9. 105, 1. 182, 1.

entpfinden, 272, 21.

entporunge, f. 177, 3. 218, 17. 220, 18. 230, 13.

entsagen, den Frieden aufkündigen 156, 5. 257, 18.

entscheiden, scheiden 147, 3.

entschlafen werden, einschlafen 107, 4.

entschließen, sich entschließen, beschließen 173, 3.

entschuldigen, sich eines Dinges 238, 2. einem entschul-

digen 238, 7, die Schuld abnehmen.

entsprießen, aus diesen Sachsen 6, 6 v. u. 9, 7.

enturlauben, beurlauben 279, 1. 282, 18. 289, 14.

er, Dat. ihme 11, 12. Acc. ihnen, inen 3, 6 65, 3. 67, 12. 193, 3. 223, 5. 225, 5. 228, 6. 231, 6. 260, 18. 281, 13. Er. unter dem W. er Sp. 682. no. 1 und 2.

er, Er, Ehrn, Titel der Secretäre, während den Rathmannen: „Herr" gegeben wird 182, 13. 184, 18. 185, 15. 215, 14. 263, 9, 10. Bei Geistlichen 261, 7, 16, 24. 262, 1, 7. 263, 5, 9, 10. 265, 11. Als Kürzung von Herr erscheint es mhd. Grimm unter d. W. Ehr und Er 52 und 692. Neuere Beispiele bei Geistlichen und Laien f. Frisch. Adelung u. d. W. Ehr.

erborn sein, 23, 1, geboren sein.

erbrantschatzen, 145, 13.

erbrechen, vom Niederreißen einer Burg 171, 18. brechen 172, 22.

erfolgen, befolgen 167, 18.

erforderung, f. Aufforderung 9, 7.

erhalten, halten, wohnen lassen 170, 11.

erheben, sich, (ein widerwil) praet. erhub 246, l. 3.

erholen, sich befelichs 238, 21.

erledigung, f. Befreiung 170, 6.

erlich, adj. ehrenvoll 286, 3.

ermelten, erwähnen 243, 7. 246, 11. 248, 4. 262, 5. (ermelt, angeregt, obberurt).

22*

ernennen, einen Handelstag, bestimmen, anberaumen 187, 23. 238, 23.

erregen, vorbringen, anregen, erheben 187, 12.

etlich, 214. 215, 12. 221, 5.

Fahen, 164, 6.

feide, f. die Fehde, dav. feidebrieue, 156, 10. feiden schw. 149, 3, 10 und oft.

feilen, fehl gehen 230, 25.

fenlein, n. Abtheilung Truppen 287, 13.

fentewar, f. (vgl. fanz, fenze, nequam Gr. 1320.) 185, 9.

fewerpfeil, m. 157, 24.

finden, praet. funden 152, 15.

finger, m. durch die F. sehen 186, 11. mit einem, mit andern durch die F. sehen 215, 3. 223, 2.

flate, f. 149, 18. 157, 10. 159, 6. schiffsflate 152, 2. 235, 18.

folgende, volgendes (mitwochens, jares) 229, 22. 240, 11. In der Folge, 16, 2 v. u.

freiheit, f. des jarmarkts 233, 27.

freundschaft, f. Verwandte 141, 29. 222, 1. 234, 9.

friedbrecher, m. 106, 4.

friedsamkeit, f. Friede, Ruhe 236, 20.

friedschilling, 59, 25.

friedstant, m. Waffenstillstand 174, 16. 184, 24. 214, 13.

friet, m. 244, 26.

from, adj. fr. der ehren sein 106, 14. rechtschaffen, pflichtgetreu 231, 7.

fromblich, frommend, förderlich 194, 26.

furhalten, vorlegen 241, 7.

furnemen, v. Unternehmen, Benehmen 226, 16.

furnemb, 146, 8.

farnemblich, vornehm, hervorragend 191, 22.

furwindunge, f. Vorwand 208, 11. 219, 4.

fußsal, m. 244, 19.

Galgen, m. zum galgen uber alle diebe zu henken verurtheilt 232, 3.

gedenken, mit bloß. Infinit. g. ratsamer sein 177, 6.

gefengnus, f. 112, 4.

gelegenheit, f. Lage 232, 15.

geleit, n. auf vorgehend g. kommen: mit vorangehendem G. 229, 21.

gelit, n. Glied 191, 18. Pl. gelider 186, 28.

gelten, Conjctf. gulte, wider einen g., einem g. 284, 12.

gemahel, n. 172, 18. gemahl, fem. 257, 21. 196, 31.

gemeinde, f. collect. mit Plur. und Sing. 161, 2, 3, 8, 14.

gemoor, n. 6, 21. Moor.

gemut, n. Stimmung, Gesinnung, Sinn 17, 22.

genughaftig, adj. 196, 28.

geschickter, m. Sendbote, Gesandter 101, 13. 177, 15. 241, 12. 244, 23.

geschrift, f. 15, 8.

gesterei, mit g. beschweren 196, 30.

gestrackes, adv. 129, 21. 159, 10. 173, 9.

12. rauben und nehmen auf Kosten der Städte, praet. nem 152, 14 u. 16. Doch vernam 3. 12.

nennen, pric. praet. genennet 3, 6. 232, 10.

nichtes, n. Nichts 169, 2.

nichtigen, nichtig erklären 154, 22.

niderlegen, (vgl. „geworfen werden"), besiegen, Niederlage beibringen 248, 18. 288, 8. 289, 1.

niderschlagen, sich, niederlassen, Wohnung aufschlagen 7, 6.

niemants, 50, 20. 181, 2. 209, 18. 229, 22. 245, 3. Vgl. Khr. I. 2. §. 163.

nit, 9, 25. 223, 14. 260, 27. 261, 14. 273, 10.

notel, f. Note 187, 8 und 11.

numals, nun, jetzt 4, 22.

Ostermal, „zum o. die hant geben" 223, 6.

oland, n. Eiland 149, 3 v. u. pl. oelender 153, 8.

orloch, n. Krieg, mhd. urliuge 51, 14.

orlog, „schiff von orloge" 245, 1.

osten, n. Morgengegend 16, 10.

Parchem, Parchent, Barchent, aus Baumwolle und leinenen Faden angefertigter Stoff 286, 15.

pasbort, Paß 228, 23 und 26, 28.

paß, m. Schritt, Herankommen, Weg 278, 8. 283, 20.

pik, n. Pech 185, 9.

pilgrin, m. peregrinus, Pilgrim 109, 21. 253, 9.

plugman, m. 209, 34. plugman und husman.

pofel, m. 104, 14. 161, 25. (wo irrig pöfel).

pracht, m. (so noch Gottsched) 214, 3. Vgl. Khr. I. 1. S. 85. A. 4.

pram, m. flaches Schiff ohne Kiel 266, 17.

prebig, f. 260, 14.

Raa, f. 153, 12. Rah, die große Segelstange.

ranzun, m. Ranzion 151, 2 v. u.

redleinfurer, m. 104, 11. 174 l. 3. 224, 1. 230, 14. 233, 2 v. u. Rädelsführer.

reisigzeug, m. (Reiterzug) Berittene 157, 3. „reißig wird sonderlich von dem reißigen Zeuge, de equitatu, gesagt." Frisch.

richten, praet. richte 190, 6.

Sache, Streitsache 150, 14. 167, 17. vgl. nd. saken, verursachen. Hamb. Chron.

scharmutzel, n. „es geschehen — viel gute sch." 155, 16.

scheidesrichter, m. „die sache uf scheidesrichtere stellen" 150, 14.

schein und beweis bringen, 125, 13.

schelten, praet. schulte 221, 9.

schicken in Hamburg, nach H., entsenden. vgl. „geschickter".

schleifen, „zerbrachen u. schliesten die veste" 148, 15.

schloß und helden der stat, 233, 12.

schloßglauben, 118, 22. 186, 4. S. Klefeker Hamb. Verfass. im Register.

schniggen and' andere kleine
schiffe 158 t. 3.

sehe, f. die See 149, 17.
157, 6. 168, 15.

sehen, praet. sach 23, 27.
186, 10.

seumen, sich 149 t. 3.

seyn, praes. plur. seynd 8, 6.
9, 22. 271, 15.

sider, adv. seither 8, 6. 213,
9. 243, 6.

siegeln, segeln, vgl. auch ab-
siegeln 118, 6.

sitzen, praet. setze 188, 14.

so, allgemeines Relativum 5, 17.
6, 13. 6, 5. u. oft.

sostiger, der, der Sechsziger
135, 22.

spaciren gehn, 239, 17.

span, m. pl. spene (Span-
nung), Streitigkeit 176,
19.

spilseite, schw. f. 7, 2.

spotlich, adj. spottend, „viel
spotlichs ubermuts"
163, 8.

staffiren, parare, instruere,
Frisch. Jetzt: ausstaffiren;
„eine lugen st.", eine Lüge
ausinnen.

stech, m. 153, 13.

stetlin, stetlein, n. 152, 13.
163, 22. 248, 10.

stillstant, m. Waffenstillstand
181, 4.

stobern, aus-, vertreiben 119, 9.

streichwer, f. (nd. strykwer,
vgl. Hamb. Chr. 444) an-
gulus propugnaculi.

stul, m. Gestell, Getüste 250, 16.

stumpf, pl. die stumpfe, m.
truncus 135, 1.

sturb, praet. v. sterben 262, 6.
290, 13.

suden, neutr. Mittagsgegend
16, 9.

summe, m. „einen summen geldes zulegen" 294, 1.

sunderlich, adj. separatus,
singularis 5, 6 v. u. 7,
8, 14.

Tagleistunge, f. 168, 14.
182, 21. 186, 19. 187, 1.
191, 23. 208, 22. 236, 8.
246, 5.

tauf, m. 22, 1.

teich, m. Deich, Wall 259, 18.

tewerbar, adj. „tew. wa-
ren" 185, 8. Gegensatz
senkeware.

torn, turn m. Thurm 142,
4. 144, 11.

tot und abe sein, 167, 13.

trefentlich, adj. 158, 16.
160, 8. 294, 14. treff-
liche (bedeutende) beschwerunge, t. schulde 188, 15.
17. 248, 25. t. schade
257, 4. 260, 25.

treiben, praet. treib 163, 8, 9.

tun, praet. tet, „ein treffen tun"
23, 13. 54, 11. 69, 1.
149, 21. 151, 6, 19. 217,
13. 289, 9.

Uberantworten, 118, 15.

uberfaren, durch Rohheiten
(namentl. im Reden) belä-
stigen (?) Gr. 3, 1251 c.
vergewaltigen 264, 21.

uberfarunge, f. „gewalt und
uberfarunge" 109, 17.

ubermannen, 9, 28.

uf (neben häufigerem auf), 1, 6.
121, 1. auch zeitl. geb.:
„noch uf heutigen Tag",
heutiges Tages. vgl. in.

ufschieben, 135, 20.

unabgehandelt, unverhandelt
187, 15.

Druck von Conrad Kayser. (J. F. Kayser's Buch- und Notendruckerei.)